Volume 4

RESPONSABILITÉ

Collection de droit

2009-2010

Volume 4

RESPONSABILITÉ

AUTEURS :

Me Pierre Deschamps

Me Patrice Deslauriers

Me Daniel Dumais

Mme la juge Alicia Soldevila, j.c.s.

SOUS LA COORDINATION DE :

Me Lise Tremblay, directrice de l'École du Barreau

Me Jocelyne Tremblay, responsable au programme et aux évaluations de l'École du Barreau

ÉDITIONS YVON BLAIS

Catalogage avant publication de Bibliothèque et Archives nationales du Québec et Bibliothèque et Archives Canada

Collection de droit

Annuel

2009/2010

Chaque livraison publiée en plusieurs volumes.

Chaque volume ou groupe de volumes de chaque livraison comporte un titre distinct.

Fait suite à : Cours de la formation professionnelle du Barreau du Québec, ISSN 0832-0632.

ISSN 1203-0708

ISBN 978-2-89635-243-2 (livraison 2009/2010, v. 4).

1. Droit – Québec (Province). I. Barreau du Québec. École.

KEQ153.8.C65   349.714   C95-900619-2

Nous reconnaissons l'aide financière du gouvernement du Canada accordée par l'entremise du Programme d'aide au développement de l'industrie de l'édition (PADIÉ) pour nos activités d'édition.

Nous utilisons, dans la majeure partie des textes, le genre masculin dans le seul but de les alléger. Ce genre désigne, lorsque le contexte s'y prête, aussi bien les femmes que les hommes.

Dépôt légal : 2e trimestre 2009
Bibliothèque et Archives nationales du Québec
Bibliothèque et Archives Canada
ISBN : 978-2-89635-243-2

 THOMSON REUTERS

Éditions Yvon Blais, une division de Thomson Reuters Canada Limitée

C.P. 180 Cowansville
(Québec) Canada
J2K 3H6

Service à la clientèle
Téléphone : 1-800-363-3047
Télécopieur : (450) 263-9256
Site Internet : www.editionsyvonblais.com

TABLE DES MATIÈRES

TITRE I

LA RESPONSABILITÉ CIVILE EXTRACONTRACTUELLE

TITRE II

LA RESPONSABILITÉ DES PROFESSIONNELS

TITRE III

LE PRÉJUDICE

TITRE IV

L'EXTINCTION DU DROIT D'ACTION : LA PRESCRIPTION

Titre I

La responsabilité civile extracontractuelle

Chapitre I

Les conditions générales de la responsabilité civile du fait personnel

Présentation

Être responsable, en droit civil, c'est, d'abord et avant tout, avoir à répondre devant la justice des conséquences pécuniaires associées aux comportements que l'on a dans ses relations avec autrui[1]. La responsabilité civile consiste essentiellement en l'obligation de réparer le préjudice causé à autrui dès lors que certaines conditions sont remplies[2]. L'article 1457 C.c.Q., en ses alinéas 1 et 2, traduit bien cet aspect fondamental de la responsabilité civile, mieux que ne le faisait l'article 1053 C.c.B.-C.[3], lorsqu'il énonce :

« Toute personne a le devoir de respecter les règles de conduite qui, suivant les circonstances, les usages ou la loi, s'imposent à elle, de manière à ne pas causer de préjudice à autrui.

Elle est, lorsqu'elle est douée de raison et qu'elle manque à ce devoir, *responsable du préjudice* qu'elle cause par cette faute à autrui *et tenue de réparer ce préjudice*, qu'il soit corporel, moral ou matériel. »[4] (italiques ajoutés).

Par essence donc, la responsabilité civile ne vise pas à punir une personne pour avoir eu un comportement intempestif envers autrui, mais à indemniser autrui pour le préjudice subi en raison d'un comportement juridiquement inacceptable de la part d'une autre personne suivant les paramètres propres au droit commun de la responsabilité civile[5].

Le droit à la réparation du préjudice subi par le fait d'une personne ne sera sanctionné que si certaines conditions sont réunies. Ainsi, la victime d'un préjudice, pour être indemnisée quant au préjudice subi, devra nécessairement faire la preuve que le préjudice qu'elle a subi a été causé par la conduite fautive de la personne qu'elle poursuit ou d'une personne assujettie à son contrôle.

Pour sanctionner le droit à la réparation du préjudice subi, le droit commun de la responsabilité civile a mis en place un ensemble de régimes et de règles qui, non seulement exposent les fondements de la responsabilité civile, mais également traduisent la philosophie juridique qui anime ces fondements[6].

Les divers régimes particuliers de responsabilité civile mis en place par le législateur traduisent chacun un souci d'équité quant à la preuve des conditions nécessaires pour engendrer la responsabilité d'une personne. Des régimes particuliers ont ainsi été conçus relativement à la responsabilité des parents (titulaires de l'autorité parentale) pour les agissements de leurs enfants (art. 1459 C.c.Q.), de ceux qui se voient déléguer certains attributs de l'autorité parentale, tels que la garde, la surveillance et l'éducation (art. 1460 C.c.Q.), des tuteurs, des curateurs et des personnes qui autrement assument la garde d'une

---

1. Le *Dictionnaire de droit privé* définit la responsabilité juridique comme l'« assujettissement d'une personne à l'obligation de répondre de certains actes, omissions ou faits devant le droit ». *Dictionnaire de droit privé et lexiques bilingues. Les obligations*, Cowansville, Les Éditions Yvon Blais Inc., 2003. Voir également Maurice TANCELIN, *Des obligations. Actes et responsabilités*, 6e éd., Montréal, Wilson & Lafleur, 1997, par. 595.
2. Voir, en ce sens, la définition de responsabilité civile contenue dans le *Dictionnaire de droit privé. Ibid.* La responsabilité civile y est définie dans les termes suivants : « responsabilité juridique entraînant l'obligation de réparer le préjudice causé à autrui ». Voir aussi André NADEAU et Richard NADEAU, *Traité pratique de la responsabilité civile délictuelle*, 2e éd., Montréal, Wilson & Lafleur, 1971, par. 1; voir également Jean-Louis BAUDOUIN et Patrice DESLAURIERS, *La responsabilité civile*, 7e éd., volume 1 – Principes généraux, Cowansville, Les Éditions Yvon Blais Inc., 2007, par. 1, EYB2007RES1. Voir, de plus, à cet égard, les propos de madame la juge L'Heureux-Dubé dans l'arrêt *Curateur public c. S.N.E. de l'Hôpital St-Ferdinand*, [1996] 3 R.C.S. 211, 243, EYB 1996-29281.
3. L'article 1053 C.c.B.-C. se lit comme suit : « Toute personne capable de discerner le bien du mal est responsable du dommage causé par sa faute à autrui, soit par son fait, soit par imprudence, négligence ou inhabileté. »
4. On se doit ici de rappeler que, en matière de responsabilité civile, une personne est appelée à répondre, non seulement du préjudice qu'elle cause personnellement à autrui, mais également du préjudice causé à autrui par le fait ou la faute d'une autre personne ou encore par le fait d'un bien qu'elle a sous sa garde, perpective mise en évidence par l'article 1457, al. 3 C.c.Q. Ces éléments sont traités ailleurs dans le présent recueil.
5. J.-L. BAUDOUIN et P. DESLAURIERS, *op. cit.*, note 2, par. 1-11 et 1-76. Voir, également, M. TANCELIN, *op. cit.*, note 1, par. 598.
6. J.-L. BAUDOUIN et P. DESLAURIERS, *op. cit.*, note 2, par. 1-29 et s.

personne qui n'est pas douée de raison (art. 1461 C.c.Q.), des commettants quant à la faute de ceux qu'ils ont sous leur autorité (art. 1463 et 1464 C.c.Q.), des personnes qui sont propriétaires ou ont la garde d'un bien (art. 1465 à 1467 C.c.Q.) et des personnes qui sont fabricants, distributeurs ou fournisseurs de biens meubles (art. 1468 C.c.Q.).

Par ailleurs, il importe de souligner que le législateur a également adopté des règles particulières pour tempérer certaines difficultés de preuve propres au domaine de la responsabilité civile. Ainsi, en ce qui concerne les divers régimes particuliers de responsabilité civile, le législateur, animé d'un sain réalisme quant aux difficultés de preuve qui peuvent surgir, a senti le besoin d'édicter, soit une présomption de faute[7], soit une présomption de responsabilité[8], à l'endroit de certaines personnes dès lors que les conditions de base de la responsabilité civile du fait personnel ont été remplies.

Pour ce qui est de la responsabilité civile du fait personnel, celle-ci se fonde sur l'existence de conditions très précises qui concernent l'aptitude d'une personne à comprendre les conséquences de ses actes, l'existence d'une faute et d'un préjudice, de même que d'un lien de causalité entre ces deux derniers éléments[9].

Par ailleurs, la responsabilité civile qu'encourt une personne pour son fait personnel peut être de deux ordres[10]. Elle peut être de nature extracontractuelle : elle est alors régie par l'article 1457 C.c.Q. Elle peut également être de nature contractuelle : elle est alors régie par l'article 1458 C.c.Q. Bien qu'il existe entre les deux ordres de responsabilité civile une unité fondamentale[11], il n'en demeure pas moins qu'il sera souvent nécessaire d'en identifier la nature en raison, notamment, des règles particulières appelées à régir occasionnellement chacun de ces

deux ordres de responsabilité[12] et de l'interdiction formelle de l'option[13].

À cet égard, il importe de préciser que ce qu'interdit l'article 1458 C.c.Q., ce n'est pas tant le cumul[14], dans un même recours, de causes d'action ayant des fondements juridiques différents[15], l'un contractuel, l'autre extracontractuel, que la possibilité pour quiconque, partie à un contrat, de tirer avantage des règles d'un régime extracontractuel de responsabilité civile alors qu'en toute liberté et connaissance de cause il a convenu d'être assujetti à un autre ensemble de règles.

Au demeurant, l'existence d'une relation de nature contractuelle ne fera pas nécessairement échec à l'application des règles de la responsabilité extracontractuelle[16]. Comme le soulignait M. le juge Brossard dans l'arrêt *Syndicat du Garage du Cours Le Royer c. Gagnon*[17], « si l'article 1458 C.c.Q. interdit le cumul et les conclusions alternatives et consacre la primauté des règles de la responsabilité contractuelle lorsqu'un contrat existe ou est allégué, il n'interdit pas la conclusion subsidiaire et le pouvoir du tribunal d'appliquer les règles du régime de responsabilité extracontractuelle s'il conclut à l'absence de contrat ou de faute contractuelle ». Cela dit, il pourra parfois s'avérer difficile de déterminer quel ordre de responsabilité s'applique à une situation donnée[18].

Il importe donc, en toutes circonstances, de faire une analyse judicieuse des rapports juridiques qui lient deux ou plusieurs personnes afin de connaître la nature véritable de leurs rapports de manière à pouvoir appliquer, le cas échéant, le régime de responsabilité civile approprié[19].

Dans le présent texte, seuls seront étudiés l'aptitude d'une personne à comprendre les conséquences de ses

---

7.   Art. 1459 C.c.Q. (responsabilité du titulaire de l'autorité parentale), art. 1460 C.c.Q. (responsabilité de la personne qui se voit confier la garde, la surveillance ou l'éducation d'un mineur, sauf si elle agit gratuitement ou moyennant une récompense), art. 1465 C.c.Q. (responsabilité du gardien d'un bien).

8.   Art. 1463 C.c.Q. (responsabilité du commettant) et art. 1466 C.c.Q. (responsabilité pour le fait d'un animal).

9.   A. NADEAU et R. NADEAU, *op. cit.*, note 2, par. 53. Voir également J.-L. BAUDOUIN et P. DESLAURIERS, *op. cit.*, note 2, par. 1-99 à 1-102.

10.   A. NADEAU et R. NADEAU, *op. cit.*, note 2, par. 33 et 34.

11.   J.-L. BAUDOUIN et P. DESLAURIERS, *op. cit.*, note 2, par. 1-46.

12.   M. TANCELIN, *op. cit.*, note 1, par. 600 à 605. Voir également J.-L. BAUDOUIN et P. DESLAURIERS, *op. cit.*, note 2, par. 1-49.

13.   Voir, à cet égard, l'article 1458 C.c.Q., qui empêche une personne de se soustraire à l'application des règles du régime contractuel de responsabilité civile pour opter en faveur de règles qui lui seraient plus profitables. Voir aussi, J.-L. BAUDOUIN et P. DESLAURIERS, *op. cit.*, note 2, par. 1-52 à 1-54; voir également *Lafleur c. Issa*, REJB 1999-16085 (C.S.).

14.   Sur la question du cumul, voir Paul-André CRÉPEAU, « Les régimes contractuel et délictuel de responsabilité civile en droit civil canadien », (1962) 22 *R. du B.* 501, 532 et s. Voir également, à cet égard, les propos de M. le juge Brossard dans *Syndicat du Garage du Cours Le Royer c. Gagnon*, [1995] R.J.Q. 1313, EYB 1995-64638 (C.A.) : « L'interdiction de faire appel aux règles du régime de responsabilité délictuelle ne vaut qu'entre les parties au contrat et pour toutes et chacune d'entre elles. En d'autres mots, rien dans cette disposition ne paraît interdire le cumul par l'une des parties contractantes d'un remède fondé sur les règles du régime contractuel contre la partie cocontractante et d'un remède fondé sur les règles du régime de responsabilité délictuelle contre une tierce partie à l'égard de laquelle n'existe aucun lien contractuel. » (p. 1316).

15.   *Lachance c. Hébert*, J.E. 97-320, REJB 1997-00073 (C.A.). Voir également *Beaver c. Shaare Zion Congregation*, [1998] R.R.A. 592, REJB 1998-04761 (C.S.).

16.   *Syndicat du Garage du Cours Le Royer c. Gagnon*, précité note 14. voir également *Allendale Mutual Insurance Co. c. Hydro-Québec*, REJB 2001-27389 (C.A.) et *Accessoires d'auto Vipa Inc. c. Therrien et Laprise*, REJB 2003-46428 (C.A.)

17.   Précité, note 14, p. 1319. Voir, au même effet : *Lachance c. Hébert*, précité, note 15; *Siged c. Rigdim*, J.E. 97-818, REJB 1997-00512 (C.A.).

18.   *Syndicat du Garage du Cours Le Royer c. Gagnon*, précité, note 14. Voir, de plus, J.-L. BAUDOUIN et P. DESLAURIERS, *op. cit.*, note 2, par. 1-55.

19.   *Accessoires d'auto Vipa Inc. c. Therrien et Laprise*, précité, note 16.

actes, la faute ou le fait fautif, ainsi que le lien de causalité. Mais, avant de ce faire, il importe de faire état de quelques concepts fondamentaux propres au domaine de la responsabilité civile.

1- Les concepts fondamentaux

On ne saurait traiter de la notion de faute en matière de responsabilité civile sans avoir au préalable examiné les notions d'obligation, de devoir et de norme. Ces trois notions sont fondamentales quant à la compréhension de la notion de faute, cette dernière étant définie, tantôt comme la violation d'une obligation préexistante, tantôt comme le manquement à un devoir préexistant, enfin tantôt comme la dérogation à une norme de conduite.

A- La notion d'obligation

En droit civil, le terme obligation renvoie essentiellement au lien de droit qui se forme entre deux personnes et en vertu duquel l'une d'elles, appelée débiteur, est tenue envers l'autre, appelée créancier, d'exécuter une prestation (qui consiste à faire ou à ne pas faire quelque chose) sous peine de sanction[20]. L'essence de l'obligation juridique se trouve très bien définie à l'article 1371 C.c.Q.[21]. L'article 1373 C.c.Q. vient, par ailleurs, en préciser la portée en spécifiant la nature de l'objet de l'obligation[22].

Le rapport de droit, décrit ci-dessus, peut naître soit d'un concours de volontés (obligation contractuelle)[23], soit d'un concours de circonstances (obligation légale ou extra-contractuelle)[24]. Dans le premier cas, il prend sa source dans un acte juridique[25], dans le second cas dans un fait juridique[26]. La détermination de la source du rapport de droit qui existe entre des personnes a son importance en matière de responsabilité civile du fait personnel en raison

notamment de l'interdiction faite par le second alinéa de l'article 1458 C.c.Q. à une personne qui entretient des liens contractuels avec une autre de se soustraire à l'application des règles du régime contractuel de responsabilité dans le but d'opter pour des règles plus favorables[27].

Par ailleurs, pour les fins de l'analyse de la responsabilité civile du fait personnel, il importe, en marge de la classification de l'obligation en fonction de sa source (contractuelle ou extracontractuelle) et de son objet (faire ou ne pas faire quelque chose), de faire état de l'intensité de l'obligation, qu'elle soit de nature contractuelle ou extracontractuelle. Celle-ci est de trois ordres : de moyens ou de diligence, de résultat et de garantie[28].

L'obligation de moyens, telle qu'elle est définie par les auteurs Jean-Louis Baudouin, Pierre-Gabriel Jobin et Nathalie Vézina, est celle pour la satisfaction de laquelle le débiteur est tenu d'agir avec prudence et diligence en vue d'obtenir le résultat convenu, en employant tous les moyens raisonnables, sans toutefois assurer le créancier de l'atteinte du résultat[29]. Le *Dictionnaire de droit privé* la définit comme l'obligation de se conduire avec prudence et diligence[30].

L'obligation de résultat est, selon les auteurs Jean-Louis Baudouin, Pierre-Gabriel Jobin et Nathalie Vézina, celle pour la satisfaction de laquelle le débiteur est tenu de fournir au créancier un résultat précis et déterminé[31]. Le *Dictionnaire de droit privé* définit l'obligation de résultat comme l'obligation de fournir un résultat précis et déterminé, sauf dans l'éventualité d'une force majeure qui rend l'exécution impossible[32].

Enfin, l'obligation de garantie est, pour les auteurs Jean-Louis Baudouin, Pierre-Gabriel Jobin et Nathalie Vézina, celle pour la satisfaction de laquelle le débiteur est tenu de fournir au créancier un résultat précis et déterminé,

---

20. Cette définition se rapproche substantiellement de celle de J.-L. Baudouin, P.-G. Jobin et N. Vézina qui définissent l'obligation comme « le lien de droit, existant entre deux ou plusieurs personnes, par lequel une personne, appelée débiteur, est tenue envers une autre, appelée créancier, d'exécuter une prestation consistant à faire ou à ne pas faire quelque chose, sous la peine d'une contrainte juridique ». Jean-Louis BAUDOUIN et Pierre-Gabriel JOBIN, *Les obligations*, 6e éd. par Pierre-Gabriel JOBIN avec la collaboration de Nathalie VÉZINA, Cowansville, Les Éditions Yvon Blais Inc., 2005, par. 16, EYB2005OBL1 (ci-après : J.-L. BAUDOUIN, P.-G. JOBIN et N. VÉZINA); voir également la définition du terme « obligation » dans *Dictionnaire de droit privé*, *op. cit.*, note 1.
21. Cet article se lit comme suit : « Il est de l'essence de l'obligation qu'il y ait des personnes entre qui elle existe, une prestation qui en soit l'objet et, s'agissant d'une obligation découlant d'un acte juridique, une cause qui en justifie l'existence. »
22. Le premier alinéa de l'article se lit comme suit : « L'objet de l'obligation est la prestation à laquelle le débiteur est tenu envers le créancier et qui consiste à faire ou à ne pas faire quelque chose. »
23. J.-L. BAUDOUIN, P.-G. JOBIN et N. VÉZINA, *op. cit.*, note 20, par. 41
24. *Ibid.*
25. *Id.*, par. 44.
26. *Id.*, par. 45.
27. *Syndicat du Garage du Cours Le Royer c. Gagnon*, précité, note 14.
28. Paul-André CRÉPEAU, *L'intensité de l'obligation juridique*, Cowansville, Les Éditions Yvon Blais Inc., 1989, par. 2. Voir également J.-L. BAUDOUIN, P.-G. JOBIN et N. VÉZINA, *op. cit.*, note 20, par. 33.
29. *Id.*, par. 34.
30. *Dictionnaire de droit privé*, *op. cit.*, note 1; voir, au même effet, P.-A. CRÉPEAU, *op. cit.*, note 28, par. 11.
31. J.-L. BAUDOUIN, P.-G. JOBIN et N. VÉZINA, *op. cit.*, note 20, par. 35.
32. *Dictionnaire de droit privé*, *op. cit.*, note 1; voir, au même effet, P.-A. CRÉPEAU, *op. cit.*, note 28, par. 16.

même dans l'éventualité d'une force majeure[33]. Le *Dictionnaire de droit privé* définit l'obligation de garantie comme l'obligation de fournir un résultat précis et déterminé, même dans l'éventualité d'une force majeure qui rend l'exécution impossible[34].

En ce qui concerne le régime de responsabilité civile du fait personnel, le débiteur est, en principe, tenu à une obligation de moyens[35]. Dès lors qu'il prend les précautions raisonnables pour éviter la réalisation d'un préjudice, qu'il se comporte en personne prudente et diligente, en « bon père de famille » pour employer une image du passé, sa responsabilité personnelle ne peut être engagée à moins qu'il ne se soit engagé à produire un résultat déterminé ou encore si la loi lui impose un tel résultat. Le fardeau de prouver que le débiteur n'a pas pris les moyens raisonnables disponibles dans les circonstances propres d'une espèce repose sur le créancier, c'est-à-dire la victime qui cherche à obtenir réparation d'un préjudice[36].

B- La notion de devoir

Le *Dictionnaire de droit privé* définit le devoir comme « ce qu'une personne doit faire ou s'abstenir de faire »[37]. Le terme devoir, bien qu'il soit souvent considéré comme un équivalent du terme obligation, a cependant une portée plus large[38]. En effet, dans la mesure où, dans son sens juridique premier, la notion d'obligation traduit le lien de droit qui se crée entre deux personnes, elle ne saurait parfaitement coïncider avec la notion de devoir dans la mesure où ce dernier peut exister sans qu'il n'y ait de lien de droit entre deux personnes.

Par ailleurs, seule la violation d'un devoir légal est susceptible d'engendrer la responsabilité civile de quelqu'un. La violation d'un devoir moral seul n'a pas cet effet. Il importe donc de bien déterminer la nature véritable du devoir en cause. Ainsi, s'il est vrai que le client d'un établissement commercial, témoin du renversement d'un récipient contenant un liquide visqueux, n'a pas le devoir légal d'intervenir pour éviter qu'un accident ne se produise, en revanche la personne qui a renversé le récipient et qui tente de se dérober a elle le devoir légal

de prendre les mesures appropriées pour éviter que ne survienne un accident[39].

De même, lorsqu'une personne est témoin de la chute d'une autre personne, nul devoir légal ne pèse sur elle d'aider l'autre à se relever même si cette dernière présente une fracture de la cheville. En revanche, un devoir légal de se porter à son secours existe si c'est sa vie[40], et non seulement son intégrité, qui est compromise[41]. Ainsi, si une personne est témoin d'un arrêt cardiaque subi par une autre personne et n'apporte aucun secours à cette personne, elle pourra être recherchée en responsabilité civile, ayant violé un devoir que lui impose le législateur[42].

La principale source des devoirs de bonne conduite que l'on assume en société envers autrui est l'article 1457 C.c.Q.[43]. Selon cet article, toute personne a le devoir de respecter les règles de conduite qui s'imposent à elle de manière à ne pas causer de préjudice à autrui. Ce devoir de bonne conduite envers autrui est souvent décrit comme un devoir de sécurité. Il oblige chacun à se comporter en personne prudente et diligente, soucieuse du bien-être d'autrui. La détermination de ce qui constitue un manquement à ce devoir est laissée à l'appréciation des tribunaux.

Par ailleurs, bien que cela ne soit pas spécifiquement prévu au Code civil du Québec, une personne a également le devoir de se comporter de façon prudente et diligente envers elle-même de manière à ne pas se causer elle-même préjudice. Ayant à se comporter comme une personne avisée, elle a le devoir, notamment, de prendre les précautions d'usage afin d'éviter de se blesser; en outre, elle assume les risques normaux inhérents aux activités auxquelles elle se livre[44].

La sanction qui accompagne un manquement à ce devoir est, pour son auteur, celle de se voir opposer sa propre conduite imprudente et négligente dans une instance en responsabilité civile dans laquelle il réclame réparation pour le préjudice subi et cherche à en imputer la cause à quelqu'un d'autre que lui-même. Si tel est le cas, il pourra alors être déclaré fautif, ce qui pourra amener, au mieux, un partage de responsabilité (art. 1478 C.c.Q.) et, au pire, un rejet de son action[45]. En outre, il s'expose lui-

---

33.   P.-G. JOBIN et N. VÉZINA, *op. cit.*, note 20, par. 36.

34.   *Dictionnaire de droit privé*, *op. cit.*, note 1; voir, au même effet, P.-A. CRÉPEAU, *op. cit.*, note 28, par. 19.

35.   *Id.*, par. 14.

36.   *Id.*, par. 24.

37.   *Dictionnaire de droit privé*, *op. cit.*, note 1.

38.   Voir la définition du terme obligation contenue au *Dictionnaire de droit privé*, *op. cit.*, note 1.

39.   *Eaton Co. c. Moore*, [1951] R.C.S. 470. Voir également *Alliance Assurance Cie c. Dominion Electric Protection Cie*, [1970] R.C.S. 168.

40.   *Charte des droits et libertés de la personne*, L.R.Q., c. C-12, art. 2.

41.   *Papin c. Éthier*, [1995] R.J.Q. 1795, EYB 1995-84534 (C.S.).

42.   *Charte des droits et libertés de la personne*, précitée, note 40, art. 2. Voir, à cet égard, *Zuk c. Mihaly*, [1989] R.R.A. 737, EYB 1989-77204 (C.S.).

43.   J.-L. BAUDOUIN et P. DESLAURIERS, *op. cit.*, note 2, par. 1-3.

44.   *Canuel c. Sauvageau*, [1991] R.R.A. 18, EYB 1991-57598 (C.A.). Voir aussi l'article 1477 C.c.Q.

45.   J.-L. BAUDOUIN et P. DESLAURIERS, *op. cit.*, note 2, par. 1-646.

même, si une personne est blessée en tentant de lui venir en aide à la suite d'une imprudence ou d'une négligence qu'il aurait commise, à être tenu de réparer le préjudice subi par cette personne[46].

Enfin, il convient de préciser qu'une personne a également le devoir de minimiser les conséquences du préjudice qu'elle peut avoir subi. Ainsi, l'auteur du préjudice ne sera pas tenu de répondre, suivant l'article 1479 C.c.Q., de l'aggravation du préjudice que la victime pouvait éviter.

C- La notion de norme

La faute étant définie par certains comme la transgression ou la violation d'une norme de conduite[47], il n'est pas sans intérêt de s'interroger sur les normes appelées à régir la conduite d'une personne dans une situation donnée. Sans doute que la norme de référence la plus connue, en matière de responsabilité civile, pour juger de la conduite d'une personne est celle de la personne raisonnable qui a pris, dans le nouveau Code civil, le relais du bon père de famille[48].

Mais la norme de la personne raisonnablement prudente et diligente ne constitue pas, en droit civil, la seule norme de référence pour juger de la conduite de quelqu'un. En fait, les normes de conduite qui s'imposent à une personne ont des sources diverses : législatives, réglementaires, professionnelles et jurisprudentielles notamment. On voit toute l'importance qu'il y a à rechercher, dans le contexte d'une instance en responsabilité civile, quelles sont les normes appelées à régir la conduite d'une personne et, plus particulièrement, à déterminer si la personne que l'on veut tenir responsable du préjudice causé à autrui n'a pas violé une telle norme[49]. De manière générale, on peut affirmer que c'est la violation d'une conduite sanctionnée législativement ou jurisprudentiel-lement qui emporte l'obligation de réparer le préjudice causé à autrui. La conduite reprochée doit avoir été contraire, soit à la norme imposée par le législateur, soit à une norme établie par la jurisprudence[50]. Deux exemples jurisprudentiels permettront d'illustrer notre propos.

L'arrêt *Mulco Inc. c. La Garantie, Compagnie d'assurance de l'Amérique du Nord*[51] met en cause le fabricant d'une colle à tapis extrêmement inflammable qui, sur l'étiquette du contenant, avait omis de prévenir le consommateur contre le risque d'utiliser cette colle près d'un appareil de chauffage dont la veilleuse serait allumée. En l'espèce, la Cour d'appel devait retenir la responsabilité du fabricant au motif que celui-ci n'avait pas inscrit sur l'étiquette du contenant un avertissement conforme aux normes dégagées à cet effet par la Cour suprême du Canada dans un arrêt précédent[52]. Cette norme de prudence, destinée à prévenir la survenance d'un accident, de l'avis de la cour, s'imposait dans les circonstances.

Mais, encore plus percutant que l'arrêt *Mulco*, est l'arrêt rendu par la Cour suprême du Canada dans l'affaire *Morin c. Blais*[53]. Dans cette affaire, la Cour suprême, sous la plume de M. le juge Beetz, a reconnu que le manquement à une norme élémentaire de prudence contenue dans une disposition réglementaire constituait une faute civile, génératrice de responsabilité. Qui plus est, la cour fut d'opinion que si cette faute (lire la transgression de la norme élémentaire de prudence et de diligence) était immédiatement suivie d'un accident dommageable que la norme avait justement pour but de prévenir, il y avait alors présomption du lien de causalité entre cette faute et l'accident[54]. On perçoit ainsi l'intérêt qu'il peut y avoir, dans une instance en responsabilité civile, à chercher à démontrer que la norme qui n'a pas été respectée était une norme élémentaire de prudence[55]. Du reste, bon nombre de décisions ont suivi cet enseignement de la Cour suprême[56].

46. *Lavoie c. Tremblay*, [1991] R.R.A. 1, EYB 1990-75787 (C.S.).
47. J.-L. BAUDOUIN et P. DESLAURIERS, *op. cit.*, note 2, par. 1-161; voir également *Dictionnaire de droit privé, op. cit.*, note 1.
48. M. TANCELIN, *op. cit.*, note 1, par. 635. Voir, à cet égard, *Centre jeunesse Gaspésie/Les Îles et al. c. L. (R.-J.)*, REJB 2004-62119 (C.A.).
49. *Van Rossum c. Adamson*, [1997] R.J.Q. 2544, REJB 1997-02179 (C.S.).
50. *Charette c. Miner*, REJB 2000-17612 (C.S.).
51. [1990] R.R.A. 68, EYB 1990-63562 (C.A.). Voir également *Accessoires d'auto Vipa Inc. c. Therrien et Laprise*, précité note 16.
52. *Lastoplex Chemicals Co. Ltd. c. Lambert*, [1972] R.C.S. 569; voir également, en ce sens, *Gagnon c. Ratté*, [1996] R.R.A. 766, EYB 1996-84900 (C.S.); *Accessoires d'auto Vipa Inc. c. Therrien et Laprise*, précité, note 16.
53. [1977] 1 R.C.S. 570. Voir aussi Pierre-Gabriel JOBIN, « La violation d'une loi ou d'un règlement entraîne-t-elle la responsabilité civile? », (1984) 44 *R. du B.* 222; voir également *Compagnie d'assurances Continental du Canada c. 136500 Canada Inc.*, [1998] R.R.A. 707, REJB 1998-07417 (C.A.); *Bernier c. Boily*, REJB 2001-23619 (C.S.).
54. *Ville de Montréal c. Di Lalla*, [1996] R.J.Q. 1472, 1478, EYB 1996-65292 (C.A.); voir également, en ce sens, *Leblanc c. Société de Gestion Clifton Inc.*, REJB 2002-31015 (C.S.); *Ville de Matagami c. Cliche*, EYB 2007-116809 (C.A.); *Nadon c. Montréal (Ville de)*, EYB 2007-113015 (C.S.).
55. Il convient de distinguer la prudence élémentaire de la prudence ordinaire. La prudence élémentaire concerne toute personne capable de discernement, alors que la prudence ordinaire vise la personne moyenne. La première s'adresse à la masse des gens, alors que la seconde s'adresse à la moyenne des gens. Voir la distinction faite à ce propos par M. le juge Nichols dans *Pelletier c. Lessard*, [1986] R.R.A. 190, EYB 1986-57723 (C.A.).
56. Voir, notamment, *Boucher c. Rousseau*, [1984] C.A. 85; *Blanchet c. Claveau*, [1990] R.R.A. 274, EYB 1990-76572 (C.S.); *St-Paul Fire & Marine Insurance Co. c. Parsons & Misiurak Construction Ltd.*, [1996] R.J.Q. 2925, REJB 1996-29283 (C.S.); *Blanchard c. Commission scolaire Morilac*, [1997] R.R.A. 120, EYB 1996-85374 (C.S.).

Il convient enfin de rappeler que le respect d'une norme de conduite fixée par un règlement, une loi ou encore une profession ne constitue pas pour autant un paravent mettant à l'abri un débiteur de toute condamnation civile pour faute professionnelle ou autre. En effet, il est maintenant acquis, depuis l'arrêt rendu par la Cour suprême du Canada dans l'affaire *Roberge c. Bolduc*[57], que le respect d'une norme professionnelle ou autre peut constituer une faute si la conduite découlant du respect de la norme n'était pas raisonnable dans les circonstances. Cela dit, les tribunaux ne doivent toutefois pas écarter une preuve d'experts crédible établissant une pratique générale bien établie dans un milieu professionnel donné pour y substituer leur propre appréciation subjective[58]. En matière de responsabilité civile du fait personnel, la conduite raisonnable demeure donc le critère de référence clé dans l'appréciation de la conduite d'une personne.

2- Les éléments de base

De manière générale, le droit commun de la responsabilité civile exige pour qu'une personne soit tenue de réparer le préjudice subi par autrui qu'elle en ait été la cause et que le préjudice soit le résultat d'un comportement inacceptable aux yeux du droit. Les conditions classiques de la responsabilité civile personnelle demeurent à ce jour inchangées. Elles sont au nombre de trois[59]. Ce sont la faute, le préjudice et le lien de causalité. Il ne saurait donc être question pour une personne d'être tenue de réparer le préjudice subi par autrui en l'absence de preuve de chacun de ces trois éléments. Par ailleurs, pour qu'une personne soit tenue personnellement responsable du préjudice qu'elle a causé à autrui et obligée de le réparer, il faut impérativement qu'elle ait été douée de raison au moment où est survenu le fait fautif[60].

A- La nécessité d'être doué de raison

Seule la personne douée de raison est tenue de réparer le préjudice qu'elle cause à autrui en raison d'un comportement déficient[61]. Le Code civil du Québec, comme l'était le Code civil du Bas-Canada, est très explicite sur ce point en prescrivant, à l'article 1457, al. 2, que seule la personne douée de raison peut répondre du manquement au devoir général de ne pas causer de préjudice à autrui[62].

La faculté d'apprécier les conséquences de ses actes se révèle donc être une condition d'existence même de la faute et, partant, de la responsabilité civile de son fait personnel[63]. Si cette faculté n'est pas présente chez une personne, celle-ci ne saurait être tenue responsable et, dès lors, astreinte à réparer le préjudice causé à autrui.

En principe, le jeune enfant et la personne dont les facultés mentales sont altérées ne pourront être tenus personnellement de réparer le préjudice causé à autrui[64]. Leur conduite, qui serait par ailleurs considérée comme fautive si ce n'était du fait qu'ils ne sont pas doués de raison, sera, en ce qui les concerne, assimilée à un cas de force majeure, anciennement un cas fortuit, au sens de l'article 1470, al. 2 C.c.Q.[65]. En revanche, l'enfant qui est en mesure d'apprécier les conséquences de ses actes, quel que soit son âge, sera tenu pour doué de raison et susceptible de commettre une faute génératrice de responsabilité[66]. Il ne pourra invoquer sa minorité pour se soustraire à l'obligation de réparer le préjudice causé par sa faute à autrui (art. 164, al. 2 C.c.Q.).

Dans une instance donnée, il appartient au juge du fond de déterminer si la personne poursuivie était ou non douée de raison. En tout état de cause, il s'agit là d'une question de fait[67]. Le tribunal doit alors se demander si les facultés mentales de la personne étaient suffisamment développées pour qu'elle soit en mesure de prévoir les conséquences de ses actes[68].

En revanche, la personne qui a la garde d'une personne non douée de raison, comme le titulaire de l'autorité parentale, aux termes de l'article 1459 C.c.Q., la personne qui se voit confier la garde, la surveillance ou l'éducation d'un mineur, aux termes de l'article 1460 C.c.Q., ou

57. [1991] 1 R.C.S. 374, EYB 1991-67727.
58. *Ferland c. Ghosn*, EYB 2008-132464 (C.A.); *Leduc c. Soccio*, [2007] R.R.A. 46, EYB 2007-114713 (C.A.).
59. Voir, à cet égard, M. TANCELIN, *op. cit.*, note 1, par. 623. Pour leur part, J.-L. Baudouin et P. Deslauriers considèrent la capacité de discernement comme une condition de la responsabilité civile, ce qui les amène à reconnaître quatre conditions. J.-L. BAUDOUIN et P. DESLAURIERS, *op. cit.*, note 2, par. 1-99 et s.
60. J.-L. BAUDOUIN et P. DESLAURIERS, *op. cit.*, note 2, par. 1-99.
61. M. TANCELIN, *op. cit.*, note 1, par. 636; voir également J.-L. BAUDOUIN et P. DESLAURIERS, *op. cit.*, note 2, par. 1-103. Voir aussi A. NADEAU et R. NADEAU, *op. cit.*, note 2, par. 66 à 68; voir, en ce sens, *L'Heureux c. Lapalme*, REJB 2002-35416 (C.S.).
62. A. NADEAU et R. NADEAU, *op. cit.*, note 2, par. 66.
63. J.-L. BAUDOUIN et P. DESLAURIERS, *op. cit.*, note 2, par. 1-99. Voir aussi : M. TANCELIN, *op. cit.*, note 1, par. 636; A. NADEAU et R. NADEAU, *op. cit.*, note 2, par. 68.
64. A. NADEAU et R. NADEAU, *op. cit.*, note 2, par. 68; M. TANCELIN, *op. cit.*, note 1, par. 636 et 637.
65. A. NADEAU et R. NADEAU, *op. cit.*, note 2, par. 72. Voir également J.-L. BAUDOUIN et P. DESLAURIERS, *op. cit.*, note 2, par. 1-109.
66. *Ginn c. Sisson*, [1969] C.S. 585; voir également J.-L. BAUDOUIN et P. DESLAURIERS, *op. cit.*, note 2, par. 1-108.
67. *Charette c. Miner*, précité note 50.
68. *Lapointe-Gendron c. Camping des Baies*, EYB 2008-150875 (C.S.).

encore le tuteur, le curateur ou la personne qui autrement assume la garde d'une personne non douée de raison, aux termes de l'article 1461 C.c.Q., devront, le cas échéant, répondre du préjudice causé à autrui par cette personne dans la mesure où il est démontré que la conduite de la personne non douée de raison était objectivement fautive, c'est-à-dire qu'elle ne correspondait pas à celle qu'aurait eue une personne prudente et diligente dans des circonstances similaires. L'article 1462 C.c.Q. consacre ce principe.

Par ailleurs, le fait pour la victime d'un préjudice de ne pas être douée de raison aura également une incidence sur la prise en compte du comportement de la victime dans l'évaluation de l'étendue de la réparation à laquelle elle a droit. S'il est vrai, comme l'édicte le second alinéa de l'article 1478 C.c.Q., que la faute de la victime, commune dans ses effets avec celle de l'auteur, entraîne un partage de responsabilité, dans la mesure où l'on considère que la victime était incapable de faute parce que non douée de raison, celle-ci aura droit d'être entièrement compensée pour le préjudice subi, son comportement quoique objectivement fautif ne pouvant lui être opposé pour réduire le montant de l'indemnité destinée à compenser le préjudice subi[69]. Toutefois, si le comportement de la personne non douée de raison peut être assimilé à un cas de force majeure, l'auteur du préjudice, dans la mesure où il n'aura pas été lui-même fautif, pourra invoquer la force majeure comme moyen d'exonération totale (art. 1470 C.c.Q.)[70].

B- La nécessité d'une faute

La faute constitue encore aujourd'hui l'impératif catégorique du droit commun de la responsabilité civile[71]. Ainsi, pour qu'il y ait responsabilité, il est « nécessaire, en principe, qu'il y ait faute, c'est-à-dire que le préjudice ne résulte pas de l'exercice normal et licite des droits ou libertés fondamentales de la personne »[72], mais d'un « comportement non conforme aux standards généralement acceptés par la jurisprudence ou [...] à la norme de conduite qui, selon les circonstances, les usages et la loi, s'imposent à elle »[73].

1. La notion de faute

La notion de faute nous conduit à examiner successivement le concept de faute, la définition de la faute et la qualification de la faute. Par la suite seront étudiés le partage de responsabilité résultant de l'existence de certains types de faute, de même que quelques cas d'application particulière dans certains domaines du droit.

a) Le concept de faute

En matière de responsabilité civile, il importe de distinguer faute et erreur[74]. En effet, seule la première est génératrice de responsabilité civile[75]. À la différence de la faute, l'erreur ne reflète pas chez son auteur une conduite négligente ou imprudente, mais traduit une défaillance dans le comportement dont même une personne prudente et diligente aurait pu être victime en prenant les moyens indiqués dans les circonstances.

Ainsi, on ne saurait reprocher à un médecin d'avoir opté pour tel diagnostic plutôt que tel autre dès lors qu'il a pris tous les moyens à sa disposition pour déterminer la nature d'une pathologie et que, sur la base des observations faites, deux diagnostics étaient médicalement possibles[76]. On ne saurait, non plus, reprocher à un concierge de fermer le mauvais compteur de gaz, sous le coup de l'excitation provoquée par une fuite de gaz[77].

Le droit de la responsabilité civile admet que l'erreur est humaine et qu'une personne puisse commettre des maladresses qui sont le lot de la condition humaine, de même que de toute activité humaine, sans avoir à en répondre envers autrui. Ainsi, le droit de la responsabilité civile ne requiert pas de quelqu'un qu'il prévoie toutes les éventualités susceptibles de se produire dans un contexte donné[78]. Ce serait là exiger la perfection, ce que le droit

69. *Daudelin c. Roy*, [1974] C.A. 95. Voir aussi, en ce sens, *Guignard c. Condo Havre-de-la-Seine*, REJB 2000-25466 (C.S.); voir également *C.U.M. c. Germain*, [1993] R.R.A. 481, EYB 1993-58999 (C.A.).
70. Voir à cet égard, *Daudelin c. Roy*, précité note 69.
71. J.-L. BAUDOUIN et P. DESLAURIERS, *op. cit.*, note 2, par. 1-158. Pour A. Nadeau et R. Nadeau, la faute est « la base de la responsabilité civile de droit commun ». A. NADEAU et R. NADEAU, *op. cit.*, note 2, par. 57. Elle est, selon eux, la clef de voûte du système de la responsabilité civile. *Id.*, par. 59.
72. J.-L. BAUDOUIN et P. DESLAURIERS, *op. cit.*, note 2, par. 1-14.
73. *Id.*, par. 1-100.
74. M. TANCELIN, *op. cit.*, note 1, par. 635; voir également, en ce sens, *Chalifoux c. Ricard*, REJB 2002-30074 (C.S.); *Brisson c. Gagnon*, EYB 2005-96838 (C.S.).
75. J.-L. BAUDOUIN et P. DESLAURIERS, *op. cit.*, note 2, par. 1-163.
76. *Cloutier c. Ahad*, C.S., n° 500-05-003404-751, 2 juin 1980. Voir également *Hôpital Le Gardeur c. Lapointe*, [1992] 1 R.C.S. 351, EYB 1992-67847.
77. *Deguire Avenue Ltd. c. Adler*, [1963] B.R. 101.
78. *Paquette c. Garderie Les amis frimousses Inc. et al.*, REJB 2002-34402 (C.S.); *Brisson c. Gagnon*, précité, note 74.

civil n'exige pas de la part d'une personne[79]. On doit donc admettre que des accidents puissent survenir sans qu'il soit possible d'en reporter les conséquences sur une personne[80].

b) La définition de faute

Le Code civil du Québec, s'il définit ce qu'est une faute lourde (art. 1474 C.c.Q.), ne définit aucunement ce qu'est une faute. On est donc contraint de se tourner du côté des dictionnaires, des auteurs et des tribunaux pour en savoir davantage.

Le *Dictionnaire de droit privé* définit la faute comme la transgression d'une règle de conduite juridiquement obligatoire[81]. Maurice Tancelin définit la faute comme la « violation d'une règle de conduite, imputable à son auteur »[82]. Les auteurs Jean-Louis Baudouin et Patrice Deslauriers quant à eux définissent la faute à la fois comme le manquement à un devoir préexistant et comme la violation d'une norme de conduite[83]. Pour ces derniers, la faute civile extracontractuelle « n'est rien d'autre que le manquement au devoir général imposé à chaque individu dans la société de ne pas porter préjudice à autrui d'une façon illégitime et donc de se bien comporter en se conformant à la loi et aux usages »[84]. En outre, pour ces auteurs, la faute civile « est constituée par l'écart séparant le comportement de l'agent de celui du type abstrait et objectif de la personne raisonnable, prudente et diligente »[85].

c) La qualification de la faute

La faute peut être soit d'omission, soit d'action[86]. Dans le premier cas, la personne ne fait pas ce qu'elle aurait dû faire; dans le second cas, elle fait ce qu'elle n'aurait pas dû faire[87]. Au demeurant, la faute peut résulter de la violation d'une disposition législative ou réglementaire[88], de la perpétration d'une infraction pénale[89] ou de la violation d'une obligation contractuelle dans un contexte extracontractuel[90]. En tout état de cause, elle doit constituer une violation de la norme de comportement de la personne raisonnable[91] et elle doit avoir été la cause du préjudice[92].

La faute peut également être le fruit d'un accident (faute simple, faute quasi délictuelle, faute involontaire) ou elle peut être commise de propos délibéré en vue de nuire à autrui (faute volontaire, faute intentionnelle, faute délictuelle)[93]. Elle peut également revêtir une gravité particulière (faute grossière, faute lourde[94], faute inexcusable, faute dolosive).

En principe, pour être génératrice de responsabilité civile, une faute n'a pas à revêtir une gravité particulière. Ainsi, même la faute la plus légère peut être génératrice de responsabilité dans la mesure où, il va sans dire, les autres conditions de la responsabilité civile sont remplies[95]. Pareillement, pour être génératrice de responsabilité civile, la faute n'a pas à être commise de propos délibéré. Sauf exception, il n'est nullement nécessaire que

79. J.-L. BAUDOUIN et P. DESLAURIERS, *op. cit.*, note 2, par. 1-192; voir également, en ce sens, M. TANCELIN, *op. cit.*, note 1, par. 635; voir aussi *Roy c. Centre commercial Manicouagan Ltée*, EYB 2006-102209 (C.S.).
80. *Brisson c. Gagnon*, précité, note 74.
81. Voir à cet égard le *Dictionnaire de droit privé* qui contient une définition de la faute, ainsi que de ses multiples facettes.
82. M. TANCELIN, *op. cit.*, note 1, par. 630.
83. J.-L. BAUDOUIN et P. DESLAURIERS, *op. cit.*, note 2, par. 1-159. Voir, en ce sens, *Germain c. Restaurants McDonald du Canada Ltée*, [1996] R.R.A. 184, EYB 1996-84697 (C.S.).
84. *Id.*, par. 1-207; voir à cet égard, *Charette c. Miner*, précité note 50.
85. J.-L. BAUDOUIN et P. DESLAURIERS, *op. cit.*, note 2, par. 1-192.
86. *Id.*, par. 1-182; voir également, à ce propos : M. TANCELIN, *op. cit.*, note 1, par. 641; A. NADEAU et R. NADEAU, *op. cit.*, note 2, par. 55; voir aussi *Richer c. Vaillancourt*, EYB 2007-116604 (C.S.).
87. Voir, au même effet, A. NADEAU et R. NADEAU, *op. cit.*, note 2, par. 59.
88. *Morin c. Blais*, précité, note 53; *Union commerciale, compagnie d'assurance c. Giguère*, AZ-96011200, EYB 1996-30652 (C.A.); voir également *Ciment du Saint-Laurent Inc. c. Barrette*, EYB 2008-150682 (C.S.C.).
89. Voir, par exemple, *Curateur public c. Syndicat national des employés de l'Hôpital St-Ferdinand (C.S.N.)*, [1990] R.J.Q. 359, EYB 1989-76768 (C.S.); voir également *Syndicat des postiers du Canada c. Santana*, [1978] C.A. 114.
90. *Banque de Montréal c. Bail Ltée*, [1992] 2 R.C.S. 554, EYB 1992-67806; *Lachance c. C.N. et Ville de Vanier*, [1988] R.R.A. 12, EYB 1987-56251 (C.A.); *Léveillé c. Courses Stock-Car Drummond Inc.*, EYB 2008-146378 (C.S.).
91. *Ciment du Saint-Laurent Inc. c. Barrette*, précité, note 88.
92. En matière de faute statutaire, voir *Hornez c. Villa Da Carlo Inc. et al.*, EYB 2008-131381 (C.S.); *Larouche c. Blackburn*, EYB 2008-133342 (C.S.); *Laniel c. Montreuil*, EYB 2005-97450 (C.S.).
93. J.-L. BAUDOUIN et P. DESLAURIERS, *op. cit.*, note 2, par. 1-184; voir également, à ce propos, M. TANCELIN, *op. cit.*, note 1, par. 642.
94. La faute lourde se trouve spécifiquement définie à l'article 1474 C.c.Q. On y lit que la faute lourde est « celle qui dénote une insouciance, une imprudence ou une négligence grossière ». Le *Dictionnaire de droit privé, op. cit.*, note 1, définit la faute lourde comme la « faute que ne commettrait pas même la personne la moins soigneuse ».
95. M. TANCELIN, *op. cit.*, note 1, par. 644. Voir également A. NADEAU et R. NADEAU, *op. cit.*, note 2, par. 64; *Dumont c. St-Yves*, EYB 2006-114109 (C.S.).

le préjudice causé à autrui l'ait été de façon intentionnelle pour que naisse l'obligation de réparer le préjudice. Que le préjudice causé à autrui l'ait été avec ou sans intention de nuire, peu importe[96]. Ce qui est déterminant, c'est la nature objective du comportement: était-il celui d'une personne raisonnable, soucieuse du bien-être d'autrui?

Cela dit, il arrive que la détermination de la gravité de la faute ait une importance pratique considérable. Ainsi, sous l'empire du Code civil, la faute lourde, au même titre que la faute intentionnelle, constitue l'une des conditions pour que la responsabilité des tuteurs, des curateurs et des personnes qui autrement assument la garde d'une personne non douée de raison (art. 1461 C.c.Q.), de même que des personnes qui portent secours à autrui ou qui, dans un but désintéressé, disposent gratuitement de biens au profit d'autrui (art. 1471 C.c.Q.) soit retenue[97]. En outre, certaines lois imposent comme condition pour qu'une personne soit tenue de réparer le préjudice causé à autrui qu'elle ait commis une faute d'une particulière gravité, telle une faute lourde[98] ou intentionnelle[99].

La gravité de la faute commise, soit par l'auteur du préjudice, soit par la victime, pourra également avoir une incidence sur le partage de responsabilité, de même que sur l'établissement du lien de causalité.

En ce qui concerne le premier point, soit le partage de responsabilité, l'article 1478 C.c.Q. prévoit que, dans les cas où le préjudice est causé par plusieurs personnes, le partage doit s'effectuer en proportion de la gravité de leur faute respective[100]. En ce qui concerne le second point, soit l'établissement du lien de causalité, il convient de souligner que, dans la mesure où, par exemple, dans une instance donnée, la preuve révèle que la victime d'un préjudice a commis une faute plus grave que l'auteur du préjudice, telle une faute lourde, il devient alors possible de plaider que la conduite intempestive de la victime constitue un *novus actus*[101] dont l'effet est la rupture du lien de causalité existant entre la faute de la personne poursuivie et le préjudice subi par la victime[102].

Par ailleurs, depuis l'arrêt rendu par la Cour suprême dans l'affaire *Curateur public c. S.N.E. de l'Hôpital St-Ferdinand*[103], il importe de préciser que la preuve d'une faute lourde ou d'une faute intentionnelle ne donne pas à elle seule ouverture à l'attribution de dommages punitifs en vertu de l'article 49 de la *Charte des droits et libertés de la personne*. Ainsi, selon Mme la juge L'Heureux-Dubé, il y a lieu, en matière de responsabilité civile, de ne pas confondre le fait de vouloir commettre un acte fautif (faute intentionnelle) et le fait de vouloir les conséquences de cet acte (atteinte intentionnelle)[104].

2. *L'appréciation de la faute*

Pour déterminer si une personne a eu un comportement fautif ou non, les tribunaux font appel à certaines normes et ont recours à certains critères. En tout état de cause, les tribunaux tentent d'apprécier le comportement de la personne dont la responsabilité est mise en cause de façon objective, *in abstracto* diront certains[105], et de manière équitable, en tenant compte des circonstances particulières de temps, de lieux et de personnes qui existaient au moment où le préjudice a été causé, de même que de l'activité en cause[106].

a) *Les normes de référence*

En matière de responsabilité civile du fait personnel, la norme du « bon père de famille » a été pendant longtemps le modèle de référence utilisé par les tribunaux pour apprécier le comportement d'une personne poursuivie en

---

96. J.-L. BAUDOUIN et P. DESLAURIERS, *op. cit.*, note 2, par. 1-15. Voir également *Marcel Oligny Inc. c. Développement Robiro Inc.*, [1997] R.R.A. 85, REJB 1997-00247 (C.A.).
97. *Dubé c. Municipalité de Saint-Élie et al.*, EYB 2003-49388 (C.Q.).
98. Voir, à cet égard, la *Loi sur la protection de la jeunesse*, L.R.Q., c. P-34.1, art. 35. Voir *Directeur de la protection de la jeunesse c. Quenneville*, [1998] R.J.Q. 44, REJB 1997-04082 (C.A.). Voir également *Faubert c. Commission de la Santé et de la Sécurité du Travail du Québec*, [1986] R.R.A. 2804, EYB 1986-79049 (C.S.).
99. *Lacombe et C.U.M. c. André et al.*, REJB 2003-38268 (C.A.).
100. Voir, à cet égard, *Buissières c. Carrier*, REJB 2002-36118 (C.S.); *The Boiler Inspection and Insurance Company of Canada et al. c. Monac Inc./Nortex, Systèmes Intérieurs Atlas Inc.*, REJB 2003-50734 (C.S.).
101. Voir, à cet égard, Albert MAYRAND, *Dictionnaire de maximes et locutions latines utilisées en droit*, 3e éd., Cowansville, Les Éditions Yvon Blais Inc., 1994, p. 347. On y lit, sous la rubrique *novus actus*, ce qui suit : « Se dit d'une cause du dommage postérieure à celle qu'invoque le demandeur. Cette cause plus récente permet au défendeur de se disculper en prouvant que sa faute n'est pas la cause efficiente (*causa causans*) du dommage causé. »
102. *Hydro-Québec c. Girard*, [1987] R.R.A. 80, EYB 1987-57392.
103. Précité, note 2.
104. *Id.*, p. 260 et 261. Selon Mme la juge L'Heureux-Dubé, pour qu'il y ait atteinte illicite et intentionnelle au sens de l'alinéa 2 de l'article 49 de la *Charte des droits et libertés de la personne*, il faut prouver que l'auteur de l'atteinte illicite avait « un état d'esprit qui dénote un désir, une volonté de causer les conséquences de sa conduite fautive ou encore s'il agit en toute connaissance des conséquences, immédiates et naturelles ou au moins extrêmement probables, que cette conduite engendrera ».
105. P.-A. CRÉPEAU, *op. cit.*, note 28, par. 14. Voir, au même effet, M. TANCELIN, *op. cit.*, note 1, par. 635.
106. J.-L. BAUDOUIN et P. DESLAURIERS, *op. cit.*, note 2, par. 1-193. Voir également, à cet égard, P.-A. CRÉPEAU, *op. cit.*, note 28, par. 14.

responsabilité civile[107]. Sous l'empire du nouveau Code civil, le schème de référence du bon père de famille a cédé la place à celui de la personne raisonnablement prudente et diligente[108].

La norme de la personne raisonnablement prudente et diligente doit être adaptée aux circonstances propres d'une espèce[109]. Comme le souligne le professeur Crépeau, « la personne raisonnable doit être tirée de la catégorie des personnes à laquelle le débiteur appartient et placée dans des circonstances semblables à celles où se trouve ce dernier »[110]. Ainsi, on ne saurait s'étonner du fait que les tribunaux ne jugent pas de la même façon la conduite d'un enfant et celle d'un adulte. La maturité du second pourra, par exemple, faire en sorte que le tribunal considère qu'il aurait dû prévoir ce qui s'est produit, alors qu'une telle inférence ne pourrait être faite en présence d'un jeune enfant[111].

Il importe ici de préciser quelques-uns des paramètres de la conduite d'une personne raisonnablement prudente et diligente, tels qu'ils ont été établis par la jurisprudence. Cette personne est celle qui, non seulement se comporte de façon prudente et diligente et ne nuit pas à autrui, mais ne crée pas et ne tolère pas de situations dangereuses sur lesquelles elle exerce un contrôle[112]. C'est celle qui respecte les normes élémentaires de prudence qui s'imposent à elle[113] ou qui découlent des circonstances[114]. C'est celle qui informe autrui des dangers cachés reliés à une activité[115] ou à l'utilisation d'un produit[116]. La personne raisonnable, c'est également celle qui veille à sa propre sécurité en ne courant pas de risques indus[117] ou encore en ne commettant pas d'imprudences graves compromettant sa sécurité[118].

Enfin, on doit rappeler que le manquement à une norme élémentaire de prudence, non seulement constitue une faute pouvant entraîner la responsabilité de son auteur, mais également fait naître, dans la mesure où le manquement est la source d'un accident que la règle exprimant une norme élémentaire de prudence avait pour but de prévenir, la présomption que le manquement est la cause du préjudice subi par la victime[119].

b) Les critères d'analyse

Appelés à déterminer, dans une instance particulière, si le comportement d'une personne était fautif ou non, les tribunaux ont recours à un certain nombre de critères leur permettant d'objectiver leur appréciation du comportement de la personne. Les deux principaux critères utilisés par les tribunaux sont, d'une part, celui de la non-conformité d'un comportement particulier par rapport à celui d'une personne prudente et diligente ou encore à une norme préétablie et, d'autre part, celui de la prévisibilité d'un événement[120].

En ce qui concerne le premier critère, il convient de citer les propos que tenait M. le juge Rivard dans L'Oeuvre des Terrains de jeux de Québec c. Cannon[121]. « Le plus sûr critère de la faute, écrit M. le juge Rivard, est le défaut de cette prudence et de cette attention moyennes qui marquent la conduite d'un bon père de famille (maintenant une personne raisonnable); en d'autres termes, c'est l'absence des soins ordinaires qu'un homme diligent devrait fournir dans les mêmes conditions. Or, cette somme de soins varie suivant les circonstances, toujours diverses, de temps, de lieux et de personnes. »[122]

107. M. TANCELIN, op. cit., note 1, par. 635; voir également, à ce propos, A. NADEAU et R. NADEAU, op. cit., note 2, par. 62.
108. J.-L. BAUDOUIN et P. DESLAURIERS, op. cit., note 2, par. 1-30; voir également Germain c. Restaurants McDonald du Canada Ltée, précité, note 83, p. 187; Goyer c. Tennis 13 Inc., EYB 2008-132776 (C.S.).
109. Payette c. Bélanger, EYB 2008-132048 (C.S.).
110. P.-A. CRÉPEAU, op. cit., note 28, par. 14.
111. A. NADEAU et R. NADEAU, op. cit., note 2, par. 73. Voir également Blanchard c. Commission scolaire Morilac, précité, note 56.
112. Labelle c. Corp. municipale de la ville de Gatineau, [1961] B.R. 201; Maltais c. Gilbert, [1994] R.R.A. 100 (C.S.); Sicotte c. Boivin, [1994] R.R.A. 213, EYB 1994-64336 (C.A.); Larivière c. Mageau, [1997] R.R.A. 358, REJB 1997-02855 (C.S.); Foucault c. Ville de Laval, [1998] R.R.A. 474, REJB 1998-06416 (C.S.); Bélanger c. Fédération (La), Compagnie d'assurances du Canada, [1999] R.R.A. 8, REJB 1998-09965 (C.A.). Voir, plus précisément, quant à la notion de piège, Rubis c. Gray Rocks Inc. Ltd., [1982] 1 R.C.S. 452, EYB 1982-149416; Tardif c. Raichic Inc., EYB 2004-81284 (C.S.); Lavoie c. Marin, [1989] R.R.A. 321, EYB 1989-59492 (C.A.); Lamontagne c. Larouche, EYB 2006-101130 (C.S.); Vachon c. Ville de Longueuil, EYB 2007-112128 (C.S.); Plaisance c. Les développements Iberville limitée, EYB 2008-146020 (C.S.); Loiselle c. Bernard, EYB 2008-132701 (C.S.).
113. Morin c. Blais, précité, note 53; Boucher c. Rousseau, précité, note 56; Mulco Inc. c. La Garantie, Compagnie d'assurance de l'Amérique du Nord, précité, note 51; voir également Pièces d'auto Montréal-Nord Inc. c. Montréal-Nord (Ville de), [1999] R.R.A. 321, REJB 1999-12041 (C.S.).
114. Blanchet c. Claveau, précité, note 56; Suite c. Cooke, [1993] R.J.Q. 514, EYB 1993-86781 (C.S.), confirmé en appel, [1995] R.J.Q. 2765, EYB 1995-59148 (C.A.); voir aussi Maltais c. Gilbert, précité, note 112.
115. L'Écuyer c. Quail, [1991] R.R.A. 482, EYB 1991-63806 (C.A.); St-Cyr c. Ville de Boucherville, [1995] R.J.Q. 2445, EYB 1995-72459 (C.S.).
116. Mulco Inc. c. La Garantie, Compagnie d'assurance de l'Amérique du Nord, précité, note 51; Accessoires d'auto Vipa Inc. c. Therrien, précité, note 16.
117. Canuel c. Sauvageau, précité, note 44; Trépanier c. Déziel, EYB 2009-156012 (C.S.); Lacroix c. Lacroix, EYB 2008-142360 (C.S.); Vachon c. Drouin, EYB 2008-137892 (C.S.).
118. Ouellet c. Cloutier, [1947] R.C.S. 521; Trans-Québec Helicopters Ltée c. Heirs of Lee, [1980] C.A. 596; Laventure c. Laventure, [1991] R.R.A. 278, EYB 1991-109720 (C.S.); Lavoie c. Tremblay, précité, note 46.
119. Morin c. Blais, précité, note 53; Boucher c. Rousseau, précité, note 56; Blanchet c. Claveau, précité, note 56.
120. A. NADEAU et R. NADEAU, op. cit., note 2, par. 61 bis; voir, à cet égard, Romero c. Burnac Leasehold Ltd. et al., EYB 2006-107487 (C.S.).
121. (1940) 69 B.R. 112.
122. Id., p. 114. Voir également A. NADEAU et R. NADEAU, op. cit., note 2, par. 62; voir aussi P.-A. CRÉPEAU, op. cit., note 28, par. 14.

C'est donc dire que, pour déterminer si une personne a commis une faute, les tribunaux compareront, à partir des divers éléments mis en preuve, la conformité ou la non-conformité de la conduite de la personne dont la responsabilité personnelle est mise en cause avec celle qu'aurait eue, en pareilles circonstances, une personne raisonnablement prudente et diligente[123]. Il y aura faute s'il y a absence de conformité.

Il y aura également faute si un comportement donné n'est pas conforme à une norme juridique préétablie, comme l'a énoncé Mme la juge L'Heureux-Dubé dans l'affaire *Curateur public c. S.N.E. de l'Hôpital St-Ferdinand*. Ainsi, selon celle-ci, un comportement sera considéré fautif « si son auteur transgresse une norme de conduite jugée raisonnable dans les circonstances selon le droit commun ou, comme c'est le cas pour certains droits protégés, une norme dictée par la Charte elle-même »[124].

En ce qui concerne le second critère, soit celui de la prévisibilité d'un événement, il convient de souligner que les tribunaux n'exigent pas que la personne prudente et diligente prévoie toutes les possibilités de survenance d'un événement[125]. Ils n'exigent d'elle qu'elle ne prévoie que les éventualités probables[126].

Cette règle fut clairement établie par M. le juge Taschereau dans l'arrêt rendu par la Cour suprême du Canada dans l'affaire *Ouellet c. Cloutier*[127]. Celui-ci y écrit : « Il se peut qu'il était possible qu'un accident semblable arrivât. Mais ce n'est pas là le critère qui doive servir à déterminer s'il y a eu oui ou non négligence. La loi n'exige pas qu'un homme prévoie tout ce qui est possible. On doit se prémunir contre un danger à condition que celui-ci soit assez probable qu'il entre ainsi dans la catégorie des éventualités normalement prévisibles. Exiger davantage et prétendre que l'homme prudent doive prévoir toute possibilité, quelque vague qu'elle puisse être, rendrait impossible toute activité pratique. »[128]

Ainsi, dans la mesure où une personne peut prouver que l'événement qui est survenu n'entrait pas dans la caté-gorie des événements normalement prévisibles pour une personne raisonnablement prudente et diligente, l'action intentée contre elle devra être rejetée. On constate donc que, en matière de responsabilité civile, la distinction entre une simple possibilité et une réelle probabilité revêt une importance capitale[129].

c) Les règles de partage

En droit civil, la faute joue non seulement un rôle de premier plan dans l'établissement de la responsabilité civile d'une personne, mais est également appelée à jouer un rôle déterminant lorsqu'il y a lieu d'effectuer un partage de responsabilité entre les différents auteurs d'un préjudice[130]. Le Code civil du Québec comporte, à ce sujet, des règles particulières qui tiennent compte tant de la nature de la faute que de sa gravité. Ces règles, dans leur ensemble, reflètent un souci d'équité envers la victime qui, il faut le rappeler, a, en matière de responsabilité civile du fait personnel, le fardeau de prouver la faute de la personne qu'elle entend tenir responsable du préjudice qu'elle a subi ou encore de la personne dont celle-ci a la garde. Les règles contenues au Code civil du Québec en ce qui concerne le partage de responsabilité s'articulent eu égard aux circonstances qui ont amené la réalisation du préjudice.

Ainsi, si la preuve révèle qu'un seul et même préjudice a été causé à autrui par le comportement fautif distinct de plus d'une personne, la responsabilité sera partagée entre elles en proportion de la gravité de leur faute respective (art. 1478 C.c.Q.). La victime pourra néanmoins s'adresser à l'une ou l'autre de ces personnes pour obtenir réparation de la totalité du préjudice subi, l'obligation de réparer le préjudice étant solidaire dès lors que le champ de responsabilité est de nature extracontractuelle[131]. En revanche, il n'y aura pas de solidarité entre des personnes ayant eu chacune un comportement fautif distinct si la preuve permet d'établir que chacune a été la cause d'un préjudice précis[132].

123. J.-L. BAUDOUIN et P. DESLAURIERS, *op. cit.*, note 2, par. 1-192; voir, à cet égard, *Therméca Inc. c. Forgues*, EYB 2005-99439 (C.S.).

124. Précité, note 2, p. 260.

125. *Therméca Inc. c. Forgues*, précité, note 123.

126. *Paquette c. Garderie Les amis frimousses Inc., et al.*, précité, note 78; *Gilmore c. Girl Guides of Canada*, EYB 2006-106318 (C.Q.); *Payette c. Bélanger*, précité, note 109; *Briand c. Éthier*, EYB 2008-132268 (C.S.).

127. Précité, note 118. Voir également, à ce propos, *Morais-Benoît c. Montréal (Société de transport de la communauté urbaine de)*, [1997] R.J.Q. 1006, REJB 1997-02868 (C.S.).

128. *Ouellet c. Cloutier*, précité, note 118, p. 526.

129. *Municipalité de la paroisse de St-Alexis-des-Monts c. Axa Boréal Assurance Inc. et al.*, REJB 2004-53774 (C.A.).

130. *Procureur général du Québec c. Vibert*, REJB 2004-54402 (C.A.).

131. Voir, à cet égard, l'article 1526 C.c.Q. qui édicte que l'« obligation de réparer le préjudice causé à autrui par la faute de deux personnes ou plus est solidaire, lorsque cette obligation est extracontractuelle », de même que l'article 1523 C.c.Q. qui énonce que l'« obligation est solidaire entre les débiteurs lorsqu'ils sont obligés à une même chose envers le créancier, de manière que chacun puisse être séparément contraint pour la totalité de l'obligation, et que l'exécution par un seul libère les autres envers le créancier ».

132. J.-L. BAUDOUIN et P. DESLAURIERS, *op. cit.*, note 2, par. 1-660. Les auteurs y traitent des fautes successives et des conséquences qui en découlent quant à la solidarité des auteurs.

Par ailleurs, dans l'hypothèse où la preuve révèle que plusieurs personnes ont participé à un fait collectif fautif, par exemple une altercation ayant entraîné un préjudice ou encore que plusieurs personnes ont commis des fautes distinctes dont chacune aurait pu causer le préjudice, sans qu'il soit possible, dans ces deux cas, de déterminer laquelle l'a effectivement causé, la victime du préjudice pourra s'adresser à l'une ou l'autre de ces personnes pour obtenir réparation de la totalité du préjudice subi, le législateur ayant décrété dans ce cas que ces personnes étaient tenues solidairement à la réparation du préjudice (art. 1480 C.c.Q.)[133].

Dans l'une ou l'autre des hypothèses, si une disposition expresse d'une loi particulière dégage l'une des personnes de toute responsabilité, la part de responsabilité qui lui aurait été attribuée sera assumée de façon égale par les autres responsables du préjudice (art. 1481 C.c.Q.).

d) *Les applications particulières*

La notion traditionnelle de faute, qui est à la base de notre droit de la responsabilité civile, soulève des problèmes particuliers d'application dans cinq secteurs du nouveau Code civil, soit ceux de l'abus de droit, de la responsabilité personnelle des personnes morales et de leurs administrateurs, de la responsabilité de l'État, des troubles de voisinage et de l'atteinte illicite à un droit reconnu par la *Charte des droits et libertés de la personne*.

1) L'abus de droit

En droit civil, une personne n'est pas admise à faire un mauvais usage des droits dont elle est titulaire[134], en d'autres termes à en abuser. Elle est tenue de les exercer dans le respect de certaines règles, notamment celles de la bonne foi (art. 6 C.c.Q.)[135]. Suivant l'article 7 C.c.Q., la bonne foi commande que l'on n'exerce pas un droit avec l'intention de nuire à autrui ou encore d'une manière excessive et déraisonnable[136].

Il s'ensuit que tant celui qui exerce un droit en vue de nuire à autrui que celui qui l'exerce de manière excessive et déraisonnable commet une faute susceptible d'engager sa responsabilité civile[137]. Dans le premier cas, la preuve de l'intention malicieuse est requise; elle peut s'inférer des faits de l'espèce[138]. Dans le second cas, la preuve de ce que constitue un comportement excessif et déraisonnable résulte d'une appréciation objective de la conduite de la personne; il n'est alors aucunement nécessaire de prouver une intention malicieuse expresse pour établir l'abus de droit[139].

En tout état de cause, selon la Cour suprême du Canada[140], il est capital, dans l'analyse de la responsabilité civile reliée à l'abus de droit, de prendre en considération la nature du droit en cause et les circonstances entourant son exercice, la constatation d'un abus de droit étant nécessaire pour faire apparaître la faute. En outre, une dérogation à une norme de conduite est inextricablement liée à la notion d'abus de droit.

L'appréciation du caractère raisonnable d'une conduite est, pour une part, une question de fait et dépend des circonstances de chaque situation[141]. Elle oblige le tribunal à s'interroger sur la conduite prudente et diligente qu'aurait eue une personne raisonnable dans les mêmes circonstances[142]. Or, pour en venir à cette détermination, les tribunaux ont souvent recours à une série de critères

---

133.   *Id.*, par. 1-663. Voir, à cet égard, *St-Jean c. Mercier*, REJB 2002-28009 (C.S.C.); *Côté c. Provençal et al.*, REJB 2001-24687 (C.S.); *Nadon c. Ville de Montréal*, précité, note 54; voir également *Barrette c. Société canadienne des postes, Ville de Pierrefonds et Therrien*, REJB 2003-45395 (C.S.); *Valois c. Giguère*, EYB 2006-102409 (C.S.); *Provencher c. Lallier*, EYB 2006-109271 (C.A.); quant à la non-application de l'article 1480 C.c.Q., voir *Simard c. Lavoie*, EYB 2005-99564 (C.S.).

134.   *Id.*, par. 1-208 et s.

135.   Voir le lien qui est établi entre la bonne foi et les principes de responsabilité civile par le juge Rochette dans l'affaire *La Compagnie d'assurance Standard Life c. Rouleau*, [1995] R.J.Q. 1407, 1415, EYB 1995-72387 (C.S.); voir également *Gauthier c. Roy*, [1999] R.D.I. 87, REJB 1998-10996 (C.S.).

136.   Sur le double volet de l'article 7 C.c.Q., voir *Vachon c. Lachance*, [1994] R.J.Q. 2576, EYB 1994-73476 (C.S.); voir également *Gauthier c. Roy*, précité, note 135; *Lanart Sales Inc. c. Mac Naughton*, REJB 2004-53220 (C.A.).

137.   *Houle c. Banque Canadienne Nationale*, [1990] 3 R.C.S. 122, EYB 1990-67829; voir, en ce sens, A. NADEAU et R. NADEAU, *op. cit.*, note 2, par. 210, de même que M. TANCELIN, *op. cit.*, note 1, par. 652. Voir aussi *Mercier c. Construction D. Caron Inc.*, [1996] R.D.I. 471, REJB 1996-30339 (C.Q.).

138.   *Les Entreprises Pierre Agouri Ltée c. Manuvie, La Compagnie d'Assurance-Vie Manufacturers*, [1996] R.R.A. 377 (C.S.); *Côté c. Maltais*, EYB 2005-88369 (C.Q.).

139.   *Victor Parent Inc. c. La Compagnie Foundation du Canada Ltée*, [1996] R.R.A. 738, EYB 1996-84936 (C.S.); voir également *Caisse populaire Desjardins Saint-Jean-Baptiste de Lasalle c. 164375 Canada Inc.*, [1996] R.R.A. 151, EYB 1995-83187 (C.S.), où le juge Barbeau écrit en ce qui concerne l'abus d'un droit issu d'un contrat : « La mauvaise foi et la malice ne sont plus les critères exclusifs pour apprécier s'il y a eu abus d'un droit contractuel : le critère de l'individu prudent et diligent peut également servir de fondement à la responsabilité résultant de l'exercice de ce droit. Il peut y avoir abus d'un droit contractuel lorsque celui-ci n'est pas exercé selon les règles de l'équité et de la loyauté. » (p. 156); voir aussi A. NADEAU et R. NADEAU, *op. cit.*, note 2, par. 212. Voir, enfin, *Turenne c. Société canadienne d'hypothèques et de logements*, [1997] R.J.Q. 181, EYB 1996-85460 (C.S.).

140.   *Ciment du Saint-Laurent Inc. c. Barrette*, précité, note 88.

141.   *Vicply Inc. c. Banque Royale du Canada*, [1996] R.R.A. 582, REJB 1997-02306 (C.A.).

142.   Voir, en ce sens, *Turenne c. Société canadienne d'hypothèques et de logements*, précité, note 139, p. 184.

propres à établir si la conduite de quelqu'un fut raisonnable ou non dans les circonstances particulières d'une affaire[143].

Par ailleurs, il convient de souligner que la personne qui a un comportement déraisonnable et excessif dans l'exercice d'un droit pourrait être considérée comme ayant commis une faute lourde, voire intentionnelle[144]. Quelle que soit la gravité de l'abus de droit, celui-ci ne sera, toutefois, générateur de responsabilité que s'il est établi qu'il a contribué à la réalisation du préjudice. Par ailleurs, une violation des articles 6 et 7 C.c.Q. ne donne pas ouverture à l'attribution de dommages punitifs[145].

2) La responsabilité personnelle des personnes morales et de leurs administrateurs

Une personne morale est, au même titre qu'une personne physique, tenue de respecter les règles de conduite qui, suivant les circonstances, les usages ou la loi, s'imposent à elle, de manière à ne pas causer de préjudice à autrui[146]. Elle est donc susceptible de faute si elle ne respecte pas ces règles. Les personnes morales agissant par leurs organes, tels que leur conseil d'administration et l'assemblée de leurs membres (art. 311 C.c.Q.), c'est vers ceux-ci qu'il faut se tourner pour établir si une personne morale a personnellement commis une faute. À ce propos, la décision des membres d'un syndicat, réunis en assemblée générale, de déclencher une grève illégale, constitue une faute qui engage la responsabilité personnelle du syndicat en tant que personne morale[147]. Il en va de même de la décision prise par les membres du conseil d'administration d'une personne morale de poser un acte contraire à la loi[148], d'agir de façon intempestive[149] ou de faire preuve d'aveuglement volontaire[150].

Par ailleurs, la responsabilité personnelle que peut encourir une personne morale ne fait pas échec à la responsabilité personnelle que peut encourir un adminis-

trateur[151]. Comme quiconque, celui-ci est assujetti aux prescriptions de l'article 1457 C.c.Q.[152] et devra, s'il n'agit pas avec prudence et diligence, de même qu'avec honnêteté et loyauté, comme l'exige l'article 322 C.c.Q.[153], répondre du préjudice causé à un tiers, sujet à être, dans certains cas, indemnisé par la personne morale dont il est l'administrateur[154].

Au demeurant, suivant l'article 321 C.c.Q., l'administrateur d'une personne morale est considéré comme le mandataire de celle-ci. C'est donc à la lumière des règles qui régissent le mandat (art. 2130 et s. C.c.Q.) qu'il convient, en outre, d'analyser la responsabilité personnelle qu'encourt l'administrateur d'une personne morale.

En vertu des règles qui régissent le mandat, le mandataire qui, dans les limites de son mandat, s'oblige au nom et pour le compte du mandant, n'est pas personnellement tenu envers les tiers avec qui il contracte (art. 2157 C.c.Q.)[155]. L'article 2160, al. 1 C.c.Q. vient renforcer cette règle en édictant que le mandant « est tenu envers les tiers pour les actes accomplis par le mandataire dans l'exécution et les limites du mandat, sauf si, par la convention ou les usages, le mandataire est seul tenu ». Toutefois, si le mandataire outrepasse ses pouvoirs, il pourra être personnellement tenu envers les tiers à certaines conditions. Il en sera de même s'il agit en son propre nom (art. 2157, al. 2 C.c.Q.), s'il convient avec un tiers que, dans un délai fixé, il révélera l'identité de son mandant et qu'il oublie de le faire (art. 2159 C.c.Q.) ou s'il est tenu de taire le nom du mandant ou encore s'il sait que celui-ci est insolvable, mineur ou placé sous un régime de protection et qu'il omet de le mentionner. Il sera également tenu, à l'égard du mandant, des actes accomplis par la personne à qui il aura demandé de l'assister (art. 2142, al. 2 C.c.Q.). Par ailleurs, dans la mesure où il a agi comme mandataire à titre gratuit, le tribunal pourra, dans l'appréciation de l'étendue de sa responsabilité, réduire le montant des dommages-intérêts qu'il pourrait être tenu de verser (art. 2148 C.c.Q.).

---

143. Voir, à cet égard, *Vachon c. Lachance*, précité, note 136.

144. *Victor Parent Inc. c. La Compagnie Foundation du Canada Ltée*, précité, note 139.

145. Voir, à cet égard, *Dubois-Hamel c. De Langen*, EYB 2005-91869 (C.Q.) et la jurisprudence citée.

146. L'article 1457 C.c.Q. ne fait pas de distinction entre les personnes physiques et les personnes morales. Il est donc d'application générale. Voir, en ce sens, la définition du terme « personne » contenue au *Dictionnaire de droit privé*, *op. cit.*, note 1. Voir aussi, J.-L. BAUDOUIN et P. DESLAURIERS, *op. cit.*, note 2, par. 1-115; voir, enfin, *Allendale Mutual Insurance Co. c. Hydro-Québec*, précité, note 17.

147. Voir, à cet égard, *Curateur public c. Syndicat national des employés de l'Hôpital St-Ferdinand (C.S.N.)*, précité, note 89, p. 373 et 374.

148. *Id.*, p. 374. Voir également, en ce sens, J.-L. BAUDOUIN et P. DESLAURIERS, *op. cit.*, note 2, par. 1-116.

149. Voir, à cet égard, *Ste-Marie c. Club nautique de l'Anse St-Jean Inc.*, EYB 2006-100324 (C.S.).

150. *Métromédia C.M.R. Montréal Inc. c. Johnson*, EYB 2006-100768 (C.A.).

151. *Méthot c. Banque fédérale de développement du Canada*, EYB 2006-104736 (C.A.).

152. Voir, à cet égard, *Chiasson c. Fillion*, EYB 2005-88662 (C.S.); *Ste-Marie c. Club nautique de l'Anse St-Jean Inc.*, précité, note 149.

153. *Forget c. Société financière Desjardins-Laurentienne Inc.*, REJB 1999-10474 (C.S.).

154. Voir, à cet égard, l'article 123.87 de la *Loi sur les compagnies*, L.R.Q., c. C-38. Voir, de manière plus générale, L. Hélène RICHARD, « Le devoir d'indemnisation de la compagnie québécoise : réflexions sur la responsabilité personnelle du mandataire », (1988) 48 *R. du B.* 785.

155. *Gravel c. Centre de la petite enfance La CAJ*, EYB 2005-86588 (C.S.).

3) La responsabilité de l'État et de l'administration publique

Le Code civil du Québec reconnaît expressément, à l'article 1376[156], que les règles relatives aux obligations en général et à la responsabilité civile en particulier « s'appliquent à l'État, ainsi qu'à ses organismes et à toute autre personne morale de droit public[157], sous réserve des autres règles de droit qui leur sont applicables »[158]. Les actes de l'administration publique sont donc, en principe, soumis au régime général de la responsabilité civile, sous réserve d'une disposition de droit public qui en restreindrait l'application civile[159].

En matière extracontractuelle, cette responsabilité a été reconnue dans les faits depuis longtemps au Québec. On a profité de l'ambiguïté de l'une des dispositions du Code de procédure civile pour déclarer que les actions de nature délictuelle ou quasi délictuelle étaient opposables à la Couronne québécoise[160]. L'article 94 C.p.c. adopté en 1966 est venu confirmer cette jurisprudence[161].

Au niveau provincial, la responsabilité civile de l'État québécois, notamment celle du procureur général, pourra être engagée tant pour son fait personnel que pour le fait d'autrui[162]. Il en va de même de ses organismes et des autres personnes morales de droit public. En toute circonstance, il faudra tenir compte des immunités susceptibles de s'appliquer[163].

Ainsi, en vertu de certaines législations, l'État ou un organisme public pourront invoquer la bonne foi comme moyen de défense dans une instance en responsabilité civile. En l'absence de mauvaise foi ou d'une intention délibérée de violer la loi, ils n'auront pas à répondre de leur faute[164].

Au niveau fédéral, la *Loi sur la responsabilité civile de l'État et le contentieux administratif*[165] établit que l'État fédéral est assujetti aux règles de la responsabilité civile extracontractuelle et précise les domaines auxquels ces règles s'appliquent. L'article 3 de la loi prévoit qu'au Québec, l'État est responsable pour le dommage causé par la faute de ses préposés et pour le dommage causé par le fait des biens qu'il a sous sa garde ou dont il est propriétaire ou par sa faute à l'un ou l'autre de ces titres. En vertu des articles 4 et 11 de la loi, l'État est également responsable à l'égard du dommage que cause à autrui, sur une voie publique, un véhicule automobile lui appartenant en autant que le conducteur, l'un de ses représentants personnels ou sa succession en est responsable. Enfin, en vertu des articles 16 à 20 de la loi, l'État peut être tenu responsable pour les atteintes à la vie privée commises, dans certaines circonstances, par ses préposés agissant dans l'exercice de leurs fonctions.

Enfin, en ce qui concerne l'État québécois, il convient de souligner que sa soumission aux règles de la responsabilité civile applicables par ailleurs aux justiciables est peu significative par rapport au droit existant. On doit noter que le gouvernement du Québec ne renonce ici à aucune des immunités qui protègent son activité en droit public, notamment celle qui a trait à la distinction fondamentale entre ses activités politiques (*policy* en common law) et ses activités d'exécution des décisions politiques et de gestion (*operation*). Seules ces dernières peuvent être visées par les règles de responsabilité civile[166]. Les décisions de nature « politique » de l'État et de ses fonctionnaires ne peuvent donc faire l'objet d'aucun contrôle judiciaire, d'aucune responsabilité[167]. Cette situation n'a pas été modifiée avec le nouveau code[168].

---

156. Voir, à cet égard, J.-L. BAUDOUIN et P. DESLAURIERS, *op. cit.*, note 2, par. 1-127.
157. Cette disposition complète l'article 300 C.c.Q. Voir, à cet égard, *Prud'homme c. Prud'homme*, REJB 2002-36356 (C.S.C.); voir également *Centre jeunesse Gaspésie/Les Îles et al. c. L. (R.-J.)*, précité, note 48; *Pellemans c. Lacroix*, EYB 2006-109701 (C.S.); *Chicoine c. Desnoyers*, EYB 2006-104065 (C.S.).
158. En matière de responsabilité civile, d'autres dispositions du Code civil sont également pertinentes à la responsabilité de l'État québécois, soit les articles 1464 C.c.Q. (responsabilité à titre de commettant), 1672, al. 2 C.c.Q. (compensation) et 2877 C.c.Q. (prescription).
159. *Dicaire c. Chambly (Ville de)*, EYB 2008-128378 (C.A.).
160. *R. c. Cliche*, [1935] R.C.S. 561; *Martineau c. Le Roi*, [1941] R.C.S. 194; *O'Brien c. Procureur général de la province de Québec*, [1961] R.C.S. 184.
161. Cet article se lit comme suit : « Toute personne ayant un recours à exercer contre le gouvernement peut l'exercer de la même manière que s'il s'agissait d'un recours contre une personne majeure et capable, sous réserve seulement des dispositions du présent chapitre. »
162. *Biron c. Allard*, REJB 1999-14275 (C.A.); *Lacombe et CUM c. André et al.*, précité, note 99.
163. Voir, à cet égard, *Procureur général du Québec c. Proulx*, [1999] R.J.Q. 398, REJB 1999-10864 (C.A.); *Desjardins c. Procureur général du Québec*, EYB 2005-99998 (C.S.); *2642-9696 Québec Inc. c. Régie des alcools, des courses et des jeux*, [1998] R.R.A. 524, REJB 1997-04448 (C.S.); voir également *Barreau du Québec c. McCullock-Finney et al.*, REJB 2004-65746 (C.S.C.).
164. *Barreau du Québec c. McCullock-Finney et al.*, précité, note 163; *Desjardins c. Procureur général du Québec*, précité, note 163.
165. L.R.C. (1985), c. C-50; voir, plus spécifiquement, les articles 2 et 2.1.
166. Voir sur le sujet René DUSSAULT et Louis BORGEAT, *Traité de droit administratif*, 2e éd., t. 3, Québec, Les Presses de l'Université Laval, 1989, p. 959 à 992; Patrice GARANT, *Droit administratif*, 5e éd., vol. 2, Cowansville, Les Éditions Yvon Blais Inc., 2004, p. 955 et s.; Ministère de la Justice du Canada, *La Couronne en droit canadien*, Les Éditions Yvon Blais Inc., 1992, p. 190 et s.; J.-L. BAUDOUIN et P. DESLAURIERS, *op. cit.*, note 2, par. 1-122 et s.; Johanne RENAUD, « L'interprétation du *Code civil du Québec* : l'occasion d'une réforme de la responsabilité extra-contractuelle de l'administration publique », (1994) 35 *C. de D.* 467.
167. *Laurentide Motels Ltd. c. Ville de Beauport*, [1989] 1 R.C.S. 705, EYB 1989-67763; voir, en ce sens, *Pellemans c. Lacroix*, précité, note 157.
168. Pour des décisions impliquant l'État, on consultera : *Jean c. Procureur général du Québec*, [1995] R.R.A. 433, EYB 1994-58684 (C.S.); *Ville de Québec c. Régistrateur du Bureau d'enregistrement de la division de Québec*, [1995] R.R.A. 729, EYB 1995-72436 (C.S.); *Distributions J.-G. Bergeron Inc. c.*

4) Les troubles de voisinage

Le fait d'être voisin de quelqu'un peut être source d'inconvénients[169]. Le législateur québécois, dans le cadre de la réforme du Code civil du Québec, a prévu une disposition spécifique qui établit les règles de « bon voisinage ». Celles-ci sont précisées à l'article 976 C.c.Q. au Livre *Des biens*. L'article 976 C.c.Q. édicte : « Les voisins doivent accepter les inconvénients normaux du voisinage qui n'excèdent pas les limites de la tolérance qu'ils se doivent, suivant la nature ou la situation de leurs fonds, ou suivant les usages locaux. » L'article 976 C.c.Q. constitue une application particulière de la règle générale prohibant l'abus de droit énoncée à l'article 7 C.c.Q.[170].

Pour certains, l'article 976 C.c.Q. crée une responsabilité sans faute et objective[171]; pour d'autres non[172]. Le contentieux doctrinal et jurisprudentiel qui existait en droit civil québécois à propos de l'article 976 C.c.Q. fut récemment tranché par la Cour suprême du Canada dans l'arrêt *Ciment du Saint-Laurent Inc. c. Barrette*[173]. Dans cet arrêt, la Cour suprême du Canada en est venue à la conclusion, après une analyse exhaustive de la doctrine et de la jurisprudence portant sur les troubles de voisinage, que le « droit civil québécois permet [...] de reconnaître, en matière de troubles de voisinage, un régime de responsabilité sans faute fondé sur l'article 976 C.c.Q. et ce, sans qu'il soit nécessaire de recourir à la notion d'abus de droit ou au régime général de la responsabilité civile ».

5) L'atteinte illicite à un droit reconnu par la Charte des droits et libertés de la personne

L'article 49 de la *Charte des droits et libertés de la personne*[174] prévoit que la personne qui est victime d'une atteinte illicite à un droit ou à une liberté reconnu par la présente Charte a le droit, non seulement d'obtenir la cessation de cette atteinte, mais également la réparation du préjudice moral ou matériel qui en résulte. Il prévoit,

de plus, qu'en cas d'atteinte illicite et intentionnelle, le tribunal peut en outre condamner son auteur à des dommages-intérêts punitifs.

Depuis l'arrêt rendu par la Cour suprême dans l'affaire *Béliveau St-Jacques c. Fédération des employées et employés des services publics Inc.*[175], il ne fait plus de doute maintenant que la Charte ne crée pas un régime distinct de responsabilité civile, en marge du régime général prévu aux articles 1457 et suivants C.c.Q. L'atteinte illicite à un droit ou à une liberté reconnu par la Charte doit donc être sanctionnée suivant les règles usuelles de responsabilité civile prévues au Code civil[176].

À cet égard, la Cour suprême du Canada précise dans l'affaire *Curateur public c. S.N.E. de l'Hôpital St-Ferdinand*[177] que « pour conclure à l'existence d'une atteinte illicite, il doit être démontré qu'un droit protégé par la Charte a été violé et que cette violation résulte d'un comportement fautif »[178]. Il s'ensuit qu'en droit civil québécois, la responsabilité civile ne peut découler du seul fait qu'un acte puisse constituer un manquement à une norme prescrite par la loi ou une charte[179].

3- Le lien de causalité

Pour qu'une personne soit tenue responsable du préjudice subi par autrui, il ne suffit pas qu'il soit prouvé qu'elle a commis une faute par rapport à autrui. Il faut, de plus, qu'il soit démontré que cette faute fut la cause du préjudice subi, plus particulièrement que le préjudice causé fut une conséquence directe et immédiate du fait fautif reproché[180]. Cette exigence est notamment posée par l'article 1607 C.c.Q., qui reconnaît au créancier le droit à des dommages-intérêts en réparation du préjudice que lui cause un débiteur dans la mesure où il est prouvé que le préjudice est une suite immédiate et directe de la faute du débiteur[181].

Procureur général du Québec, [1995] R.R.A. 942 (C.S.); *Boulay c. Procureur général du Canada*, J.E. 95-902, EYB 1995-72367 (C.S.); *Procureur général du Québec c. Proulx*, précité, note 163; *Biron c. Allard*, précité, note 162.

169. Voir, à cet égard, *Gauthier c. Roy*, précité, note 135; voir également *Messier c. Agromex Inc.*, [1996] R.R.A. 1029, EYB 1996-84981 (C.S.); *Lessard c. Dupont-Beaudoin*, EYB 1996-87764 (C.S.); *L. (C.) c. T. (P.)*, EYB 2005-93397 (C.S.); *Du Berger c. Béliveau*, EYB 2007-127368 (C.S.).

170. *Brissette c. Pépin*, EYB 2005-90191 (C.S.); *Guénette c. Béland*, EYB 2005-97570 (C.S.); *Gourdeau c. Letellier de St-Just et al.*, REJB 2002-31486 (C.A.).

171. J.-L. BAUDOUIN et P. DESLAURIERS, *op. cit.*, note 2, par. 1-227 ; voir, en ce sens, *Lessard c. Bernard*, [1996] R.D.I. 210, EYB 1996-87709 (C.S.); voir également *Orychiwsky et al. c. Murphy*, EYB 2004-81748 (C.S.); voir, toutefois, *Dorion c. C.N.*, EYB 2005-86254 (C.S.).

172. *Ibid.*; voir, en ce sens, *Christopoulos c. Restaurant Mazurka Inc.*, REJB 1998-05385 (C.A.).

173. Précité, note 88.

174. Précitée, note 40.

175. [1996] 2 R.C.S. 345, EYB 1996-67901.

176. *Centre jeunesse Gaspésie/Les Îles et al.*, précité, note 48.

177. Précitée, note 2, p. 260.

178. *Pelletier c. Ferland*, REJB 2004-66848 (C.S.); voir également *Marsh Canada Limitée c. Crevier*, EYB 2006-103661 (C.A.).

179. *Laliberté c. Gingues et al.*, EYB 2008-151130 (C.A.).

180. J.-L. BAUDOUIN et P. DESLAURIERS, *op. cit.*, note 2, par. 1-603. Voir également A. NADEAU et R. NADEAU, *op. cit.*, note 2, par. 652 et M. TANCELIN, *op. cit.*, note 1, par. 783; voir, en ce sens, *Therrien c. Launay*, EYB 2005-86098 (C.S.).

181. Voir A. NADEAU et R. NADEAU, *op. cit.*, note 2, par. 654.

En tout état de cause, il appartient à la personne qui réclame réparation du préjudice subi de prouver le lien de causalité entre la faute de la personne qu'elle recherche en justice et le préjudice qu'elle a subi[182]. La preuve directe du lien de causalité n'est pas nécessaire. La preuve par présomptions est admise dans la mesure où les conditions requises sont réunies à savoir qu'elles soient, suivant les termes mêmes de l'article 2849 C.c.Q., graves, précises et concordantes[183]. En outre, la causalité n'a à être établie qu'en fonction du critère de la probabilité raisonnable ou de la prépondérance de la preuve[184].

Cela dit, si, dans plusieurs instances, l'établissement du lien de causalité ne pose pas problème, en revanche dans certains cas, l'établissement de ce lien peut s'avérer une entreprise particulièrement difficile. Les difficultés sont de plusieurs ordres. Elles concernent, d'une part, la détermination de la cause physique ou de la source d'un événement précis (élément matériel) et, d'autre part, la détermination du lien rattachant une personne à un événement particulier (élément personnel).

Il convient donc de distinguer ces deux ordres de causalité et d'en faire une analyse séparée. Il importe, à cet égard, de distinguer la causalité physique et la causalité juridique[185]. La causalité physique renvoie aux facteurs de nature matérielle qui ont pu contribuer à la réalisation d'un préjudice. Elle vise à établir un lien de cause à effet entre deux ou plusieurs facteurs. En revanche, la causalité juridique concerne le lien de rattachement qui peut exister entre des facteurs de nature physique et le comportement de certaines personnes[186]. Elle vise à imputer à une personne la survenance d'un événement.

Par ailleurs, on doit signaler qu'il est maintenant bien établi en jurisprudence que la causalité est à la fois une question de fait et une question de droit[187]. Dans ce contexte, une cour d'appel sera autorisée à revoir les conclusions auxquelles en sera arrivé un tribunal inférieur sur une question de causalité si ce tribunal a mal appliqué les règles de droit en la matière ou encore si le tribunal a tiré de la preuve les mauvaises conclusions[188].

Avant d'examiner quels sont les critères utilisés par les tribunaux pour déterminer l'existence d'un lien de

causalité, de nature physique ou juridique (section B), il importe de procéder à une caractérisation de la problématique (section A), en ce qui concerne tant la causalité physique que la causalité juridique. Celle-ci devrait permettre de mieux cerner les enjeux associés à ces deux niveaux de causalité.

A- La caractérisation de la problématique

L'établissement d'un lien de cause à effet entre deux événements confronte les tribunaux à des problèmes de fait parfois complexes. Ces problèmes sont essentiellement dus à la difficulté de déterminer l'origine ou la cause matérielle d'une blessure, telle une paralysie, ou d'un événement, tel un incendie.

Il importe, pour bien saisir la portée réelle des problèmes auxquels ont à faire face les tribunaux dans la détermination de la causalité physique, d'illustrer la problématique en recourant à des exemples tirés de la jurisprudence. Pour ce qui est de la causalité physique, trois affaires ont été choisies. Ce sont les affaires *Longpré c. Thériault*[189] et *St-Cyr c. Ville de Boucherville*[190], ainsi que *Liberty Mutual Insurance Co. c. Sanborn's Motor Express*[191].

1. *La causalité physique*

L'affaire *Longpré c. Thériault* met en cause un enfant âgé de trois ans qui subit une fracture du crâne en chutant. Personne n'est témoin de l'accident dont est victime l'enfant. Parmi les causes possibles de la chute, il y a le fait qu'il ait pu chuter d'un escabeau menant à une galerie en construction ou encore de la galerie elle-même. Il y a également la possibilité que l'enfant ait pu être atteint par un projectile. Comme aucun expert n'est entendu pour donner son avis quant à la cause probable de la fracture, l'action est rejetée, la cause du préjudice demeurant dans les circonstances, incertaine, voire inconnue.

Quant à elle, l'affaire *St-Cyr c. Ville de Boucherville* concerne un enfant âgé de huit ans qui a subi une fracture du crâne alors qu'il se trouvait dans une piscine munici-

182. J.-L. BAUDOUIN et P. DESLAURIERS, *op. cit.*, note 2, par. 1-637 et s. Voir également A. NADEAU et R. NADEAU, *op. cit.*, note 2, par. 656.
183. Voir, à cet égard, *St-Jean c. Mercier*, précité, note 133; *Norbert c. Lavoie*, REJB 1998-09285 (C.A.).
184. *Ibid.* Voir également *Laferrière c. Lawson*, [1991] 1 R.C.S. 541, EYB 1991-67747.
185. M. TANCELIN, *op. cit.*, note 1, par. 784. Voir également *Laferrière c. Lawson*, précité, note 184.
186. *Simard c. Lavoie*, EYB 2003-49591 (C.S.).
187. J.-L. BAUDOUIN et P. DESLAURIERS, *op. cit.*, note 2, par. 1-618. Voir également *St-Jean c. Mercier*, précité, note 133.
188. *Longpré c. Thériault*, [1979] C.A. 258; voir également *Norbert c. Lavoie*, précité, note 183.
189. *Ibid.*
190. Précitée, note 115.
191. [1991] R.R.A. 272, EYB 1991-57483 (C.A.).

pale. Bien qu'aucun témoin oculaire ne fut en mesure de décrire ce qui était réellement survenu, si ce n'est une jeune fille âgée de huit ans qui ne fut pas appelée à témoigner, le tribunal en vint à la conclusion, à partir des circonstances entourant l'événement et du témoignage des experts, que l'enfant avait probablement fait une chute en bas de l'échelle menant au tremplin de trois mètres.

L'affaire *Liberty Mutual Insurance Co. c. Sanborn's Motor Express* concerne un entrepôt ravagé par un incendie. De l'avis des experts, deux faits pouvaient expliquer l'origine ou la cause de l'incendie, soit, d'une part, la surchauffe d'un appareil de chauffage et, d'autre part, un court-circuit dans un fil électrique. Comme aucun des experts ne fut en mesure de déterminer la source exacte du foyer d'incendie, l'action fut, dans les circonstances, rejetée.

Ces trois affaires illustrent bien la nature des problèmes que les tribunaux ont à résoudre quant à la causalité physique ou aux éléments de fait qui doivent être prouvés pour établir le lien de cause à effet entre deux phénomènes. Essentiellement, les difficultés éprouvées touchent à la détermination de la cause d'une blessure ou d'un événement.

2. *La causalité juridique*

Les problèmes de causalité soulevés en matière de responsabilité civile débordent largement le domaine de la causalité physique. Des problèmes particuliers se présentent lorsque le préjudice subi par quelqu'un ne résulte pas d'un événement unique, mais d'une série ou d'une cascade d'événements successifs ou encore du concours d'événements simultanés[192]. Ces événements, en règle générale, mettent en cause le comportement, fautif ou non, de plusieurs personnes. Les tribunaux ont alors à rechercher quels comportements peuvent être retenus comme des facteurs juridiquement causals du préjudice. Tout comme pour la causalité physique, le recours à certains exemples jurisprudentiels permettra de mieux illustrer cette problématique.

Le premier provient de l'affaire *Dubois c. Dubois*[193]. Dans cette affaire, un jeune adolescent devint aveugle après avoir ingurgité de l'alcool de bois que lui avait refilé un copain. L'alcool était contenu dans une bouteille de la Société des alcools qui avait été subtilisée d'un sac accroché près du conducteur d'un autobus scolaire durant le trajet menant les adolescents à l'école. L'alcool contenu dans la bouteille de la Société des alcools devait servir à aider au démarrage de l'autobus par temps froid. La victime ayant poursuivi non seulement l'ami qui lui avait refilé la bouteille d'alcool, mais également le père de ce dernier, ainsi que le propriétaire de la compagnie d'autobus, la question se posait alors de savoir si la compagnie d'autobus pouvait être tenue responsable de la cécité dont avait été victime l'adolescent.

Dans cette affaire, la cause matérielle de la cécité ne posait pas de problème particulier. Elle était due au fait pour l'adolescent d'avoir ingurgité le contenu de la bouteille d'alcool méthylique. Pouvait-on dire qu'il avait été l'artisan de son propre malheur en ingurgitant un produit dont il ignorait la véritable nature sans prendre certaines précautions? Ne pouvait-on pas dire, par ailleurs, que la cause directe et immédiate du préjudice subi était le comportement négligent de son copain qui lui avait vendu une bouteille d'alcool sans l'informer de sa provenance? Pouvait-on réellement penser que la compagnie assurant le transport scolaire avait contribué de façon directe et immédiate à la réalisation du préjudice par l'intermédiaire de la conduite de son employé? Dans cette affaire, la Cour d'appel en vient à la conclusion que, et la victime, et son copain, et le conducteur d'autobus devaient être considérés comme ayant contribué à la réalisation du préjudice et, partant, comme des facteurs causals.

Un second cas de jurisprudence auquel il importe de se référer est celui de *Beaudoin c. T.W. Hand Fireworks*[194]. Dans cette affaire, un jeune enfant perdit l'usage d'un œil après l'explosion d'une pièce pyrotechnique qu'il manipulait en compagnie d'un employé de son père. La pièce pyrotechnique avait été abandonnée sur les berges du lac par les employés de la compagnie T.W. Hand Fireworks à la suite d'un feu d'artifice pour lequel elle avait fourni diverses pièces. La pièce avait été découverte sur les bords du lac par deux jeunes enfants, dont un était le frère de la victime, et les enfants l'avaient remise au père de la victime. Celui-ci, plutôt que d'en disposer de façon sécuritaire, avait décidé de la remettre à un de ses employés, pas très futé, pour que celui-ci en dispose, ce qu'il ne fit pas, avec le résultat tragique que l'on connaît.

La question qui se posait dans cette instance était de savoir si la compagnie T.W. Hand Fireworks devait être tenue responsable du préjudice subi par le jeune garçon. De toute évidence, les employés de la compagnie avaient été négligents dans le nettoyage des berges à la suite du

192.   J.-L. BAUDOUIN et P. DESLAURIERS, *op. cit.*, note 2, par. 1-657 et s.
193.   [1978] C.A. 569.
194.   [1961] C.S. 709.

feu d'artifice. En outre, il ne faisait pas de doute que la pièce pyrotechnique en cause était la propriété de la compagnie. Devait-elle pour autant être tenue responsable? La conduite négligente de ses employés pouvait-elle, dans les circonstances, être considérée comme une cause directe et immédiate du préjudice subi par le jeune garçon? Ne pouvait-on pas dire que, dans les circonstances, le jeune garçon avait été l'artisan de son propre malheur et que son comportement imprudent devait être considéré comme la cause exclusive du préjudice qu'il avait subi? Et que dire du comportement du père? Le tribunal devait conclure, en l'espèce, que le comportement très répréhensible du père constituait un *novus actus*, entraînant une rupture du lien de causalité entre la faute initiale de la compagnie et le préjudice subi par l'enfant.

On le voit donc, la détermination du lien de causalité n'est pas sans poser problème[195]. Aussi, ne faut-il pas s'étonner que la doctrine ait jugé nécessaire de tenter de faire une certaine rationalisation des approches quant à la détermination du lien de causalité. Mais, au-delà des approches théoriques développées par la doctrine, il importe de saisir que les tribunaux ont développé leurs propres paramètres quant à la détermination de la causalité tant matérielle que juridique.

B- La détermination du lien de causalité

En doctrine, plusieurs théories ont été mises de l'avant afin de donner un support rationnel à la détermination du lien de causalité. Il importe de les examiner afin d'être plus en mesure de saisir les multiples facettes associées à la détermination du lien de causalité.

1. Les approches théoriques

Les différentes théories élaborées par la doctrine ont l'ambition d'aider les tribunaux à déterminer la présence d'un lien de causalité qui satisfasse aux exigences du législateur, à savoir que le préjudice subi par une victime soit la conséquence directe et immédiate du comportement fautif du débiteur (art. 1607 C.c.Q.). À cet égard, la doctrine a développé quatre grandes théories, chacune visant à servir de cadre d'analyse de la causalité. Ce sont les théories de la causalité immédiate, de l'équivalence des conditions, de la causalité adéquate et de la prévision raisonnable des conséquences.

a) La causalité immédiate

Suivant cette théorie[196], aussi appelée théorie de la proximité de la cause, seul le dernier événement en liste dans une série d'événements doit être retenu comme la cause du préjudice subi par une personne, dans la mesure, toutefois, où il est prouvé que cet événement a causé à lui seul la totalité du dommage[197]. Sont donc exclus du champ de la causalité tous les événements antérieurs qui s'inscrivent dans la réalisation du préjudice, même ceux qui ont pu être déterminants dans sa réalisation. Le facteur déterminant s'avère donc le dernier en liste; la seule et unique cause est la *causa proxima*, celle qui précède immédiatement le préjudice.

En vertu de cette théorie, le père qui laisse une carabine chargée dans la penderie de sa chambre et son fils qui l'emprunte sans autorisation ne seront pas considérés comme des facteurs causals du décès d'une personne, abattue par un adolescent de 17 ans ayant subtilisé la carabine au fils du père. Seul l'adolescent de 17 ans sera considéré comme un facteur causal étant donné qu'il est la cause immédiate, la *causa proxima*, du décès de la personne. La responsabilité du père pourrait toutefois être engagée en vertu de l'article 1459 C.c.Q.

La théorie de la causalité immédiate simplifie à outrance la recherche du lien de causalité. Elle a pour effet d'éliminer d'emblée comme facteurs causals des comportements humains qui, en toute logique et en toute justice, peuvent avoir été déterminants dans la réalisation du préjudice subi par une personne. Elle n'est pas la théorie à laquelle les tribunaux ont recours d'emblée[198].

b) L'équivalence des conditions

À la différence de l'approche suivie dans la théorie de la causalité immédiate, la théorie de l'équivalence des conditions[199] retient comme facteur causal tous les faits ou tous les événements qui ont mené ou concouru à la réalisation du préjudice, quelle que soit leur proximité avec celui-ci ou encore leur gravité[200]. Dans la mesure où un facteur est considéré comme une condition *sine qua non* de la réalisation du préjudice, il devient un facteur causal du préjudice et lie son auteur à la victime.

---

195. Voir, à cet égard, *Chouinard c. Robbins*, REJB 2001-27398 (C.A.).
196. Voir à cet égard, la définition contenue dans le *Dictionnaire de droit privé, op. cit.*, note 1.
197. J.-L. BAUDOUIN et P. DESLAURIERS, *op. cit.*, note 2, par. 1-613. Voir également M. TANCELIN, *op. cit.*, note 1, par. 790.
198. Voir cependant, *Accessoires d'auto Vipa Inc. c. Therrien*, précité, note 16.
199. Voir à cet égard, la définition contenue dans le *Dictionnaire de droit privé, op. cit.*, note 1.
200. J.-L. BAUDOUIN et P. DESLAURIERS, *op. cit.*, note 2, par. 1-609. Voir également M. TANCELIN, *op. cit.*, note 1, par. 788.

En vertu de cette théorie, aucune sélection n'est exercée par rapport aux événements qui ont pu contribuer de près ou de loin à la réalisation du préjudice. Ainsi, le père qui laisse une carabine chargée dans la penderie de sa chambre est tout autant un facteur causal dans le décès d'autrui que son fils qui s'est emparé sans autorisation de l'arme ou que le copain de son fils qui la lui a volée. Le comportement du père, du fils et du copain sont tous sur un même pied et constituent tous des facteurs causals de même valeur.

De façon pratique, cette théorie a l'avantage ou l'inconvénient, suivant que l'on est créancier ou débiteur, de multiplier le nombre d'agents susceptibles d'être associés à une faute et, partant, d'avoir à répondre du préjudice subi par autrui. Elle non plus n'a pas reçu, de manière générale, la faveur des tribunaux.

c) La causalité adéquate

En vertu de cette théorie[201], une sélection est faite parmi l'ensemble des circonstances, des comportements ou des événements qui ont pu conduire à la réalisation d'un préjudice. Le but de l'exercice est alors de séparer la ou les causes véritables des simples circonstances ou occasions du préjudice[202]. En principe, seuls les faits qui constituent des facteurs causals déterminants, qui peuvent être considérés comme la *causa causans* ou la cause efficiente du préjudice, seront considérés comme facteurs causals. Suivant cette théorie, sera considérée une cause adéquate le ou les événements qui, par leur simple existence, rendent objectivement possible la création du dommage ou encore le fait qui, dans le cours ordinaire des choses, accroît sensiblement la possibilité de réalisation du dommage[203].

Ainsi, le père qui laisse une carabine chargée dans sa garde-robe pourrait, en vertu de cette théorie, ne pas être considéré comme un facteur causal du décès d'une personne abattue par un adolescent de 17 ans qui aurait obtenu la carabine du fils du père dans la mesure où il appert que le fils s'est emparé de la carabine de son père sans autorisation.

Si la théorie de la causalité adéquate s'avère claire sur le plan des principes, on doit souligner que, sur le plan pratique, elle demeure souvent problématique. Bien comprise[204], elle demeure néanmoins la théorie qui semble offrir le cadre conceptuel le plus adapté à une analyse rationnelle de la causalité juridique. Bien que les tribunaux n'en fassent pas une application systématique, cette théorie semble servir de support logique à la détermination du lien causal dans les instances où il existe une pluralité de facteurs causals[205]. En effet, une lecture de la jurisprudence fait ressortir la *causa causans* comme le critère de référence des tribunaux dans l'établissement du lien causal[206].

d) La prévision raisonnable des conséquences

En vertu de cette théorie, une relation causale existe entre un dommage et une personne lorsque la nature du dommage subi par la victime était normalement prévisible pour la personne dont la responsabilité est recherchée[207]. Sous l'empire de cette théorie, la détermination du lien causal passe nécessairement par la prise en considération du comportement de la personne recherchée en responsabilité civile. Elle est axée sur la recherche des faits « qui rendaient objectivement possible la création du dommage et dont les conséquences étaient normalement prévisibles pour l'agent »[208]. À plusieurs égards, elle se rapproche de la théorie de la causalité adéquate. Elle demeure, néanmoins, d'application marginale.

2. L'approche pragmatique

Malgré l'existence de diverses théories doctrinales pour aider à mieux comprendre la question de la causalité en droit, on constate que les tribunaux, dans leur ensemble, ont adopté une approche plutôt pragmatique à l'égard des problèmes que soulève l'établissement d'un lien de causalité entre un comportement fautif et un préjudice. Il importe ici d'examiner de quelle façon les tribunaux ont traité les enjeux juridiques associés tant à la causalité physique qu'à la causalité juridique.

---

201. Voir à cet égard la définition contenue dans le *Dictionnaire de droit privé, op. cit.*, note 1.
202. J.-L. BAUDOUIN et P. DESLAURIERS, *op. cit.*, note 2, par. 1-611.
203. *Id.*, par. 1-626. Voir également M. TANCELIN, *op. cit.*, note 1, par. 789.
204. Voir, à cet égard, *Dallaire c. Martel Inc.*, [1989] 2 R.C.S. 419, EYB 1989-67830.
205. *Laferrière c. Lawson*, précité, note 184, p. 602; voir cependant *Accessoires d'auto Vipa Inc. c. Therrien et al.*, précité, note 16.
206. Voir, par exemple, *Hydro-Québec c. Girard*, précité, note 102; *Kruger Inc. c. Robert A. Fournier & Associés Ltée*, [1986] R.R.A. 428, EYB 1986-62453 (C.A.); *Bonenfant c. L'O.T.J. de la Rédemption*, [1994] R.R.A. 225, EYB 1994-57454 (C.A.); *Wallin c. Station Mont-Tremblant Limited Partnership*, EYB 2005-90492 (C.S.); *St-Hilaire c. Club des motoneigistes du Saguenay Inc.*, EYB 2005-89328 (C.S.).
207. J.-L. BAUDOUIN et P. DESLAURIERS, *op. cit.*, note 2, par. 1-615.
208. *Id.*, par. 533; voir en ce sens, *Gaudreault c. Club Les neiges Lystania*, REJB 2000-20311 (C.S.).

a) La causalité physique

Comme il a été signalé précédemment, dans plusieurs instances en responsabilité civile, le problème qui se pose est de savoir quelle fut l'origine ou la source réelle d'un événement ayant causé préjudice[209]. Le problème se pose lorsqu'il existe *a priori* plusieurs causes possibles pour expliquer la survenance d'un événement, tel un incendie, une explosion, une inondation ou une paralysie.

À cet égard, les tribunaux se sont montrés particulièrement exigeants. Ainsi, il ne suffit pas pour un créancier d'établir qu'il existe plusieurs causes plausibles ou possibles : il lui faut prouver quelle est la cause probable parmi l'ensemble des causes plausibles ou possibles[210]. Dans cette recherche de la cause probable parmi un ensemble de causes possibles ou plausibles, les tribunaux seront appelés à procéder par élimination, écartant toutes les causes possibles pour ne retenir que la cause probable eu égard à la preuve présentée par les parties. Déterminer la cause probable d'un événement ne signifie pas pour autant en déterminer la cause précise[211].

En tout état de cause, le fardeau de faire cette preuve revient à la personne qui demande réparation pour le préjudice qu'elle a subi. En cette matière, la preuve par experts, ainsi que la preuve par présomptions, sont souvent les seules avenues qui s'offrent à cette personne, la preuve directe par témoins, compte tenu des circonstances, étant souvent impossible[212].

En ce qui concerne la preuve par présomptions, il importe que celles-ci soient graves, précises et concordantes (art. 2849 C.c.Q.)[213]. Comme le rappelait la Cour d'appel dans l'affaire *Liberty Mutual Insurance Co. c. Sanborn's Motor Express (Québec) Inc.*[214], la preuve par présomptions implique plus que la preuve d'une hypothèse ou d'une cause possible de l'événement. Il faut, au surplus, que la cause avancée soit la cause probable de l'incident, le facteur sans lequel l'incident n'aurait pas pu se produire.

En ce qui concerne la preuve par experts, on constate que la formulation par ceux-ci de plusieurs hypothèses pouvant expliquer la cause d'un événement, sans qu'il ne soit possible pour le tribunal de déterminer la cause probable à l'origine de l'événement préjudiciable, devrait, en principe, amener un rejet de l'action dès lors qu'aucun autre élément de preuve ne permet de circonscrire la cause probable de l'événement[215].

En tout état de cause, le tribunal doit, par delà les opinions exprimées par les experts, rechercher dans la preuve les faits qui militent en faveur de l'accréditation d'une hypothèse plutôt que d'une autre. En effet, la détermination de la causalité physique passe, non seulement par une analyse des théories mises de l'avant par différents experts, mais par l'examen minutieux par le tribunal des faits mis en preuve, celui-ci étant appelé à rechercher ceux susceptibles d'accréditer une thèse plutôt qu'une autre[216].

b) La causalité juridique

Les problèmes reliés à la détermination de la causalité juridique, comme elle est définie précédemment, surgissent généralement dans un contexte où l'on observe une pluralité de facteurs causals reliés au comportement de diverses personnes. Quoi que l'on en dise, la faute et la causalité demeurent deux éléments intimement liés de sorte qu'il n'est pas surprenant de constater que la détermination du lien causal passe souvent par une analyse et une prise en compte du comportement des personnes ayant pu contribuer à la réalisation d'un dommage[217].

Cela dit, il semble que, dans l'ensemble, les tribunaux aient épousé la thèse de la causalité adéquate comme support théorique à leur analyse de la causalité juridique[218]. Ainsi, pour qu'un facteur soit considéré comme causal, il faut nécessairement qu'il soit identifié, suivant la terminologie à laquelle ont souvent recours les tribunaux, comme ayant été la *causa causans* du préjudice subi par une personne, c'est-à-dire comme un facteur contributif à

---

209.   Voir, par exemple, *Longpré c. Thériault*, précité, note 188.
210.   *Laferrière c. Lawson*, précité, note 184, p. 595; voir également *Brault & Bisaillon (1986) Inc. c. Les Éditions Le Canada Français Ltée*, [1999] R.R.A. 270, REJB 1999-12162 (C.A.).
211.   Voir, par exemple, *La Garantie compagnie d'assurance de l'Amérique du Nord c. Massicotte*, [1988] R.R.A. 16, EYB 1987-62795 (C.A.); *Assurances générales des caisses Desjardins Inc. c. Gaudette et al.*, EYB 2004-70160 (C.S.); *Kansa General Insurance Company c. Quincaillerie Roger Lambert Ltée*, [1994] R.R.A. 881, EYB 1994-73517 (C.S.). Voir également *St-Cyr c. Ville de Boucherville*, précité, note 115.
212.   *Parent c. Lapointe*, [1952] R.C.S. 376; *Partanen c. Commission de Transport de Montréal*, [1964] R.C.S. 231; *Cohen c. Coca Cola*, [1967] R.C.S. 469; *Martel c. Hôtel-Dieu de St-Vallier*, [1969] R.C.S. 570; *Prudentielle (La), Compagnie d'assurances Ltée c. Agence de Voyages Les Ailes d'Or Inc.*, [1997] R.R.A. 534 (C.S.).
213.   Voir aussi *Longpré c. Thériault*, précité, note 188.
214.   [1991] R.R.A. 272, 276, EYB 1991-57483 (C.A.).
215.   *La Garantie compagnie d'assurance de l'Amérique du Nord c. Massicotte*, précité, note 211.
216.   *Id.*, p. 18.
217.   J.-L. BAUDOUIN et P. DESLAURIERS, *op. cit.*, note 2, par. 1-636.
218.   *Id.*, par. 1-626. Voir, au même effet, M. TANCELIN, *op. cit.*, note 1, par. 1-636.

la réalisation du préjudice. Dans une instance donnée, rien ne s'oppose à ce que plusieurs facteurs aient cette caractéristique et puissent être identifiés comme une cause du préjudice et non seulement comme l'occasion de sa réalisation[219]. La pluralité de facteurs causals n'est pas antinomique avec les principes sous-jacents à la théorie de la causalité adéquate.

Ainsi, dans leur détermination de la causalité juridique, les tribunaux ne rechercheront donc pas nécessairement la cause unique déterminante du préjudice. Il se peut, en effet, qu'il existe plusieurs facteurs causals contributifs, voire plusieurs comportements fautifs, à l'origine d'un préjudice, susceptibles d'en être la cause.

De façon concrète, dans la détermination de la causalité juridique, les tribunaux cherchent d'abord à déterminer tous les facteurs ayant pu contribuer de près ou de loin à la réalisation du préjudice pour lequel réparation est demandée. Mais cela ne constitue qu'une étape dans la détermination de la causalité juridique. La détermination des facteurs contributifs est suivie par la détermination des facteurs déterminants, soit ceux qui ne constituent pas une simple occasion de réalisation du préjudice[220].

À cette étape du processus, les tribunaux sont amenés instinctivement à scruter le comportement des parties en cause, tant celui de la victime que celui des personnes qu'elle veut tenir responsable du préjudice subi. En outre, ils sont portés à juger de la gravité des fautes susceptibles d'avoir été commises par les parties en cause. Cet exercice est requis dans la mesure où l'on reconnaît qu'une faute d'une gravité particulière peut, en certaines circonstances, constituer un *novus actus interveniens* qui opère une rupture du lien de causalité. En revanche, dans certains cas, une faute d'une gravité particulière pourra empêcher la rupture du lien de causalité susceptible d'exister entre la victime d'un préjudice et la personne qu'elle poursuit. Quelques exemples, tirés de la jurisprudence québécoise, illustreront notre propos.

Pour ce qui est des cas où la gravité d'une faute est susceptible d'opérer une rupture du lien de causalité, il convient de citer les affaires *Beaudoin c. T.W. Hand Fireworks*[221], *Hydro-Québec c. Girard*[222] et *Kruger Inc. c. Robert A. Fournier & Associés Ltée*[223].

Dans l'affaire *Beaudoin c. T.W. Hand Fireworks*, dont les faits ont été relatés précédemment, le tribunal devait dégager de sa responsabilité la compagnie qui avait laissé traîner des pièces pyrotechniques sur les berges d'un lac en soulignant notamment que le père de la victime avait fait preuve de « grande imprudence » en confiant la pièce pyrotechnique à un de ses employés qui avait une intelligence médiocre. Cette grande imprudence, dans les circonstances propres de l'espèce, pourrait certes être qualifiée de faute lourde.

Cela dit, le tribunal devait, en l'espèce, en venir à la conclusion que la *causa causans* du préjudice subi par la victime fut la négligence du père et de son employé. Sans le dire, c'était reconnaître que leurs fautes constituaient, dans les circonstances, un *novus actus* qui libérait la compagnie T.W. Hand Fireworks de toute responsabilité malgré la faute commise par ses préposés.

En ce qui concerne l'affaire *Hydro-Québec c. Girard*, la Cour d'appel devait rejeter l'action du demandeur qui avait été électrocuté alors qu'il se trouvait près d'un fil électrique suspendu au-dessus d'une route. Le demandeur cherchait alors à avertir le public du danger. La cour fut d'opinion que le demandeur avait fait preuve d'une « imprudence téméraire », pour ne pas dire qu'il avait commis une faute lourde, et que celle-ci constituait, dans les circonstances, un *novus actus* qui libérait Hydro-Québec de toute responsabilité.

Enfin, dans l'affaire *Kruger Inc. c. Robert A. Fournier & Associés Ltée*, les demandeurs, qui se plaignaient que leurs véhicules avaient été endommagés par des particules de suie acides provenant de l'usine de la défenderesse, furent déboutés de leur action, la cour étant d'opinion qu'en ne couvrant pas leur véhicule d'une bâche, les demandeurs avaient volontairement encouru les dommages subis par leurs véhicules.

Au delà du fait que la cour en vint à la conclusion que le fait d'assumer les conséquences nécessaires d'un événement certain constituait un *novus actus*, l'ensemble du dossier laisse clairement paraître que les demandeurs avaient fait preuve de négligence grossière, de faute lourde, en refusant de recouvrir leurs véhicules d'une bâche pour les protéger contre la suie, sachant quelles étaient les conséquences certaines et inéluctables de leurs gestes. Le fait d'avoir « volontairement encouru » les dommages subis par leurs véhicules avait, en l'espèce, toutes les allures d'une faute lourde au sens de l'article 1474 C.c.Q.

219. *Ibid.*
220. *Deguire Avenue Ltd. c. Adler*, précité, note 77; voir également *Nolet c. Boisclair*, EYB 2007-124392 (C.S.), EYB 2008-151766 (C.A.).
221. Précité, note 194.
222. Précité, note 102.
223. Précité, note 206.

Pour ce qui est des cas où la gravité de la faute commise par une personne n'a pas pour effet d'opérer une rupture du lien de causalité, il importe de s'en rapporter, notamment, à l'affaire *Dubois c. Dubois*, à laquelle nous avons fait allusion précédemment. Bien que cela ne soit pas expressément mentionné par la Cour d'appel, il appert que le fait de laisser de l'alcool méthylique dans un contenant de la Société des alcools à la portée d'étudiants voyageant dans un autobus scolaire constituait plus que de la simple négligence. À la différence de l'affaire *Beaudoin c. T.W. Hand Fireworks*, cependant, la Cour d'appel fut d'opinion qu'il n'y avait pas eu rupture du lien de causalité ou de *novus actus* dans les événements survenus après le vol de la bouteille d'alcool. Aussi, la compagnie d'autobus fut-elle trouvée partiellement responsable du préjudice subi par l'adolescent, la cour étant d'avis que la faute de son préposé était un facteur causal.

Cette affaire mérite d'être mise en parallèle avec l'affaire *Deguire Avenue Ltd. c. Adler*. Dans cette dernière affaire, un incendie se déclara dans un immeuble à la suite d'une explosion qui survint après que des peintres eurent, par inadvertance, omis de raccorder le poêle à gaz au tuyau d'alimentation et que des concierges eurent rétabli la circulation de gaz, arrêtée par les peintres, sans vérifier les raccordements lorsqu'un visiteur alluma une cigarette en visitant un appartement. Dans cette affaire, la cour refusa de voir dans la faute subséquente des concierges une faute telle qu'elle aurait eu pour effet de briser le lien de causalité et de dégager de leur responsabilité les peintres qui, à l'origine, n'avaient pas, au terme de leurs travaux, raccordé le poêle d'un appartement au tuyau d'approvisionnement central. La cour conclut à un concours de fautes, estimant que, dans les circonstances, la responsabilité devait être également partagée entre les défendeurs.

Sans qu'il soit possible d'en dégager une certitude mathématique, il appert que, dès lors que la victime a commis une faute lourde, au sens de l'article 1474 C.c.Q., et que la personne poursuivie ou une personne dont elle a le contrôle a commis une faute simple, les tribunaux auront tendance à conclure qu'il y a rupture du lien de causalité[224] et que, dans les circonstances, la seule cause du préjudice est la faute lourde de la victime, la faute simple de la personne poursuivie ou de la personne dont elle a le contrôle n'étant alors que l'occasion du préjudice.

Par ailleurs, si la victime et la personne qu'elle veut tenir responsable du préjudice qu'elle a subi ont commis des fautes de gravité de même nature, les tribunaux, en règle générale, vont considérer les deux parties comme ayant contribué à la réalisation du préjudice et, partant, comme des facteurs causals. Dans ce contexte, il n'y aura pas de rupture du lien de causalité, la clé de cette rupture étant l'existence, dans la chaîne des événements, d'une faute lourde, intentionnelle ou d'une conduite téméraire. Les tribunaux procéderont alors à un partage de responsabilité suivant la gravité de la faute, conformément à l'article 1478 C.c.Q.[225].

Quelles que soient les circonstances, dès lors que, dans une chaîne d'événements mettant en cause le comportement de plusieurs personnes, l'une d'elles a commis une faute lourde, les tribunaux auront tendance à voir dans ce comportement une rupture du lien de causalité[226], libérant les autres personnes de toute responsabilité, malgré leur comportement fautif.

Enfin, dans certaines circonstances, le lien de causalité pourra être présumé au bénéfice du créancier qui demande réparation pour le préjudice subi. Ainsi, s'il appert que le débiteur d'un devoir de sécurité envers autrui n'a pas respecté une norme élémentaire de prudence, quelle qu'en soit la source, ce fait constituera, suivant la jurisprudence actuelle, une faute civile qui aura la propriété d'être présumée causale si un accident que la norme avait pour but de prévenir se produit néanmoins[227]. Par ailleurs, si, dans une instance donnée, la preuve révèle que la faute du débiteur a empêché le créancier de prouver la cause probable du préjudice subi, la faute sera alors présumée avoir été la cause du préjudice à charge par le débiteur de faire la preuve contraire[228].

En dernière analyse, il appert que les tribunaux sont prêts à considérer, dans un premier temps, tous les facteurs ayant pu contribuer à la réalisation d'un préjudice, quelle que soit leur position dans le temps. Dans un deuxième temps, ils examineront si et quand il y a lieu d'opérer une rupture du lien de causalité eu égard à la gravité de la faute commise par les parties en présence. C'est ainsi que seront ultimement déterminées les personnes ou les circonstances qui peuvent être considérées comme des facteurs déterminants, donc causals, dans la survenance d'un préjudice. Si plusieurs personnes ont contribué à

224.   *Hydro-Québec c. Girard*, précité, note 102; *Kruger Inc. c. Robert A. Fournier & Associés Ltée*, précité, note 206; *Joly c. Salaberry-de-Valleyfield (Ville de)*, EYB 2007-126277 (C.A.).

225.   *Deguire Avenue Ltd. c. Adler*, précité, note 77; *Dubois c. Dubois*, précité, note 193; *Cavanagh c. Bibeau*, [1975] C.A. 239; *La Souveraine Compagnie d'assurance du Canada c. Hémond*, [1996] R.R.A. 139, EYB 1995-66801 (C.S.); *Nolet c. Boisclair*, précité, note 220.

226.   *Beaudoin c. T.W. Hand Fireworks*, précité, note 194; *Les Entreprises Agriel Inc. c. I.C.G. Gaz Liquide Ltée*, [1994] R.R.A. 140 (C.S.).

227.   *Morin c. Blais*, précité, note 53; *Boucher c. Rousseau*, précité, note 56; *Blanchet c. Claveau*, précité, note 56; *Germain c. Restaurants McDonald du Canada Ltée*, précité, note 83; *Cliche c. Baie-Comeau (Commission scolaire)*, EYB 2005-94192 (C.S.).

228.   Voir, à cet égard, les propos de M. le juge Beauregard dans l'affaire *Gburek c. Cohen*, [1988] R.J.Q. 2424, EYB 1988-63095 (C.A.).

la réalisation du préjudice, la responsabilité sera établie en fonction des règles qui régissent le partage de responsabilité.

Conclusion

Les conditions de la responsabilité civile du fait personnel et les règles qui la régissent sont, pour la plupart, contenues dans le Code civil du Québec. On ne saurait, toutefois, ignorer l'apport indéniable de la jurisprudence et de la doctrine dans le façonnement du droit de la responsabilité civile du fait personnel. Des efforts de rationalisation sont encore nécessaires pour préciser les règles qui régissent la détermination de la faute, mais surtout pour arrêter celles qui doivent régir la détermination de la causalité, tant physique que juridique.

Pour l'heure, en matière de responsabilité civile, pour qu'une personne soit tenue responsable de son fait personnel, il faut que la personne qui demande réparation pour le préjudice subi prouve, selon une balance de probabilités, que cette personne était douée de raison, qu'elle a commis une faute et que sa faute a été la cause du préjudice qu'elle a subi.

En ce qui concerne la détermination de la faute, la victime aura tout avantage à rechercher les normes de conduite qui ont pu être enfreintes par l'auteur du préjudice. Dans la mesure où elle peut prouver que la personne qu'elle veut tenir responsable a dérogé à une norme élémentaire de prudence, le lien de causalité physique ou juridique, dont la preuve est souvent très difficile, pourra être présumé et un renversement du fardeau de la preuve pourra s'opérer à son profit. Il appartiendra alors à la personne que l'on tient pour responsable de tenter soit de repousser cette présomption de faute causale en prouvant qu'elle a, dans les faits, agi avec prudence et diligence, soit d'en atténuer l'effet en soulevant la faute de la victime ou la faute d'un tiers. Elle pourra également chercher à démontrer, pour échapper à toute responsabilité, qu'il y a eu rupture du lien de causalité en invoquant l'existence, de la part de la victime ou d'un tiers, d'une faute d'une particulière gravité équivalant à faute lourde.

Chapitre II

Mme la juge Alicia Soldevila, j.c.s.

La responsabilité pour le fait ou la faute d'autrui et pour le fait des biens

1- La responsabilité pour le fait ou la faute d'autrui

Depuis la mise en vigueur du Code civil du Québec en 1994, l'article 1457, al. 3 C.c.Q. établit le fondement de la responsabilité pour autrui comme suit :

« [...] Elle (toute personne) est aussi tenue, en certains cas, de réparer le préjudice causé à autrui par le fait ou la faute d'une autre personne [...]. »

Contrairement à ce qui était indiqué dans l'ancien article 1054 C.c.B.-C.[1], aucun motif justificatif ne paraît sous-tendre la responsabilité pour autrui édictée par le législateur dans le libellé de l'article 1457, al. 3 C.c.Q., où le terme « contrôle » a disparu. Ce qui est prévu, c'est qu'en « certains cas », cette responsabilité pour autrui est édictée. Nous étudierons ces cas prévus aux articles 1459, 1460, 1461 et 1463 C.c.Q., aux chapitres A, B, C et D respectivement. L'article 1464 C.c.Q. sur la responsabilité des préposés de l'État est traité dans un autre chapitre de ce volume[2].

A- La responsabilité des titulaires de l'autorité parentale

Depuis la mise en vigueur le 1er août 1866 du Code civil du Bas-Canada, le principe d'une responsabilité du détenteur de l'autorité parentale pour le préjudice causé à autrui, en raison de la faute du mineur, est bien établi en droit québécois. Cette responsabilité « pour autrui » repose sur le manquement présumé des parents aux obligations rattachées à l'autorité parentale, lorsqu'un préjudice découle du comportement de leur progéniture. Cette présomption n'a que peu varié depuis 1866. Tout au plus, des ajustements ont été faits par le législateur pour « moderniser » l'attribution de cette responsabilité qui initialement n'était dévolue qu'au père en raison de sa « puissance paternelle »[3]; jusqu'en 1977, l'article 1054 C.c.B.-C. n'attribuait cette responsabilité à la mère qu'après le décès du père[4]. À cette date, le législateur fait disparaître cette responsabilité par défaut de la mère et, depuis, c'est au « titulaire » de l'autorité parentale que revient cette responsabilité[5].

L'article 1459 C.c.Q. établit le fondement de la responsabilité des titulaires de l'autorité parentale et une présomption de faute y est rattachée. Cette disposition étend la responsabilité des titulaires de l'autorité parentale non seulement au préjudice causé par la faute de l'enfant, mais également à celui causé par son fait. Le fait générateur du dommage devra toutefois répondre aux exigences de l'article 1462 C.c.Q. en ce que, n'eût été de la capacité de discernement de l'enfant, ce fait aurait constitué une faute[6]. De plus, l'article 1459 C.c.Q. aménage les limites de cette responsabilité.

Les moyens de défense qui peuvent être invoqués par les parents pour contrer la présomption de faute qui pèse sur eux y sont énoncés. Jusqu'à l'adoption en 1994 de cet article, la notion de responsabilité pour le « fait » de l'enfant[7] et les moyens de défense liés à une bonne surveil-

---

1. Art. 1054 C.c.B.-C. : « Elle est responsable non seulement du dommage qu'elle cause par sa propre faute, mais encore de celui causé par la faute de ceux dont elle a le contrôle [...]. »
2. *Supra*, chapitre I, section 2-B-2-d) « Les applications particulières ».
3. L'article 243 C.c.B.-C. entre 1866 et 1977 prévoyait que le père exerçait seul durant le mariage cette autorité. En 1977, la notion de puissance paternelle est remplacée par celle d'autorité parentale (*Loi modifiant le Code civil*, L.Q. 1977, c. 72, art. 5).
4. Avant la modification de 1977, l'article 1054 C.c.B.-C. prévoyait : « Elle est responsable (toute personne) non seulement du dommage qu'elle cause par sa propre faute mais encore de celui causé par la faute de ceux dont elle a le contrôle, et par les choses qu'elle a sous sa garde.
   Le père, et après son décès la mère, sont responsables des dommages causés par leurs enfants mineurs. [...] La responsabilité ci-dessus a lieu seulement lorsque la personne qui y est assujettie ne peut prouver qu'elle n'a pu empêcher le fait qui a causé le dommage. »
5. *Loi modifiant le Code civil*, précitée, note 3, art. 7.
6. Voir, *infra*, section 2), « Les conditions d'application du régime ».
7. *Laverdure c. Bélanger*, [1975] C.S. 612.

lance et à une bonne éducation étaient le résultat de la jurisprudence et de l'interprétation de la clause d'exonération[8] de l'article 1054, al. 6 C.c.B.-C.[9]. M. le juge Jean-Louis Baudouin signale d'ailleurs dans son traité[10] :

« Comme en droit français, on ne saurait trop insister, en outre, en droit québécois sur l'importance du rôle de la jurisprudence tant sur le plan théorique que pratique. C'est grâce à elle, en effet, que s'est construit le droit de la responsabilité civile extracontractuelle et que celui-ci a su s'adapter aux réalités fluctuantes de la vie socio-économique moderne. »

Le législateur a donc cristallisé dans l'article 1459 C.c.Q. les principes ci-dessus mentionnés auparavant établis par la jurisprudence; dès lors, une nouvelle jurisprudence qu'il appartient aux plaideurs de faire évoluer pourra tout autant venir atténuer, accentuer, ou même mettre en évidence les lacunes de ce régime.

1. L'autorité parentale, les devoirs et les obligations des détenteurs de cette autorité

a) Les obligations légales consacrées par le Code civil du Québec

La notion d'« autorité parentale » est reconnue plus clairement à partir de 1977 dans notre législation. Associés à cette autorité, certains devoirs sont évidemment imposés aux parents par le législateur aux articles 153 à 297 et 365 à 612 C.c.Q.; toutes les dispositions législatives qui les édictent sont importantes à consulter pour en apprécier la portée et déterminer les pouvoirs réels d'autorité des parents :

L'article 394 C.c.Q. prévoit :

« Ensemble, les époux assurent la direction morale et matérielle de la famille, exercent l'autorité parentale et assument les tâches qui en découlent. »

L'article 599 C.c.Q. précise :

« Les père et mère ont, à l'égard de leur enfant, le droit et le devoir de garde, de surveillance et d'éducation. Ils doivent nourrir et entretenir leur enfant. »

Ces obligations ne sont en rien modifiées par la séparation de corps ou le divorce des parents, car la séparation laisse subsister les droits et les devoirs des père et mère à l'égard de leurs enfants et la même situation prévaut en cas de divorce comme le prévoient les articles 513 et 521 C.c.Q. La déchéance de l'autorité parentale dont traite l'article 606 C.c.Q. n'est pas un motif *per se* pour empêcher l'application de la présomption de faute prévue à l'article 1459 C.c.Q., tel que le prévoit le deuxième alinéa de cet article si le fait ou la faute du mineur est lié à l'éducation que le parent déchu lui a donnée. Le législateur a voulu, pour ce qui est de la faute d'éducation, responsabiliser les deux parents indépendamment de la survie « de la cellule familiale »[11] comme telle, et indépendamment même du prononcé de la déchéance d'un attribut de l'autorité parentale d'un des deux parents.

Les obligations imposées aux détenteurs de l'autorité parentale le sont également aux deux parents (art. 600 C.c.Q.) ou à leur substitut selon les termes clairs de l'article 607 C.c.Q. Cette obligation est-elle indivisible au sens de l'article 1519 C.c.Q.? La doctrine paraît de cet avis[12].

b) Les obligations morales ou sociales : les usages

Les obligations imposées par le législateur aux parents[13] ne sont pas décrites spécifiquement, mais bien généralement; il est question d'un devoir de garde, de surveillance et d'éducation (art. 599 C.c.Q.). Ainsi, les usages ou les conventions sociales au moment des événe-

---

8. Cet alinéa a été, à tort ou à raison, qualifié de clause ou « disposition exonératoire » dans la pratique. Ce terme sera donc utilisé dans ce texte.

9. L'ancien article 1054 C.c.B.-C. regroupait les présomptions de faute reliées aux activités d'autrui et également la présomption pour le fait des choses avec une même clause d'exonération pour toutes, exception faite de la responsabilité des maîtres et commettants : « Elle est responsable non seulement du dommage qu'elle cause par sa propre faute, mais encore de celui causé par la faute de ceux dont elle a le contrôle, et par les choses qu'elle a sous sa garde.
   Le titulaire de l'autorité parentale est responsable du dommage causé par l'enfant sujet à cette autorité.
   Les tuteurs sont également responsables pour leurs pupilles;
   Les personnes chargées de garder un majeur non doué de discernement sont également responsables pour le dommage causé par ce majeur;
   L'instituteur et l'artisan, pour le dommage causé par ses élèves ou apprentis, pendant qu'ils sont sous sa surveillance;
   La responsabilité ci-dessus a lieu seulement lorsque la personne qui y est assujettie ne peut prouver qu'elle n'a pu empêcher le fait qui a causé le dommage;
   Les maîtres et les commettants sont responsables du dommage causé par leurs domestiques et ouvriers dans l'exécution des fonctions auxquelles ces derniers sont employés. »

10. Jean-Louis BAUDOUIN et Patrice DESLAURIERS, *La responsabilité civile*, 7e éd., volume 1 – Principes généraux, Cowansville, Les Éditions Yvon Blais Inc., 2007, par. 1-21, p. 14, EYB2007RES1.

11. *B. (M.) c. B. (R.L.)*, REJB 2001-26658 (C.S.) (appel accueilli en partie, REJB 2003-48889); *contra : Procureur général du Québec c. D. (É.)*, REJB 2001-25056 (C.S.), désistement en appel, nos 200-09-003720-015 et 200-09-003721-013.

12. J.-L. BAUDOUIN et P. DESLAURIERS, *op. cit.*, note 10, par. 1-681, p. 668. Voir aussi Albert MAYRAND, « La présomption de faute du titulaire de l'autorité parentale et les diverses ordonnances de garde d'enfant », (1988) 33 *McGill L.J.* 257, 260, note 5 et p. 282. De même, Jean PINEAU et Monique OUELLETTE, *Théorie de la responsabilité civile*, 2e éd., Montréal, Éditions Thémis, 1980, p. 90.

13. Le terme « parents », lorsque non autrement qualifié dans ce texte, renvoie aux titulaires de l'autorité parentale.

ments serviront de paramètres pour apprécier la conduite des parents et vérifier s'ils se sont déchargés de ces devoirs.

Quelles sont, en ce début du XXIᵉ siècle, les règles de conduite qui s'imposent aux parents suivant les circonstances ou les usages, auxquelles fait référence l'article 1457 C.c.Q.?

Bien que l'article 2808 C.c.Q. prévoie que « le tribunal doit prendre connaissance d'office de tout fait dont la notoriété rend l'existence raisonnablement incontestable », en matière d'éducation des enfants et du degré de surveillance requis, il y a place à beaucoup de discussions et les décisions de nos tribunaux sont loin d'être toujours unanimes sur ces questions.

Il est étonnant de constater que les plaideurs s'en remettent de façon presque constante à l'appréciation discrétionnaire du juge, que ce soit en demande ou en défense, pour établir la « bonne éducation » et le degré de qualité de la surveillance nécessaire des parents.

Aussi, et de l'avis de la soussignée, nos tribunaux se sont appuyés, sans doute en raison de l'absence d'initiative des plaideurs à cet égard, davantage sur des paramètres jurisprudentiels qui remontent à leur tour souvent à une ou deux générations que sur une preuve objective relevant par exemple de la psychologie de l'enfance, de notre système d'éducation ou de facteurs socio-économiques qui peuvent modifier l'appréciation du devoir d'éducation, de surveillance et de garde. Cela est d'autant plus étonnant que, de façon parallèle, en matière de droit familial, les expertises psychosociales sont fréquemment utilisées.

Le recours à une preuve d'experts (psychologues, sociologues, pédopsychiatres, éducateurs) ou la référence à des ouvrages d'auteurs consacrés dans ces matières scientifiques serait souhaitable[14] pour que les décisions des tribunaux s'ajustent encore plus à la réalité sociologique de l'heure que vivent les détenteurs de l'autorité parentale[15].

c) Les limites au pouvoir d'exercice de l'autorité parentale et l'autonomie relative des mineurs âgés de 14 ans et plus : les circonstances

Il est important de signaler ici les droits accordés aux mineurs âgés de 14 ans et plus depuis la mise en vigueur du Code civil du Québec en 1994. Les droits accrus des uns (enfants) ne se traduisent-ils pas dans les faits par une diminution des pouvoirs des autres (parents)?

Comme le rappelle le juge Jean-Louis Baudouin[16], les tribunaux ont été réticents à condamner les parents d'un enfant presque majeur « à une époque où cette majorité était toutefois fixée à 21 ans ».

Une preuve adéquate et objective des circonstances réelles de l'exercice de l'autorité parentale à l'endroit des mineurs âgés de 14 à 18 ans devrait à notre avis atténuer encore la portée de cette présomption et, dans les faits, la ramener en-dessous du seuil de l'âge de 18 ans fixé par le législateur (art. 153 C.c.Q.). Comment concilier en effet la présomption de faute imposée aux parents pour les gestes de leurs enfants jusqu'à leur majorité avec l'autonomie de plus en plus importante accordée par le législateur aux mineurs âgés de 14 ans et plus tant à l'égard de leur personne (soins de santé[17]; voir les articles 14 et 16 à 18 C.c.Q.) qu'à l'égard de leurs biens et de leurs activités. Le mineur âgé de 14 ans et plus peut consentir seul aux soins requis par son état de santé. Le consentement du titulaire de l'autorité parentale n'est somme toute nécessaire que lorsque ces soins présentent un risque sérieux pour sa santé et peuvent lui causer des effets graves et permanents (art. 17 C.c.Q.).

Le mineur âgé de 14 ans et plus est réputé majeur pour tous les actes relatifs à son emploi, ou à l'exercice de son art ou de sa profession (art. 156 C.c.Q.). Dès que le mineur a atteint l'âge de 16 ans, le tuteur peut l'émanciper avec l'accord du conseil de tutelle. Le mineur peut aussi demander seul cette émancipation au tribunal (art. 167 et 168 C.c.Q.)[18]. Donc, dès cet âge, il peut être émancipé par la loi ou par son mariage (art. 175 C.c.Q.) et en conséquence, le mineur peut établir son propre domicile et cesse

---

14. Voir aussi à ce sujet Claude MASSE, « La Responsabilité civile », dans Barreau du Québec et Chambre des notaires du Québec, *La Réforme du Code civil : obligations, contrats nommés*, t. 2, Sainte-Foy, P.U.L., 1993, p. 257, note 60.
15. Une heureuse illustration de cette façon de procéder qui a assuré une évolution jurisprudentielle certaine en matière de réclamation reliée à une naissance non désirée est l'affaire *Suite c. Cooke*, [1993] R.J.Q. 514, EYB 1993-86781 (C.S.), conf. [1995] R.J.Q. 2765, EYB 1995-59148 (C.A.).
16. J.-L. BAUDOUIN et P. DESLAURIERS, *op. cit.*, note 10, par. 1-695, p. 675.
17. *Loi sur les services de santé et les services sociaux*, L.R.Q., c. S-4.2, art. 9. À noter que le titulaire de l'autorité parentale n'a le droit d'être avisé par un établissement de santé ou de services sociaux des soins prodigués au mineur que lorsque celui-ci demeure dans cet établissement plus de 12 heures (art. 14, al. 2 C.c.Q.). L'accès au dossier du mineur âgé de 14 ans et plus peut être refusé au titulaire de l'autorité parentale (*Loi sur les services de santé et les services sociaux*, art. 21).
18. Voir aussi Monique OUELLETTE, « Capacité des personnes », (1988) 1 *C.P. du N.* 133, 157 : « même si l'article ne le précise pas, il semble évident qu'il doit être âgé de 16 ans. »

d'être sous l'autorité de ses père et mère (art. 171 et 598 C.c.Q.). L'émancipation légale (et non factuelle) mettra un terme à l'application de la présomption de faute[19].

Enfin, la majorité fait tomber la présomption indépendamment du maintien factuel de l'autorité parentale (art. 153 et 1459 C.c.Q.). À noter que, dans ce dernier cas, la responsabilité des parents pourra être recherchée autrement (art. 1457 et 1463 C.c.Q.)[20].

La présomption de l'article 1459 C.c.Q. qui pèse toujours sur les détenteurs de l'autorité parentale à l'endroit de ces mineurs « presque majeurs » est étonnante sous bien des aspects[21]. L'autonomie que leur accorde le législateur se concilie mal aujourd'hui avec le maintien de cette présomption de faute, alors que, dans les faits, le pouvoir de contrôle des parents ne dépendra, force nous est de le constater, que du pouvoir économique qu'ils auront sur eux puisque pour le reste, le législateur a relevé les parents d'une importante part de leur autorité légale sur les mineurs âgés de 14 ans et plus[22].

2. La nature de la responsabilité des titulaires de l'autorité parentale

a) Le régime de présomption de faute de l'article 1459 C.c.Q.

1) La nature de la présomption

Tel qu'il est mentionné ci-dessus, le régime établi par l'article 1459 C.c.Q. est un régime de faute présumée par comparaison à la présomption plus lourde de responsabilité que l'on trouve à l'article 1463 C.c.Q. quant au commettant. La présomption de faute des titulaires de l'autorité parentale rend implicite l'existence de faits reliés justement à une mauvaise éducation, garde ou surveillance, soupçonnée être à l'origine des dommages causés par les enfants[23]. Aussi, n'eût été du libellé clair de l'article 1459 C.c.Q. visant à permettre une défense d'absence de faute dans la garde, la surveillance et l'éducation du mineur, la règle plus générale de preuve à l'encontre de ce type de présomption prévue à l'article 2847, al. 2 C.c.Q. aurait trouvé application.

Qu'en est-il de la solidarité entre les titulaires de cette autorité ou d'un de leurs attributs importants?

La solidarité ne se présume pas (art. 1525 C.c.Q.) et elle n'est pas prévue à l'article 1459 C.c.Q.; par ailleurs, l'autorité parentale, à moins de déchéance ou de décès, est détenue par les deux parents, qui sont tenus de l'exercer ensemble selon l'article 600 C.c.Q. La jurisprudence établie en vertu de l'article 1054 C.c.B.-C. était grandement favorable à l'existence d'une telle solidarité[24]. Malgré tout, il serait préférable de désigner dans les procédures judiciaires les deux parents ou tous les détenteurs des attributs de l'autorité parentale pour éviter tout débat à cet égard[25].

2) Les conditions d'application du régime

La preuve du lien de filiation ou la preuve d'une ordonnance d'attribution de l'autorité parentale (art. 607 C.c.Q.), la minorité de l'enfant et évidemment la preuve de son fait dommageable ou de sa faute sont nécessaires à l'application du régime.

La faute alléguée d'un enfant mineur doit être prouvée selon les critères de l'article 1457 C.c.Q. Dans le cas d'un enfant « non doué de raison », c'est-à-dire incapable de mesurer la portée de ses actions et de discerner le bien du mal[26], il faudra également démontrer que le fait reproché à

---

19.   Voir J.-L. BAUDOUIN et P. DESLAURIERS, *op. cit.*, note 10, par. 1-682, p. 669. Les articles 171 et 598 C.c.Q. mettent fin à une controverse au sujet du maintien de la présomption de faute malgré l'émancipation du mineur. Voir A. MAYRAND, *loc. cit.*, note 12, p. 262.
20.   Albert MAYRAND, *loc. cit.*, note 12, p. 269.
21.   D'ailleurs, les décisions relevées au cours des dernières années confirment que peu de juges retiennent la responsabilité des parents des mineurs âgés de 14 ans et plus : *Amireault c. Privé*, [1996] R.R.A. 261 (C.Q.), adolescent : 16 ans; *contra* : *Henry c. Soucy*, [1996] R.R.A. 207, EYB 1995-96769 (C.S.); *B. (M.) c. B. (R.L.)*, précité, note 11; *Commission des droits de la personne et des droits de la jeunesse c. X.*, J.E. 2008-1193, EYB 2008-135680 (T.D.P.Q.) : le père d'un jeune homme de 18 ans et ce dernier sont condamnés solidairement pour des actes criminels contre des homosexuels (présomption de bonne éducation non repoussée).
22.   Pour une critique féministe du régime de faute présumée, voir Nathalie DES ROSIERS, « La responsabilité de la mère pour le préjudice causé par son enfant », (1995) 36 *C. de D.* 61, 77 : « L'attachement du droit civil à cette présomption pourrait s'expliquer par une croyance en une série de mythes probablement trop optimistes relatifs au contrôle parental sur les enfants. Il apparaît nécessaire d'évaluer les effets de cette mythomanie collective. »
23.   La nature de cette présomption en vertu de l'ancien code fut l'objet d'une certaine controverse avant la décision *Alain c. Hardy*, [1951] R.C.S. 540.
24.   Voir Jean-Louis BAUDOUIN, *La responsabilité civile délictuelle*, Cowansville, Les Éditions Yvon Blais Inc., 1985, par. 413, p. 214; *contra* : *Société Mutuelle contre l'Incendie des Bois-francs c. Labonté*, [1989] R.R.A. 912 (C.S.), conf. par C.A., n° 200-09-000567-898, 16 juin 1994.
25.   Sur la question de la responsabilité solidaire des parents, le juge Jean-Louis Baudouin voit dans l'article 1526 C.c.Q. une justification additionnelle à son existence (J.-L. BAUDOUIN et P. DESLAURIERS, *op. cit.*, note 10, par. 1-681, p. 668). Voir également A. MAYRAND, *loc. cit.*, note 12, p. 282 : « Les mots semblent défier leur signification normale quand on leur fait dire que la responsabilité des parents divorcés ou séparés à qui l'on confie la garde conjointe n'est pas conjointe. Malgré eux, la solidarité ne les quitte pas. »
26.   Cette notion était un élément essentiel de l'article 1053 C.c.B.-C., fondement de la responsabilité extracontractuelle en vertu de l'ancien code : « Toute personne capable de discerner le bien du mal est responsable du dommage causé par sa faute à autrui, soit par son fait, soit par imprudence, négligence ou inhabileté. »

l'enfant et générateur de dommages aurait été considéré comme une faute civile, n'eût été de la question de sa capacité de discernement. Cette exigence est fixée par l'article 1462 C.c.Q. et semble prévue pour éviter l'imposition d'une responsabilité sans faute à l'endroit d'enfants en bas âge ou de majeurs non doués de raison[27]. À leur endroit, l'article 1462 C.c.Q. n'a d'autre effet que de leur imputer fictivement une faute pour permettre l'application de la présomption de faute contre les parents. Aucune condamnation n'est évidemment possible contre ces mineurs. Elle suscite un questionnement sérieux surtout pour les enfants en bas âge[28].

Par ailleurs, étant donné l'attitude assez libérale des tribunaux dans l'appréciation des devoirs d'éducation et de surveillance des parents, pour obtenir une condamnation exécutoire, il faudra tenter avec force d'établir, quand cela est possible, la capacité de discernement de l'enfant à qui l'on veut imputer une faute. Le mineur est en effet toujours redevable de ses fautes lorsqu'il a la capacité de discernement. Le mineur ne peut se soustraire à l'obligation extracontractuelle de réparer le préjudice causé à autrui par sa faute (art. 164 C.c.Q.). Un jugement sera exécutoire contre lui pendant dix ans (art. 2924 C.c.Q.). Au surplus, rappelons en effet que sa responsabilité sera généralement couverte par la police d'assurance détenue par ses parents, aux termes de laquelle l'assureur s'engage à indemniser les tiers en cas de préjudice causé par la « faute » d'un assuré[29].

Pour établir sa capacité de « raison » aux termes de l'article 1457 C.c.Q., il faut se référer au sens donné à l'article 1053 C.c.B.-C. quant à la capacité de discernement puisque les termes « doué de raison » sont au même effet[30].

Dans la jurisprudence québécoise, l'âge de sept ans semble majoritairement être celui retenu pour attribuer cette capacité de discernement au mineur. Le Code crimi-nel prévoit l'irresponsabilité du mineur jusqu'à l'âge de 12 ans (art. 13 C.cr.). Le juge doit cependant évaluer la capacité de discernement propre à chaque enfant[31].

Nous devons constater ici que les décisions de nos tribunaux sont souvent très laconiques au sujet des paramètres retenus pour établir la capacité de discernement des enfants. La preuve offerte par les parties se borne souvent à questionner l'enfant sur sa compréhension de la notion du bien et du mal, à la vérification qu'un tel enseignement lui a été donné à l'école ou par ses parents. Le recours à des témoignages de spécialistes en éducation, en psychologie, tout particulièrement dans l'évaluation de la capacité de discernement des enfants dans les âges « charnières » (de cinq à huit ans) pourra favoriser une appréciation plus individuelle de la capacité de discernement de chaque enfant, et éviter l'application souvent arbitraire de l'équation « sept ans = discernement ».

De plus, il nous paraît souhaitable, dans l'intérêt de l'enfant, qu'un cadre particulier soit associé à son témoignage, surtout dans le contexte de procédures intentées contre lui, ou pour lui. Les événements vécus par un enfant à l'âge de cinq ou six ans seront perçus avec les limites cognitives de cet âge. Un interrogatoire au préalable dont l'objectif principal est de « découvrir les faits », tenu à un aussi jeune âge, risque fort de compromettre inutilement la crédibilité de l'enfant aux yeux de l'adulte souvent peu au fait de la pensée magique enfantine surtout lorsque trois ou quatre ans plus tard, au moment du procès, l'enfant aura dépassé ce stade et rationalisé les événements. Le Code civil du Québec offre une protection de principe aux enfants à cet égard.

« Les décisions concernant l'enfant doivent être prises dans son intérêt et dans le respect de ses droits. Sont pris en considération, outre les besoins moraux, intellectuels, affectifs et physiques de l'enfant, son âge, sa santé, son caractère, son milieu familial et les autres aspects de sa situation. » (art. 33 C.c.Q.).

---

27. Tel qu'il est avancé par le professeur Nicholas Kasirer, le législateur confond avec l'introduction de cette notion les critères d'appréciation de la faute civile *in concreto* et *in abstracto* : Nicholas KASIRER, « The infans as « bon père de famille » : "Objectively wrongful conduct" in the Civil Law Tradition », (1992) 40 *American Journal of Comparative Law* 343, 357.

28. « But the objective test falls even flatter for the child of tender years. Once stated, its inadequacy becomes painfully apparent : even the most remarkable infans is no bon père de famille except, perhaps, by accident. The modified objective test, whereby the behaviour of the child-defendant is compared to the objective standard within that child's ages group is no more reliable. It is indeed hard to imagine the "reasonable" three-year old when all three-year old are beyond reason » : N. KASIRER, *id.*, p. 373.

29. À noter que l'assureur ne couvrira normalement pas le préjudice résultant d'une faute intentionnelle de l'enfant (art. 2464 C.c.Q.). Cet article et l'article 1462 C.c.Q. devraient mettre fin à la controverse créée par l'article 2564 C.c.B.-C.; la jurisprudence était contradictoire sur l'obligation d'indemniser de l'assureur en raison de la faute lourde ou intentionnelle de l'enfant lorsque le parent avait réussi à repousser la présomption de faute; contre l'obligation d'indemniser de l'assureur : *Miel Labonté Inc. c. Provençal*, J.E. 78-676, EYB 1978-144875 (C.S.); *Le Groupe Desjardins Assurances Générales c. Dufort*, [1985] C.P. 174; pour l'obligation d'indemniser de l'assureur : *Le Groupe Desjardins Assurances Générales c. La Prévoyance*, [1988] R.R.A. 410 (C.S.); *La Haye c. Assurances Générales des Caisses Desjardins Inc.*, [1994] R.R.A. 378 (C.Q.); *La Royale du Canada Compagnie d'Assurance c. Légaré*, [1991] R.R.A. 165, EYB 1990-75778 (C.S.); *Oppenheim c. Dionne*, [1996] R.R.A. 474 (C.S.).

30. Voir C. MASSE, *op. cit.*, note 14, p. 257 et J.-L. BAUDOUIN et P. DESLAURIERS, *op. cit.*, note 10, par. 1-105 à 1-108, p. 85.

31. À noter, tel que le souligne le juge Baudouin, « ce chiffre n'ayant cependant rien d'absolu » (voir J.-L. BAUDOUIN et P. DESLAURIERS, *op. cit.*, note 10, par. 1-108, p. 87).

Il faut bien rappeler qu'à cet âge, malgré leur capacité limitée d'apprécier les faits dont ils ont été l'auteur ou le simple témoin, ils peuvent malgré tout comprendre le sens du « serment » et rendre un « témoignage » soi-disant probant (art. 2844 C.c.Q.). À quelques reprises, la Cour d'appel a refusé l'interrogatoire d'un enfant et a déjà même autorisé l'assignation du juge du procès avant l'instruction pour qu'il assiste à l'interrogatoire au préalable de l'enfant, à la suite d'une requête en ce sens[32]. La Cour suprême, sous la plume du juge Wilson, rappelait qu'il est inacceptable que les mêmes règles s'appliquent aux adultes et aux enfants pour établir leur crédibilité[33].

3) La défense de l'absence de faute dans la garde, la surveillance et l'éducation du mineur

Une jurisprudence abondante développée depuis la codification de 1866 est à la disposition des plaideurs pour apprécier l'étendue des obligations imposées jusqu'ici aux parents au regard de leur devoir d'éducation, de garde et de surveillance, avec les réserves que nous avons mentionnées plus haut eu égard aux époques où ces décisions ont pu être rendues.

Pour repousser la présomption établie contre eux, les parents doivent de façon prépondérante démontrer leur absence de faute à la fois dans la garde et la surveillance, mais aussi en rapport avec l'éducation donnée aux enfants. Cette double preuve est nécessaire pour leur exonération.

Certaines tendances se dégagent de façon prédominante de l'analyse des décisions rendues par nos tribunaux.

– Devoir de garde et de surveillance

Les tribunaux sont plus sévères lorsque les enfants sont d'âge préscolaire, et un degré de surveillance plus important est exigé[34]. Au contraire, dans le cas de pré-adolescents, il a été établi qu'on ne peut exiger une surveillance de tous les instants[35].

Le tempérament de l'enfant aura des conséquences aussi sur le degré de surveillance exigé, entre autres si l'enfant est d'une nature désobéissante ou s'il est difficile à contrôler[36].

Il sera plus difficile pour les parents de se dégager de la présomption qui pèse sur eux s'ils ont toléré l'usage d'objets dangereux[37] ou des situations où la réalisation d'un préjudice était nettement prévisible[38]. Si ces événements se sont répétés à la connaissance des parents sans qu'ils n'aient tenté d'y remédier, leur exonération sera d'autant plus difficile.

– Devoir d'éducation

La preuve offerte devra démontrer que les parents ont inculqué une certaine conscience « du bien versus le mal », et qu'au surplus, elle a été renforcée par l'exemple de leur propre conduite[39]. De façon très directe, le juge devra évaluer la qualité des relations entre les parents et leur enfant, le degré de communication véritable existant entre eux et le degré d'obéissance qu'ils ont été capables d'obtenir. La production, dans le cas d'un enfant d'âge scolaire, des bulletins démontrant ses bons résultats scolaires, son comportement adéquat en classe, le témoignage de ses professeurs et des gens de son entourage serviront à étayer le témoignage des parents à cet égard[40].

« En pratique, il est rare que les tribunaux condamnent seulement sur la base d'une mauvaise éducation, même si la chose peut survenir notamment lorsque

32. Christianne DUBREUIL, *Le témoignage des enfants en droit pénal et en droit civil*, Montréal, Les Éditions Thémis, 1991; Réal GOULET, « La préparation des témoins », dans *Collection des habiletés : Représentation*, Montréal, Édition : École du Barreau, 2008, p. 19; *Yamaha Motors Canada Limitée c. Corbeil & al.*, [1993] R.D.J. 419 (C.A.), EYB 1992-79278 (C.S.); *Whitty c. Zellers Inc.*, J.E. 94-335, EYB 1994-84510 (C.S.); *R. c. B. (G.)*, [1990] 2 R.C.S. 30, EYB 1990-59701; *King-Ruel c. Centre de Ski Le Relais Inc. & Al.*, EYB 1994-64505 (C.A.).
33. *R. c. B. (G.)*, précité, note 32, p. 39 et 55; le principe du recours à une preuve d'expert sur la crédibilité des enfants a été reconnu par la Cour suprême en matière d'agression sexuelle : *R. c. R. (D.)*, [1996] 2 R.C.S. 291, 311 à 313, EYB 1996-67935.
34. *Château Co. d'Assurance c. Baril*, [1983] C.S. 873 – Enfant âgé de 4 ans; *Petraglia c. Casale*, [1979] C.A. 276 – Enfants âgés de 5 et 6 ans; *Compagnie Mutuelle d'Assurance Wawanesa c. Plante*, [1986] R.R.A. 70 (C.S.), désistement en appel (no 200-09-000839-859) – Incendie allumé par un enfant, incapable de discerner le bien du mal; parents solidairement responsables.
35. *Gaudet c. Lagacé*, [1998] R.J.Q. 1035, REJB 1998-05550 (C.A.); *Axa Assurances inc. c. Beauregard*, J.E. 2001-1061, REJB 2001-24699 (C.S.).
36. *Boyer c. Hydro-Québec*, [1985] R.L. 129 (C.S.); [1985] R.L. 165 (C.A.); *Assurance Royale c. Arguin*, [1986] R.R.A. 246, EYB 1986-79089 (C.P.).
37. *Gagnon c. Ouellette*, [1976] C.S. 789, [1980] C.A. 606 et *Nolan c. Hayes*, J.E. 81-1055, EYB 1981-139262 (C.S.) – Arme à feu; *Claveau c. Duhamel*, J.E. 81-667, EYB 1981-139075 (C.S.) et *Henry c. Soucy*, précité, note 21 – Carabine à plomb; *La Phoenix Co. d'assurance c. Lavoie*, [1989] R.R.A. 796 (C.Q.) – Bicyclette.
38. *Gendron c. Vincelli*, J.E. 82-149, EYB 1982-139993 (C.A.) – Go-karts; *Fortier c. Lecocq*, [1986] R.R.A. 427 (C.S.) – Motocyclette, enfant âgé de 15 ans.
39. « En d'autres termes, les parents doivent faire la démonstration d'une éducation diligente et raisonnable de l'enfant, adaptée aux circonstances et étayée par l'exemple », J.-L. BAUDOUIN et P. DESLAURIERS, *op. cit.*, note 10, par. 1-692, p. 674. Une trop grande liberté accordée à un jeune âgé de 15 ans a engagé la responsabilité des parents : *Tremblay c. Pitre*, [1990] R.R.A. 101 (C.S.).
40. *Groupe Desjardins c. Dorion-MacCoubrey*, J.E. 89-643, EYB 1989-83552 (C.S.); *Tremblay c. Pitre*, précité, note 39; le seul témoignage du père sans corroboration objective (voisins, professeurs, etc.) n'a pas suffi à permettre de repousser la présomption, enfant de 17 ans : *Henry c. Soucy*, précité, note 21.

l'un des parents a été déchu de l'autorité parentale (art. 1459, al. 2 C.c.Q.). »[41]

Il est à prévoir que l'absence de faute dans l'éducation sera difficile à établir pour le parent récemment déchu de son autorité parentale. Donner le mauvais exemple, n'est-ce pas commettre une faute d'éducation « au sens large du terme »[42]?

On peut, par ailleurs, s'interroger sur l'application de la présomption de faute à l'endroit d'un parent déchu depuis plusieurs années. L'interruption du lien de causalité ne sera-t-elle pas la règle dans ce cas? La gravité des motifs de déchéance et leurs conséquences prévisibles sur l'enfant seront déterminants dans l'appréciation de la preuve[43].

Quant aux parents qui n'auront pas su établir une surveillance adéquate de leur enfant, ils risquent davantage de se voir imposer une condamnation[44]. C'est un peu comme si les tribunaux avaient associé le devoir de bonne éducation à la *causa sine qua non* (cause éloignée rendant seulement possible la réalisation du dommage) et le devoir de surveillance à la *causa causans* (cause logique directe) du dommage subi par le tiers.

Bref, c'est une preuve conforme aux exigences sociales du jour en matière de garde et de surveillance, elle-même fonction de l'âge de l'enfant, de son degré d'autonomie et de sa conduite antérieure, qui devra être soumise au tribunal. Quant à la défense de bonne éducation, elle viendra compléter et renforcer la preuve que les parents, de façon plus immédiate, n'ont pu empêcher le préjudice causé à un tiers par leur enfant.

B- La responsabilité du gardien, du surveillant et de l'éducateur

1. Les devoirs et les obligations des délégataires de cette autorité

a) Les devoirs et les obligations rattachés à l'autorité parentale déléguée

La délégation de l'autorité parentale à des tiers est permise par l'article 601 C.c.Q. et comporte le transport momentané chez ces tiers des attributs reliés à l'autorité parentale. Le gardien, le surveillant et l'éducateur auront donc les mêmes devoirs et obligations vis-à-vis l'enfant et les tiers que les parents, dans un cadre toutefois plus restreint, limité généralement dans le temps et l'espace (lieux).

Aussi, ce qui a été énoncé sous la rubrique « La responsabilité des titulaires de l'autorité parentale » peut être ici consulté *mutatis mutandis*.

Un problème d'identification du lien causal entre la faute ou le fait de l'enfant et le devoir d'éducation de l'éducateur pourra se présenter lorsque la situation créée pourra être imputée à la fois à l'éducateur et aux parents. En effet, le préjudice causé par un enfant sous la garde et la surveillance d'un tiers pourrait bien être le résultat combiné de la faute dans l'éducation reliée à de mauvais exemples des parents, lorsque l'enfant est sous la surveillance d'un tiers. De la même façon, tel qu'on le verra plus loin, un fait dommageable en dehors des heures où un enfant est sous la responsabilité du tiers à qui l'autorité parentale a été déléguée pourra aussi bien être le résultat d'un principe mal enseigné lorsque l'enfant était sous la supervision de ce tiers. Ces hypothèses semblent maintenant permises en raison de l'omission du législateur dans l'article 1460 C.c.Q. de reproduire le texte de l'ancien article 1054, al. 5 C.c.B.-C. qui limitait la responsabilité des instituteurs et des artisans à la période où l'enfant ou le mineur était sous leur surveillance[45]. Il s'agira donc pour le plaideur de faire un choix ou encore d'invoquer les dispositions des articles 1478 et 1480 C.c.Q. si les fautes sont difficiles à départager. Le juge Baudouin est d'avis que le préjudice causé par l'enfant en dehors des heures de service de l'éducateur ne pourra lui être attribué[46]; en fait, ce qui est tranché, c'est que les tribunaux ont par le passé appliqué très largement, en faveur des éducateurs, les termes de l'ancien article 1053 C.c.B.-C. « pendant qu'ils sont sous leur surveillance »; reste à savoir l'interprétation qu'ils donneront à l'article 1460 C.c.Q., qui ne comporte plus cette réserve.

Quant à la question de la solidarité entre les titulaires de l'autorité parentale et l'éducateur ou le tiers, celle-ci ne peut se présumer. Elle devra être établie selon les règles de l'article 1526 C.c.Q.; par contre, la nature même de cette

41. J.-L. BAUDOUIN et P. DESLAURIERS, *op. cit.*, note 10, par. 1-693, p. 674; voir aussi C. MASSE, *op. cit.*, note 14, nº 59, p. 283, note 141; *Rodrigue c. Larochelle*, [1987] R.R.A. 467, EYB 1987-78376 (C.P.) – Vandalisme, enfant âgé de 10 ans, non-responsabilité du père; *Axa Assurance Inc. c. Beauregard*, précité, note 35 – Incendie par adolescent, non-responsabilité des parents.
42. J.-L. BAUDOUIN et P. DESLAURIERS, *op. cit.*, note 10, par. 1-699, p. 678.
43. R.P. KOURI, « Réflexions sur la responsabilité civile de la personne non titulaire de l'autorité parentale pour la faute ou le fait du mineur », dans B. LEFEBVRE (dir.), S. BERTHOLD (avec la collaboration de), *Mélanges Roger Comtois*, Montréal, Les Éditions Thémis Inc., 2007, p. 355.
44. *Ciment du St-Laurent Inc. c. Gagné*, [1988] R.R.A. 47, EYB 1988-77636 (C.S.).
45. J.-L. BAUDOUIN et P. DESLAURIERS, *op. cit.*, note 10, par. 1-714, p. 685.
46. *Id.*, par. 1-723, p. 688.

coresponsabilité entre les parents et l'éducateur ou le tiers rend presque inévitable l'existence d'une solidarité entre eux. En effet, le préjudice causé par l'enfant, tel qu'il est mentionné ci-dessus, serait dans cette hypothèse le résultat d'une combinaison de deux fautes extracontractuelles.

b) Les devoirs et les obligations rattachés au statut de gardien, de surveillant ou d'éducateur

La détermination des devoirs et obligations rattachés au statut particulier du gardien, du surveillant ou de l'éducateur sera évidemment surtout fonction de la finalité recherchée par les parents dans le contexte de cette délégation.

Il est facile de concevoir que le gardien d'un enfant, à qui la garde complète est confiée pendant le départ pour vacances des parents, l'assumera totalement pendant une période restreinte, mais se verra imposer les mêmes exigences que le parent lui-même, sauf le cas prévu à l'article 1460, al. 2 C.c.Q., qui sera analysé plus loin. Quant aux obligations propres à un surveillant, elles devront être analysées en fonction de la nature et du contexte de la surveillance. On peut songer au cas d'activités sportives, d'activités culturelles (cours de théâtre, de musique, ateliers créatifs dans le contexte d'une activité organisée pour un festival, etc.). Le degré de surveillance exigé sera tributaire des risques associés aux activités pratiquées par les enfants.

Quant à la notion d'éducateur, elle n'est pas limitée et vise tout autant le professeur régulier d'une institution scolaire que le professeur particulier qui dispense des leçons hebdomadaires, par exemple de chant, de danse, etc. Nos tribunaux ont également étendu la notion « d'éducateur » aux centres d'accueil[47] sous l'ancien article 1054 C.c.B.-C. L'adoption de l'article 1460 C.c.Q., où les termes génériques utilisés, soit « gardien », « surveillant », « éducateur », ne sont pas limitatifs, indique une volonté nette du législateur d'étendre la présomption de faute rattachée à l'exercice de certains attributs de l'autorité parentale à tout tiers à qui les parents auront délégué cette autorité de façon claire ou même implicite. L'article 1460 C.c.Q. utilise les termes « par délégation » ou « autrement ».

2. La nature de la responsabilité du gardien, du surveillant et de l'éducateur

a) Le régime de présomption de faute de l'article 1460, al. 1 C.c.Q.

1) La nature de la présomption

L'article 1460 C.c.Q. ne diffère pas de l'article 1459 C.c.Q. en ce qui a trait au type de présomption imposée au gardien, au surveillant ou à l'éducateur pour le fait dommageable ou la faute commise par ceux qu'ils avaient charge de surveiller, de garder ou d'éduquer. Il s'agit d'une présomption de faute simple sur preuve d'absence de faute dans l'exercice du devoir délégué. Les tribunaux ont d'ailleurs souligné à plusieurs reprises qu'on ne pouvait exiger plus des tiers à qui l'autorité parentale avait été déléguée que des parents eux-mêmes[48].

2) Les conditions d'application du régime

La minorité, l'acte préjudiciable de l'enfant, qu'il soit le résultat de sa faute[49] ou de son fait si les exigences de l'article 1462 C.c.Q. sont remplies, et évidemment la preuve d'une délégation de l'autorité parentale expresse ou tacite doivent être démontrés.

3) La défense de l'absence de faute et les causes d'exonération

Les moyens de défense que peuvent invoquer le gardien, le surveillant, l'éducateur, ou tout autre tiers à qui l'autorité parentale aurait été déléguée, reposent sur la preuve d'une absence de faute dans l'exercice du devoir qu'ils s'étaient chargés d'accomplir vis-à-vis de l'enfant.

La jurisprudence développée en vertu de l'article 1054, al. 5 C.c.B.-C. est un outil de référence important, puisque le fondement et le régime de responsabilité prévu aujourd'hui à l'article 1460, al. 1 C.c.Q. ne sont pas différents. Toutefois, une catégorie plus importante de personnes est maintenant susceptible de se voir imposer cette présomption puisque la nomenclature de l'article 1460, al. 1 C.c.Q. n'est pas limitative. Il y aura donc lieu de distinguer les principes dégagés par la jurisprudence lorsque c'est nécessaire, en les adaptant.

47. *Institut St-Georges c. La Laurentienne Générale, Cie d'Assurance Inc.*, [1993] R.J.Q. 1676, EYB 1993-57988 (C.A.).

48. *Tremblay c. Commission des écoles catholiques de Chicoutimi*, [1968] C.S. 678; *Joly c. Commission scolaire de l'Ancienne-Lorette*, [1977] C.S. 603; *Blais c. Commission scolaire de la Haute-Gatineau*, [1987] R.R.A. 122 (C.S.); *Institut St-Georges c. La Laurentienne Générale, Cie d'Assurances*, précité, note 47; *Jerabek c. Accueil Vert-Pré d'Huberdeau*, [1995] R.R.A. 172, EYB 1995-84533 (C.S.).

49. Le paragraphe 2 a) 2) de la section A précédente pourra être consulté sur la question de la capacité de discernement; *Turmel c. Commission scolaire Rouyn-Noranda*, [1996] R.R.A. 227 (C.Q.).

Pour repousser la présomption établie contre eux, les détenteurs momentanés d'un attribut de l'autorité parentale doivent démontrer de façon prépondérante leur absence de faute, selon le cas, dans la garde, la surveillance ou l'éducation qu'ils ont exercées. Cette preuve comporte généralement deux volets.

Le premier sert à établir les circonstances générales dans lesquelles le devoir confié par les parents s'est exercé. Il faut ici mettre en preuve l'organisation générale entourant la tâche déléguée, tels les règlements de discipline et de sécurité, le ratio élèves/professeurs, élèves/surveillants de l'établissement ou du groupe. Bref, le défendeur doit démontrer que les moyens mis en place pour s'acquitter du devoir ou de la tâche confiée par les parents sont adéquats et appropriés à la situation.

Pour compléter cette preuve, il faut également, dans un second temps, démontrer l'imprévisibilité du dommage survenu.

Ce double fardeau de preuve est fort similaire à celui exigé des parents pour qu'ils puissent se dégager de leur propre responsabilité. Une preuve générale de l'encadrement, de l'organisation, de la surveillance et de la sécurité mise en place par le tiers doit être apportée[50], mais elle est en soi insuffisante pour dégager le gardien, le surveillant, l'éducateur ou tout autre tiers de sa responsabilité[51]. Il lui faut de plus démontrer que, malgré tous ces moyens (organisation, règlements, ratio adéquat, maintien de la discipline), le dommage qui est survenu dans le contexte d'une activité propre à l'âge de la victime, était inattendu et imprévisible, de sorte qu'on ne pouvait le prévenir.

L'analyse des décisions rendues par les tribunaux sur ces questions permet de dégager certaines tendances, surtout en ce qui a trait au devoir d'ordre plus général (pre-mier volet de la preuve exigée); par contre, en ce qui a trait aux circonstances entourant la réalisation du dommage et le degré de prévisibilité rattaché à l'événement lui-même, il est difficile de dégager des constantes. En effet, dans ce dernier cas, le pouvoir discrétionnaire d'appréciation des faits du juge est déterminant et chaque cas est pratiquement un cas d'espèce.

Bref, quant au devoir général de prendre les moyens nécessaires pour assurer l'exercice de la tâche déléguée par les parents, on n'exigera pas du gardien, du surveillant ou de l'éducateur plus que ce qu'il serait raisonnable d'exiger des parents[52].

Et quant à la prévisibilité du préjudice causé par le fait ou la faute de l'enfant, seront sanctionnés : une situation dangereuse ou un comportement agressif[53], soit au cours de jeux, de sports organisés ou autres, connus du gardien, du surveillant ou de l'éducateur, mais contre lesquels aucune mesure n'est prise[54].

Si l'activité au cours de laquelle le préjudice est survenu est adéquate et les règles du jeu généralement respectées, le geste inattendu et imprévisible d'un enfant n'engagera pas la responsabilité du tiers. Évidemment, la nature du jeu ou du sport doit convenir à l'âge ou au contexte dans lequel il s'exerce[55]. L'activité doit être à la mesure de l'habileté normale pour des participants de cet âge et ne doit pas les exposer à des risques inutiles[56].

b) Le régime de faute prouvée de l'article 1460, al. 2 C.c.Q.

Le second alinéa de l'article 1460 C.c.Q. est de droit nouveau. « Il vient atténuer la rigueur de la responsabilité de cette personne à qui est confié le mineur, lorsqu'elle

50. Lorne GIROUX, « L'acceptation des risques dans les jeux des enfants aux écoles et aux terrains de jeux », (1967-68) 9 C. de D. 65, 74; Benoit LEDUC, « La responsabilité civile de l'école en matière d'éducation sportive », (1973) 33 R. du B. 454, 459.

51. Complicité des étudiants pour cacher des bagarres, non-responsabilité de l'institution pour les blessures subies au cours d'une altercation entre étudiants : Roach c. Protestant School Board of Greater Montreal, [1995] R.R.A. 698 (C.S.); Gagnon c. La Commission scolaire d'Alma, [1989] R.R.A. 242, EYB 1989-63259 (C.A.); Turmel c. Commission scolaire Rouyn-Noranda précité, note 49; Lepage c. Jean-Baptiste, J.E. 97-38 (C.A.); Bendahan c. Belisha, [1998] R.R.A. 119, EYB 1997-04229 (C.S.).

52. Tremblay c. Commission des écoles catholiques de Chicoutimi, précité, note 48; Joly c. Commission scolaire de l'Ancienne-Lorette, précité, note 48; Gagnon c. Commission scolaire d'Alma, précité, note 51 – enfant âgé de 5 ans – chute d'un appareil dans une cour d'école : défenderesse dégagée de sa responsabilité; Drouin c. Commission scolaire Mont-Fort & al., [1989] R.R.A. 365 (C.S.) – enfant âgé de 11 ans – trapèze : responsabilité partagée 1/3 dem. 2/3 déf.

53. À titre d'illustration d'une situation dangereuse, voir Drouin c. Bouliane, [1987] R.J.Q. 1490, EYB 1987-62757 (C.A.).

54. Tremblay c. Commission scolaire Seigneurie, [1988] R.R.A. 497, EYB 1988-77766 (C.S.) (règlement hors cour, C.A. Montréal, nos 500-09-000931-881 et 500-09-001002-880, 13 novembre 1991) – Bataille de boue durant une partie de baseball : responsabilité de la commission scolaire 75 %, chacun des enfants impliqués – victime et agresseur : 12,5 %; Paquette c. Commission scolaire des Manoirs, [1998] R.R.A. 187, REJB 1997-05298 (C.S.) – « Touch football »; Dubé c. Corporation du Mont-Bénilde, REJB 2002-30885 (C.S.) (désistement d'appel, C.A. Montréal, no 500-09-012258-026, 18 juillet 2002) – « jeu dérivé du football ».

55. Gingras c. Commission Scolaire des Chutes de la Chaudière, [1998] R.R.A. 625, REJB 1998-04321 (C.Q.).

56. Tremblay c. Commission des écoles catholiques de Chicoutimi, précité, note 48 – Gymnastique; Brunst c. St. George's School of Montreal Inc., [1970] C.S. 541 – Hockey intérieur; Drouin c. Commission scolaire Mont-Fort, précité, note 52 – Trapèze; Lebeuf c. Commission scolaire Chomedey de Laval, [1992] R.R.A. 567 (C.Q.) – Espalier, cours d'éducation physique – enfant âgé de 9 ans; Lebeurier c. École secondaire Joseph-François Perreault, [1993] R.R.A. 331 (C.S.) – enfant âgé de 14 ans, ski alpin; Salova c. Commission scolaire du Sault St-Louis, [1995] R.R.A. 555, REJB 1995-28813 (C.Q.) – enfant âgé de 9 ans, ballon chasseur.

agit gratuitement ou moyennant une récompense, que celle-ci prenne la forme d'un don, d'un dédommagement ou d'une autre compensation. »[57]

Le régime de présomption de faute, qui autrement aurait joué contre ces personnes, est remplacé par celui du régime général de la faute prouvée de l'article 1457 C.c.Q. Les motifs invoqués à l'appui de cette « indulgence » du législateur sont reliés à l'utilité sociale de ce « bénévolat ».

De l'avis de la soussignée, l'ajout de cette disposition n'aura que peu d'effet sur l'issue des décisions que seront appelés à rendre nos tribunaux. En effet, ils auront à soupeser les mêmes éléments de preuve dans l'appréciation du devoir de garde, de surveillance et d'éducation « momentanément » confié à ces personnes, sauf que ces éléments seront plutôt introduits par la demande, qui aura le fardeau de démontrer ses prétentions par prépondérance de preuve plutôt que d'être présentés comme cause d'exonération. L'attitude de nos tribunaux sur ces questions étant déjà assez libérale comme nous l'avons signalé plus haut, l'ajout de cet alinéa n'aura que peu d'effet sur l'état du droit. Par ailleurs, on peut s'interroger sur le sens à donner au terme « récompense » retenu dans l'article 1460, al. 2 C.c.Q. L'expression « récompense » a été préférée par le législateur à celle de « rémunération modique » contenue au Projet de loi 125. Le sens courant du mot « récompense » milite en faveur d'une notion étendue, pouvant englober toute forme de compensation, pécuniaire ou autre. Où tracer toutefois la ligne entre une rémunération véritable et une récompense? La présomption de faute imposée à celui qui serait rémunéré, au contraire de celui qui serait gratifié, vaudra sans doute d'intéressants débats.

C- La responsabilité du tuteur, du curateur et du gardien d'un majeur non doué de raison

1. *Les devoirs et les obligations du tuteur, du curateur et du gardien*

a) *Les obligations légales du tuteur et du curateur consacrées par le Code civil du Québec*

Outre évidemment l'obligation générale imposée par l'article 1457 C.c.Q., qui exige le respect des règles de conduite qui s'imposent « de manière à ne pas causer de préjudice à autrui », les obligations légales plus particulières que doivent observer le tuteur et le curateur à l'égard du majeur non doué de raison, dont ils ont la responsabilité, sont décrites au Livre Premier du Code civil du Québec, titre quatrième, chapitre 3, « Des régimes de protection du majeur », art. 256 à 297. De plus, pour évaluer leurs obligations et leurs devoirs, il sera prudent de se référer au jugement qui établit les incapacités du majeur non doué de raison, surtout lorsque son inaptitude n'est pas totale ni permanente (art. 281, 285 et 288 C.c.Q.). Il ne faut pas perdre de vue que le régime de protection est établi dans l'intérêt du majeur, de même que l'incapacité qui en résulte (art. 256 C.c.Q.).

Il est à prévoir que plus l'inaptitude du majeur sera clairement établie avant son fait dommageable, plus les mesures prises par le tuteur ou le curateur seront scrutées avec rigueur et plus on considérera que sa faute est d'un degré de gravité important, de nature à engager sa responsabilité.

À noter que, tout comme pour les titulaires de l'autorité parentale, la garde physique du majeur sous régime de protection peut être déléguée; il pourra y avoir cumul de responsabilités hypothétiquement entre les personnes qui ont juridiquement la responsabilité d'assurer le bien-être du majeur et celles à qui cette tâche aura été déléguée (art. 260 C.c.Q.). Une personne morale tel un établissement de soins, public ou privé, pourra se voir déléguer la garde du majeur non doué de raison (art. 260, al. 2 C.c.Q.). Toutefois, le curateur public ne peut assumer la garde du majeur protégé que si le tribunal la lui confie (art. 263, al. 1 C.c.Q.)[58].

b) *Les devoirs et les obligations du gardien de fait d'un majeur non doué de raison*

La présomption de faute rattachée à la garde du majeur non doué de raison[59] était imposée uniquement depuis la codification en 1866 et jusqu'à la date de l'adoption en 1994 du Code civil du Québec, aux personnes en ayant la charge légale. Sous cet aspect, l'article 1461, al. 1 C.c.Q., innove et étend cette responsabilité au gardien de fait. Par contre, la responsabilité du gardien, du curateur et du tuteur est maintenant limitée et le régime de présomption de faute qui existait jusqu'en 1989 est rem-

57. Ministère de la Justice, *Commentaires du ministre de la Justice*, Code civil du Québec, t. 1, Québec, Les Publications du Québec, 1993, p. 890, EYB1993CM1461; *Blanchard c. Commission scolaire Morilac*, [1997] R.R.A. 120, EYB 1996-85374 (C.S.).
58. Édith DELEURY et Dominique GOUBAU, *Le droit des personnes physiques*, 4e éd., Cowansville, Les Éditions Yvon Blais Inc., 2008, no 671, p. 579.
59. La terminologie utilisée en 1866 parlait d'« insensé »; à partir de 1989, on parle de majeur « non doué de discernement » (L.Q. 1989, c. 54).

placé par un régime de faute prouvée d'un degré supérieur, soit celui de la faute lourde ou intentionnelle[60].

Dans le cas du tuteur et du curateur, ces devoirs et ces obligations sont cernés par des dispositions légales spécifiques, soit dans les articles 256 à 297 C.c.Q., tandis que, pour le gardien de fait, on renvoie surtout aux obligations plus générales qui s'imposent à lui suivant les circonstances ou les usages, tel que le prévoit l'article 1457 C.c.Q.

2. La nature de la responsabilité du tuteur, du curateur et du gardien

a) Le régime de la faute intentionnelle ou lourde

Le régime de faute, tel qu'il a été signalé ci-dessus, avait déjà été introduit par l'article 1054.1 C.c.B.-C. Le curateur ou le gardien de fait ne seront responsables du préjudice causé par le fait du majeur que s'ils ont commis, dans l'exercice de leur devoir de garde, une faute lourde ou intentionnelle. À ceci s'ajoute évidemment, selon les exigences de l'article 1462 C.c.Q., que les faits du majeur auraient dû être considérés comme fautifs s'il avait été doué de raison.

À nouveau, cette disposition adoptée par le législateur cherche à favoriser la prise en charge des aînés par leurs parents, alliés ou amis sans que ces derniers n'aient à supporter une responsabilité trop lourde à cet égard[61].

1) La nature de la faute

La faute lourde est définie à l'article 1474 C.c.Q. comme étant celle qui dénote une insouciance, une imprudence ou une négligence grossière. Quant à la faute intentionnelle, elle présuppose pour son auteur une connaissance formelle que son action ou son omission résultera en un préjudice pour autrui.

2) Les conditions d'application du régime

Il doit exister une garde, soit factuelle, soit légale (art. 260 C.c.Q.), un fait dommageable commis par une personne non douée de raison, et une incapacité de l'auteur du dommage, constatée au préalable dans le contexte d'un jugement établissant un régime de protection (art. 268 C.c.Q.) ou démontrée *post facto*.

D- La responsabilité du commettant

1. Introduction

La règle de l'article 1054, al. 7 C.c.B.-C., qui imposait au commettant la responsabilité de la faute commise par son préposé dans l'exécution de ses fonctions, est entièrement reprise dans l'article 1463 C.c.Q. Une précision est ajoutée en concordance avec le droit antérieur pour rappeler le recours possible du commettant contre son préposé.

Contrairement aux articles précédents qui fixent la responsabilité pour autrui, le législateur ne permet pas dans le cas du régime applicable au commettant qu'il se dégage de cette responsabilité en prouvant une simple absence de faute de sa part. Le commettant a l'obligation de garantir les tiers contre la faute dommageable commise par ses préposés dans l'exécution de leurs fonctions[62].

Bref, depuis la codification en 1866 du Code civil du Bas-Canada et encore aujourd'hui, après l'adoption en 1994 du Code civil du Québec, il existe une responsabilité objective de l'employeur ou du commettant pour la faute de son préposé, de la nature d'une présomption absolue de responsabilité (art. 2847, al. 2 C.c.Q.).

a) L'origine et le fondement du régime de responsabilité objective

1) La nature de la présomption

L'article 1463 C.c.Q. fixe une responsabilité pour autrui au sens strict du terme, en ce que la faute du commettant lui-même n'est pas nécessaire pour engager sa responsabilité. La démonstration de la seule faute du préposé est suffisante. Les critères de l'article 1457 C.c.Q. doivent être évidemment remplis dans cette démonstration. En fait, l'employeur ou le commettant est redevable du préjudice causé à autrui par son employé, dans la mesure seulement où l'acte fautif du préposé s'est produit dans le cadre de l'exécution de ses fonctions.

Aussi, il n'y a pas d'autre défense ouverte au commettant que celle d'établir que les conditions de mise en œuvre du régime n'auront pas été réunies. Il s'agit d'une respon-

---

60. À noter que l'adoption de l'article 1054.1 C.c.B.-C. (L.Q. 1989, c. 54) avait déjà introduit la notion de faute lourde : « Malgré l'article 1054 C.c.B.-C., les tuteurs et les curateurs à un majeur, les personnes exerçant la garde d'un majeur dont le curateur public est tuteur ou curateur, de même que les mandataires exécutant un mandat donné par un majeur dans l'éventualité de son inaptitude, ne sont pas responsables du dommage causé à autrui par ce majeur, à moins qu'ils n'aient eux-mêmes commis une faute intentionnelle ou lourde dans l'exercice de la garde. »
61. Voir *Commentaires du ministre de la Justice, op. cit.*, note 57, p. 891, EYB1993CM1463.
62. *Id.*, p. 892.

sabilité objective à laquelle le commettant ne pourra échapper qu'en prouvant que la victime ne peut se prévaloir de ce régime de responsabilité, en raison du fait par exemple que l'auteur du préjudice n'est pas son préposé, que le préposé n'a commis aucune faute causale (faute de la victime, faute d'un tiers (art. 1478 C.c.Q.)[63], force majeure (art. 1470 C.c.Q.) ou encore que sa faute s'inscrit hors du cadre de l'exécution de ses fonctions. Comme le signale le juge Baudouin au sujet de la présomption de l'article 1463 C.c.Q., « il ne s'agit pas d'une simple règle de preuve, mais bien d'une règle de fond »[64].

La responsabilité objective imposée au commettant pour la faute de son préposé, lorsqu'elle est commise dans l'exécution de ses fonctions, ne paraît pas satisfaire les critères prévus à l'article 1526 C.c.Q. pour établir une solidarité quelconque entre le préposé et le commettant[65]. Rien n'empêche toutefois la démonstration d'une faute distincte et propre au commettant, ayant contribué à la réalisation du préjudice[66]. Cette faute peut tirer son origine, entre autres, d'un certain laxisme dans la surveillance du préposé ou encore résulter de la tolérance d'agissements négligents répétés ou même d'un manque de formation de la part de l'employeur[67]. Dans ce cas évidemment, les critères de l'article 1526 C.c.Q. seraient remplis.

2) Le fondement

Peu importe le fondement que l'on voudra bien considérer comme étant à l'origine du régime de la responsabilité du commettant, sa finalité paraît justifiée par l'activité économique provenant de toute société industrialisée. Le fondement social de la présomption absolue qui pèse sur le commettant repose en partie sur le désir de garantir aux victimes l'assurance d'une indemnisation[68]. On la conçoit être plus probable si le défendeur est un interlocuteur solvable, qualité généralement présumée, à tort ou à raison, de toute personne étant en mesure de faire travailler les autres à sa place. Aujourd'hui, les faillites de beaucoup d'entreprises font mentir cette présomption sociale; c'est plutôt le phénomène de

l'assurance qui, de façon concrète, garantira plus que toute autre chose, une indemnité adéquate à la victime.

Aussi, bien que le législateur laisse subsister un recours récursoire du commettant contre son préposé, en pratique ce recours n'est jamais exercé lorsqu'une couverture d'assurance suffisante est détenue par l'employeur[69]. Dans ce dernier cas, l'assureur garantit les tiers contre les gestes fautifs des employés qui sont généralement au sens du contrat d'assurance « des assurés » et contre qui le recours subrogatoire est écarté par l'effet de l'article 2474 C.c.Q.

La sanction d'un mauvais choix du préposé de même que le profit tiré de son activité sont d'autres facteurs sociaux identifiables et rattachés à l'établissement de cette présomption.

Quant au fondement juridique, il est difficile de le cerner véritablement, puisque la composante sociologique des divers motifs qui le sous-tendent est fort importante. Aussi, qu'il soit relié à la faute implicite du commettant dans le choix de son préposé ou dans sa surveillance, ou encore au risque que le commettant devrait assumer en contrepartie du profit qu'il tire de l'activité du préposé, le fondement juridique aujourd'hui de cette présomption absolue n'est pas véritablement remis en question[70].

2. *La mise en œuvre de la responsabilité objective du commettant*

a) *La faute du préposé*

La responsabilité du commettant ne sera évidemment engagée que si la faute de son préposé est établie selon les moyens de preuve du régime général de faute de l'article 1457 C.c.Q. Rien n'interdit par ailleurs le cumul des moyens d'actions pour la victime qui pourra se prévaloir d'un régime plus favorable que celui de l'article 1457 C.c.Q. pour établir la faute du préposé. Des présomptions de faits pourront être invoquées si elles sont suffisamment graves, précises et concordantes (art. 2849 C.c.Q.)[71].

63.   *DiLoretto c. Louise et Pierre Inc.*, [1994] R.R.A. 296 (C.S.); *La Capitale Location Lutex Ltée c. Lasalle Ford Inc. et al.*, [2002] R.L. 234 (C.Q.).

64.   J.-L. BAUDOUIN et P. DESLAURIERS, *op. cit.*, note 10, par. 1-754, p. 706.

65.   *Ibid.*; C. MASSE, *op. cit.*, note 14, n° 62, p. 285, note 147; *contra : Martel c. Hôtel-Dieu de St-Vallier*, [1969] R.C.S. 745, 754; *Cie d'Assurance du Québec c. Dufour*, [1973] C.S. 840, 842; *Gagnon c. Nicolas*, [1970] C.S. 91, 92.

66.   *Gagnon c. Cité de Sept-Îles*, [1981] C.S. 93; *Bergevin c. Fonds Maréchal Inc.*, [1981] C.S. 1181; *Canton de Granby (Municipalité) c. Garage Raymond Ouellet Inc.*, REJB 2000-19821 (C.A.).

67.   *Apuzzo c. Banque Nationale du Canada*, [1994] R.R.A. 813, EYB 1994-73505 (C.S.). Voir aussi *Gauthier c. Beaumont*, [1998] 2 R.C.S. 3, REJB 1998-07106 et *Lépine c. Ville de Shawinigan*, [1998] R.R.A. 417, REJB 1997-05723 (C.S.), condamnation solidaire de l'employé et de l'employeur à des dommages exemplaires.

68.   Claude MASSE, « L'abus des fonctions dans la relation préposé – commettant en droit civil québécois », (1978) 19 *C. de D.* 595, 600.

69.   Une recherche minutieuse par Me Claude Masse confirmait cette situation dès 1978 : C. MASSE, *loc. cit.*, note 68, p. 600, note 9. De plus, les conventions collectives offrent également à l'employé une protection à cet égard.

70.   « À notre avis cependant, c'est toutefois la notion de risque qui fournit l'explication la plus logique. Il ne s'agit pas cependant de la notion classique du risque, mais plutôt de celle du risque d'activité. » J.-L. BAUDOUIN et P. DESLAURIERS, *op. cit.*, note 10, par. 1-768, p. 711.)

71.   À noter que la violation de certaines normes techniques par l'employé pour dégager une présomption de fait conduisant à la constatation d'une faute doit avoir un caractère causal par rapport au dommage. *Morin c. Blais*, [1977] 1 R.C.S. 570; *Union Commerciale, Compagnie d'Assurance c. Fernand Giguère et La Société Coopérative agricole de Ste-Marie de Beauce*, [1996] R.R.A. 286, EYB 1996-72069 (C.A.).

b) Le lien de préposition

1) Les éléments constitutifs

Le lien de préposition se soucie peu du cadre contractuel qui l'établit concrètement; en fait, la notion de préposé tient plus à l'interprétation que donnera un tribunal aux faits entourant tout le contexte de l'exercice de l'activité réalisée par un individu pour le compte d'un autre. Certains critères pour apprécier cette relation semblent plus déterminants que d'autres; c'est le cas notamment de l'exercice du pouvoir de contrôle sur l'employé et de la surveillance ou de la vérification de son travail.

Quels sont les éléments qui permettront à un tribunal d'évaluer cette notion de contrôle qui servira à qualifier la relation entre deux personnes de commettant/préposé? Signalons d'abord que, de façon soutenue, la jurisprudence québécoise a associé la notion de contrôle au pouvoir du commettant de fixer un objectif de travail, soit en termes concrets, c'est-à-dire la réalisation de tel ou tel ouvrage ou l'accomplissement de telle ou telle tâche, soit en termes de rendement et de productivité.

De plus, la possibilité de dicter à l'employé la façon de s'acquitter de sa tâche et de l'objectif fixé devra être clairement établie. Ce dernier pouvoir sera également, dans les faits, fonction de la spécialisation du préposé. Plus le préposé sera spécialisé, donc compétent dans son domaine, plus il deviendra illusoire de penser qu'un employeur pourra, de façon très concrète, lui dicter une méthode de travail. C'est pourtant encore l'état du droit. La doctrine a soulevé à quelques occasions un questionnement au sujet de cette notion de « contrôle » de la méthode de travail comme critère d'appréciation du lien de préposition. En effet, le critère est demeuré fixe depuis la codification, malgré le changement radical des moyens de production et du déroulement de l'activité économique (industrialisation de masse, technologie, informatisation, etc.)[72].

Ce qui devra être établi, c'est l'autorité dont est investi le commettant d'imposer une méthode de travail à un ouvrier chargé d'exécuter une tâche et son droit de surveillance et de direction immédiat sur lui[73]. Au contraire, assigner un lieu ou un horaire de travail, le rappel de consignes de sécurité, ou de simples recommandations d'ordre général sur l'exercice d'une activité seront des éléments insuffisants pour établir la notion de contrôle nécessaire à la détermination de la qualité de « préposé ».

Il est souvent plus facile d'ailleurs de comprendre cette question par la démonstration du principe inverse. On concevra difficilement qu'un professionnel de la santé se voie dicter par un supérieur administratif la façon dont il devra procéder pour exercer son jugement clinique[74]; l'exemple de l'ingénieur à qui un cadre viendrait indiquer comment tracer des plans et analyser la résistance de certains matériaux ou composantes d'un édifice, lorsqu'il n'est pas lui-même ingénieur, est également probant. Il pourra également se trouver des situations « hybrides », surtout dans le cas d'employés membres d'ordres professionnels. Dans ce dernier cas, l'analyse du contrat de travail qui lie l'employeur à l'employé sera un élément additionnel à considérer dans la détermination de la nature du lien entre les parties. À défaut de satisfaire les critères de l'article 1463 C.c.Q., les règles concernant le mandat peuvent être invoquées pour engager la responsabilité du mandant (art. 2144 C.c.Q.).

D'autres éléments dont l'incidence semble varier en fonction des circonstances sont par exemple la faculté de choisir le préposé et la faculté d'imposer une personne à un tiers comme exécutant.

La rigidité du cadre de travail et les paramètres associés à l'exécution des tâches fixées par le commettant semblent favoriser l'établissement du lien de préposition. L'autonomie du travailleur favorise la tendance inverse; à celle-ci s'ajoute souvent celle de la propriété de l'outillage spécialisé par l'ouvrier. Les effets des deux derniers éléments devraient à notre avis diminuer en raison de l'avancement technologique et de la surspécialisation des ouvriers[75].

Évidemment, l'existence d'une rémunération pourra également être analysée dans le contexte de l'établisse-

---

72. Andrée LAJOIE, Patrick A. MOLINARI et Jean-Louis BAUDOUIN, « Le droit aux services de santé : légal ou contractuel? », (1983) 43 *R. du B.* 675, 730 et 731; Danielle CHALIFOUX, « Vers une nouvelle relation commettant-préposé », (1984) 44 *R. du B.* 815, 819; J.-L. BAUDOUIN et P. DESLAURIERS, *op. cit.*, note 10, par. 1-784, p. 720; Marie-France BICH, « Le professionnel salarié – considérations civiles et déontologiques », dans *Journées Maximilien-Caron 1994*, Montréal, Thémis, 1995, p. 45 et s.; *contra : Goupil c. C.H.U.Q.*, REJB 2001-25337 (C.S.) (règlement hors cour, C.A. Québec, nº 200-09-003726-012, 26 février 2003) – Pathologiste responsable d'une faute de sa résidente.

73. *Co. d'Assurance La Prévoyance c. Commercial Union Assurance Co.*, J.E. 84-832 (C.S.), J.E. 90-360, EYB 1990-59407 (C.A.); *Trans-Québec Helicopters Ltd. c. Heirs of the Estate of the Late David Lee*, [1980] C.A. 596; *Gagné c. Gagné*, [1994] R.R.A. 223, EYB 1994-57455 (C.A.); *Desmeules c. Corps des cadets 2869 de Laterrière*, [1995] R.R.A. 693 (C.S.); *Extrusions de Polyfilm Ltée c. Entreprises d'électricité N.D. Inc.*, J.E. 96-1071, EYB 1996-95852 (C.A.); *Nault c. St-Amant*, REJB 2002-36839 (C.A.).

74. *Germain c. Hôpital St-Luc*, REJB 2002-32242 (C.A.); *Kastner c. Hôpital Royal Victoria et al.*, REJB 2002-30041 (C.A.).

75. Voir J.-L. BAUDOUIN et P. DESLAURIERS, *op. cit.*, note 10, par. 1-791, p. 722, ces deux éléments sont rarement étudiés de façon isolée : *Beauregard c. Martin*, [1971] C.S. 362; *Travelers du Canada c. Legault*, [1994] R.R.A. 236, EYB 1994-58685 (C.A.); *Sanscartier c. Morin*, REJB 2002-35301 (C.S.) (certificat d'appel déserté, C.A. Montréal, nº 500-09-012934-022, 14 avril 2003).

ment du lien de préposition. Toutefois, la jurisprudence québécoise ne paraît pas s'y attacher de façon importante. La relation préposé/commettant a été souvent établie en l'absence d'une telle rémunération et dans le cadre de relations amicales, de bon voisinage[76] ou de toute relation qui comporte l'échange de services mutuels[77].

L'existence de liens familiaux (mari-femme, parents-enfants, oncles-neveux) n'a nullement empêché l'établissement d'un lien de préposition lorsque les faits entourant l'activité dommageable de l'un répondaient aux critères principaux fixés par les tribunaux, soit l'existence d'un contrôle et d'une surveillance directe et immédiate chez l'autre[78].

Notons que certains auteurs, dont le juge Baudouin, favorisent un assouplissement du critère de contrôle « dans l'établissement du lien de préposition »[79] et ont signalé ses limites dans le contexte de notre époque[80]. À noter aussi que la responsabilité d'une personne morale sera engagée peu importe que la faute soit commise par un préposé ou par une composante « organique » de la personne morale (art. 311 C.c.Q.)[81].

2) Le lien de préposition : un lien migratoire

L'importance de ce critère a donné par ailleurs ouverture au phénomène de l'alternance du lien de préposition et, à l'occasion, à un certain cumul théorique[82] possible de ce lien entre deux commettants.

Le lien de préposition suit le pouvoir de contrôle et de direction sur l'employé. Si le pouvoir est transposé sur la personne d'un autre commettant, indépendamment de tout contrat de travail, il pourra être considéré comme le commettant momentané. C'est le commettant qui a le pouvoir direct et immédiat sur l'employé au moment même de son fait dommageable qui se verra imposer la présomption.

Comme il est mentionné ci-dessus et de façon plus imagée, le « chapeau » de commettant suit le véritable pouvoir de contrôle et d'autorité sur le préposé, au moment précis où l'activité dommageable est causée. Ce contrôle peut être ou le résultat de la situation de fait, qu'elle ait été désirée ou non par le commettant initial lui-même, ou encore la suite d'une entente entre les deux commettants[83].

c) Le cadre de l'exercice des fonctions et les limites de la responsabilité du commettant

Pour pouvoir se prévaloir de la présomption absolue prévue à l'article 1463 C.c.Q., la victime devra démontrer par prépondérance de preuve que l'acte fautif du préposé s'est produit dans le cadre de l'exercice de ses fonctions. Aussi, une jurisprudence importante s'est développée pour définir cette notion.

1) Le cadre et la structure des fonctions

Le cadre de l'exercice des fonctions semble surtout être délimité par la finalité de celles-ci. Les fonctions accomplies l'étaient-elles au bénéfice et dans l'intérêt de l'employeur? Répondre positivement à cette question permet généralement d'écarter des facteurs secondaires qui peuvent avoir suscité un doute initial dans l'analyse de la délimitation de ce cadre. À titre d'exemple, la perpétration d'un acte criminel ou d'une infraction pénale ne suppose pas *per se* que le préposé soit sorti du cadre de ses fonctions. Cette infraction, ce crime, peuvent effectivement avoir été perpétrés alors même que le préposé s'acquittait d'une tâche pour son employeur[84]. Un autre doute pourra être soulevé lorsque le préposé a délibérément ou par mégarde désobéi à des ordres clairs de son employeur[85]. Aussi, le doute suscité par la désobéissance expresse d'un employé ou par la nature inusitée de sa faute[86] sur le maintien du cadre de ses fonctions n'est pas

76. *Gauthier c. Nadeau*, [1978] C.S. 647; *Rainone c. Hamel-Demers*, J.E. 85-663, EYB 1985-145394 (C.S.) (accueilli en appel); *Mageau c. Mageau*, [1986] R.R.A. 69 (C.A.); *contra : Landry c. Frick*, [1995] R.R.A. 75 (C.S.).
77. *Lachance c. Bonsant*, [1983] C.S. 596; *Dumont c. Dumont*, J.E. 84-737 (C.S.); *Procureur général de la Province de Québec c. Ski Secours Québec Inc.*, [1983] C.A. 625; *contra : Nadeau c. Nadeau*, [1995] R.R.A. 37, EYB 1994-72286 (C.S.); *Gauthier c. Rochon*, J.E. 98-1972, REJB 1998-08282 (C.A.).
78. Cette notion s'est particulièrement développée dans le contexte des accidents d'automobiles : *Lavallée c. Paquette*, [1951] C.S. 228; *Cardinal c. Meilleur*, [1965] B.R. 837.
79. A. LAJOIE, P.-A. MOLINARI et J.-L. BAUDOUIN, *loc. cit.*, note 72, p. 730 et 731; D. CHALIFOUX, *loc. cit.*, note 72, p. 828 et 829.
80. J.-L. BAUDOUIN et P. DESLAURIERS, *op. cit.*, note 10, par. 1-744, p. 701.
81. Voir aussi Marcel LISÉ, « De la capacité organique et des responsabilités délictuelle et pénale des personnes morales », (1995) 41 *McGill L.J.* 131, 159.
82. *Hôpital général de la région de l'amiante Inc. c. Perron*, [1979] C.A. 567.
83. Elle peut être voulue lorsqu'il y a location de services d'un préposé ou simple mise en disposition : *Boilard c. Entreprises Réginald Breton Inc.*, [1989] R.R.A. 334 (C.S.); *Labrecque c. Hôpital du St-Sacrement*, [1997] R.J.Q. 69, EYB 1996-65658 (C.A.); *Caisse Populaire Desjardins Pierre-Boucher c. Service de personnel multi-caisse et multi-ressource Inc.*, EYB 2003-51490 (C.Q.).
84. *Compagnie d'Assurance Traders Générale c. Excavation de Chicoutimi Inc.*, [1989] R.R.A. 547 (C.S.); *The Governor and Company of Gentlemen Adventurers of England c. Vaillancourt*, (1922) 60 C.S. 457; (1923) 34 B.R. 207; [1923] R.C.S. 414; *Gazette Printing Co. c. Zelman*, J.E. 78-621 (C.A.); *Hubert c. Cabarin Inc.*, J.E. 83-401, EYB 1983-141962 (C.P.); *Myron c. Citipark*, [1990] R.R.A. 828 (C.Q.); *Veilleux c. Dumont*, [2005] R.R.A. 1220, EYB 2005-93482 (C.S.).
85. *Curley c. Latreille*, (1919) 28 B.R. 388; (1920) 60 R.C.S. 131; *Hreha c. Gordon Vacuum Cleaners Inc.*, [1964] C.S. 316; *Highland transport c. Dow's Trucking Ltd.*, [1992] R.R.A. 857 (C.S.).
86. *Goodwin c. Commission scolaire Laurenval*, [1991] R.R.A. 673, EYB 1991-83825 (C.S.).

en soi déterminant, mais il peut le devenir[87]; pour répondre par la négative à la question énoncée plus haut de la délimitation du cadre de l'exercice des fonctions d'un employé, c'est la finalité des gestes qu'il a posés qu'il faut véritablement considérer[88].

Un doute additionnel peut venir s'ajouter aux précédents si la faute dommageable du préposé est commise en dehors de l'horaire normal de l'employé et de son lieu de travail. Encore ici, ces éléments peuvent vite devenir secondaires dans l'analyse effectuée par le tribunal, qui doit trancher la question essentielle posée par la délimitation du cadre de l'exercice des fonctions de l'employé : les fonctions accomplies par celui-ci l'étaient-elles au bénéfice et dans l'intérêt de l'employeur?

En somme, il s'agira de vérifier si, malgré le contexte tout à fait inusité de la faute dommageable commise par l'employé, malgré la nature de son geste et en dépit des circonstances de temps et de lieu inhabituelles, ce dernier agissait tout de même ultimement au bénéfice de son employeur.

Le cadre à proprement parler de « l'exercice des fonctions » sera maintenu s'il y a faute de compétence, c'est-à-dire si le préjudice résulte d'une mauvaise exécution des fonctions ou encore si le préposé est allé au-delà des instructions qu'il avait reçues, sans nécessairement désobéir formellement à son employeur. C'est le cas par exemple lorsqu'il décide de modifier son horaire de travail, décide de travailler à un endroit autre que celui désigné par son patron ou encore innove sur la façon dont il exerce habituellement sa tâche, causant dans tous ces cas un préjudice à autrui.

Au contraire, ce « cadre » sera levé si les fonctions accomplies par l'employé n'ont permis à ce dernier que de créer la conjoncture propice à son fait fautif, et dommageable pour autrui. C'est ce que la jurisprudence et la doctrine ont qualifié de dommages causés « à l'occasion de l'exercice des fonctions »[89]. Le « cadre levé » et une des

conditions de mise en œuvre du régime n'étant plus satisfaite, il y a évidemment exonération du commettant dont la faute personnelle n'est pas en cause, rappelons-le.

2) La finalité poursuivie et les limites de la responsabilité

En fait, les limites de la responsabilité du commettant sont souvent posées par la finalité de l'activité de l'employé. C'est d'ailleurs à ce test que la doctrine se réfère comme étant un guide plus sûr[90] pour établir les limites du cadre de l'exercice des fonctions. Il se peut toutefois que l'analyse de cette finalité donne ouverture à une double réponse et qu'il y ait poursuite d'un intérêt personnel pour le préposé en même temps que l'intérêt du commettant se voit satisfait. Dans ce cas, la tendance des tribunaux est nettement de faire tomber cette activité fautive du préposé dans le cadre de l'exercice de ses fonctions. Par contre, si seul le préposé pouvait trouver un intérêt dans l'activité qu'il poursuivait au moment du fait dommageable, le cadre sera levé et le commettant dégagé de toute responsabilité.

C'est entre autres dans ce contexte qu'un certain courant jurisprudentiel s'est établi pour dégager les commettants de leur responsabilité en raison d'agression violente ou du vol perpétré par leurs employés[91].

Un courant différent, dont les décisions sont fondées sur la protection des droits reconnus par les chartes, tant canadienne[92] que québécoise[93], paraît s'imposer. Ce courant rejoint de plus la décision dans l'affaire *Vaillancourt c. The Governor and Company of Gentlemen Adventurers of England*[94], qui avait considéré l'assaut brutal d'un employé de l'appelante, en charge d'un poste dans le nord du Québec contre un employé subalterne comme s'inscrivant tout de même dans le cadre de l'exercice de ses fonctions. Sous la plume du juge Mignault, la Cour suprême rappelait alors que Wilson avait « abusé de son autorité » sur le préposé subalterne et, partant, que l'article 1054 C.c.B.-C. s'appliquait[95].

---

87. *Supra*, note 85.
88. *Quebec Liquor Commission c. Moore*, (1924) 36 B.R. 494, [1924] R.C.S. 540; aussi *supra*, notes 85 et 86.
89. *Curley c. Latreille*, précité, note 85; *Havre des Femmes Inc. c. Dubé*, [1998] R.J.Q. 346, REJB 1998-04273 (C.A.); *Lachance-Patry (Succession de) c. Caisse Populaire Desjardins de Stadaconna*, [1998] R.R.A. 871, REJB 1998-06239 (C.Q.).
90. J.-L. BAUDOUIN et P. DESLAURIERS, *op. cit.*, note 10, par. 1-848 à 1-851, p. 750.
91. *Dominion Transport Co. c. Fisher, Sons & Co.*, [1925] R.C.S. 126; *Frank Derice c. Elder*, [1939] 67 B.R. 563; *Co. de Transport Provincial c. Fortier*, [1956] R.C.S. 258; pour une application plus récente, voir *Havre des femmes Inc. c. Dubé*, précité, note 89.
92. *Robichaud c. Conseil du Trésor du Canada*, [1987] 2 R.C.S. 84.
93. *Foisy c. Bell Canada*, [1984] C.S. 1164; *Halkett c. Ascofijex Inc.*, [1986] R.J.Q. 2697, EYB 1986-83264 (C.S.); *Fédération des employées et employés de service publics Inc. (C.S.N.) c. Béliveau St-Jacques*, [1991] R.J.Q. 279, EYB 1991-57594 (C.A.), [1996] 2 R.C.S. 345, EYB 1996-67901 : la Cour suprême a débouté la plaignante, qui avait été indemnisée initialement par la CSST, pour une raison de juridiction. La juge L'Heureux-Dubé, dissidente, aurait maintenu le recours aux tribunaux civils pour l'obtention de dommages exemplaires en vertu de l'article 49, al. 2, de la Charte; *Commission des droits de la personne du Québec c. Antginas*, D.T.E. 93T-1118, EYB 1993-105280 (T.D.P.); *Goodwin c. Commission Scolaire Laurenval*, [1991] R.R.A. 673, EYB 1991-83825 (C.S.). Le texte de la *Loi sur les droits de la personne*, S.M., 1974, c. 65, art. 6 (1) a également été invoqué dans *Janzen c. Platy Enterprises Ltd.*, [1989] 1 R.C.S. 1252, EYB 1989-67166.
94. [1923] R.C.S. 414.
95. *Id.*, p. 431.

2- La responsabilité du fait des biens*

Il nous faut souligner ici une controverse née de l'interprétation de l'article 1458, al. 2 C.c.Q. et de l'interdiction de l'option ou du cumul des recours du régime contractuel et du régime extracontractuel.

À titre d'exemple, cette interdiction s'oppose-t-elle à ce que les présomptions prévues aux articles 1465 et 1467 C.c.Q. puissent être invoquées par une victime qui serait liée par contrat au propriétaire d'un immeuble ou au gardien d'un bien ou d'un animal?

L'opinion des auteurs sur cette question est partagée. Deux théories se sont affrontées : d'une part, la thèse dite « extensive » évoquée dans un premier temps par le juge Baudouin[96] et à laquelle adhérait le doyen Claude Fabien[97] et, d'autre part, la thèse dite « restrictive » avancée par les professeurs Nathalie Vézina[98] et Claude Masse[99]. Le juge Baudouin[100] partage maintenant l'opinion de Me Vézina et de Me Masse. Il semble donc que le courant doctrinal de la thèse restrictive soit majoritaire. Il faudra suivre l'évolution jurisprudentielle sur cette question de façon attentive[101]. Il serait étonnant que les plaideurs ne tentent pas de faire avancer la thèse extensive lorsqu'elle leur sera plus favorable en raison des nombreux paradoxes qui peuvent résulter de l'application de la doctrine majoritaire[102]. Le texte qui suit tient compte de la doctrine majoritaire.

A- La responsabilité du gardien

1. *Introduction*

En adoptant l'article 1465 C.c.Q., le législateur a choisi de maintenir les solutions retenues par la jurisprudence et la doctrine au sujet de l'ancien article 1054, al. 1 *in fine* C.c.B.-C. Cet article a été interprété comme créant un régime de faute présumée lorsque le préjudice résulte du fait autonome de la « chose »[103]; ce terme a été remplacé dans le Code civil du Québec par la notion de « bien ».

La présomption de l'article 1054 C.c.B.-C., et maintenant de l'article 1465 C.c.Q., vient faciliter le recours en dommages de la victime à l'encontre du gardien du bien; à partir du moment où elle démontre que le préjudice subi résulte du fait autonome du bien, le gardien est présumé avoir commis une faute dans la garde, l'entretien ou l'usage de ce bien. Un renversement du fardeau de la preuve s'opère et il appartient alors au gardien, afin de dégager sa responsabilité, de prouver qu'il n'a « commis aucune faute ». Sans cette présomption, la victime d'un accident causé par un bien se verrait frustrée de toute indemnisation étant souvent dans l'impossibilité d'identifier et de prouver une faute de la part du gardien.

Historiquement, cette présomption de faute était fréquemment utilisée en matière d'accidents de travail et lors de dommages causés par une automobile. Toutefois, l'avènement de la *Loi sur les accidents du travail*[104] et de la *Loi sur l'assurance automobile*[105] a eu pour effet de soustraire à l'application de cette présomption un important champ d'activités[106]. La présomption demeure cependant encore fort utile dans tous les cas de préjudice résultant de phénomènes dont la cause est difficile à prouver pour la victime, notamment en cas d'explosion, d'incendie, d'inondations, etc.

2. *La mise en œuvre de la présomption*

La mise en œuvre de la présomption requiert la preuve de deux éléments, l'un relatif au bien lui-même, l'autre relatif à la personne présumément fautive, à savoir le gardien.

a) *Le fait autonome d'un bien*

Afin de pouvoir bénéficier de la présomption de l'article 1465 C.c.Q., la victime doit établir premièrement que le préjudice résulte strictement du fait autonome d'un bien.

---

*   L'auteur tient à signaler la très importante contribution de Me Geneviève Cotnam.
96.   Jean-Louis BAUDOUIN, *La responsabilité civile*, 4e éd., Cowansville, Les Éditions Yvon Blais Inc., 1994, nos 768 et 794, p. 429 et 446.
97.   Claude FABIEN, « Le nouveau cadre contractuel de l'exercice des professions », dans *Journées Maximilien-Caron 1994*, Montréal, Thémis, 1995, 73, p. 96; C. FABIEN, « Les présomptions légales de faute et de responsabilité s'appliquent-elles au contrat? », (2006) 85 *R. du B. can.* 373.
98.   Nathalie VÉZINA, « Les articles 1459 à 1469 C.c.Q. et la responsabilité civile contractuelle : plaidoyer en faveur d'une thèse dite "restrictive" », (1996) 75 *R. du B. can.* 604.
99.   C. MASSE, *op. cit.*, note 14, p. 280 et 281.
100. J.-L. BAUDOUIN et P. DESLAURIERS, *op. cit.*, note 10, par. 1-59 à 1-61, p. 43.
101. Thèse restrictive : *Lombard du Canada Limitée c. 9022-3298 Québec Inc.*, REJB 2000-21399 (C.S.); *Carrier c. Pomerleau*, REJB 2000-19749 (C.S.); thèse extensive : art. 1467 C.c.Q. appliqué en dépit de l'existence d'un bail : *Brasseur c. Desrosiers*, REJB 2000-21576 (C.S.).
102. D. GARDNER et B. MOORE, « La responsabilité contractuelle dans la tourmente », (2007) 48 *C. de D.* 543.
103. *Doucet c. Shawinigan Carbide Co.*, (1910) 42 R.C.S. 281.
104. L.R.Q., c. A-3.
105. L.R.Q., c. A-25. *Provost c. Succession Yves Forgues*, EYB 2003-41875 (C.S.).
106. J.-L. BAUDOUIN et P. DESLAURIERS, *op. cit.*, note 10, par. 1-858 et s., p. 759.

1) La notion de bien

Tel qu'il a été discuté ci-dessus, l'article 1054 C.c.B.-C. faisait référence à la notion de « chose » plutôt qu'à celle de « bien ». En principe, ces deux termes ont la même portée juridique et en conséquence, la jurisprudence développée en vertu de l'ancienne disposition est tout à fait pertinente pour définir la notion actuelle de « bien » dans le contexte de l'article 1465 C.c.Q.[107].

Le mot « bien », fréquemment utilisé dans le Code civil du Québec, n'y est toutefois pas défini avec précision. Cette expression englobe tant le concept de biens corporels que de biens incorporels, qui se divisent en immeubles et en meubles (art. 899 C.c.Q.). Le même phénomène prévalait en vertu de l'ancien code et certaines décisions ont appliqué par extension la présomption à des biens incorporels[108] tels le gaz, les vapeurs d'essence, le courant électrique.

Par ailleurs, il existe des règles particulières établies par la jurisprudence en matière d'incendie. Dans ce dernier cas, la victime doit établir non seulement que les dommages résultent du feu, mais aussi que la cause de l'incendie est attribuable au fait autonome d'un bien ayant provoqué un feu (c'est-à-dire le feu en lui-même n'est pas un « bien » au sens requis par l'article 1465 C.c.Q.)[109].

Précisons enfin que la présomption de l'article 1465 C.c.Q. s'applique tant aux biens mobiliers qu'aux biens immobiliers. En ce qui concerne les immeubles (art. 900 à 904 C.c.Q.), cette présomption peut être cumulée à celle prévue à l'article 1467 C.c.Q., qui est imposée au propriétaire en cas de ruine de son immeuble et qui sera étudiée sous la rubrique « La responsabilité découlant de la ruine des immeubles ».

2) Le fait autonome

Une fois la notion de « bien » définie, il appartient à la victime de démontrer que le préjudice est le résultat du fait autonome de ce bien. Il faut donc distinguer le préjudice causé par une intervention humaine de celui découlant du bien lui-même[110].

Dans les faits, il serait toujours possible de relier le préjudice à une intervention humaine de degré plus ou moins éloigné. Le bien qui a provoqué le préjudice aura en effet été construit ou installé par une personne et ultimement le vice à l'origine de l'incident pourra être lié à une action ou à une omission humaine.

On pourra retenir que la présomption s'applique dès qu'il est évident que c'est le dynamisme du bien lui-même qui est la cause immédiate du préjudice[111]. Autrement, la recherche de la chaîne des événements aboutirait presque inévitablement à l'identification d'une intervention humaine et exigerait la preuve d'une faute causale difficile à présenter pour la victime. Aussi, la simple implication d'un bien de façon non causale dans un accident ne saurait mettre en œuvre la présomption.

La jurisprudence a donc fixé comme double critère que le préjudice doit s'être produit en l'absence d'intervention humaine directe et par le dynamisme propre de l'objet.

À titre d'illustration, il ne pourrait y avoir de préjudice résultant du fait autonome d'un bien lorsque ce bien est sous le contrôle physique d'une personne qui le manipule, le déplace etc. au moment où survient le dommage[112]. Dans ce cas, c'est le régime général de responsabilité pour le fait personnel de l'article 1457 C.c.Q. qui s'applique. Par contre, si l'action humaine se limite à la mise en marche du bien (presser un bouton, enclencher un méca-

---

107. *Id.*, par. 1-865, p. 763; C. MASSE, *op. cit.*, note 14, n° 66, p. 289.

108. *Vandry c. Quebec Railway, Light, Heat and Power Co.*, (1916) 53 R.C.S. 72; *Gaz Métropolitain c. Toupin*, [1974] R.C.S. 1071; *Eaton Bay Insurance Co. c. McCaffrey*, [1986] R.R.A. 1112 (C.S.); *Continental Insurance Co. c. Confections Sarrazin et frères Inc.*, [1986] R.R.A. 577 (C.S.); *Lamibca c. Gaz Métropolitain*, [1986] R.R.A. 419 (C.S.); *March c. Vachon-Falconi*, [1989] R.R.A. 287, EYB 1989-58424 (C.A.); *Cie d'assurances Bélair c. Bissonnette*, [1993] R.R.A. 338, EYB 1993-58987 (C.A.); *Sécurité Nationale Co. d'assurances c. Rondeau*, [1993] R.R.A. 755, EYB 1993-59029 (C.A.); *Promutuel Portneuf-Champlain c. 9020-3886 Québec Inc.*, REJB 2003-38750 (C.S.), appel rejeté, EYB 2004-81991 (C.A.).

109. J.-L. BAUDOUIN et P. DESLAURIERS, *op. cit.*, note 10, par. 1-868, p. 765; *RCA Ltée c. Lumbermen's Mutual Insurance Co.*, n° 200-09-000115-813, 15 octobre 1984; *Farmer c. Canadian Home Ass. Co.*, [1987] R.R.A. 53, EYB 1987-62622 (C.A.); *Concorde Co. d'ass. générale c. Doyon*, [1989] R.R.A. 52, EYB 1988-59563 (C.A.); *Liberty Mutual Ins. Co. c. Sanborn's Motor Express*, [1991] R.R.A. 272, EYB 1991-57483 (C.A.); *Prudentielle Co. d'Ass. Ltée c. Mécanique et Pièces d'Autos Charron (1980) Inc.*, [1994] R.R.A. 422, EYB 1994-58467 (C.A.).

110. J.-L. BAUDOUIN et P. DESLAURIERS, *op. cit.*, note 10, par. 1-871 et s., p. 768; *Ouimette c. Procureur général du Canada*, REJB 2002-31502 (C.A.).

111. La décision rendue dans *Castle des Monts c. Segal*, [1966] B.R. 653, aborde brièvement cette difficulté engendrée par l'effet d'une intervention humaine possible par l'application de la présomption.

112. *Curley c. Latreille*, précité, note 85; *Delisle c. Shawinigan Water and Power Co.*, [1968] R.C.S. 744; *Choinière c. Choinière*, [1992] R.R.A. 70 (C.S.) – Le défendeur monte sur une étagère qui s'effondre. La cour considère qu'il ne s'agit pas d'un cas de fait autonome de la chose; *Cie d'assurance Bélair c. Bissonnette*, précité, note 108 – La cour a retenu que le fait que le câble à l'origine de l'incendie ait pu être piétiné n'est pas une intervention humaine justifiant d'écarter la présomption du fait des biens.

nisme) la présomption de l'article 1465 C.c.Q. entre en jeu[113]. En effet, même des biens « dynamiques » requièrent une intervention humaine minimale pour mettre leur force motrice en action. Ce simple fait ne saurait donc constituer un obstacle à l'application de la présomption prévue à l'article 1465 C.c.Q. Quant aux biens « inertes », ils pourront également donner lieu à l'application de la présomption en devenant actifs en raison des lois de la physique[114], par exemple.

Le bris soudain d'un tuyau d'aqueduc pourra mettre en jeu la présomption de l'article 1465 C.c.Q., puisqu'il y a eu dynamisme propre de l'objet. Au contraire, le même bris d'aqueduc s'il est provoqué par la perforation accidentelle lors de travaux de construction sera régi par les règles générales de l'article 1457 C.c.Q. Il faut donc retenir que le bien doit être à l'origine du préjudice et non seulement être l'occasion de sa réalisation. Il est essentiel d'apporter la preuve du fait autonome du bien, mais également celle d'un lien de causalité entre ce fait et le préjudice.

b) L'identification du gardien

L'autre élément qui doit être prouvé par la victime pour invoquer la présomption est l'identité du gardien[115]. Le concept de garde du bien doit être distingué de celui de la propriété. Dans certains cas, les deux concepts pourront se confondre, alors que dans d'autres la garde sera détenue par une personne qui n'en sera pas propriétaire.

Le concept de garde est relié à une notion strictement factuelle et non à un attribut juridique. Le terme « garde » renvoie tant à l'usage qu'au pouvoir de direction, de surveillance et de contrôle qu'exerce la personne sur le bien. En principe, le gardien est donc celui qui avait le pouvoir d'intervenir afin de prévenir le préjudice. Ce concept de garde doit être analysé à la lumière des faits particuliers de chaque situation. La garde pourra relever aussi bien du propriétaire, du locataire, du détenteur ou de l'usager d'un bien[116]. En guise d'exemple, l'électricité peut parfois être sous la garde du propriétaire alors que, dans d'autres cas, cette garde peut être placée sous la responsabilité du locataire suivant les circonstances factuelles ou les termes d'un bail[117]. Il s'agit donc de cas d'espèces qui doivent être évalués avec tous les éléments disponibles et, évidemment, à l'aide de toute convention gouvernant une ou plusieurs parties en cause (contrat de location de biens, bail, déclaration de copropriété, etc.).

3. L'exonération du gardien

Tel qu'il a été signalé précédemment, la présomption édictée par l'article 1465 C.c.Q. est une présomption de faute et non de responsabilité stricte[118]. Il est donc possible pour le gardien de se dégager de sa responsabilité en prouvant qu'il n'a « commis aucune faute ». Cette preuve peut se faire en démontrant qu'il était impossible pour le gardien de prévenir le préjudice[119] ou encore en prouvant la faute d'un tiers ou de la victime.

a) La force majeure ou la faute d'un tiers

Le gardien pourra se dégager complètement de sa responsabilité s'il parvient à prouver qu'il y a eu force majeure. Il s'agit là d'un fardeau difficile à supporter pour le gardien, puisqu'il doit démontrer que l'accident est attribuable à un élément extérieur irrésistible et imprévisible (art. 1470 C.c.Q.)[120].

Quant à la faute d'un tiers, cette dernière ne sera retenue que dans la mesure où le gardien démontre qu'il n'a commis aucune faute, c'est-à-dire qu'il n'aurait pas pu

---

113. *Provost Cartage c. Gaspésia Rimouski Ltée*, [1978] C.A. 557; *Coventry c. Domaine Val Boisé Inc.*, [1993] R.R.A. 515, EYB 1993-74188 (C.S.).

114. *Deslauriers c. Norlag Coating Ltd.*, [1997] R.R.A. 931, REJB 1997-02610 (C.A.); *Chapleau c. Chapleau*, REJB 2002-32170 (C.A.).

115. En effet, la présomption de faute pour le fait autonome d'un bien se rattache au statut du gardien. Odette NADON, « La responsabilité du pollueur et l'évolution de la notion de faute », dans *Développements récents en droit de l'environnement (1996)*, Service de la formation permanente, Barreau du Québec, Cowansville, Les Éditions Yvon Blais Inc., p. 141 et 159, EYB1996DEV45 : « Dans le cadre de cet article (1465 C.c.Q.), ce n'est donc plus l'acte posé par une personne qui rendra le comportement fautif, mais c'est le statut de la personne, soit celui du gardien, qui la rendra responsable et l'obligera à réparer le préjudice causé par le bien [...]. »

116. J.-L. BAUDOUIN et P. DESLAURIERS, *op. cit.*, note 10, par. 1-821 et s., p. 737.

117. *Langevin c. Construction Pagaro Inc.*, [1986] R.J.Q. 1963, EYB 1986-62454 (C.A.); *Scanway Corporation c. Delagar Ltd.*, [1987] R.R.A. 414 (C.S.); *Marin c. Bélair Assurance*, C.A., nos 200-09-000048-857 et 200-09-000049-855, 8 décembre 1987, EYB 1987-62485; *Molinaro c. Automobiles Madore et Jean Inc.*, [1988] R.R.A. 746 (C.Q.); *Gestion Rochefort Tessier Inc. c. Hydro-Québec*, [1990] R.R.A. 808 (C.Q.); *Prévoyance Cie d'Assurance c. Commercial Union Ltd.*, [1990] R.R.A. 228, EYB 1990-59407 (C.A.).

118. Le principe a été définitivement établi dans *Watt and Scott Ltd. c. City of Montreal*, (1930) 48 B.R. 295; J.-L. BAUDOUIN et P. DESLAURIERS, *op. cit.*, note 10, par. 1-903, p. 785.

119. J.-L. BAUDOUIN et P. DESLAURIERS, *op. cit.*, note 10, par. 1-911, p. 789.

120. Jean-Louis BAUDOUIN et Pierre-Gabriel JOBIN, *Les obligations*, 6e éd. par Pierre-Gabriel JOBIN avec la collaboration de Nathalie VÉZINA, Cowansville, Les Éditions Yvon Blais Inc., 2005, no 915, p. 938, EYB2005OBL32; J.-L. BAUDOUIN et P. DESLAURIERS, *op. cit.*, note 10, par. 1-909, p. 788; *Vandry c. Quebec Railway, Light, Heat and Power Co.*, (1913) 43 C.S. 382; *Watt and Scott Ltd. c. City of Montreal*, (1920) 60 R.C.S. 523, précité, note 118; *Cité de Lachine c. Roy*, [1972] C.A. 487; *AXA Assurance Inc. c. Ville de Charlesbourg*, EYB 2003-46873 (C.Q.).

agir afin de prévenir la faute commise par le tiers en rapport avec le bien.

b) La faute de la victime

La preuve par le gardien d'une faute commise par la victime lui permettra de se dégager totalement ou partiellement de sa responsabilité suivant la situation.

c) L'impossibilité pour le gardien de prévenir le préjudice

La jurisprudence reconnaît la possibilité pour le gardien de dégager sa responsabilité en établissant qu'il lui était impossible de prévenir le préjudice. Il s'agit là d'une impossibilité relative seulement.

Afin de dégager sa responsabilité, le gardien devra démontrer qu'une personne raisonnable placée dans les mêmes circonstances n'aurait pu prévenir le préjudice. Ce moyen d'exonération exige une preuve de l'absence de prévisibilité du préjudice au regard des dispositions générales prises par le gardien pour conserver, entretenir et surveiller adéquatement le bien.

La preuve requiert la démonstration d'un entretien conforme à l'usage du bien, de la prise de mesures raisonnables afin d'en assurer une utilisation sécuritaire, de la réparation en cas de fonctionnement anormal, etc.[121]. C'est la notion du « bon père de famille » développée en vertu de l'ancien code qui sert de barème pour apprécier les agissements du gardien[122] et les « moyens raisonnables » qu'il aura pu prendre. Ainsi, le « gardien » d'un immeuble ne sera pas tenu de démolir les murs afin d'en inspecter régulièrement le système de plomberie[123]. Par contre, s'il est négligent voire insouciant dans la façon d'entretenir le bien, il ne sera pas en mesure de dégager sa responsabilité[124].

En somme, l'article 1465 C.c.Q. reprend les principes de l'article 1054 C.c.B.-C. et crée un régime de responsabilité particulier applicable « au gardien » d'un bien lorsque le préjudice est causé par le fait autonome de ce bien. Aussi, la jurisprudence développée en vertu de l'ancien code et qui a interprété la clause d'exonération prévue à l'article 1054, al. 6 C.c.B.-C. comme permettant au gardien de dégager sa responsabilité en prouvant la faute d'un tiers, la force majeure, la faute de la victime ou son impossibilité à prévenir le préjudice, est toujours pertinente. De façon concrète, une preuve spécifique de diligence sous l'ancienne disposition était presque nécessaire à l'exonération du gardien; pour se dégager de ce fardeau de preuve, il se devait pratiquement de prouver la cause exacte du sinistre ou de l'accident[125]. En effet, cette preuve plus que toute autre permettait de le dissocier totalement de l'accident. Par ailleurs, s'il était incapable d'avancer une telle preuve, il pouvait tenter de cerner les causes possibles de l'accident et encore prouver qu'au regard de celles-ci son comportement était sans reproches. C'était faire de la présomption une véritable présomption de responsabilité[126] et considérer l'obligation de garde d'un bien comme une obligation de résultat. L'article 1465 C.c.Q. renvoie maintenant spécifiquement à l'exonération du gardien en ces termes « à moins qu'il prouve n'avoir commis aucune faute »[127]. Comme le signale le juge Baudouin, cette nouvelle disposition devrait permettre au gardien de dégager sa responsabilité par une preuve générale d'absence de faute, fonction des causes probables de l'accident. Il s'agit de démontrer que l'accident ne peut raisonnablement être relié à son comportement[128].

Par ailleurs, la faute contributoire d'un tiers, non gardien du bien, mais dont les agissements ont pu contribuer aux dommages, après le déclenchement du fait autonome du bien en cause, peut être établie. Cela permet au gardien du bien de diminuer sa part de responsabilité[129] (art. 1478 C.c.Q.).

---

121. L'embauche d'un entrepreneur compétent a parfois suffi à dégager le gardien de sa responsabilité : *Club de Golf Royal-Québec c. Huot*, [1980] C.A. 278; *Langevin c. Construction Pagaro*, précité, note 117; *Sidgens Ltée c. Bélanger*, [1989] R.R.A. 495, EYB 1989-63174 (C.A.); *Clément c. Sassine*, [1998] R.R.A. 314, REJB 1998-05149 (C.A.); *Quincaillerie A. Laberge Inc. c. Ville de Huntingdon et al.*, EYB 2002-71224 (C.Q.).

122. *Travelers Indemnity Co. c. Boulinguez*, [1975] J.Q. (Quicklaw) n° 98 (C.A.); *Bourgeois c. Les frères du Sacré-Coeur*, J.E. 78-15 (C.S.); *Chagnon c. Gestion 1966 Inc.*, [1989] R.R.A. 897 (C.S) (en appel); n° 200-09-000641-891 (avis de surseoir); *Union Canadienne Co. d'Ass. c. Robert*, n° 200-02-001130-915, 29 octobre 1992.

123. *Larkin c. Claude Payette Inc.*, J.E. 83-1019, EYB 1983-143137 (C.A.); *Prudentielle Co. d'Ass. Ltée c. Société Immobilière SSQ*, [1992] R.R.A. 630, EYB 1992-75022 (C.Q.); *Hoeveler c. Assurances Générales des Caisses Desjardins*, REJB 2000-16408 (C.A.).

124. *Prudentielle Compagnie d'Assurance Limitée c. Les Entreprises Darjy Inc. et al.*, [1991] R.R.A. 450 (C.S.) et confirmé par [1996] R.R.A. 286, EYB 1996-72069 (C.A.).

125. J. PINEAU et M. OUELLETTE, *op. cit.*, note 12, p. 123.

126. J.-L. BAUDOUIN et P. DESLAURIERS, *op. cit.*, note 10, par. 1-907, p. 787.

127. *Id.*, par. 1-906, p. 787.

128. *Id.*, par. 1-904, p. 786; *Affiliated F.M. Insurance Co. c. Zapedowska*, [1998] R.J.Q. 1631, REJB 1998-06323 (C.Q.).

129. *La Souveraine Compagnie d'Assurance du Canada c. Hémond*, [1996] R.R.A. 139, EYB 1995-66801 (C.S.).

B- La responsabilité découlant de la ruine des immeubles

1. Introduction

Non seulement le législateur a édicté un régime particulier applicable au gardien d'un bien, mobilier ou immobilier, mais il a aussi choisi de maintenir un régime de responsabilité à l'encontre du propriétaire d'un immeuble (art. 900 à 904 C.c.Q.) en cas de ruine.

a) La coexistence des régimes de responsabilité

L'article 1467 C.c.Q. reprend le principe posé par l'article 1055, al. 2 C.c.B.-C. Toutefois des problèmes pratiques s'étant soulevés autrefois lors de l'analyse de la relation entre l'article 1055, al. 2 C.c.B.-C.[130] et les autres régimes de responsabilité visés par l'article 1054 C.c.B.-C.[131], le législateur a choisi d'énoncer clairement le caractère cumulatif et non exclusif des présomptions de l'article 1465 C.c.Q. et de celle de l'article 1467 C.c.Q.[132].

Il sera désormais possible de cumuler le recours prévu à l'article 1465 C.c.Q. avec celui de l'article 1467 C.c.Q. lorsque le responsable est à la fois gardien et propriétaire de l'immeuble. Les conditions de mise en œuvre de ces recours sont cependant différentes.

b) La nature et le fondement

Contrairement à la présomption édictée par l'article 1465 C.c.Q., qui renvoie à la notion factuelle de gardien d'un bien, la présomption de l'article 1467 C.c.Q. se rattache uniquement au concept juridique de propriété[133].

Le propriétaire d'un immeuble se doit d'en faire un usage qui ne porte pas préjudice à autrui[134] et de maintenir sa propriété en bon état. Aussi, la présomption s'applique dès lors que la victime réussit à démontrer que le préjudice résulte de la ruine de l'immeuble.

En théorie, l'application de la présomption requiert également la preuve par la victime du fait que le préjudice résulte d'un défaut d'entretien ou d'un vice de construction[135]. Cette preuve s'infère cependant fréquemment des seules circonstances entourant la survenance du préjudice[136].

La responsabilité du propriétaire sera donc engagée peu importe que le vice de construction ou le défaut d'entretien lui soit attribuable. Toutefois, si le propriétaire est présumé responsable envers la victime, il conserve un recours à l'encontre du véritable responsable le cas échéant, tels le constructeur, l'ingénieur (art. 2100 et 2118 C.c.Q.), ou toute personne qu'il aura chargée de l'entretien.

Dès que les éléments de la mise en œuvre du régime de responsabilité du propriétaire sont prouvés, la présomption devient pratiquement absolue. Contrairement au gardien, le propriétaire ne pourra dégager sa responsabilité en faisant simplement la preuve d'un bon entretien général. Seule la force majeure, la faute d'un tiers ou de la victime pourront lui permettre d'échapper aux conséquences de sa responsabilité.

2. La mise en œuvre de la présomption

a) L'identification du propriétaire de l'immeuble

L'article 1467 C.c.Q. édicte un régime très strict de responsabilité et, en conséquence, la notion de propriété a été interprétée restrictivement. Cette présomption ne s'appliquera qu'au véritable titulaire du droit de propriété[137].

---

130. L'article 1055, al. 1 C.c.B.-C. prévoyait que : « Le propriétaire d'un animal est responsable du dommage que l'animal a causé, soit qu'il fut sous sa garde ou sous celle de ses domestiques, soit qu'il fut égaré ou échappé. » L'alinéa 2 quant à lui prévoyait que « Celui qui se sert de l'animal en est également responsable pendant qu'il en fait usage. »

131. J.-L. BAUDOUIN et P. DESLAURIERS, *op. cit.*, note 10, par. 1-932, p. 802.

132. Le caractère cumulatif et non alternatif avait déjà été reconnu par nos tribunaux dans les décisions suivantes : *Rochon-Durocher c. Lavigueur*, EYB 1986-79596 (C.S.), appel rejeté; *Sidgens c. Bélanger*, précité, note 121.

133. J.-L. BAUDOUIN et P. DESLAURIERS, *op. cit.*, note 10, par. 1-936, p. 804.

134. La règle générale de l'article 7 C.c.Q. trouve ici application de même que celle plus particulière de l'article 947 C.c.Q. au sujet des ouvrages immobiliers.

135. J.-L. BAUDOUIN et P. DESLAURIERS, *op. cit.*, note 10, par. 1-944, p. 809; *Bouchard c. Tremblay*, [1970] C.A. 305 : « Mais pour se prévaloir de cet article, le demandeur devait prouver que le dommage avait été causé par la ruine du bâtiment et que celle-ci était arrivée par suite du défaut d'entretien ou par vice de construction. Or, cette preuve n'ayant pas été apportée, le moyen résultant de cet article devait être écarté et le demandeur ne pouvait réussir qu'en prouvant une faute du défendeur aux termes de l'article 1053 C.c.Q. »; *Viau-Fitzgibbons c. Déménagement Côté Ltée*, [1986] R.R.A. 169, EYB 1986-62282 (C.A.).

136. *Sidgens Ltée c. Bélanger*, précité, note 121.

137. À cet égard, les articles 911 et 920 C.c.Q. nous donnent certaines indications quant à la détermination du droit de propriété; J.-L. BAUDOUIN et P. DESLAURIERS, *op. cit.*, note 10, par. 1-936 et s., p. 804.

Une précision s'impose cependant au sujet des copropriétés divises ou indivises. Il faudra déterminer si la partie de l'immeuble en ruine est une partie commune ou privative[138]. Dans le premier cas, le syndicat pourrait être poursuivi et la condamnation sera par la suite répartie entre les copropriétaires suivant leur quote-part respective. Dans le second cas, seul le propriétaire de la partie privative sera tenu responsable.

Tout comme c'était le cas anciennement sous l'article 1055 C.c.B.-C. où le mot « bâtiment » avait été interprété largement, l'expression « immeuble » pourra être définie de façon à inclure non seulement la ruine de l'immeuble dans son entier, mais également la « ruine » d'une partie quelconque de celui-ci[139] tels un ascenseur[140], un escalier[141], une balustrade[142], le mortier d'une cheminée[143] et même une conduite d'aqueduc[144]. L'article 900 C.c.Q. édicte maintenant spécifiquement qu'un fonds de terre doit être considéré comme un immeuble. Nous doutons que cette précision ait un grand impact en pratique.

b) La ruine attribuable à un vice de construction ou à un défaut d'entretien

Encore une fois, la jurisprudence développée en vertu de l'ancien article 1055 C.c.B.-C. est toujours pertinente et on pourra s'y référer sous réserve de la question du cumul maintenant permis par l'article 1467 C.c.Q.

Le mot « ruine » a été défini par nos tribunaux comme signifiant la désintégration totale ou partielle d'un immeuble ou d'une partie de celui-ci. Il doit cependant s'agir d'une composante qui fait partie intégrante de l'immeuble et non d'un bien qui se trouve là de façon accessoire[145]. En guise d'exemple, la chute d'une brique qui se détache du mur d'un immeuble correspond à la notion de ruine, alors que ce n'est évidemment pas le cas pour la chute d'un pot de fleurs posé sur le rebord d'une

fenêtre. La notion de ruine implique également l'idée de mouvement ou de dynamisme[146].

De façon générale, la ruine découle d'un vice de construction ou d'un défaut d'entretien. La solidité de l'immeuble et l'obligation d'entretien de son propriétaire s'apprécient suivant l'usage même de l'immeuble[147]. Sa construction devra être conforme aux règles de l'art et son entretien doit faire en sorte d'assurer la solidité de l'immeuble et la sécurité de ses occupants ou des visiteurs.

3. L'exonération de responsabilité

Dans la mesure où la victime parvient à mettre en œuvre la présomption de l'article 1467 C.c.Q., il appartient alors au propriétaire d'avancer un ou plusieurs des moyens de défense qui lui sont ouverts. Rappelons à nouveau que la simple preuve de bon entretien général de l'immeuble suivant le critère de la personne raisonnable ne sera pas suffisante pour éviter au propriétaire une condamnation, contrairement au régime de preuve de l'article 1465 C.c.Q. L'ignorance d'un vice de construction par le propriétaire ne lui permet pas non plus d'échapper à sa responsabilité. Il ne pourra en fait écarter sa responsabilité qu'en prouvant une force majeure, la faute d'un tiers dont il ne saurait être tenu responsable, ou une faute de la victime[148].

a) La force majeure ou la faute d'un tiers

Le propriétaire pourra dégager sa responsabilité complètement s'il parvient à prouver que la ruine du bâtiment résulte d'une force majeure (art. 1470 C.c.Q.)[149]. Cette démonstration est difficile puisque le propriétaire doit démontrer que l'accident est attribuable à un élément extérieur irrésistible et imprévisible[150]. Notons que la jurisprudence exige qu'un immeuble résiste à des conditions extrêmes et que le Code du bâtiment impose des normes rigoureuses de construction. Ce moyen d'exonération ne sera donc que très rarement retenu.

---

138. J.-L. BAUDOUIN et P. DESLAURIERS, *op. cit.*, note 10, par. 1-937, p. 804; voir également l'article 1077 C.c.Q : « Le syndicat est responsable des dommages causés aux copropriétaires ou aux tiers par le vice de conception ou de construction ou le défaut d'entretien des parties communes, sans préjudice de toute action récursoire. »
139. C. MASSE, *op. cit.*, note 14, n° 13, p. 290.
140. *Sidgens Ltée c. Bélanger*, précité, note 121.
141. *Lemieux c. Sénécal*, [1959] B.R. 372; *Beauregard c. St-Amand*, [1962] C.S. 436.
142. *Penny c. Kaplanski*, [1968] C.S. 270; *Merulla c. Groulx*, [1976] C.S. 1169; *Moreau c. Veilleux*, J.E. 82-96, EYB 1981-139399 (C.S.).
143. *Provinces Unies Cie d'assurance c. Lorent*, J.E. 85-509, EYB 1985-143720 (C.A.).
144. *Compagnie d'assurances Guardian du Canada c. Ville de St-Laurent*, [2002] R.L. 296 (C.S.).
145. *Richard c. Shawinigan Water and Power Co.*, [1953] B.R. 589 – Transformateur; *Castle des Monts Inc. c. Ségal*, précité, note 111 – Support parasol.
146. J.-L. BAUDOUIN et P. DESLAURIERS, *op. cit.*, note 10, par. 1-943, p. 808.
147. *Id.*, par. 1-945, p. 809; *Villeneuve c. St-Ambroise (Paroise de)*, J.E. 97-2174, REJB 1997-05194 (C.S.); *Brasseur c. Desrosiers*, précité, note 101.
148. Par. 1-949, p. 812; J. PINEAU et M. OUELLETTE, *op. cit.*, note 12, p. 129; *Provinces Unies Cie d'Assurance c. Lorent*, précité, note 143; *Delorme c. Allard*, REJB 2000-19243 (C.S.); *Compagnie d'assurances Guardian du Canada c. Ville de St-Laurent*, précité, note 144.
149. J.-L. BAUDOUIN et P. DESLAURIERS, *op. cit.*, note 10, par. 1-950, p. 812.
150. *Supra*, note 120.

b) La faute de la victime

La preuve par le propriétaire d'une faute commise par la victime lui permettra de dégager totalement ou partiellement sa responsabilité suivant les circonstances de la réalisation du préjudice.

c) L'exonération contractuelle

Tel qu'il a été discuté au début de la section 2, selon la doctrine majoritaire, la présomption prévue par l'article 1467 C.c.Q. ne pourrait être invoquée, comme toutes celles prévues aux articles 1465 et suivants C.c.Q., qu'en matière extracontractuelle. Aussi, le propriétaire de l'immeuble pourra limiter sa responsabilité par contrat pour les dommages matériels que pourrait subir son cocontractant et établir des règles excluant l'application de cette présomption (art. 9 C.c.Q.). Précisons qu'une clause de limitation de responsabilité est illégale en ce qui a trait au préjudice corporel (art. 1474, al. 2 C.c.Q.). Par ailleurs, vis-à-vis d'un tiers, le propriétaire ne pourrait pas invoquer le bail qui délègue à son locataire l'entretien complet de l'immeuble; il lui faudra appeler le locataire en garantie ou intenter contre lui un recours récursoire. Toute clause qui limite la responsabilité du propriétaire à l'intérieur d'une convention ne saurait être opposée aux tiers; par contre un avis, par exemple : « Attention – Bâtiment condamné », peut valoir dénonciation d'un danger (art. 1476 C.c.Q.).

C- La responsabilité du fait d'un animal

1. Introduction

a) La nature et le fondement

Le législateur québécois a choisi de soumettre la responsabilité du fait d'un animal à un régime de responsabilité distinct du régime général applicable aux autres biens[151].

Ce régime prévu à l'article 1466 C.c.Q. reprend les principes établis par l'article 1055, al. 1 C.c.B.-C., qui traitait à la fois de la présomption à l'encontre du propriétaire ou du gardien d'un animal. La jurisprudence établie en vertu de l'ancien code voyait dans cette disposition les bases d'une présomption de responsabilité liée aux seules actions de l'animal. L'article 1466 C.c.Q. édicte maintenant que la présomption vise à la fois le propriétaire et l'usager, c'est le seul cas clair d'application dans le Code civil du Québec d'un régime de responsabilité sans faute[152].

2. La mise en œuvre de la présomption

a) La propriété ou la garde de l'animal

Il convient de préciser que l'animal visé par cette disposition est un animal domestiqué ou sur lequel son propriétaire est susceptible d'avoir un certain contrôle. C'est donc dire qu'une personne ne saurait être tenue responsable du seul fait qu'un animal n'appartenant par ailleurs à personne (tels gibier, essaim d'abeilles sauvages ou certains animaux sauvages) se trouve sur son terrain[153]. De tels animaux sont qualifiés de *res nullius* (art. 934 C.c.Q.) et n'engagent dans les faits la responsabilité de personne[154].

Quant à l'identité de la personne pouvant être tenue responsable, l'article 1466 C.c.Q. vise clairement deux catégories de personnes, soit le propriétaire et l'usager.

Le propriétaire sera présumé responsable dans deux situations. Il sera en effet présumé responsable d'un préjudice lorsqu'il survient pendant qu'il a la garde physique de l'animal, la justification se trouvant dans son pouvoir de contrôle sur l'animal. Sa responsabilité sera également engagée lorsque l'animal se sera échappé, la justification étant qu'il y aura eu un manquement présumé à son devoir de surveillance de l'animal. Notons que cette présomption subsiste même lorsqu'un tiers se sert de l'animal.

En plus du propriétaire, la personne qui se sert de l'animal (l'usager) sera présumée responsable aux termes de l'article 1466 C.c.Q. La notion d'usager a été interprétée largement par la jurisprudence en vertu de l'article 1055, al. 1 C.c.B.-C., de façon à comprendre non seulement la personne qui utilise activement l'animal, mais également le gardien non propriétaire de ce dernier[155].

151.   L'article 1055 C.c.B.-C. disposait à la fois de la responsabilité du fait de l'animal et de la propriété d'un bâtiment, à l'instar du droit français où les règles jurisprudentielles de la responsabilité du fait des biens s'appliquent au fait des animaux; J.-L. BAUDOUIN et P. DESLAURIERS, *op. cit.*, note 10, par. 1-953, p. 815.

152.   C. MASSE, *op. cit.*, note 14, n° 23, p. 254; *Vaillancourt c. Compagnie d'assurance Missisquoi*, REJB 2002-31830 (C.S.); *Perreault c. Brûlé*, [2004] R.L. 556 (C.S.).

153.   J.-L. BAUDOUIN et P. DESLAURIERS, *op. cit.*, note 10, par. 1-968, p. 823.

154.   Voir, à titre d'exemple, le cas de castors dans l'affaire *Singerman c. Procureur général du Québec*, REJB 2004-66444 (C.S.).

155.   J.-L. BAUDOUIN et P. DESLAURIERS, *op. cit.*, note 10, par. 1-959, p. 819; *Backer c. Beaudet*, [1973] R.C.S. 628; *Ouellette c. Sergerie*, [1978] C.S. 1147. Voir aussi *Ouellette c. Carrier*, REJB 1999-11304 (C.S.); *Lessard c. Morrow*, [2003] R.R.A. 39, REJB 2003-36929 (C.A.); *Lebrun c. Béliveau*, 2007BE-523 (C.S.).

Concrètement, la jurisprudence ne fait pas de distinction entre « l'usager » et le « gardien » non propriétaire; il s'agit de deux notions équivalentes[156].

Enfin, l'article 1466 C.c.Q. est venu mettre un terme à la controverse soulevée en vertu de l'ancien code quant à la possibilité pour le demandeur de poursuivre à la fois le propriétaire et l'usager[157]. Il est en effet parfois difficile pour la victime d'identifier qui avait la garde de l'animal au moment de son fait dommageable. Reste à savoir si cette responsabilité entre le propriétaire et l'usager est conjointe ou solidaire; puisque rien n'est spécifié à l'article 1466 C.c.Q., c'est donc la règle générale de l'article 1526 C.c.Q. qui devra régir chaque cas d'espèce. Rappelons à ce sujet que le juge Jean-Louis Baudouin soutient que le libellé même de l'article 1466 C.c.Q. ne permet pas de tenir le préposé du propriétaire responsable à titre de gardien[158]. Le nouvel article prévoit maintenant spécifiquement le cumul des recours contre le propriétaire de l'animal, l'usager, et par extension contre la personne à qui la garde en aurait été confiée.

Rappelons que cette présomption, selon la doctrine majoritaire, ne pourrait être invoquée lorsqu'une relation contractuelle existe entre les parties. Il faudra pour établir la responsabilité du propriétaire ou du gardien d'un animal vérifier les engagements et les restrictions acceptés par les parties. Mentionnons cependant que la question demeure toujours ouverte, la Cour d'appel ne l'ayant pas encore tranchée[159].

b) Le préjudice causé par l'animal

Le dernier élément que devra établir la victime est que son préjudice résulte de l'action de l'animal.

Comme c'était le cas pour la présomption pour le fait des biens, le préjudice subi par la victime doit découler du fait direct de l'animal sans qu'il n'y ait eu intervention humaine.

Notons enfin qu'il n'est pas essentiel qu'il y ait contact entre la victime et l'animal pour que la présomption s'applique[160]. En guise d'exemple, le conducteur impliqué dans un accident en tentant d'éviter un animal pourra invoquer cet article pour poursuivre le propriétaire de l'animal qui s'est échappé[161].

c) L'exonération de responsabilité

Le propriétaire et l'usager ne pourront dégager leur responsabilité par une preuve d'absence de faute; seule la preuve d'une force majeure ou de la faute de la victime pourra venir écarter ou diminuer leur responsabilité[162].

1) La force majeure

Le propriétaire et le gardien d'un animal pourront se soustraire complètement à leur responsabilité s'ils parviennent à prouver que le fait de l'animal résulte d'une force majeure. Il s'agit d'une preuve difficile à faire puisque le propriétaire et l'usager doivent démontrer que l'accident est attribuable à un élément extérieur irrésistible et imprévisible. La faute d'un tiers peut parfois être assimilée à un cas de force majeure[163].

2) La faute de la victime

La preuve d'une faute de la part de la victime pourra soit venir exclure totalement la responsabilité du propriétaire et de l'usager, soit encore la réduire[164]. Les situations qui généralement donnent ouverture à un partage de res-

---

156. J.-L. BAUDOUIN et P. DESLAURIERS, *op. cit.*, note 10, par. 1-959, p. 819; voir aussi *Morrow c. Lefrançois*, REJB 2001-24875 (C.S.), confirmée en appel, REJB 2003-36928 et REJB 2003-36929.

157. J.-L. BAUDOUIN et P. DESLAURIERS, *op. cit.*, note 10, par. 1-964, p. 821; C. MASSE, *op. cit.*, note 14, n° 67, p. 289.

158. J.-L. BAUDOUIN et P. DESLAURIERS, *op. cit.*, note 10, par. 1-962, p. 820 : « Le préposé du propriétaire ne peut, en principe, être tenu responsable à titre de gardien. Le texte même de l'article 1466 C.c.Q. est explicite sur ce point, puisque le propriétaire reste responsable même si l'animal est sous la garde d'un tiers. Dans cette situation, en effet, le propriétaire conserve la garde juridique de l'animal, même si son exercice s'effectue par l'intermédiaire d'un préposé. La responsabilité du propriétaire est cependant alors engagée à la fois par le jeu de l'article 1466 C.c.Q. et par celui de l'article 1463 C.c.Q. »

159. *Desrosiers c. Centre Hippique de la Mauricie Inc.*, REJB 2004-65900 (C.A.). Une décision récente de la Cour supérieure est d'ailleurs à cet effet : *Morin c. Leblanc*, [2008] R.D.I. 128, EYB 2007-128525 (C.S.) : le locataire d'un cheval ne peut bénéficier de l'article 1466 C.c.Q. car le litige relève de l'appréciation du régime contractuel de responsabilité (art. 1548 C.c.Q.).

160. *Gagnon c. Kicinski*, 98BE-1107 (C.Q.); *Boissonneault c. Vachon*, REJB 2000-21363 (C.S.).

161. Uniquement pour ses dommages matériels en raison de la *Loi sur l'assurance automobile*, précitée, note 105.

162. *Société Mutuelle d'assurance contre l'incendie de l'Estrie c. Talon-Larose*, [1994] R.R.A. 35, EYB 1993-57870 (C.A.); *Nash c. Parc Safari Africain (Québec) Inc.*, REJB 2004-53698 (C.Q.); *Lebrun c. Béliveau*, 2007BE-523 (C.S.).

163. *Auger c. Fortier*, [1986] R.R.A. 30 (C.A.); *Jean c. Ranch de l'Arabe*, [1998] R.J.Q. 568, REJB 1998-04266 (C.S.), réglé hors cour en appel, n° 200-09-001879-987.

164. *Nanipou c. Rousselot*, [1986] R.R.A. 420, EYB 1986-78959 (C.S.); *Dame c. Marissal*, [1986] R.R.A. 414 (C.S.); *Dolman c. Frydman*, [1987] R.R.A. 252, EYB 1987-78627 (C.P.); *Perrin c. Desmarais*, [1989] R.R.A. 530 (C.S.); *Maurais c. Ellinakis*, [1994] R.R.A. 392 (C.Q.); le manque de surveillance momentané d'un enfant de 3 ans n'a pas été assimilé à la faute d'un tiers : *Bédard c. Lettre*, [1995] R.R.A. 528, EYB 1995-78278 (C.S.); *Côté c. Noël*, [1998] R.R.A. 745, REJB 1998-06848 (C.S.); *Leclerc c. Morin*, REJB 1999-14354 (C.S.).

ponsabilité sont liées à une provocation de la part de la victime[165], ou encore à son geste délibéré d'ignorer la présence d'un animal dangereux bien qu'avertie à son sujet. Les tribunaux ont tendance à mitiger la faute de la victime en présence d'un animal à caractère vicieux et agressif; le régime de responsabilité du propriétaire de l'animal est, rappelons-le, un régime de responsabilité sans faute.

D- La responsabilité du fabricant, du distributeur et du fournisseur*

Le Code civil du Bas-Canada n'a jamais traité de façon particulière de la responsabilité extracontractuelle des fabricants, distributeurs et fournisseurs. Le Code civil du Québec innove à cet égard par l'ajout d'un régime particulier au bénéfice des tiers. Ce faisant, le droit québécois permet la coexistence de régimes distincts et relativement cloisonnés en fonction de la nature de la responsabilité. Dans le droit nouveau, les victimes contractuelles et leurs ayant-droit à titre particulier continuent de bénéficier de règles telles que la garantie de qualité du vendeur (art. 1726 à 1731 C.c.Q.), l'obligation d'information et de mise en garde contre un danger inhérent du produit (art. 1434 C.c.Q.) et le régime particulier de la *Loi sur la protection du consommateur* (art. 53 *L.p.c.*)[166]. Les tiers, quant à eux, bénéficient désormais d'un régime de responsabilité extracontractuel fondé sur le défaut de sécurité du produit (art. 1468, 1469 et 1473 C.c.Q.).

Avant d'examiner en détail le régime extracontractuel que le législateur met ainsi en place, il importe de tracer un bref aperçu de l'évolution historique du droit de la responsabilité du fabricant, du distributeur et du fournisseur en droit civil québécois, afin de mieux comprendre le sens des changements apportés par le Code civil du Québec.

1. L'historique de l'évolution de la responsabilité des fabricants et des vendeurs professionnels

La responsabilité des fabricants, des distributeurs et des fournisseurs a été fondée sur trois régimes juridiques différents : la responsabilité délictuelle, la responsabilité contractuelle et les règles particulières imposées par la *Loi sur la protection du consommateur*. Il faut également signaler ici d'importants développements en matière d'obligation d'informer apparus depuis le milieu des années 70.

a) L'évolution en matière de responsabilité extracontractuelle

Le Code civil de 1866 ne prévoyant pas de façon expresse le cas de la responsabilité des fabricants, c'est tout naturellement que nos tribunaux s'en sont remis d'abord au principe général de l'article 1053 C.c.B.-C. qui déterminait dans notre droit les règles à appliquer en matière de responsabilité extracontractuelle. Cette première phase de développement a duré près d'un siècle et fut marquée par l'incapacité chronique du droit québécois à trouver une solution adéquate à la plupart des problèmes causés par le préjudice corporel et matériel résultant des vices de conception, de fabrication et de mise en marché des produits manufacturés[167].

Le problème fondamental venait du fait que, en vertu des règles de la responsabilité délictuelle, il appartenait à la victime de prouver non seulement que le préjudice subi était attribuable au produit fabriqué ou distribué par le défendeur, mais également que cette défaillance du produit provenait d'une faute dans la conception, la

---

165. *Côté c. La Capitale, Compagnie d'assurances générales*, REJB 1999-12478 (C.Q.).
*   Cette section a été rédigée par Me Claude Masse. Elle a été mise à jour par Me Nathalie Vézina, professeure, Faculté de droit, Université de Sherbrooke.
166. À ce sujet, voir les textes pertinents du volume 5, *Obligations et contrats*.
167. Sur l'évolution de ce secteur de la responsabilité, voir notamment Jean-Louis BAUDOUIN, « La responsabilité civile du fabricant en droit québécois », (1977) 8 *R.D.U.S.* 1. Voir également Pierre-Gabriel JOBIN, *Les contrats de distribution de biens techniques*, Québec, Presses de l'Université Laval, 1975; Maurice TANCELIN, *Des obligations*, Montréal, Wilson et Lafleur –Sorej, 1984, p. 199, n° 396; André NADEAU et Richard NADEAU, *Traité pratique de la responsabilité civile délictuelle*, Montréal, Wilson et Lafleur, 1971, p. 29, n° 45; Raynold LANGLOIS, « La responsabilité du fabricant en droit civil québécois d'aujourd'hui à demain », dans Institut canadien d'études juridiques supérieures, *Conférences sur le nouveau Code civil du Québec*, Cowansville, Les Éditions Yvon Blais Inc., 1992, p. 379; Claude MASSE, « La responsabilité du fabricant : responsabilité stricte, négligence ou indemnisation sans égard à la faute? (Le contexte du libre-échange) », dans Institut canadien d'études juridiques supérieures, *Conférences sur le nouveau Code civil du Québec*, Cowansville, Les Éditions Yvon Blais Inc., 1992, p. 301; Claude MASSE, « L'avant-projet sous l'angle de la responsabilité des fabricants et des vendeurs spécialisés », (1989) 30 *C. de D.* 627; J.-L. BAUDOUIN et P. DESLAURIERS, *op. cit.*, note 10, p. 1203 et s. Voir aussi, pour un parallèle avec les règles applicables dans le contexte contractuel, Pierre-Gabriel JOBIN, « Garantie des vices, responsabilité du fabricant, recours du vendeur impayé et autres points d'interrogation », dans Service de la formation permanente, Barreau du Québec, *Développements récents en droit commercial (1996)*, Cowansville, Les Éditions Yvon Blais Inc., p. 21, EYB1996DEV34; Jeffrey EDWARDS, *La garantie de qualité du vendeur en droit québécois*, Montréal, Wilson & Lafleur, 1998. Pour une analyse pratique du processus judiciaire associé à une action fondée sur des vices cachés, voir Jean FORTIN, « Et les troubles commencèrent ... par ces vices cachés », dans Service de la formation permanente, Barreau du Québec, *Développements récents en droit immobilier (1996)*, Cowansville, Les Éditions Yvon Blais Inc., p. 157, EYB1996DEV43; André J. PAYEUR et Geneviève BOURBONNAIS, « Le recours collectif en matière de responsabilité du fabricant – le droit commun et la Loi sur la protection du consommateur », dans Barreau du Québec, Service de la formation permanente, *Développements récents sur les recours collectifs (2004)*, Cowansville, Les Éditions Yvon Blais Inc., 2004, p. 101, EYB2004DEV473.

fabrication ou la mise en marché du bien vendu. Ce fardeau de preuve s'est avéré, en droit québécois comme dans bon nombre d'autres droits occidentaux, fort lourd pour la victime. On doit comprendre ici que la victime et ses procureurs devaient trouver une cause plausible et probante à l'accident ou à la défaillance du produit et démontrer également que cette défaillance était prévisible pour le fabricant au moment où le produit avait été fabriqué. On a exigé dans les faits que la victime, qui était souvent un profane, soumette des preuves d'experts complexes et coûteuses, preuves qui nécessitaient le plus souvent une connaissance approfondie des processus de fabrication utilisés par le fabricant défendeur que l'on venait questionner sur son terrain de spécialité. Cette série de barrières aux recours contre les fabricants et distributeurs s'est révélée la plupart du temps infranchissable dans les faits, particulièrement dans les cas où le préjudice causé l'était par le fait d'explosions ou d'éclatements soudains du produit[168].

La Cour suprême du Canada a de plus décidé, en 1944, que la faute délictuelle reprochée au fabricant devait être examinée à la lumière de l'état des connaissances et des règles de l'art existant au moment où le produit est fabriqué[169]. Cette décision était tout à fait cohérente avec le principe de la faute alors applicable en vertu de l'article 1053 C.c.B.-C. Il n'était pas possible, selon cette vision des choses, de faire porter par les fabricants les risques de leurs innovations technologiques lorsque ces risques n'étaient pas immédiatement prévisibles ou évitables au moment de la production. Dans ce cas, les usagers de ces produits, plutôt que les fabricants, assumaient donc les risques des innovations technologiques. On trouvera une partie de cette approche dans le nouvel article 1473 C.c.Q. en ce qui a trait aux possibilités d'exonération du fabricant, du distributeur et du fournisseur en matière extracontractuelle.

La Cour suprême a bien tenté, dans un arrêt rendu en 1967[170], d'alléger le fardeau de la preuve de la victime d'un produit en utilisant le droit que possède tout tribunal d'établir des présomptions de fait[171], mais cette décision n'eut que de faibles échos dans notre jurisprudence. C'est ainsi qu'il fut déclaré dans cette affaire que lorsqu'un produit présente un comportement anormal qui ne peut être expliqué à première vue par une manipulation imprudente ou fautive de la part d'un utilisateur, il s'instaure une présomption de fait que ce produit était affecté, au moment de l'accident, d'un vice de fabrication et que ce vice était imputable à la faute du fabricant. La Cour suprême procéda donc à un renversement du fardeau de la preuve qui devait être, à partir de ce moment, assumé par le fabricant du produit et non par la victime. Ce type de raisonnement et l'utilisation que l'on y fait de la présomption de fait n'a entraîné, dans le secteur vital de la responsabilité des fabricants, à peu près aucune suite, et ce pour des motifs historiques encore inexpliqués. Par ailleurs, notons que contrairement à ce qui s'est produit en droit français, la jurisprudence québécoise a hésité à s'engager sur la voie d'une responsabilité du fabricant à titre de « gardien de la structure » pour le fait du produit défectueux dans le contexte de la responsabilité pour le fait autonome du bien (art. 1054, al. 1 C.c.B.-C., devenu art. 1465 C.c.Q.)[172].

b) L'évolution en matière de responsabilité contractuelle

Les règles spécifiques aux victimes contractantes ont connu une évolution plus hâtive qu'en matière délictuelle. Cette évolution s'est manifestée de façon particulièrement marquée dans le domaine de la garantie légale du vendeur, telle qu'elle a été appliquée au fabricant et aux vendeurs professionnels.

Dans le but évident d'alléger le fardeau de la preuve du demandeur, jugé jusque-là trop lourd, la Cour suprême du Canada a effectué un virage significatif dans le secteur de la responsabilité des fabricants par sa décision rendue en 1978 dans l'arrêt *General Motors Products du Canada c. Kravitz*[173]. Depuis un certain temps déjà, des décisions des tribunaux inférieurs[174] tentaient de fonder le recours de l'acheteur d'un bien défectueux fabriqué par un fabricant, mais non vendu par lui au demandeur, sur les bases de la responsabilité contractuelle. Ces décisions restaient toutefois imprécises sur la nature des mécanismes juridiques en cause. Le grand mérite de la décision de la Cour suprême a été d'établir clairement la nature des institutions juridiques qui permettent de poursuivre le fabricant sur les bases d'un recours contractuel, alors que ce dernier n'a passé aucun contrat avec l'acquéreur du bien qui le

168. Après l'espoir qu'avait suscité l'arrêt de la Cour suprême du Canada dans *Ross c. Dunstall*, (1921) 62 S.C.R. 393, la jurisprudence en cas de poursuites contre les fabricants de bouteilles d'eau gazeuse aura été particulièrement sévère, dévastatrice même, pour les demandeurs.
169. *Co. Drolet c. London and Lancashire Guarantee and Accident Co.*, [1944] R.C.S 82.
170. *Cohen c. Coca Cola Ltd.*, [1967] R.C.S. 469.
171. Anciens articles 1238 et 1242 C.c.B.-C., devenus articles 2846 et 2849 C.c.Q.
172. Selon la jurisprudence québécoise, le fabricant du produit cesse d'en être le gardien légal au sens de cette disposition dès qu'il vend le produit dans la chaîne de distribution du bien. De plus, la distinction que l'on fait en droit québécois entre les notions de garde de structure et de garde de comportement était beaucoup plus hermétique que celle du droit français, ce qui faisait obstacle à un mécanisme véritablement efficace contre les fabricants.
173. [1979] 1 R.C.S. 790.
174. La décision la plus intéressante à cet égard reste l'arrêt de la Cour d'appel dans *Gougeon c. Peugeot Canada Ltée*, [1973] C.A. 824.

poursuit. La solution trouvée s'inspire en grande partie du droit français[175].

Dans l'arrêt *Kravitz*, la Cour suprême a décidé qu'un acheteur qui se procure un produit d'un revendeur peut exercer contre le fabricant les droits reconnus au revendeur, lui-même acquéreur en vertu du premier contrat de vente. Le sous-acquéreur n'exerce donc pas ses propres droits contre le fabricant, mais bien les droits contractuels du revendeur qui lui auraient été cédés en même temps que le bien vendu. C'est ainsi que l'on a pu dire que le droit de se plaindre des vices cachés suivait la chose et pouvait profiter à l'acquéreur subséquent[176]. Cette solution présente, pour l'acquéreur du produit qui lui cause un préjudice ou qui est défectueux, l'avantage majeur de lui permettre de profiter contre le fabricant d'une présomption de connaissance très avantageuse pour la victime, quoique la portée de cette présomption demeure encore incertaine[177].

Cette solution est fort ingénieuse mais, selon certains auteurs, elle présente néanmoins de nombreux désavantages qui sont souvent passés inaperçus[178]. Il ne convient pas de s'attarder ici à l'atteinte à l'intégrité conceptuelle de notions telles que l'effet relatif des contrats. En revanche, il apparaît opportun de souligner les inconvénients pratiques qui résultent de ce mécanisme, du point de vue de la protection de la victime, puisque tout ce qui peut intervenir dans la chaîne des ventes successives pourra être opposé à l'acquéreur subséquent. On verra ce problème se profiler à propos de l'application de l'article 1442 C.c.Q., qui est au même effet et dont nous traiterons plus loin. On peut se demander, par exemple, comment l'acquéreur subséquent peut bénéficier d'un recours contractuel contre le fabricant pour vices cachés si le revendeur qui achète du fabricant et qui revend au nouvel acquéreur connaissait le vice avant de céder le bien ou s'il a laissé passer le délai de prescription. Le revendeur ne peut de toute évidence céder à l'acquéreur subséquent plus de droits qu'il n'en a lui-même contre le fabricant. On comprend que ce recours en garantie légale contractuelle contre le fabricant ait été soumis à de nombreux aléas qui ont fait douter de la portée pratique de la solution adoptée par la Cour suprême[179].

c) *La Loi sur la protection du consommateur*

La *Loi sur la protection du consommateur*[180], adoptée en 1978 et mise en vigueur en 1980, a marqué en droit québécois un autre pas significatif en ce qui a trait à la responsabilité des fabricants, des distributeurs et des fournisseurs.

Cette loi a doté les consommateurs québécois de nouveaux recours légaux fort importants au bénéfice du consommateur victime d'un défaut de sécurité. Les dispositions de la *Loi sur la protection du consommateur* applicables aux fabricants et aux vendeurs professionnels depuis 1980 ont d'abord entendu clarifier les ambiguïtés soulevées par l'application des garanties légales du Code civil du Bas-Canada et faciliter les conditions d'exercice du recours[181].

La garantie légale reconnue au consommateur par la *Loi sur la protection du consommateur* est fondée principalement sur le concept de vice caché, le même que celui qui est opposable au vendeur professionnel et au fabricant selon l'arrêt *Kravitz*. L'exigence de l'examen par un expert du bien vendu au moment de la vente pour démontrer que le vice était à ce moment « caché » a été écartée. Il y a présomption d'antériorité du vice si le bien qui fait l'objet du contrat ne peut servir à l'usage auquel il est normalement destiné (art. 37 *L.p.c.*) ou s'il ne peut servir à un usage normal pendant une durée raisonnable, compte tenu du prix, des dispositions du contrat et des conditions d'utilisation du bien vendu (art. 38 *L.p.c.*).

---

175. Sur les relations entre cette décision de la Cour suprême du Canada et le droit français, on consultera avec profit, Jacques GHESTIN, « L'arrêt Kravitz et le droit positif français sur la garantie des vices cachés », (1979-80) 25 *R.D. McGill* 315.

176. Didier LLUELLES, « Le transfert au sous-acquéreur de la garantie légale des vices cachés due par le fabricant au vendeur initial », (1979-1980) 14 *R.J.T.* 7; Louis PERRET, « La garantie du manufacturier, récents développements et perspectives futures en droit québécois », (1979) 10 *R.G.D.* 156; Thérèse ROUSSEAU-HOULE, « Les lendemains de l'arrêt Kravitz : la responsabilité du fabricant dans une perspective de réforme », (1980) 21 *C. de D.* 5; Maurice TANCELIN, « Responsabilité directe du fabricant vis-à-vis du consommateur », (1974) 52 *R. du B.* 90.

177. Une partie de la doctrine considère que l'arrêt *Kravitz* permet d'y voir une présomption absolue. D'autres auteurs croient plutôt que le passage tiré de cet arrêt constitue un simple *obiter dictum* et que l'exonération fondée sur l'état des connaissances scientifiques et techniques est toujours ouverte au fabricant. Sur cette controverse doctrinale, qui n'a pas encore été tranchée par les tribunaux, voir Nathalie VÉZINA, « L'exonération fondée sur l'état des connaissances scientifiques et techniques, dite du " risque de développement " : regard sur un élément perturbateur dans le droit québécois de la responsabilité du fait des produits », dans Pierre-Claude LAFOND (dir.), *Mélanges Claude Masse : en quête de justice et d'équité*, Cowansville, Les Éditions Yvon Blais Inc., 2003, p. 433, p. 455 à 458 (et autorités citées). Sur les incertitudes relatives aux moyens d'exonération ouverts au vendeur professionnel, notamment quant à l'état des connaissances, voir également dans la présente collection le volume 5, *Obligations et contrats*, titre II, « La vente ».

178. Claude MASSE, « Garanties conventionnelles et garanties légales – Une harmonisation difficile mais nécessaire », (1986) 11 *Can. Bus. L.J.* 475, 480.

179. C'est sans doute ce qui explique que, malgré la codification du principe de l'arrêt *Kravitz* à l'article 1442 C.c.Q., le législateur l'ait explicitement écarté en matière de vente, au profit d'un recours direct (art. 1730 C.c.Q.) comparable à celui instauré par la *Loi sur la protection du consommateur* (art. 53 *L.p.c.*).

180. L.Q. 1978, c. 9 et L.R.Q., c. P-40.1.

181. Voir, à cet égard, une belle illustration jurisprudentielle dans *Horecki c. Beaver Lumber Co.*, [1991] R.R.A. 234 (C.S.), [1992] R.J.Q. 1763, EYB 1992-58926 (C.A.).

Le consommateur peut exercer son recours contre le commerçant avec lequel il a contracté (en vertu d'une vente, d'une location ou d'un contrat de services, art. 34 *L.p.c.*), ou encore contre le fabricant. La notion de fabricant utilisée par la *Loi sur la protection du consommateur* a été étendue, lorsqu'il n'a pas d'établissement au Canada, à la personne qui importe ou distribue des biens fabriqués à l'extérieur du Canada (art. 1 g) *L.p.c.*). En outre, la personne qui permet l'emploi de sa marque de commerce sur un bien doit elle aussi assumer la responsabilité d'un fabricant en vertu de la même disposition.

La *Loi sur la protection du consommateur* a reconnu, pour la première fois en droit civil québécois, le principe du recours contractuel direct du consommateur contre le fabricant du bien (art. 53, al. 1 *L.p.c.*). Ce droit reconnu par la *Loi sur la protection du consommateur* n'est pas fondé sur la transmission successive d'un droit d'action d'un acheteur à l'autre, ce qui constituerait par définition l'exercice d'un droit de recours indirect, mais possède dès lors un caractère légal et personnel qui permet d'écarter l'ensemble des problèmes susceptibles de surgir lors de l'application de la solution adoptée par la Cour suprême dans l'arrêt *Kravitz* et évoqués précédemment. La protection profite également, en vertu de l'article 53, al. 2 *L.p.c.*, à l'« utilisateur » du produit. Il faut noter toutefois que l'« utilisateur » dont il est question dans cet alinéa doit être un consommateur au sens de la loi[182] et avoir contracté avec le commerçant, ou encore être un sous-acquéreur du bien acquis par un consommateur (art. 53, al. 4 *L.p.c.*).

Le fabricant et le commerçant sont présumés connaître les vices du bien (art. 53, al. 3 *L.p.c.*). Il s'agit d'une présomption absolue. Le fabricant y assume ainsi entièrement tous les risques présentés par son produit, même s'il ne les connaissait pas ou ne pouvait les connaître au moment de la fabrication du produit[183]. Il en va de même pour le commerçant, indépendamment de son degré de spécialisation.

La *Loi sur la protection du consommateur* ne permet pas au fabricant ou au commerçant de limiter l'étendue des garanties légales au moyen de garanties conventionnelles plus restreintes. La prédominance de la garantie légale sur la garantie conventionnelle y est affirmée (art. 35, 261 et 262 *L.p.c.*) et est d'ordre public.

Le consommateur peut opter pour le recours de son choix et le recouvrement des dommages appropriés à son cas. Il peut même demander des dommages-intérêts punitifs (art. 272 *L.p.c.*), quoiqu'il les obtienne rarement contre le fabricant.

Le régime de la *Loi sur la protection du consommateur*, très protecteur des droits de la victime d'un produit dangereux, a inspiré certaines des modifications apportées au régime de la garantie de qualité du vendeur lors de la réforme du Code civil[184], alors que d'autres aspects problématiques du droit commun de la vente n'ont pas été tranchés par le législateur[185].

d) Les développements communs aux différents régimes quant à l'obligation d'informer

Le caractère dangereux d'un bien peut résulter d'une défectuosité du produit. Il peut également s'agir d'un danger inhérent au bien et dont l'utilisateur doit être informé afin de se prémunir des risques qui y sont associés. Afin d'assurer une protection plus complète des utilisateurs, un devoir d'information s'est imposé au fabricant et au vendeur professionnel, ainsi qu'à d'autres types de fournisseurs professionnels, tant en matière contractuelle que dans les rapports extracontractuels[186].

Un fort courant jurisprudentiel a reconnu depuis maintenant plus de 20 ans l'obligation, pour le fabricant d'un bien, d'informer les acheteurs et les utilisateurs du danger qui peut se présenter lors d'une utilisation usuelle de son produit[187].

182. La *Loi sur la protection du consommateur* définit ainsi le consommateur : « Une personne physique, sauf un commerçant qui se procure un bien ou un service pour les fins de son commerce » en vertu de l'article 1 e) *L.p.c.* L'existence d'un contrat constitue un élément essentiel du domaine d'application de la loi selon l'article 2 *L.p.c.*

183. Cette disposition clarifie la question du risque de développement et, contrairement au droit commun de la vente, écarte explicitement l'exonération fondée sur l'état des connaissances scientifiques et techniques. À ce sujet, voir N. VÉZINA, *loc. cit.*, note 177, p. 448 à 450.

184. Par exemple, la disparition de l'exigence de l'examen du bien par un expert pour démontrer le caractère occulte du vice au moment de la vente (art. 1726, al. 2 C.c.Q.), la présomption d'antériorité du vice en cas d'usure prématurée (art. 1729 C.c.Q.) et le recours direct contre le fabricant et les intermédiaires (art. 1730 C.c.Q.).

185. Par exemple, la possibilité d'étendre la présomption absolue de connaissance du vice au vendeur professionnel non spécialisé et l'applicabilité du moyen d'exonération fondé sur l'état des connaissances (également appelé « risque de développement »). Sur ces questions, voir dans la même collection, le volume 5, *Obligations et contrats*, titre II, « La vente ».

186. Sur le développement du devoir d'information (également appelé devoir de « renseignement », de « mise en garde » ou d'« avertissement »), voir notamment Pierre LEGRAND jr, « Pour une théorie de l'obligation de renseignement du fabricant en droit civil canadien », (1981) *R.D. McGill* 207; Pierre-Gabriel JOBIN, « L'obligation d'avertissement et un cas typique de cumul », (1979) 30 *R. du B.* 939.

187. Notamment *Trudel c. Clairol Inc. of Canada*, [1975] 2 R.C.S. 236; *Wabasso c. National Drying Machinery Co.*, [1981] 1 R.C.S. 578; *Mulco Inc. c. Garantie (La), Cie d'assurance d'Amérique du Nord*, [1990] R.R.A. 68, EYB 1990-63562 (C.A.). Voir également, pour des arrêts prononcés par la Cour suprême du Canada dans le contexte de litiges assujettis à la common law, *Lambert c. Lastoplex Chemicals Co. Ltd.*, [1972] R.C.S. 569; *Hollis c. Dow Corning Corp.*, [1995] 4 R.C.S. 634, EYB 1995-67074.

Un moment significatif de cette évolution fut marqué en 1981 par la décision de la Cour suprême du Canada dans l'affaire *Wabasso*[188]. Le plus haut tribunal du pays y a reconnu que cette obligation d'informer de la part du fabricant pouvait être fondée sur une obligation à caractère extracontractuel, même à l'égard des acheteurs directs de son produit, et qu'une telle obligation de la part du fabricant s'étendait à tous les utilisateurs. Ce devoir, qui pouvait également tirer sa source en certains cas des règles de la responsabilité contractuelle (art. 1024 C.c.B.-C.), s'appliquait tout autant aux avertissements à donner par le fabricant au sujet du mode d'emploi du produit et de ses dangers cachés. La position de la Cour suprême dans l'arrêt *Wabasso*, en ce qui a trait à l'existence d'un devoir d'information quant aux dangers inhérents à un bien, a été suivie par les tribunaux, qui se sont prononcés sur de nombreux cas d'application[189], même si la position énoncée dans ce même arrêt au sujet de l'option de régime a depuis été renversée par le législateur (art. 1458, al. 2 C.c.Q.)[190].

Plus récemment, l'obligation de renseignement a fait l'objet d'une analyse de la Cour suprême du Canada dans l'arrêt *Dow Corning*[191]. Dans cette affaire, le plus haut tribunal était appelé à considérer la responsabilité d'un fabricant d'implants mammaires, dans le contexte d'un pourvoi à l'encontre d'une décision de la Cour d'appel de la Colombie-Britannique. La Cour d'appel avait tenu le fabricant responsable envers une femme qui avait reçu de tels implants en considérant que le médecin de cette dernière n'avait pas reçu de mise en garde contre les risques de rupture postopératoires (risques révélés dans un certain nombre de cas).

La Cour suprême a rappelé que l'obligation de mettre en garde le consommateur a trait aux dangers d'utilisation et qu'elle survient tant au moment qu'à la suite de l'achat du produit, le fabricant ne pouvant opposer qu'il n'est pas encore parvenu à des conclusions sur les causes des risques qui se sont réalisés. De plus, sa nature et son étendue étant fonction des dangers qui découlent de l'utilisation normale du produit, elle doit permettre d'éclairer le consentement sur les risques inhérents à cette utilisation.

La Cour suprême a aussi énoncé que, dans le cas de certains produits à forte teneur technique ou à propos

desquels le consommateur s'en remet au jugement d'un intermédiaire compétent, le fabricant pourra s'acquitter de cette obligation en s'adressant à cet intermédiaire, selon les principes en vigueur en common law. La règle est appliquée à l'espèce, car le fabricant connaissait ou aurait dû connaître, à l'époque où la patiente a subi l'intervention, les risques qu'il dénonçait quelque temps plus tard dans une mise en garde adressée au corps médical.

La mise au point d'une obligation d'informer à la charge du fabricant montre bien que les tribunaux québécois ne sont pas restés inactifs devant les silences apparents du Code civil du Bas-Canada et qu'ils ont fait preuve de beaucoup de créativité. Les règles du nouveau Code civil arrivent donc à point pour compléter et encadrer une évolution déjà bien tracée par nos tribunaux et par la *Loi sur la protection du consommateur*.

2. Les règles actuelles de la responsabilité extracontractuelle du fabricant, du distributeur et du fournisseur

a) Le dédoublement et le cloisonnement des fondements de la responsabilité (art. 1458, al. 2 C.c.Q.)

Le nouveau Code civil du Québec met au point, non pas un, mais deux régimes distincts de responsabilité des fabricants, vendeurs et fournisseurs. Ceux-ci doivent répondre de leur responsabilité extracontractuelle lors de poursuites intentées par les « tiers » non contractants que sont les simples utilisateurs ou les victimes du défaut d'un bien meuble, et de leur responsabilité contractuelle lorsqu'il s'agit de contractants (acheteurs ou autres). Ces deux régimes de responsabilité sont fort différents et l'article 1458, al. 2 C.c.Q. opère entre eux un cloisonnement relativement étanche lorsqu'il déclare que les cocontractants « ne peuvent alors se soustraire à l'application des règles du régime contractuel de responsabilité pour opter en faveur de règles qui leur seraient plus profitables ».

L'application de cette règle soulève encore des questions. Notamment, on peut s'interroger sur la possibilité

188. *Wabasso c. National Drying Machinery Co.*, précité, note 187.
189. Par exemple, *Garantie, Compagnie d'Assurance de l'Amérique c. Mulco Inc.*, précité, note 187 ; *Air Canada c. McDonnell Douglas Corp.*, [1989] 1 R.C.S. 1554, EYB 1989-67802 ; *Dallaire c. Paul-Émile Martel Inc.*, [1989] 2 R.C.S. 419, EYB 1989-67830. Voir, à cet effet, Pierre LEGRAND, « Pour une théorie de l'obligation de renseignement du fabricant en droit civil canadien », précité, note 186, p. 258 et 264. Également : *Groupe Commerce Compagnie d'Assurance c. G.T.E. Sylvania Canada Ltée*, [1995] R.R.A. 626, EYB 1995-59131 (C.A.).
190. Au sujet de cet aspect de l'arrêt *Wabasso*, voir notamment Pierre-Gabriel JOBIN, « Wabasso : un arrêt tristement célèbre », (1981-1982) 27 *R.D. McGill* 813.
191. *Hollis c. Dow Corning Corp.*, précité, note 187. Dans cette décision, la Cour suprême examine également la question du lien de causalité entre le manquement à l'obligation de mise en garde et le préjudice.

d'imposer le régime contractuel au sous-acquéreur d'un bien qui dispose de droits contractuels contre le fabricant ou le vendeur professionnel, soit en vertu d'un recours direct (art. 1730 C.c.Q.) ou encore de la transmission des biens de son auteur (art. 1442 C.c.Q.). Il nous apparaît néanmoins préférable, à cet égard, de respecter la lettre de l'article 1458, al. 2 C.c.Q., qui limite la prohibition aux parties au contrat. Dès lors, la victime sous-contractante disposerait d'une faculté de choix entre les régimes contractuel et extracontractuel en matière de sécurité des produits[192].

b) Les règles de la responsabilité extracontractuelle relatives au défaut de sécurité du bien

Les règles de la responsabilité extracontractuelle qui sont opposables aux fabricants, aux distributeurs et aux fournisseurs se trouvent principalement aux articles 1468, 1469 et 1473 C.c.Q.

1) L'objet de la responsabilité : le bien meuble

La notion de « bien meuble » utilisée par le Code civil à l'article 1468 est très large. Il peut s'agir de tout bien destiné à une utilisation par une entreprise, à un usage industriel, ou à une utilisation domestique, familiale ou personnelle. La finalité recherchée lors la fabrication du bien ou de sa mise en marché n'a ici aucune importance. Tous les biens meubles qui sont l'objet d'une fabrication sont visés par la loi.

L'article 1468 C.c.Q. précise que le fait pour un tel bien de devenir partie intégrante d'un immeuble, comme c'est le cas, par exemple, pour l'ascenseur, la baie vitrée d'un grand magasin, la chaudière d'un système de chauffage ou le système de climatisation d'un immeuble, ne modifie pas la responsabilité du fabricant ou du vendeur professionnel de ce bien meuble. Les biens visés ici ne sont pas seulement ceux qui sont placés dans l'immeuble pour son service ou son exploitation, mais également ceux qui y sont incorporés et qui le constituent de façon permanente comme c'est le cas pour les briques et les poutres en acier. Il est donc prévisible que, dans de tels cas, la responsabilité du fabricant côtoiera souvent la responsabilité du propriétaire d'un immeuble à raison de la ruine partielle de celui-ci ou la responsabilité du gardien pour le fait autonome du bien défectueux.

2) Les sujets de la responsabilité : fabricants, distributeurs et fournisseurs

Le nouveau régime de responsabilité extracontractuelle du fait des produits vise à la fois le fabricant (art. 1468, al. 1 C.c.Q.) et les autres acteurs de la chaîne de distribution (art. 1468, al. 2 C.c.Q.).

Le fabricant est celui qui transforme une matière première et organise les composantes d'un produit en vue d'en faire un bien meuble utilisable ou une partie de celui-ci. Il s'agit de tout participant au processus de fabrication d'un bien. Les biens meubles visés par l'article 1468 C.c.Q. sont ceux qui sont transformés, donc fabriqués. La notion de fabricant n'englobe donc pas celle de producteur de matières premières, de produits agricoles, de produits de la pêche ou de la chasse, à moins que ces derniers n'aient été transformés de façon importante.

Les fournisseurs, qu'ils soient grossistes ou détaillants, sont également visés par ce régime. Un fournisseur est une personne qui, comme son nom l'indique, fournit un produit mis sur le marché, sur une base professionnelle. L'exemple typique d'un fournisseur serait celui du vendeur professionnel. Le régime de responsabilité du fait des produits ne se limite toutefois pas au seul cas du vendeur. Il peut aussi s'agir, selon les circonstances, d'une personne qui fournit le bien à titre de locateur, de prêteur, etc.[193]. Le domaine d'application du second alinéa de l'article 1468 C.c.Q. est donc très large. On vise même l'importateur, s'il s'identifie au produit[194]. En fait, seuls le simple intermédiaire (tel un courtier) et le fournisseur non professionnel (tel le particulier qui vend le plus souvent un bien usagé) sont écartés de l'application de cette règle.

Le législateur a cru que l'imposition de la responsabilité extracontractuelle des fabricants à tous les fournisseurs professionnels d'un bien meuble s'imposait pour assurer la protection des droits des victimes, lesquelles risquaient autrement de se retrouver sans véritables moyens de retracer le fabricant du bien, surtout lorsque ce dernier est anonyme ou fabrique ses produits à l'étranger.

3) Le fait générateur de la responsabilité : le défaut de sécurité

L'article 1469 C.c.Q. définit le défaut de sécurité par rapport à la « sécurité à laquelle on est normalement en droit de s'attendre ». Le défaut de sécurité du bien meuble doit s'apprécier par rapport à l'utilisation normale du bien

---

192. Sur cette question, voir dans la même collection, volume 5, *Obligations et contrats*, titre II, « La vente », EYB2009CDD136.

193. Sur l'interprétation large de la notion de fournisseur, voir *Accessoires d'auto VIPA Inc. c. Therrien*, [2003] R.J.Q. 2390, REJB 2003-46428 (C.A.).

194. Le législateur s'est inspiré ici en grande partie du contenu de l'article 1 g) *L.p.c.*, qui assimile ce type d'intermédiaire à un « fabricant ».

et au degré de connaissance, à l'habileté et aux habitudes que l'on doit normalement attendre de ses utilisateurs. Le bien doit être placé dans son contexte normal d'utilisation. Le tribunal devra s'interroger sur différents aspects liés au bien et à son utilisation :

– si ce bien, de par sa nature même, est dangereux ou inoffensif;

– s'il s'agit d'un bien qui ne doit être utilisé que par des utilisateurs formés ou avertis, ou encore par le grand public (notamment, dans certains cas, par des enfants);

– si le danger qui caractérise ce bien est clair et visible ou, au contraire, caché et sournois;

– etc.

Le dernier membre de l'article 1469 C.c.Q. laisse bien voir que la notion de « défaut de sécurité » vise également l'obligation d'informer déjà examinée et qui était déjà imposée aux fabricants dans le droit antérieur[195]. Il ne fait pas de doute que le devoir d'information demeure applicable depuis l'entrée en vigueur du Code civil du Québec, mais il s'articule désormais en fonction des différents régimes de responsabilité en place. Ainsi, il convient de tenir compte de l'article 1458, al. 2 C.c.Q., qui met fin à la faculté de choix reconnue à la victime par l'arrêt *Wabasso* quant au régime applicable et impose, entre cocontractants, la préséance du régime contractuel lorsque le préjudice causé par le produit résulte de l'inexécution d'une obligation contractuelle[196]. Dans le domaine extracontractuel, l'« absence d'indications suffisantes quant aux risques et dangers [que le produit comporte] ou quant aux moyens de s'en prémunir » est assimilée à un défaut de

sécurité (art. 1469 C.c.Q.). Dans les rapports contractuels assujettis à la *Loi sur la protection du consommateur*, la victime bénéficie d'une protection en cas de « défaut d'indications nécessaires à la protection de l'utilisateur contre un risque ou un danger dont il ne pouvait lui-même se rendre compte » (art. 53, al. 2 *L.p.c.*). Dans le droit commun de la vente, le caractère dangereux est parfois associé à un vice caché lorsqu'il réduit l'utilité du bien, notamment en raison d'un vice de conception du bien, de sa fabrication, de sa mauvaise conservation ou présentation[197]; il est alors assujetti au régime de la garantie de qualité (art. 1726 et s. C.c.Q.). Lorsqu'il s'agit plutôt d'un danger inhérent au bien vendu, ou encore dans d'autres types de contrats que la vente, les tribunaux peuvent fonder la responsabilité du contractant sur une obligation d'information et de mise en garde implicite, variante de l'obligation de sécurité (art. 1434 C.c.Q.)[198].

Le degré d'inocuité du produit pourra varier dans chaque cas, mais on devra s'en remettre pour l'essentiel à la nature intrinsèque du produit et au degré de connaissances et d'habileté que l'on doit normalement attendre des utilisateurs de ce type de produit[199]. Ces exigences pourront bien sûr varier selon les périodes et l'évolution des techniques de fabrication et de mise en marché.

La preuve du défaut de sécurité (quelle qu'en soit la nature) et son rôle causal incombent toujours à la partie victime[200].

4) Le préjudice attribuable au défaut de sécurité

Il incombe à la partie qui se dit victime d'un défaut de sécurité de démontrer l'existence d'un préjudice[201]. Le

---

195. Il nous paraît significatif que plusieurs des décisions rendues à propos des nouvelles dispositions portent sur l'obligation d'informer. Par exemple, *Compagnie d'assurances Wellington c. Canadian Adhesives Ltd.*, [1997] R.R.A. 635, REJB 1997-07400 (C.Q.); *Compagnie d'assurances Missisquoi c. Rousseau*, [1997] R.R.A. 738, REJB 1997-07407 (C.S.), conf. REJB 2000-20561 et REJB 2000-20562 (C.A.); *Accessoires d'auto VIPA Inc. c. Therrien*, précité, note 194; *Imbeault c. Bombardier Inc.*, EYB 2006-101315 (C.S.). Cette obligation d'informer du fabricant ne va toutefois pas jusqu'aux dangers bien connus du public, depuis longtemps, comme ceux du tabac : *Letourneau c. Imperial Tobacco Ltée*, J.E. 98-1096, REJB 1997-01626 (C.S.).

196. À la lumière de l'interdiction de l'option et du libellé même de l'article 1468 C.c.Q. (qui se limite au recours de « tiers » à l'exclusion des rapports entre cocontractants), il semble pour le moins paradoxal de rencontrer des décisions qui fondent la responsabilité du fournisseur à l'endroit de son cocontractant sur le régime extracontractuel. Par exemple, *Dumont c. Prothèses orthèses Savard (1988) Inc.*, 2007 QCCS 2876, J.E. 2007-1391, EYB 2007-120835 (C.S.) (vente d'orthèse). D'autres décisions énoncent formellement le principe selon lequel l'article 1468 C.c.Q. se limite aux rapports extracontractuels, mais incorporent tout de même le contenu de ce régime dans l'analyse contractuelle, parfois même au détriment du régime pourtant explicite de la *Loi sur la protection du consommateur*. Par exemple, *Accessoires d'auto VIPA Inc. c. Therrien*, précité, note 193 (location d'une fendeuse à bois); *Lebel c. 2427-9457 Québec Inc.*, 2007 QCCS 4644, J.E. 2008-45, EYB 2007-125092 (C.S.) (location d'une chaloupe). Pour une critique de cette approche, qui entremêle les régimes contractuel et extracontractuel, voir Jean PINEAU, « Brefs propos sur les avatars de la responsabilité contractuelle », dans B. LEFEBVRE, dir., *Mélanges Roger Comtois*, Montréal, Éditions Thémis, 2007, 469, p. 477, note 9.

197. Par exemple : *Ladouceur c. Brasserie Labatt Ltée*, 99BE-779 (C.Q.).

198. Cette obligation est alors très semblable, sinon identique, au devoir imposé en matière extracontractuelle par l'article 1468 C.c.Q. : en ce sens, *Accessoires d'auto VIPA Inc. c. Therrien*, précité, note 193. Le domaine d'application de l'obligation contractuelle de renseignement et de la garantie légale du vendeur ne se limite toutefois pas aux situations qui présentent un danger et l'interaction entre ces obligations soulève des interrogations qu'il n'apparaît pas essentiel d'aborder en détail pour les fins du présent texte. À ce sujet, voir *ABB Inc. c. Domtar Inc.*, [2007] 3 R.C.S. 461, nos 107-109.

199. La victime qui possède certaines connaissances en la matière n'est pas pour autant privée de tout recours : *Bérubé c. Moto des Ruisseaux Inc.*, [2003] R.R.A. 386, REJB 2003-39887 (C.A.).

200. Pour un exemple où le tribunal a retenu l'existence d'un défaut de sécurité, plutôt qu'une autre cause invoquée par le fabricant, voir *Citadelle, compagnie d'assurances c. Camco Inc.*, EYB 2006-107534 (C.S.), conf. EYB 2007-127456 (C.A.).

201. Il n'y a pas de préjudice indemnisable lorsque le défaut de sécurité a créé chez la victime des réactions purement émotives : *Mallette c. Boulangeries Weston Québec Ltée*, EYB 2005-93712 (C.Q.).

régime extracontractuel de responsabilité du fait des produits couvre tout type de préjudice attribuable au défaut de sécurité du produit (corporel, moral ou matériel). La victime dispose d'un délai de trois ans, à compter de l'apparition du préjudice, pour intenter son action (art. 2925 C.c.Q.).

5) Les moyens d'exonération

Lorsque les conditions posées par l'article 1468 C.c.Q. sont réunies, le fabricant, le distributeur et le fournisseur sont assujettis à une présomption de connaissance de ce défaut. Ils disposent alors de différents moyens de défense, certains de portée générale, d'autres qui sont propres à ce régime.

Les défendeurs conservent le droit d'invoquer le moyen de défense général que représentent la force majeure et la cause étrangère assimilable (art. 1470 C.c.Q.)[202]. De même, il est permis d'obtenir un partage de responsabilité fondé sur la faute de la victime ou d'un tiers, lorsque cette faute a pu contribuer avec le défaut de sécurité à la réalisation du préjudice (art. 1478 C.c.Q.)[203].

Au titre des moyens d'exonération propres au régime extracontractuel du fait des produits de l'article 1468 C.c.Q., deux moyens d'exonération sont prévus à l'article 1473 C.c.Q.

Les défendeurs peuvent d'abord démontrer que la victime connaissait ou pouvait connaître le défaut de sécurité du bien, donc qu'elle a été fautive dans l'utilisation ou la manipulation du bien (art. 1473, al. 1 C.c.Q.). Cette défense n'offre rien de nouveau dans notre droit.

La deuxième situation concerne le risque des innovations technologiques (art. 1473, al. 2 C.c.Q.) et elle n'est pas, elle non plus, nouvelle en matière de responsabilité extracontractuelle au Québec. Le Code civil a intégré ici

un moyen de défense qui permet au défendeur de prouver que le défaut du bien ne pouvait être connu par lui au moment où le bien a été fabriqué, ou connu par le distributeur ou fournisseur au moment où il a été distribué ou fourni. Le législateur québécois reprend, dans une certaine mesure, le principe énoncé par la Cour suprême dans l'arrêt *Drolet*[204]. La nouvelle disposition se distingue néanmoins du contexte d'application propre à cet arrêt, dans la mesure où le moyen d'exonération reconnu par le législateur concerne une responsabilité de nature objective, en raison de la présomption de connaissance désormais imposée aux défendeurs en matière extracontractuelle (art. 1468 C.c.Q.)[205].

Ainsi, le bénéfice le plus net tiré de la réforme pour la victime, en ce qui a trait à la responsabilité extracontractuelle des fabricants, des distributeurs et des fournisseurs, vient du fait que l'on se retrouvera ici devant une présomption de connaissance du défaut de sécurité et non devant l'obligation pour la victime de prouver la faute des défendeurs. Ce sera au fabricant à venir faire la preuve de ses procédés de fabrication, de la composition de son produit et de l'état des connaissances au moment de cette fabrication. Le second alinéa de l'article 1473 C.c.Q. précise bien qu'il ne s'agit pas de l'état de ses connaissances propres, mais bien de l'état « des connaissances », ce qui renvoie à l'ensemble des indications de dangers et de problèmes connus par les différents intervenants, scientifiques et techniques, sur le marché concerné. On se trouve donc ici devant l'application d'un critère objectif.

Le Code civil québécois assortit également ce moyen d'exonération d'une condition additionnelle, puisque le fabricant, le distributeur et le fournisseur sont tenus d'aviser les utilisateurs de l'existence d'un défaut de sécurité du bien lorsque l'existence de ce défaut est portée à leur connaissance. Cette obligation renforce encore davantage le devoir d'information imposé aux défendeurs et atténue, dans une certaine mesure du moins, l'impact du moyen d'exonération fondé sur l'état des connaissances.

---

202. Les agissements d'un autre défendeur dans la même chaîne de distribution ne peuvent toutefois pas être assimilés à force majeure, en l'absence de l'élément d'extranéité requis.
203. Par exemple, *Bombardier Inc. c. Imbeault*, J.E. 2009-376, EYB 2009-154286 (C.A.).
204. *Co. Drolet* c. *London and Lancashire Guarantee and Accident Co.*, précité, note 169.
205. À ce sujet, voir N. VÉZINA, *loc. cit.*, note 177, p. 454.

Chapitre III

Me **Pierre Deschamps**

L'exonération et le partage de responsabilité

Introduction

En vertu de l'article 1457 C.c.Q., la personne douée de raison est tenue de réparer le préjudice causé à autrui en raison de son comportement fautif. Il s'ensuit que la personne qui entend obtenir réparation pour le préjudice qu'elle a subi du fait d'une autre personne doit prouver que la personne qu'elle entend tenir responsable a commis une faute à son égard, c'est-à-dire qu'elle ne s'est pas comportée comme une personne prudente et diligente, et que ce comportement fautif fut la cause de son préjudice[1].

Dans certaines circonstances et à certaines conditions, la personne poursuivie pourra être dégagée de toute responsabilité ou voir celle-ci atténuée en faisant la preuve que le préjudice subi par autrui résulte d'une force majeure (art. 1470 C.c.Q.), que sa faute n'était pas lourde ou intentionnelle (art. 1471 C.c.Q.), qu'elle avait une raison légitime d'agir fautivement (art. 1472 C.c.Q.), que la victime a elle-même été fautive (art. 1478 C.c.Q.), que la victime avait assumé les risques inhérents à une activité (art. 1477 C.c.Q.), que la victime n'a pas voulu minimiser ses dommages (art. 1479 C.c.Q.). En revanche, la personne poursuivie ne pourra, par sa seule volonté, se dégager de toute responsabilité ou encore en réduire l'étendue par un simple avis donné à autrui (art. 1474 et 1476 C.c.Q.).

Les règles régissant ces circonstances se trouvent principalement exposées aux articles 1470 à 1477 C.c.Q. qui balisent les moyens d'exonération et de limitation de responsabilité que peut invoquer une personne poursuivie en responsabilité civile.

Dans le présent chapitre, les divers moyens d'exonération ou de partage de responsabilité susceptibles d'être invoqués dans une instance en responsabilité civile ont été regroupés en quatre sections. La première est axée sur le comportement de la victime, la seconde sur le comportement de l'auteur du préjudice, la troisième sur certains faits autres que le comportement de la victime ou celui de l'auteur du préjudice, enfin la quatrième sur les avis d'exclusion ou de limitation de responsabilité.

1- Le comportement de la victime

La personne qui réclame réparation pour le préjudice subi pourra se voir opposer par la personne qu'elle veut tenir responsable son propre comportement fautif, le fait qu'elle a assumé les risques associés à l'activité à laquelle elle a participé, le fait qu'elle a refusé de minimiser ses dommages.

A- La faute de la victime

Suivant l'article 1478 C.c.Q., la personne douée de raison qui, à cause d'un comportement fautif, contribue à la réalisation du préjudice pour lequel elle réclame réparation, est appelée à supporter une part de responsabilité[2]. Sa part sera fonction, suivant l'article 1478 C.c.Q., de la gravité de sa faute par rapport à celle de la personne qu'elle poursuit[3]. Elle verra alors l'indemnité à laquelle elle aurait normalement eu droit être réduite d'autant[4].

---

1. Maurice TANCELIN, *Des obligations. Actes et responsabilités*, Montréal, Wilson & Lafleur, 1997, par. 796. Cet auteur fait une distinction entre les causes d'exonération et les excuses légales.
2. Jean-Louis BAUDOUIN et Patrice DESLAURIERS, *La responsabilité civile*, 7e éd., volume 1 – Principes généraux, Cowansville, Les Éditions Yvon Blais Inc., 2007, par. 1-646 et 1-654, EYB2007RES17. Voir, en outre, *Foucault c. Ville de Laval*, [1998] R.R.A. 474, REJB 1998-06416 (C.S.); *Jetté c. Hyprescon Inc.*, EYB 2005-93208 (C.S.); *Simard c. Lavoie*, EYB 2005-99564 (C.S.); *Lacasse c. La Durantaye (Municipalité de la paroisse de)*, EYB 2006-111116 (C.Q.); *Larose c. Laurence*, EYB 2007-125903 (C.S.).
3. André NADEAU et Richard NADEAU, *Traité pratique de la responsabilité civile délictuelle*, 2e éd., Montréal, Wilson & Lafleur, 1971, par. 543; voir, en ce sens, *Talon c. Roy*, REJB 2002-35781 (C.S.); *Roy c. Toxi-Co-Gîtes Inc.*, EYB 2004-80766 (C.S.); *Régie intermunicipale de police des Seigneuries et al. c. Michaelson*, EYB 2004-81619 (C.A.); *Bonin c. Picard*, REJB 2004-65961 (C.S.); *Nolet c. Boisclair*, EYB 2007-12432 (C.S.), EYB 2008-151766 (C.A.); *Daigneault c. Gallant*, EYB 2009-153849 (C.S.).
4. *Id.*, par. 548.

En revanche, si la victime n'est pas douée de raison, on ne pourra lui opposer son comportement objectivement fautif pour réduire l'indemnité à laquelle elle a droit. Cette conclusion s'impose d'elle-même en raison du libellé même de l'article 1478 C.c.Q. En effet, contrairement à d'autres articles du code qui utilisent les expressions « fait ou faute »[5], l'article 1478 C.c.Q. édicte spécifiquement que « [l]a faute de la victime, commune dans ses effets, avec celle de l'auteur, entraîne également un tel partage ». La victime non douée de raison aura alors droit d'être indemnisée complètement par l'auteur du préjudice[6].

Par ailleurs, s'il peut être démontré que la victime a eu un comportement téméraire équivalant à faute lourde, son comportement pourra être considéré comme un *novus actus*, ce qui aura pour effet de rompre le lien de causalité[7]. Un tribunal pourrait également en venir à la conclusion que la victime a été l'artisan de son propre malheur. Dans ce cas, on considérera non seulement que la victime a commis une faute, mais également que sa faute fut la cause exclusive du préjudice qu'elle a subi[8].

B- L'acceptation des risques par la victime

Une personne assume et accepte, en principe, les risques normaux inhérents aux activités auxquelles elle participe et dont elle a connaissance[9]. Ainsi, la personne qui pratique un sport comme le patin[10], l'équitation[11], le ski[12], le vélo[13], le hockey[14], le saut en parachute[15] ou la balle-molle[16] assume, en principe, les risques de blessures inhérents à l'activité; de même, le spectateur à une joute de hockey assume implicitement le risque d'être atteint par une rondelle déviée accidentellement dans les estrades[17]. Toutefois, s'il y a existence d'un piège, il ne saurait y avoir acceptation de risque[18].

Si la réalisation d'un risque implique également une faute de la part de quelqu'un d'autre, tel un autre skieur ou un autre spectateur ou encore de la part de la personne qui organise l'activité[19] ou qui est responsable des lieux[20], il sera possible à la victime de rechercher en responsabilité ces personnes, la victime n'étant tenue de supporter que les risques normaux inhérents à une activité et non l'aggravation des risques résultant du comportement fautif d'une autre personne[21].

L'article 1477 C.c.Q. vient sanctionner ces principes en édictant que l'acceptation des risques par une personne qui est victime d'un préjudice, même si elle constitue une imprudence de la part de la personne, n'emporte pas pour autant qu'elle renonce à poursuivre l'auteur du préjudice[22]. Ce dernier pourra être tenu de réparer le préjudice subi par la victime dans la mesure où cette dernière réussit à prouver que l'auteur du préjudice a commis une faute, c'est-à-dire qu'il ne s'est pas comporté à son égard comme une personne prudente et diligente et que ce comportement fautif a contribué à la réalisation de son préjudice[23].

Par ailleurs, la personne qui connaît ou est présumée connaître les risques normaux inhérents à une activité ou à une situation et qui ne prend pas les moyens utiles et disponibles pour en empêcher la réalisation devra cependant

5.   Voir, à cet égard, les articles 1457, 1459 et 1460 C.c.Q.
6.   Voir, en ce qui concerne un jeune enfant, *Daudelin c. Roy*, [1974] C.A. 91; voir, en ce qui concerne une personne atteinte d'une maladie mentale, *Germain c. Communauté urbaine de Montréal*, [1992] R.J.Q. 1925, EYB 1992-75010 (C.S.), comme modifié par *Communauté urbaine de Montréal c. Germain*, [1993] R.R.A. 481, EYB 1993-58999 (C.A.).
7.   *Hydro-Québec c. Girard*, [1987] R.R.A. 80, EYB 1987-57392 (C.A.).
8.   *Ouellet c. Cloutier*, [1947] R.C.S. 521; voir également M. TANCELIN, *op. cit.*, note 1, par. 812, ainsi que J.-L. BAUDOUIN et P. DESLAURIERS, *op. cit.*, note 2, par. 1-646.
9.   J.-L. BAUDOUIN et P. DESLAURIERS, *op. cit.*, note 2, par. 1-651 et s. Voir aussi A. NADEAU et R. NADEAU, *op. cit.*, note 3, par. 554; *Canuel c. Sauvageau*, [1991] R.R.A. 18, EYB 1991-57598 (C.A.); *Rathé c. Centre touristique de la montagne coupée Inc.*, [1997] R.R.A. 157 (C.S.); *Tremblay c. Deblois*, [1998] R.R.A. 48, REJB 1998-04817 (C.A.); voir également *Fleury-Nappert c. Brossard (Ville de)*, [1999] R.R.A. 596, REJB 1999-14153 (C.S.); *Hélicoptères Viking Ltd. c. Laîne*, REJB 2000-20963 (C.A.); *Charette c. Miner*, REJB 2000-17612 (C.S.); *Ben Mohand c. Lajeunesse*, REJB 2001-30046 (C.S.); *Bussières c. Carrier*, REJB 2002-36118 (C.S.).
10. *Voinson c. Laval (Ville de)*, EYB 2007-113305 (C.S.).
11. *Gagnon c. Centre équestre La Martingale*, EYB 2006-115666 (C.Q.).
12. *Capers Stanford c. Mont Tremblant Lodge (1965) Inc.*, [1979] C.S. 428; *2735-3861 Québec Inc. Wood*, EYB 2008-132242 (C.A.).
13. *Fortier c. Ste-Séraphine (Municipalité de)*, REJB 2003-51584 (C.S.), conf. *Ste-Séraphine (Municipalité de) c. Fortier*, EYB 2005-86169 (C.A.).
14. *Lortie c. Denis*, EYB 2005-98331 (C.Q.).
15. *Morin c. Centre école de parachutisme Atmosphair Inc.*, EYB 2004-72142 (C.S.).
16. *Bélanger c. Lévis (Ville) et al.*, EYB 2004-72145 (C.S.).
17. *Gagnon c. Laurendeau*, [1996] R.R.A. 1146, EYB 1996-85314 (C.S.).
18. *American Home c. Richardson*, EYB 2005-97206 (C.A.).
19. *Poulin c. Cléroux*, [1997] R.R.A. 506, REJB 1997-07569 (C.S.).
20. *Capers Stanford c. Mont Tremblant Lodge (1965) Inc.*, précité, note 12; voir également *Rouleau c. Club de golf et curling de Thetford Inc.*, EYB 2004-60976 (C.Q.).
21. *Weidemann c. Intrawest Resort Corporation*, REJB 2000-17396 (C.S.); *Coulombe c. Cayouette*, EYB 2005-88293 (C.S.); *Philibert c. Giard*, EYB 2006-104291 (C.Q.); *2735-3861 Québec Inc. Wood*, précité, note 12.
22. *Kruger Inc. c. Fournier Ltée*, [1986] R.R.A. 428, EYB 1986-62453 (C.A.); voir également *Hachey c. Ville de Montréal*, REJB 2000-17811 (C.S.); *Lachance c. Pettigrew*, REJB 2002-33114 (C.Q.).
23. *Léveillé c. Courses Stock-Car Drummondville Inc.*, EYB 2008-146378 (C.S.).

supporter entièrement les conséquences de leur réalisation en l'absence de faute de la part d'un tiers[24]. Dans un tel cas, le fait de ne prendre aucune précaution pour empêcher le risque de se réaliser peut même constituer une faute s'il ne correspond pas au comportement d'une personne raisonnable, prudente et diligente[25]. S'il y a faute du tiers et de la victime, il y aura alors partage de responsabilité[26].

En revanche, si l'activité à laquelle participe une personne comporte des risques particuliers ou inhabituels dont elle ne peut avoir spontanément connaissance, la personne responsable de l'activité ou des lieux où elle se déroule est tenue d'informer la personne qui participe à l'activité de ces risques particuliers ou inhabituels[27]. Si elle ne le fait pas, elle commet une faute qui pourra, en principe, engendrer sa responsabilité. Pour sa part, la personne qui, dûment informée des risques que comporte une activité, décide néanmoins d'y participer, ne pourra se plaindre si un risque se matérialise et si elle subit un préjudice du fait de sa matérialisation, dans la mesure où il n'y a pas, par ailleurs, faute de la part de quelqu'un d'autre. Elle devra assumer les conséquences de la matérialisation du risque.

Le droit civil québécois a importé du droit français la théorie de l'acte de sauvetage en vertu de laquelle la personne qui, animée d'un grand esprit d'altruisme, porte secours à autrui et subit un préjudice peut réclamer de la personne à qui elle a porté secours d'être indemnisée par cette dernière pour le préjudice subi[28]. Toutefois, pour réussir dans son recours, il faut que la victime fasse la preuve que son intervention était nécessaire, qu'elle avait des chances de succès et qu'elle-même n'a pas agi de façon irréfléchie ou téméraire. La personne secourue ne peut alors lui opposer comme moyen de défense la théorie de l'acceptation des risques pour lui refuser la réparation du préjudice subi[29].

C- Le refus de minimiser ses dommages

La personne qui est victime d'un préjudice, bien qu'elle soit en droit d'obtenir la réparation intégrale du préjudice qu'elle a subi, est tenue de minimiser ses dommages[30]. L'obligation de minimisation des dommages imposée par l'article 1479 C.c.Q. est fondée sur le principe de la bonne foi[31]. Ainsi, suivant l'article 1479 C.c.Q., la personne qui est tenue de réparer un préjudice ne répond pas de l'aggravation de ce préjudice que la victime pouvait éviter[32].

Selon la jurisprudence, la victime d'un préjudice doit donc tenter de minimiser le préjudice qu'elle a subi. Il s'agit là d'une simple obligation de moyens et non de résultat. La victime doit donc pallier l'aggravation du préjudice subi en prenant les mesures qu'aurait prises, dans les mêmes circonstances, une personne raisonnablement prudente et diligente[33].

La victime d'un préjudice ne saurait ainsi refuser des traitements qui pourraient améliorer sa condition dès lors que le refus paraît déraisonnable[34]. Elle répond, par ailleurs, de l'aggravation de son état qui résulte de son refus de suivre ou de subir les traitements prescrits qui ne comportent pas de risque[35].

De même, la personne victime de propos diffamatoires pourra se voir opposer le fait qu'elle n'a pas réagi publiquement pour se défendre ou encore qu'elle n'a pas demandé à l'auteur des propos de se rétracter[36]. Cette absence de réaction de sa part est de nature à influer sur l'indemnité qu'elle serait en droit de recevoir pour compenser le préjudice résultant de l'atteinte à sa réputation, compte tenu de l'obligation qu'elle a de minimiser ses dommages.

24. *Kruger Inc. c. Fournier Ltée*, précité, note 22; voir également *Provencher c. Lallier et al.*, EYB 2004-66140 (C.S.); *Brisson c. Gagnon*, EYB 2007-119209 (C.A.).
25. *Id.*, p. 429; voir également *Morin c. Centre école de parachutisme Atmosphair Inc.*, précité, note 15.
26. *Harnois c. Richard*, EYB 2005-97182 (C.Q.).
27. *Capers Stanford c. Mont Tremblant Lodge (1965) Inc.*, précité, note 12; voir également *Centre d'expédition et du plein air Laurentien (CEPAL) c. Légaré*, [1998] R.R.A. 40, REJB 1998-04626 (C.A.).
28. *Lavoie c. Tremblay*, EYB 1990-75787 (C.A.).
29. *Kelley c. La Malbaie (Ville de)*, EYB 2008-152547 (C.Q.).
30. J.-L. BAUDOUIN et P. DESLAURIERS, *op. cit.*, note 2, par. 1-648; voir également A. NADEAU et R. NADEAU, *op. cit.*, note 3, par. 547; voir aussi *Boissonneault c. Vachon*, REJB 2000-21363 (C.S.); *Laflamme c. Prudential-Dache Commodities Canada Ltd.*, [2001] 1 R.C.S. 638; *Bodycote, essais de matériaux Canada Inc. c. Fromagerie de l'Alpage Inc.*, EYB 2006-104419 (C.S.).
31. *Axa Assurances Inc. c. Assurances générales des Caisses Desjardins Inc. et al.*, EYB 2009-155482 (C.S.).
32. Voir, à cet égard, *Vaillancourt c. Compagnie d'assurance Missisquoi*, REJB 2002-31830 (C.S.); *Saint-Maurice c. Montréal (Ville)*, EYB 2005-88330 (C.S.); *Livingston c. Acier CMC*, EYB 2006-113619 (C.S.); *Lemay c. Carrier*, EYB 2006-112232 (C.S.).
33. *Emballages Knowlton Inc. c. Corporation d'emballage International Weber et al.*, EYB 2005-98438 (C.S.). Voir également *Latreille c. Forget*, EYB 2008-150468 (C.S.); *Axa Assurances Inc. c. Assurances générales Des Caisses Desjardins Inc. et al.*, précité, note 31.
34. *Tessier c. Limoges*, [1958] R.L. 407 (C.S.); *Saint-Maurice c. Montréal (Ville)*, précité, note 32. Voir également, au même effet, en common law, *Janiak c. Ippolito*, [1985] 1 R.C.S. 146.
35. *Beaulieu c. Ford*, [1969] C.S. 569.
36. *Groupe R.C.M. Inc. c. Morin*, [1996] R.R.A. 1005, REJB 1996-30449 (C.S.).

Il appartient au débiteur d'une obligation de réparer le préjudice causé à autrui de prouver que le créancier n'a pas minimisé ses dommages. En présence d'une telle preuve, le tribunal peut soit réduire l'indemnité réclamée par le créancier, soit refuser de l'indemniser pour le préjudice pour lequel il réclame réparation[37].

2- Le comportement de l'auteur du préjudice

Bien qu'elle puisse être considérée comme ayant eu un comportement fautif, une personne pourra, dans certaines circonstances, se dégager de sa responsabilité ou encore en réduire l'étendue en prouvant qu'elle n'a pas commis de faute lourde ou intentionnelle, qu'elle avait un motif légitime d'agir fautivement ou qu'elle a agi en légitime défense.

A- L'absence de faute lourde ou intentionnelle

Dans certaines circonstances, une personne qui cause préjudice à autrui en ayant un comportement fautif pourra échapper à toute responsabilité en démontrant que son comportement, bien que fautif, ne constituait pas pour autant une faute intentionnelle ou encore une faute lourde[38]. On trouve une expression de cette règle de droit à l'article 1471 C.c.Q. qui vise la personne qui porte secours à autrui ou qui, dans un but désintéressé, dispose gratuitement de biens au profit d'autrui[39]. Cette personne ne pourra être tenue responsable que s'il est prouvé que son comportement dénotait une insouciance, une imprudence ou une négligence grossière de sa part suivant les termes de l'article 1474 C.c.Q. ou une intention de nuire ou de causer préjudice à autrui.

Comme illustration d'un cas de faute lourde potentielle, on peut penser à la personne de 120 kilos qui, en tentant de porter secours à un enfant gisant au fond d'un puits, se laisse glisser le long de la corde qui normalement retient le sceau destiné à puiser l'eau, sans en vérifier la résistance. Dans le cas où la corde se rompt en raison du poids du sauveteur et que celui-ci atterrit sur l'enfant, aggravant alors les blessures de ce dernier, ce sauveteur, poursuivi en responsabilité civile, pourra échapper à l'obligation de réparer le préjudice causé à l'enfant si son omission de vérifier que la corde pouvait supporter son poids, bien qu'elle constitue une faute, ne constitue pas pour autant une faute lourde. Pour ce qui est d'un exemple de faute intentionnelle, on peut penser à la personne qui, agacée par les gémissements de la personne à qui elle porte secours, lui assène un coup de poing au visage pour la faire taire et, ce faisant, lui fracture la mâchoire.

B- Le motif légitime

Le Code civil du Québec prévoit, en son article 1472, à l'égard d'une personne qui divulgue un secret commercial, la possibilité de ne pas avoir à répondre de son geste et de ses conséquences dans la mesure où elle peut prouver que l'intérêt général commandait que le secret soit divulgué, notamment pour des motifs liés à la santé ou à la sécurité du public.

L'application de l'article 1472 C.c.Q. ne se limite pas seulement aux secrets commerciaux mais semble également englober la concurrence déloyale[40]. En outre, il semble que cet article vise aussi bien les secrets relatifs à la grande nocivité d'un produit en libre circulation, tel que le tabac, que ceux qui concernent la découverte d'un médicament efficace contre une maladie, telle que le sida ou le cancer.

C- La légitime défense

Dans certaines circonstances et à certaines conditions, l'auteur d'un préjudice pourra invoquer la légitime défense pour s'exonérer de toute responsabilité ou bénéficier d'un partage de responsabilité[41]. Celui qui invoque cette défense doit avoir des raisons de croire que sa personne ou ses biens sont menacés[42]. En outre, il faut que la force utilisée par celui qui invoque la défense ait été justifiée, raisonnable, proportionnelle à la menace à laquelle l'auteur du préjudice avait à faire face. En matière de légi-

37. *Desjardins c. Procureur général du Québec*, EYB 2005-99998 (C.S.); *Samuel et al. c. Capitaines propriétaires de la Gaspésie (A.C.P.G.) Inc.*, EYB 2005-100029 (C.S.).
38. Voir, cependant, *Gaudet c. Lagacé*, [1994] R.R.A. 532 (C.S.). Le tribunal semble se méprendre sur la règle de droit exprimée à l'article 1471 C.c.Q. en déclarant que « [l]e nouveau Code civil du Québec édicte, à l'article 1471, que la personne qui porte secours à autrui est exonérée de responsabilité pour le préjudice qui peut en résulter », p. 537 et 538; voir, au même effet, *Gaudet c. Lagacé*, REJB 1998-05550 (C.A.), inf. *Gaudet c. Lagacé*, précité. Ceci n'est vrai que dans la mesure où elle n'a pas commis de faute lourde, au sens de l'article 1474 C.c.Q., ou encore de faute intentionnelle. Voir aussi *Zurich compagnie d'assurances c. Superior Plastics Ltée*, EYB 2004-71554 (C.S.).
39. *Dubé c. Saint-Élie (Municipalité)*, EYB 2003-49388 (C.Q.).
40. MINISTÈRE DE LA JUSTICE, *Commentaires du ministre de la Justice*, Code civil du Québec, t. 1, Québec, Les Publications du Québec, 1993, p. 901, EYB1993CM1473.
41. J.-L. BAUDOUIN et P. DESLAURIERS, *op. cit.*, note 2, par. 1-177. Voir également *Coulombe c. Cayouette*, EYB 2005-88293 (C.S.); *Fontaine c. Houle*, REJB 1999-16032 (C.S.); *Larocque c. Cloutier*, EYB 2005-96272 (C.S.); *Blais c. Martineau*, EYB 2005-100359 (C.Q.).
42. *Tétrault c. Harnell*, EYB 2008-151147 (C.S.).

time défense, il ne faut pas confondre la nécessité de se protéger avec l'action de se faire justice ou de venger un affront[43].

Ainsi, pour être considéré comme un acte de légitime défense, selon la jurisprudence, un geste d'agression doit être spontané et instinctif. Il doit constituer une manœuvre in extremis, résulter d'un réflexe naturel. Il ne faut pas que la personne plaidant la légitime défense ait eu le temps ou la possibilité de mesurer l'impact de son geste[44].

D- La provocation

Dans l'évaluation de l'obligation de réparer le préjudice causé à autrui à la suite d'une altercation, le tribunal peut tenir compte du fait que l'auteur du préjudice ait pu être provoqué par la victime[45]. Si le tribunal en arrive à cette conclusion, il pourra imputer à la victime une part de responsabilité sur la base que celle-ci n'a pas eu le comportement d'une personne raisonnable dans les circonstances[46], sans aller jusqu'à conclure qu'elle a été l'artisan de son propre malheur.

3- Les autres éléments disculpatoires

En marge du comportement de la victime d'un préjudice, de même que de celui de l'auteur du préjudice, il existe une série d'événements qui peuvent venir soit anéantir, soit limiter la responsabilité qu'une personne peut encourir à la suite du préjudice subi par autrui. Ce sont la force majeure, le fait nouveau qui rompt le lien de causalité (*novus actus interveniens*) et la faute d'un tiers.

A- La force majeure

Sous l'empire du nouveau Code civil, le législateur a fusionné les notions de cas fortuit et de force majeure pour ne retenir que la force majeure, notion qui est définie au deuxième alinéa de l'article 1470 C.c.Q en ces termes : « La force majeure est un événement imprévisible et irrésistible; y est assimilée la cause étrangère qui présente ces mêmes caractères. »[47] Dès lors qu'il appert qu'un événement qui est survenu était, dans les circonstances propres de l'espèce, normalement prévisible[48] ou encore que sa survenance aurait pu être évitée[49] si l'on avait pris les moyens appropriés, celui-ci ne saurait être qualifié de force majeure[50].

La qualification d'un fait donné comme force majeure est laissée à l'appréciation et à la discrétion des tribunaux. Il n'existe ainsi aucune ligne de conduite claire et limpide en la matière[51].

L'événement imprévisible et irrésistible qui peut constituer un cas de force majeure doit être tel qu'il empêche l'exécution d'une obligation de manière absolue et permanente[52]. Ont ainsi été considérés comme force majeure un fait de la nature, telle une pluie diluvienne[53], soit encore le fait d'une intervention humaine[54], notamment le fait d'un tiers[55], tel dans le cas d'un vol à main armée[56], mais non d'un vol simple. Peut également être considérée comme cas de force majeure une grève légale. L'arrêt rendu par la Cour d'appel dans l'affaire *Cie Miron c. Brott*[57] en constitue un exemple.

Dans cette affaire, l'immeuble du demandeur subit une interruption d'électricité à la suite du sectionnement d'un câble souterrain par un employé de la compagnie

---

43. *Gagnon c. Lefebvre*, EYB 2006-10895 (C.S.).
44. *Olmazu c. Azzouz*, EYB 2009-156445 (C.Q.).
45. J.-L. BAUDOUIN et P. DESLAURIERS, *op. cit.*, note 2, par. 1-200. Voir, en ce sens, *Olmazu c. Azzouz*, précité, note 44.
46. *Trudeau c. Carignan*, EYB 2006-111994 (C.Q.).
47. J.-L. BAUDOUIN et P. DESLAURIERS, *op. cit.*, note 2, par. 1-1359 et s. En ce qui concerne la notion de cause étrangère, voir *Parent c. Lapointe*, [1952] R.C.S. 376.
48. *Rose c. S.T.C.U.M.*, [1996] R.R.A. 607, EYB 1996-83201 (C.S.); voir également *Dicaire et al. c. Chambly (Ville) et al.*, EYB 2005-86968 (C.S.); *Groupe CGU Canada Ltée c. Ste-Marie de Beauce (Ville)*, EYB 2006-106029 (C.S.); *Nexans Canada Inc. et al. c. Papineau International, s.e.c.*, EYB 2008-150992 (C.S.).
49. *City of Montreal c. Watt and Scott*, (1922) 2 A.C. 555; voir cependant *Tremblay c. Charlevoix-Est (Municipalité régionale de comté)*, EYB 2008-132418 (C.S.).
50. Voir, en ce sens, A. NADEAU et R. NADEAU, *op. cit.*, note 3, par. 556; voir également *Québec métal recyclé (FNF) Inc. c. Transnat Express et al.*, EYB 2005-98179 (C.S.); *Lacasse c. La Durantaye (Municipalité de la paroisse de)*, précité, note 2.
51. *Transport Rosemont c. Montréal (Ville de)*, EYB 2008-150903 (C.S.).
52. *Ibid.*
53. *City of Montreal c. Watt and Scott*, précité, note 49, p. 559.
54. A. NADEAU et R. NADEAU, *op. cit.*, note 3, par. 560.
55. J.-L. BAUDOUIN et P. DESLAURIERS, *op. cit.*, note 2, par. 1-666. Voir également *Jean c. Le Ranch de l'Arabe*, [1998] R.J.Q. 568, REJB 1998-04266 (C.S.).
56. *Five Star Jewellery Company Ltd. c. Horovitz*, [1991] R.J.Q. 993, EYB 1991-58809 (C.A.). Voir cependant, *La Compagnie d'assurances American Home c. Inter-Tex Transport Inc.*, [1994] R.R.A. 21, EYB 1993-64273 (C.A.); voir également *Compagnie Gmac location c. Héroux*, EYB 2005-99500 (C.Q.); *Nexans Canada Inc. et al. c. Papineau International, s.e.c.*, précité, note 48.
57. [1979] C.A. 255. Voir également, en ce sens, *Bourassa c. St-Étienne-des-Grès (Municipalité de)*, EYB 2006-109086 (C.Q.). Voir cependant *Syndicat des travailleuses et travailleurs de Hilton Québec c. Union des municipalités régionales de comté et municipalités locales du Québec Inc.*, EYB 1992-63962 (C.A.).

Miron. Malheureusement pour le demandeur, le courant électrique ne pu être restauré que dix jours plus tard en raison d'une grève légale des employés d'Hydro-Québec. La Cour supérieure devait statuer que la grève légale constituait, en l'espèce, un cas de force majeure pour Hydro-Québec[58]. Cet élément du jugement de première instance ne fut pas contesté en appel.

Pour qu'un défendeur puisse invoquer la force majeure comme moyen d'exonération, il faut que la preuve révèle qu'il n'a pas été lui-même négligent. Il faut donc que le défendeur qui invoque la défense de force majeure soit en mesure de démontrer qu'il a eu une conduite juridiquement irréprochable pour pouvoir se dégager de toute responsabilité par la défense de force majeure[59]. Comme le soulignait le juge Nichols dans l'affaire *Coderre c. Allard* : « En matière de cas fortuit, il n'y a pas de demi-mesure. Ou bien c'est un cas fortuit ou bien ce n'en est pas un. »[60] En principe, la survenance d'un événement qualifié de force majeure a un double effet juridique. Elle exonère le débiteur de toute responsabilité pour l'inexécution de l'obligation à laquelle il était tenu et le décharge de son obligation en y apportant un effet extinctif[61].

B- Le « novus actus interveniens »

L'expression « novus actus interveniens » désigne un fait qui survient après un autre fait et qui a pour effet de rompre le lien de causalité qui aurait pu exister avec l'autre fait[62]. À titre d'exemple, on peut citer l'affaire *Hydro-Québec c. Girard*[63]. Dans cette affaire, un passant a été grièvement blessé après avoir été touché par un fil électrique, propriété d'Hydro-Québec, qui pendait le long d'une route. Cet incident est survenu alors que le passant s'était approché imprudemment du fil.

La juge L'Heureux-Dubé, qui rendit jugement au nom de la Cour d'appel, émit l'opinion que, même si l'on devait considérer qu'Hydro-Québec avait été négligente

en n'installant pas le dispositif le plus parfait qui soit sur son réseau électrique, cette faute ne saurait, en l'espèce, être considérée comme un facteur causal déterminant, comme la *causa causans* du préjudice subi par le passant, en raison de l'imprudence grave commise par celui-ci.

En l'espèce, le comportement téméraire de la victime devait être considéré comme un *novus actus interveniens* qui rompait tout lien de cause à effet entre le comportement d'Hydro-Québec et le préjudice subi par la victime[64]. Il s'ensuit donc qu'une personne qui commet une faute pourra échapper à toute responsabilité si elle est en mesure de convaincre le tribunal qu'un événement, tel que le comportement téméraire ou désinvolte de la victime[65] ou encore d'un tiers[66], a rompu la chaîne de causalité[67].

Selon la Cour d'appel, pour qu'il y ait véritable rupture du lien causal, justifiant de décharger le premier auteur de la faute et de ne retenir que la responsabilité du second, « [I]l faut, dans un premier temps, constater l'existence d'un arrêt complet du lien entre la faute initiale et le préjudice et, dans un second temps, la relance ou le redémarrage de celui-ci en raison de la survenance d'un acte sans rapport direct avec la faute initiale »[68].

C- La faute d'un tiers

Dans la mesure où la personne poursuivie peut prouver que le préjudice subi par la victime fut causé, en totalité ou en partie, par un tiers, il pourra y avoir soit exonération, soit partage éventuel de responsabilité. Ainsi, si la personne poursuivie réussit à établir que le tiers non poursuivi a eu un comportement fautif et que celui-ci constitue la seule cause du préjudice, il y aura alors exonération de responsabilité en ce qui concerne la personne poursuivie.

Toutefois, s'il appert que tant la personne poursuivie que le tiers non poursuivi ont été fautifs, la personne poursuivie sera tenue de réparer la totalité du préjudice subi par

---

58.   *Id.*, p. 256.
59.   *Daudelin c. Roy*, précité, note 6; voir aussi *La Compagnie d'assurances American Home c. Inter-Tex Transport Inc.*, précité, note 56; voir également, *Montréal-Nord Inc. c. Montréal-Nord (Ville de)*, [1999] R.R.A. 321, REJB 1999-12041 (C.S.); *Guarantee Company of North America c. Phil Larochelle Equipment Inc.*, EYB 2009-153328 (C.S.).
60.   [1971] C.S. 759.
61.   *Transport Rosemont c. Montréal (Ville de)*, précité, note 51.
62.   Albert MAYRAND, *Dictionnaire de maximes et locutions latines utilisées en droit*, 3e éd., Montréal, Les Éditions Yvon Blais Inc., p. 347; voir également J.-L. BAUDOUIN et P. DESLAURIERS, *op. cit.*, note 2, par. 1-630 et s.; voir aussi *Alexis Nihon (Québec) Inc. c. Commerce & Industry Insurance Co. of Canada*, REJB 2002-33700 (C.A.).
63.   Précitée, note 7.
64.   Voir également, à titre d'exemples, *Beaudoin c. T.W. Hand Fireworks*, [1961] C.S. 709 et *Les Entreprises Agriel Inc. c. I.C.G. Gaz Liquide Ltée*, [1994] R.R.A. 140 (C.S.); *Joey c. Salaberry-de-Valleyfield (Ville de)*, EYB 2007-12677 (C.A.).
65.   *Romero c. Burnac Leasehold Ltd. et al.*, EYB 2006-107487 (C.S.); *P.E. Boisvert Auto Ltée c. Fabrication Daunais Inc.*, EYB 2009-156780 (C.Q.).
66.   *Forcier c. Salvas*, EYB 2005-94171 (C.S.). En l'espèce, il s'agit de la faute d'un médecin survenue à la suite d'un accident de bateau.
67.   *Dallaire c. Paul-Emile Martel Inc.*, [1989] 2 R.C.S. 419, 425, EYB 1989-67830. Voir également, *Mowrey c. Johnson & Johnson*, [1997] R.R.A. 17 (C.A.); *Laflamme c. Chute-aux-outardes (Municipalité)*, EYB 2005-93114 (C.Q.).
68.   *Lacombe et CUM c. André et al.*, REJB 2003-38268 (C.A.), par. 59; voir également *Ferme avicole Héva Inc. et al. c. La Coopérative fédérée du Québec et al.*, EYB 2008-134331 (C.A.).

la victime en raison de la règle de la solidarité édictée par l'article 1526 C.c.Q. Elle pourra cependant, le cas échéant, poursuivre elle-même le tiers non poursuivi dans le cadre d'un recours récursoire afin de lui faire supporter sa part de responsabilité. À ce propos, on peut s'en rapporter, à titre d'exemple, aux conclusions de l'affaire *Boucher c. Rousseau*[69] où le propriétaire d'un immeuble, poursuivi en responsabilité, fut tenu de réparer la totalité du préjudice subi par un jeune enfant dont les parents, qui n'avaient pas été poursuivis, avaient été également reconnus fautifs par le tribunal quant à la surveillance de l'enfant.

Par ailleurs, la faute d'un tiers, poursuivi ou non, ne saurait, en aucun cas, venir réduire l'indemnité à laquelle peut avoir droit une victime. Ainsi, dans l'hypothèse où la preuve révèle que les parents de la victime ont commis une faute ayant contribué à la réalisation du préjudice subi par leur enfant, il ne saurait être question de réduire l'indemnité à laquelle l'enfant a droit dans une proportion égale à la faute des parents[70].

4- Les avis d'exclusion ou de limitation de responsabilité

Le législateur québécois a fortement encadré la possibilité pour une personne de se libérer, de sa propre volition, de son devoir de réparer le préjudice causé à autrui en raison d'un comportement fautif de sa part.

D'une part, en édictant l'article 1476 C.c.Q., le législateur a exclu la possibilité pour une personne d'exclure ou de limiter, par simple avis, son obligation de réparer le préjudice causé à autrui par sa faute. Il a cependant reconnu qu'un tel avis pouvait valoir comme dénonciation d'un danger[71]. Il s'ensuit que la personne qui a connaissance d'un tel avis est tenue de prendre les mesures qui s'imposent afin d'éviter d'être blessée. Si elle fait fi de l'avis et de la mise en garde qu'il comporte, elle pourra être considérée comme ayant été elle-même fautive, avec les conséquences que cela comporte sur son droit d'obtenir réparation du préjudice subi[72].

À ce propos, on peut envisager la situation où une municipalité, propriétaire d'un dépotoir et responsable de la surveillance du site, poserait une affiche déclinant toute responsabilité à l'égard de quiconque s'aventurerait sur le site. Dans l'éventualité où un adolescent prenait sur lui de pénétrer sur le site et s'y blessait, la municipalité ne pourrait, si elle était poursuivie en responsabilité civile et trouvée fautive pour ne pas avoir clôturé adéquatement le site, invoquer l'existence de l'affiche pour se soustraire à l'obligation qui lui est faite, en vertu de l'article 1457 C.c.Q., de réparer le préjudice causé à autrui par sa faute. Elle pourrait cependant faire valoir que l'affiche constituait, en l'espèce, la dénonciation d'un danger et qu'en décidant d'ignorer l'affiche, l'adolescent a commis une faute dont le tribunal devrait tenir compte dans l'appréciation de la responsabilité encourue, en l'espèce, par la municipalité[73].

On peut également penser au propriétaire d'un édifice qui apposerait sur son immeuble une affiche se lisant comme suit : « Fonte de neige et de glaçons/Danger ». Cette affiche constitue certes une mise en garde de la part du propriétaire à l'égard de toute personne voulant pénétrer dans l'immeuble ou longeant l'immeuble de faire attention en raison de la possibilité qu'un glaçon ou un amoncellement de neige se détache de la toiture, tombe et la blesse. Informée du danger potentiel, toute personne se trouvant à proximité de l'immeuble ou voulant y pénétrer, serait tenue de s'assurer qu'il n'y a pas de danger imminent pour elle de chute de neige ou de glaçons. Si elle ne le faisait pas, elle pourrait être considérée comme ayant été fautive[74]. Toutefois, s'il devait s'avérer que le propriétaire de l'immeuble n'a pris aucune mesure pour éviter la chute de glaçons ou encore qu'il a été négligent en ne mettant pas en place un périmètre de sécurité en cas de danger imminent, le fait d'avoir posé une affiche avertissant d'un danger potentiel ne saurait l'exonérer de toute responsabilité ou limiter celle-ci suivant l'article 1476 C.c.Q.

D'autre part, en édictant l'article 1474 C.c.Q., règle d'ordre public[75], le législateur a complètement interdit la possibilité d'exclure ou de limiter sa responsabilité pour le préjudice moral ou corporel causé à autrui[76]. Cette possibilité existe toutefois pour le préjudice matériel dans la

---

69. [1984] C.A. 85.
70. *Communauté urbaine de Montréal c. Germain*, précité, note 6.
71. J.-L. BAUDOUIN et P. DESLAURIERS, *op. cit.*, note 2, par. 1-1383.
72. Voir, à cet égard, l'article 1478 C.c.Q. Voir également A. NADEAU et R. NADEAU, *op. cit.*, note 3, par. 690.
73. Voir, à ce propos, les articles 1477 et 1478 C.c.Q.
74. *Ibid.*
75. *Investissements René St-Pierre Inc. c. Zurick, compagnie d'assurances*, EYB 2007-124338 (C.A.).
76. Voir, à ce propos, en matière contractuelle, l'article 10 de la *Loi sur la protection du consommateur*, L.R.Q., c. P-40.1, qui interdit à un commerçant de se dégager des conséquences de son fait personnel ou de celui de son représentant. Voir aussi J.-L. BAUDOUIN et P. DESLAURIERS, *op. cit.*, note 2, par. 1408 et s.; voir également *Accessoires d'auto Vipa Inc. c. Therrien*, REJB 2003-46428 (C.A.); *Léveillé c. Courses Stock-Car Drummond Inc. et al.*, précité, note 23; voir cependant *Morin c. Centre école de parachutisme Atmosphair Inc.*, précité, note 15. Le tribunal semble confondre faute du débiteur et faute du créancier.

mesure où le comportement à l'origine du préjudice ne constitue pas une faute intentionnelle ou lourde, telle que définie à l'article 1474, al. 2 C.c.Q.[77].

En terminant, il y a lieu de préciser que l'article 1474 C.c.Q. s'applique tant au domaine de la responsabilité contractuelle[78] qu'au domaine de la responsabilité extra-contractuelle[79]. En matière extra-contractuelle, sa portée est limitée par l'article 1476 C.c.Q. Quant aux articles 1475 et 1476 C.c.Q., le premier s'applique en matière contractuelle[80] et le second en matière extracontractuelle[81].

77. Voir, à cet égard, J.-L. BAUDOUIN et P. DESLAURIERS, *op. cit.*, note 2, par. 1-1378; voir aussi *Zurich compagnie d'assurances c. Superior Plastics Ltée*, précité, note 38; *Girard c. Hodel*, EYB 2006-104709 (C.S.); *Royal & Sunalliance du Canada c. Transport Quik-X Inc.*, EYB 2007-126665 (C.S.).

78. *Beaulieu c. Hamel*, EYB 2005-99313 (C.S.); *Nasifoglu c. Complexe St-Ambroise Inc.*, EYB 2005-90924 (C.A.).

79. *Morin c. Centre école de parachutisme Atmosphair Inc.*, précité, note 15.

80. Voir, en ce sens, MINISTÈRE DE LA JUSTICE, *op. cit.*, note 40, p. 904; voir, à cet égard, *Commercial Union Insurance Company c. C.I.O. Holdings Ltd.*, EYB 2006-110300 (C.S.).

81. Voir, à cet égard, MINISTÈRE DE LA JUSTICE, *op. cit.*, note 40, p. 903 et 904.

Chapitre IV

Mᵉ **Pierre Deschamps***

Les liens entre la responsabilité civile et les régimes étatiques d'indemnisation

Introduction

Au Québec, il existe, en marge du régime de droit commun de la responsabilité civile prévu au Code civil[1] un certain nombre de régimes étatiques d'indemnisation. Ces régimes visent à indemniser les personnes victimes de certains types d'accident ou d'événement sans égard à la faute de qui que ce soit.

Les régimes étatiques d'indemnisation existants couvrent le préjudice résultant d'un accident de travail, d'un accident d'automobile, d'un acte criminel, d'un acte de civisme, d'une vaccination obligatoire et d'un accident de chasse ou de pêche. Les indemnités que peuvent recevoir les victimes pour un préjudice identique ou similaire peuvent varier d'un régime d'indemnisation à l'autre.

Les régimes étatiques actuellement en vigueur au Québec ne ferment pas toujours la porte à un recours en responsabilité civile en vertu du droit commun. Ils en limitent toutefois grandement l'accès. Il convient d'examiner les tenants et aboutissants de ces divers régimes[2].

1- Les accidents du travail

Au Québec, les travailleurs victimes d'un accident du travail ou d'une maladie professionnelle sont assujettis à un régime d'indemnisation particulier, soit celui prévu à la *Loi sur les accidents du travail et les maladies professionnelles*[3]. Cette loi a pour objet la réparation des lésions professionnelles et les conséquences qu'elle entraîne pour le bénéficiaire.

Est un travailleur, au sens de l'article 2 de la loi, « une personne physique qui exécute un travail pour un employeur, moyennant rémunération, en vertu d'un contrat de travail ou d'apprentissage, à l'exclusion du domestique, de la personne physique engagée par un particulier pour garder un enfant, un malade, une personne handicapée ou une personne âgée, et qui ne réside pas dans le logement de ce particulier, de la personne qui pratique le sport qui constitue sa principale source de revenus, du dirigeant d'une personne morale quel que soit le travail qu'il exécute pour cette personne morale »[4].

Constitue, par ailleurs, en vertu de l'article 2 de la loi, un accident de travail « un événement imprévu et soudain attribuable à toute cause, survenant à une personne par le fait ou à l'occasion de son travail et qui entraîne pour elle une lésion professionnelle »[5]. En outre, constitue une lésion professionnelle suivant l'article 2 de la loi, une blessure ou une maladie qui survient par le fait ou à l'occasion d'un accident de travail et qui est caractéristique de ce travail ou reliée directement aux risques particuliers de ce travail. Il convient de souligner ici qu'en vertu de l'article 28 de la loi, une blessure qui arrive sur les lieux du travail

* Ce texte a été initialement rédigé par Mᵉ Claude Masse.

1. Code civil du Québec, art. 1457 et s.
2. Pour une critique des régimes étatiques d'indemnisation du préjudice corporel, voir Daniel GARDNER, « Pour une réorganisation des régimes d'indemnisation du préjudice corporel », dans Pierre-Claude LAFOND, *Mélanges Claude Masse : en quête de justice et d'équité*, Cowansville, Les Éditions Yvon Blais Inc., 2003, p. 387-431 ; Claude-André DUCHARME et Claude MASSE, « L'évolution des régimes de compensation du préjudice corporel : entre des victimes à corps perdu et un droit civil à corps défendant », dans *Le droit dans tous ses états*, Montréal, Wilson & Lafleur, 1987, p. 227 à 244.
3. L.R.Q., c. A-3.001. Voir, au plan doctrinal, Jean-Louis BAUDOUIN et Patrice DESLAURIERS, *La responsabilité civile*, 7ᵉ éd., volume 1 – Principes généraux, Cowansville, Les Éditions Yvon Blais Inc., 2007, EYB2007RES17, par. 1-979 et s. ; Denis BRADET, Bernard CLICHE, Martin RACINE, France THIBAULT, *La Loi sur les accidents du travail et les maladies professionnelles*, 5ᵉ éd., Montréal, Les Éditions Yvon Blais Inc., 2003 ; Bernard CLICHE et Martine GRAVEL, *Les accidents de travail et les maladies professionnelles – Indemnisation et financement*, Cowansville, Les Éditions Yvon Blais Inc., 1997 ; Michel SANSFAÇON, *L'indemnisation des victimes d'accidents du travail et des maladies professionnelles*, 2ᵉ éd., Montréal, Wilson & Lafleur, 2000. La Commission des lésions professionnelles (www.clp.gouv.qc.ca) a développé un outil de jurisprudence « Mémento LATMP – LSST » signalant les tendances jurisprudentielles.
4. En ce qui concerne la notion de travailleur, voir également les articles 9 à 17 de la loi ; en ce qui a trait à la notion de travailleur autonome, voir les articles 2 et 9 de la loi ; voir également Pierre PRATTE, « Le travailleur autonome et la Loi sur les accidents du travail : le cas du sous-traitant », (1995) 55 *R. du B.* 533.
5. La Cour d'appel du Québec a, depuis quelques années, rendu de nombreuses décisions dans le but de préciser cette notion d'accident du travail, les liens entre l'accident et le travail et les problèmes de compétence. Voir notamment *Lapointe c. Montréal (communauté urbaine de)*, [1998] C.L.P. 943, REJB 1998-09658 (C.A.) ; *Chaput c. Société de transport de la Communauté urbaine de Montréal*, [1992] R.J.Q. 1774, EYB 1992-63978 (C.A.) ; *Desrochers*

alors que le travailleur est à son travail est présumée une lésion professionnelle.

Suivant la loi, est également considérée comme une lésion professionnelle, une blessure ou une maladie qui survient par le fait ou à l'occasion des soins qu'un travailleur reçoit pour une lésion professionnelle ou de l'omission de tels soins ou d'une activité prescrite au travailleur dans le cadre des traitements médicaux qu'il reçoit pour une lésion professionnelle ou dans le cadre de son plan individualisé de réadaptation[6].

Enfin, est considérée une maladie professionnelle en vertu de la loi « une maladie contractée par le fait ou à l'occasion du travail et qui est caractéristique de ce travail ou reliée directement aux risques particuliers de ce travail »[7]. L'article 29 de la loi établit une présomption facilitant la preuve de plusieurs maladies professionnelles caractéristiques du travail[8].

A- Le champ d'application

La loi s'applique au travailleur victime d'un accident du travail survenu au Québec ou d'une maladie professionnelle contractée au Québec et dont l'employeur a un établissement au Québec lorsque l'accident survient ou la maladie est contractée[9]. Elle s'applique également au travailleur victime d'un accident du travail survenu hors du Québec ou d'une maladie professionnelle contractée hors du Québec si, lorsque l'accident survient ou la maladie est contractée, il est domicilié au Québec et son employeur a un établissement au Québec[10].

Cependant, si le travailleur n'est pas domicilié au Québec, la présente loi s'applique néanmoins si ce travailleur était domicilié au Québec au moment de son affectation hors du Québec, la durée du travail hors du Québec n'excède pas cinq ans au moment où l'accident est survenu ou la maladie a été contractée et son employeur a alors un établissement au Québec[11].

B- Les paramètres du régime

L'article 25 de la loi édicte que les droits conférés par la loi le sont sans égard à la responsabilité de quiconque. En principe, le travailleur accidenté est indemnisé sans égard à sa propre faute. Cela dit, celui-ci ne sera pas indemnisé s'il est prouvé que sa blessure ou sa maladie peuvent être attribuables à sa négligence grossière et volontaire[12]. Toutefois, si la blessure ou la maladie cause au travailleur une atteinte permanente grave à son intégrité physique ou psychique ou entraîne son décès, le travailleur ou ses ayants droit auront droit d'être indemnisés[13]. La négligence grossière et volontaire implique la présence d'une faute, par action ou omission, assez grave et importante pour qu'elle ne puisse être qualifiée de simple. Elle doit résulter d'un acte volontaire et non d'un réflexe[14].

Le travailleur accidenté doit adresser sa réclamation à la Commission de la santé et de la sécurité du travail. La procédure de traitement de la réclamation est prévue aux articles 265 et s. de la loi.

C- Les recours possibles

Sauf en de rares exceptions, les travailleurs ou leurs dépendants, en cas de décès, ne peuvent s'adresser aux tribunaux de droit commun pour obtenir compensation pour le préjudice subi en raison d'un accident de travail.

Les article 438 à 447 de la loi traitent des règles de la responsabilité civile qui subsistent en vertu du régime d'indemnisation des accidents du travail.

c. Hydro-Québec, [1992] C.A.L.P. 1241, EYB 1992-63968 (C.A.); Centre Hospitalier des Laurentides c. Commission d'appel en matière de lésions professionnelles du Québec, [1992] C.A.L.P. 1114, EYB 1992-63975 (C.A.); Lamontagne c. Domtar Inc., [1992] C.A.L.P. 1117, EYB 1992-58927 (C.A.); Commission de la santé et de la sécurité du travail c. Lalonde, J.E. 95-1672, EYB 1995-56003 (C.A.); Welch c. Commission d'appel en matière de lésions professionnelles, J.E. 98-424, REJB 1998-04450 (C.A.). Voir également : R. LEVASSEUR, « Les notions d'accident et de maladie professionnelle dans la Loi sur les accidents du travail et les maladies professionnelles : principaux problèmes d'application », dans Service de la formation permanente, Barreau du Québec, Développements récents en droit du travail (1989), vol. 12, Cowansville, Les Éditions Yvon Blais Inc., p. 101; B. CLICHE et M. GRAVEL, op. cit., note 3, p. 93 et s.; M. SANSFAÇON, op. cit., note 3; Reine LAFOND, « L'indemnisation des lésions psychologiques liées au travail : dernières tendances », dans Service de la formation permanente, Barreau du Québec, Développements récents en droit de la santé et sécurité au travail (1997), Cowansville, Les Éditions Yvon Blais Inc., p. 245 et s.; Katherine LIPPEL, La notion de lésion professionnelle : analyse jurisprudentielle, 4e éd., Cowansville, Les Éditions Yvon Blais Inc., 2002.

6. Loi sur les accidents du travail et les maladies professionnelles, art. 31.
7. Id., art. 2.
8. Voir, à cet égard, Katherine LIPPEL, «Les présomptions relatives au caractère professionnel des lésions: interprétation et application», dans Service de la formation permanente, Barreau du Québec, Développements récents en droit de la santé et sécurité au travail (2001), vol. 148, Cowansville, Les Éditions Yvon Blais Inc.
9. Loi sur les accidents du travail et les maladies professionnelles, art. 7.
10. Id., art. 8.
11. Ibid.
12. Id., art. 27.
13. Ibid.
14. Agence Route canadienne Inc. et Savard, [1996] C.A.L.P. 1644.

1. *Les recours contre l'employeur*

L'objectif premier de la loi en ce qui a trait à la responsabilité civile des employeurs est de conférer une immunité à peu près complète à l'employeur d'un travailleur victime d'un accident de travail quant aux possibilités de poursuite de la part de ce travailleur ou de la part d'un dépendant du même travailleur en cas de décès[15]. Les poursuites civiles contre l'employeur d'un travailleur en raison d'une lésion professionnelle sont donc complètement écartées par la loi.

L'article 438 *L.a.t.m.p.* prescrit ainsi qu'un travailleur victime d'une lésion professionnelle *ne peut* intenter une action en responsabilité civile contre son employeur en raison de sa lésion. L'immunité accordée à cet égard à l'employeur vise autant les recours de droit commun, sous l'empire du Code civil du Québec, que ceux entrepris en vertu de la *Charte des droits et libertés de la personne*. Ainsi en a décidé la Cour suprême du Canada dans l'arrêt *Béliveau-St-Jacques c. Fédération des employés et employées des services publics*[16].

Une décision de la Cour d'appel est venue par la suite préciser la portée de l'arrêt *Béliveau St-Jacques*. Dans l'arrêt *Genest c. Commission des droits de la personne et des droits de la jeunesse*[17], la Cour d'appel a renversé la décision du Tribunal des droits de la personne qui, dans une affaire de harcèlement sexuel, avait exprimé l'avis que la victime avait droit aux dommages en vertu de la *Charte des droits et libertés de la personne* puisqu'elle n'avait pas été indemnisée conformément à la *Loi sur les accidents du travail et les maladies professionnelles*. Pour la Cour d'appel, la prohibition du recours en vertu de l'article 438 *L.a.t.m.p.* ne peut découler du choix de la victime de recourir ou non à l'indemnisation en vertu de la *Loi sur les accidents du travail et les maladies profession-*

nelles. Toute autre interprétation aurait pour effet de rendre optionnel le régime d'indemnisation. La cour reconnaît cependant que, mis à part l'action en responsabilité pour compenser les dommages résultant de la faute du cotravailleur, les autres recours prévus par la Charte, notamment les mesures de redressement, demeurent ouverts.

Les tribunaux feront preuve, il faut le dire, de prudence avant de rejeter, sur une simple requête en irrecevabilité, un recours intenté par un employé. Si le tribunal est d'avis que l'application de la loi constitue, dans les circonstances de l'espèce, une question de fait, il réservera au juge du fond le soin d'apprécier le tout[18].

La loi édicte, toutefois, une exception au principe de l'immunité de l'employeur lorsque l'employeur fautif n'est pas celui du travailleur blessé, mais un autre employeur assujetti à la loi. Cette exception est prévue à l'article 441 de la loi.

En vertu de l'article 441 de la loi, un travailleur peut intenter un recours en responsabilité civile contre un employeur assujetti à la loi autre que son employeur dans les situations suivantes : a) l'autre employeur a commis une faute qui constitue une infraction au sens du Code criminel ou un acte criminel au sens de ce code, b) pour recouvrer l'excédent de la perte subie sur la prestation reçue, c) si l'autre employeur est une personne responsable d'une lésion professionnelle visées dans l'article 31 d) ou encore si l'autre employeur est tenu personnellement au paiement des prestations.

Par ailleurs, l'article 441 précise que, si le recours en responsabilité civile porte sur une faute commise par l'employeur qui constitue une infraction au sens du Code criminel ou un acte criminel au sens de ce code, celui-ci doit être intenté dans les six mois de l'aveu ou du jugement

15. Voir, à cet égard, Lucille DUBÉ, « L'immunité civile des employeurs en vertu de la Loi sur les accidents du travail et les maladies professionnelles », dans Service de la formation permanente, Barreau du Québec, *Développements récents en droit de la santé et de la sécurité au travail (1993)*, vol. 50, Cowansville, Les Éditions Yvon Blais Inc., p. 81, voir *Dumais c. Beaulieu*, EYB 2003-42003 (C.S.).

16. [1996] 2 R.C.S. 345, EYB 1996-67901. Pour une analyse des conséquences de cette décision, voir Maurice DRAPEAU, « Les conséquences de l'arrêt Béliveau St-Jacques sur les droits de recours des victimes de harcèlement discriminatoire ayant causé une lésion professionnelle », dans Service de la formation permanente, Barreau du Québec, *Développements récents en responsabilité civile (1997)*, Cowansville, Les Éditions Yvon Blais Inc., p. 1 à 18; Louise LANGEVIN, « L'affaire *Béliveau St-Jacques* : une bonne affaire pour les victimes de harcèlement? », dans Service de la formation permanente, Barreau du Québec, *Développements récents en responsabilité civile (1997)*, Cowansville, Les Éditions Yvon Blais Inc., p. 18 à 46; Claude PAQUET, « L'affaire Béliveau St-Jacques : consécration de l'intégrité du régime de réparation des lésions professionnelles », dans Service de la formation permanente, Barreau du Québec, *Développements récents en responsabilité civile (1997)*, Cowansville, Les Éditions Yvon Blais Inc., p. 46 à 84; Katherine LIPPEL, « Le harcèlement sexuel au travail : quel rôle attribuer à la C.S.S.T. et au Tribunal des droits de la personne suite à l'affaire Béliveau St-Jacques? », dans Service de la formation permanente, Barreau du Québec, *Développements récents en responsabilité civile (1997)*, Cowansville, Les Éditions Yvon Blais Inc., p. 99 à 140.

17. REJB 2001-22023 (C.A.).

18. L'immunité n'intervient qu'après le constat qu'il y a eu un accident de travail. Voir *Gabba c. Rémillard*, REJB 2004-81260 (C.A.); *Richer c. Hydro-Québec*, D.T.E. 2005T-123 (C.A.); *Parent c. Rayle*, REJB 2002-35788 (C.A.); *Protestant School Board of Greater Montréal c. Williams*, REJB 2002-34225 (C.A.); *Kupelian c. Nortel Network Corporation*, REJB 2002-31245 (C.S.); *Skelling c. Procureur général du Québec*, D.T.E. 2005T-44 (C.S.); *Choinière c. Caisse populaire Desjardins de la Haute-Yamaska*, REJB 2004-70718 (C.S.); *Landry c. Commission scolaire La neigette*, [1996] R.D.J. 3, EYB 1995-56876 (C.A.); *Hemens c. Sigvaris corporation*, REJB 2002-30076 (C.S.), p. 76.

final de déclaration de culpabilité[19]. En outre, la loi exige que la personne qui intente le recours fasse option et en avise la Commission au plus tard six mois après la date de l'aveu ou du jugement final de déclaration de culpabilité[20]. À défaut de faire l'option prévue par le premier ou le deuxième alinéa, la personne est réputée renoncer aux prestations prévues par la loi[21].

2. Les recours contre un co-travailleur ou un mandataire

Le co-travailleur de la victime d'un accident du travail qui lui a causé par sa faute une lésion professionnelle ne bénéficie pas d'une immunité aussi étendue que celle conférée par la loi à l'employeur du travailleur.

Si, en vertu de l'article 442 de la loi, une personne ne peut intenter une action en responsabilité civile, en raison de sa lésion professionnelle, contre un travailleur ou un mandataire d'un employeur assujetti à la loi pour une faute commise *dans l'exercice de ses fonctions*, sauf s'il s'agit d'un professionnel de la santé responsable d'une lésion professionnelle visée dans l'article 31 de la loi, il appert, *a contrario*, que si la faute à l'origine de la lésion fut commise *à l'occasion des fonctions* et non *dans l'exercice des fonctions* du travailleur, le travailleur blessé pourra poursuivre son co-travailleur[22].

Selon la jurisprudence, l'immunité civile dont jouissent l'employeur et un co-travailleur en vertu des articles 438 et 442 de la loi ne s'applique pas lorsque le préjudice subi par un travailleur est de la nature d'une atteinte à la réputation[23].

3. Les recours contre un tiers

Un travailleur blessé en raison de son travail peut poursuivre en responsabilité civile toute personne qui n'est ni son employeur, ni un employeur assujetti à la loi autre que son employeur, ni un co-travailleur. Il en va de même pour les dépendants d'un travailleur décédé[24].

Ainsi, un travailleur blessé ou ses dépendants en cas de décès du travailleur peuvent, par exemple, poursuivre en vertu du régime de droit commun de responsabilité civile un client de l'employeur, le fabricant d'un outil ou d'une machine industrielle affectés d'un vice de sécurité. Ils peuvent également poursuivre les personnes, avocat ou syndicat, ayant failli à leurs obligations de juste représentation devant les instances administratives chargées de l'application de la loi[25].

Un bénéficiaire au sens de la loi qui peut intenter une action en responsabilité civile doit faire option et en aviser la Commission dans les six mois de l'accident du travail, de la date où il est médicalement établi et porté à la connaissance du travailleur qu'il est atteint d'une maladie professionnelle ou, le cas échéant, du décès qui résulte de la lésion professionnelle[26].

Si le bénéficiaire visé dans l'article 443 de la loi choisit d'intenter une action en responsabilité civile et perçoit une somme inférieure au montant de la prestation prévue par la présente loi, il a droit à une prestation pour la différence. Ce bénéficiaire doit réclamer cette prestation à la Commission dans les six mois du jugement final rendu sur l'action en responsabilité civile[27].

Par ailleurs, si le bénéficiaire visé dans l'article 443 choisit de réclamer une prestation en vertu de la loi, il a droit de recouvrer de la personne responsable l'excédent de la perte subie sur la prestation[28].

La réclamation d'un bénéficiaire à la Commission subroge celle-ci de plein droit dans les droits de ce bénéficiaire contre le responsable de la lésion professionnelle jusqu'à concurrence du montant des prestations qu'elle

19. La question se pose quant à savoir dans quelle mesure le deuxième alinéa de l'article 441 de la loi n'est pas incompatible avec la règle générale de prescription édictée à l'article 2925 C.c.Q. Cette question n'a fait l'objet d'aucune décision judiciaire jusqu'à ce jour. Voir, à cet égard, *Doré c. Ville de Verdun*, [1997] 2 R.C.S. 862, REJB 1997-01530.
20. *Loi sur les accidents du travail et les maladies professionnelles*, art. 443, 2e alinéa.
21. *Id.*, art. 443.
22. Voir, toutefois, *Skelling c. Québec (Procureur général)*, EYB 2006-100906 (C.A.) où la Cour d'appel ne semble pas faire de distinction entre une faute commise dans l'exercice des fonctions et une lésion professionnelle survenue à l'occasion du travail. Par ailleurs, nous ne croyons pas qu'il y ait lieu ici d'attacher de l'importance au fait que l'article 442 *L.a.t.m.p.* emploie l'expression « *exercice des fonctions* » plutôt que celle « *d'exécution des fonctions* ». Dans *Laflamme c. Latreille*, REJB 2004-62226 (C.S.), le tribunal a accueilli une requête en irrecevabilité en application de l'article 442 *L.a.t.m.p.*; il s'agissait d'une action en dommages-intérêts entre deux travailleuses.
23. *Ghanouchi c. Lapointe*, EYB 2009-152712 (C.A.); *G. (D.) c. Centre de Santé et des Services sociaux A, Centre d'accueil A et al.*, EYB 2008-131910 (C.A.); *Parent c. Rayle*, EYB 2005-87174 (C.S.); *Gabba c. Rémillard*, REJB 2004-81260 (C.A.).
24. *Langevin c. Construction Pagaro Inc.*, [1986] R.J.Q. 1963, EYB 1986-62454 (C.A.).
25. *Syndicat des employés de Firestone de Joliette c. Dyotte*, J.E. 96-125, EYB 1995-71115 (C.A.); *Page c. Société de l'assurance automobile du Québec*, REJB 2002-35929 (C.S.) (requête pour permission d'appeler rejetée, 2003-01-22, 500-09-012971-024).
26. *Loi sur les accidents du travail et les maladies professionnelles*, art. 443.
27. *Id.*, art. 444.
28. *Id.*, art. 445.

a payées et du capital représentatif des prestations à échoir[29]. L'action intentée par le bénéficiaire contre le responsable d'une lésion professionnelle interrompt, en faveur de la Commission, la prescription édictée au Code civil[30].

2- Les accidents d'automobiles

Au Québec, le législateur a créé, en 1978, un régime particulier d'indemnisation des victimes d'accidents d'automobile en adoptant la *Loi sur l'assurance automobile*[31]. La loi prohibe tout recours en responsabilité civile devant les tribunaux de droit commun en ce qui a trait au préjudice corporel subi lors d'un accident d'automobile[32]. Dans la foulée de l'arrêt *Béliveau-St-Jacques c. Fédération des employés et employées des services publics*[33], on peut affirmer que la prohibition édictée à l'article 83.57 de la loi vise autant les recours de droit commun que ceux entrepris en vertu de la *Charte québécoise*.

En vertu de la *Loi sur l'assurance automobile*, toute personne victime d'un préjudice corporel[34] causé par une automobile et, lors de son décès, une personne à sa charge[35], a droit à une indemnité en vertu de la loi. Les indemnités accordées pour compenser le préjudice corporel subi par une personne le sont sans égard à la responsabilité de quiconque[36].

Le résident québécois et les personnes à sa charge sont couverts par le régime d'assurance automobile quel que soit le lieu de survenance de l'accident causé par une automobile, que ce soit sur le chemin public ou en dehors, que l'accident survienne au Québec ou ailleurs dans le monde[37]. Lorsque l'accident a lieu au Québec, est réputé résider au Québec le propriétaire, le conducteur ou le passager d'une automobile[38] pour laquelle un certificat d'immatriculation a été délivré au Québec. Lorsque l'accident a lieu au Québec, la victime qui ne réside pas au Québec a droit d'être indemnisée en vertu des dispositions de la loi mais seulement dans la proportion où elle n'est pas responsable de l'accident, à moins d'une entente différente entre la Société de l'assurance automobile du Québec et la juridiction du lieu de résidence de cette victime[39]. Sous réserve des articles 108 à 114 de la loi, la responsabilité est déterminée suivant les règles du droit commun.

Ne peuvent, toutefois, être indemnisées en vertu de la loi les victimes blessées par un appareil susceptible de fonctionnement indépendant (une grue mobile, par exemple) lorsque le véhicule qui le porte n'est pas en mouvement dans un chemin public, par un véhicule de ferme en dehors d'un chemin public, par une motoneige ou un véhicule destiné à être utilisé en dehors d'un chemin public ou, enfin, par une automobile utilisée lors d'un spectacle, d'une compétition ou d'une course automobile[40]. Dans ces hypothèses, les victimes sont indemnisées selon les règles de droit commun[41].

En vertu de la loi, le droit à une indemnité pour préjudice corporel se prescrit par trois ans à compter de

---

29. *Id.*, art,. 446. Voir, à cet égard, Louise POUDRIER-LEBEL, « Étude de la subrogation de la Commission des accidents du travail », (1979) 39 *R. du B.* 183; J.-L. BAUDOUIN et P. DESLAURIERS, *op. cit.*, note 3, par. 1-1037 et s.
30. *Id.*, art. 447.
31. L.R.Q., c. A-25. Voir, à cet égard, J.-L. BAUDOUIN et P. DESLAURIERS, *op. cit.*, note 3, par. 1-1100 et s.; Janick PERRAULT, *L'indemnisation du préjudice corporel des victimes d'accident d'automobile, aspects juridiques*, Brossard, Publications CCH Ltée, 2001; Jean-François LAMOUREUX, *L'assurance automobile au Québec, indemnisation du dommage corporel, indemnisation du dommage matériel*, Toronto, Carswell, 1995.
32. *Loi sur l'assurance automobile*, art. 83.57. Voir également André LAPORTE, « Les différents régimes d'indemnisation à la suite d'un accident d'automobile », dans Service de la formation continue du Barreau du Québec, *Développements récents en matière d'accidents d'automobile (2006)*, Cowansville, Les Éditions Yvon Blais Inc., 2006, EYB2006DEV1249; voir également Lucie ALLARD, « Revue de la jurisprudence récente en matière d'assurance automobile », dans Service de la formation continue du Barreau du Québec, *Développements récents en matière d'accidents d'automobile 2009*, Cowansville, Les Éditions Yvon Blais Inc., 2009, EYB2009DEV1538.
33. Précité, note 16.
34. Constitue un préjudice corporel, au sens de la loi, tout préjudice corporel d'ordre physique ou psychique d'une victime, y compris le décès, qui lui est causé dans un accident, ainsi que les dommages aux vêtements que porte la victime. *Loi sur l'assurance automobile*, art. 2.
35. Sont, en vertu de l'article 2 de la loi, des personnes à charge : 1. le conjoint; 2. la personne qui est séparée de fait ou légalement de la victime ou dont le mariage ou l'union civile avec celle-ci est dissous ou déclaré nul par un jugement définitif ou, encore, dont l'union civile est dissoute par une déclaration commune notariée de dissolution et qui a droit de recevoir de la victime une pension alimentaire en vertu d'un jugement ou d'une convention; 3. l'enfant mineur de la victime et la personne mineure à qui la victime tient lieu de mère ou de père; 4. l'enfant majeur de la victime et la personne majeure à qui la victime tient lieu de mère ou de père, à la condition que la victime subvienne à plus de 50 % de leurs besoins vitaux et frais d'entretien; 5. toute autre personne liée à la victime par le sang ou l'adoption et toute autre personne lui tenant lieu de mère ou de père, à la condition que la victime subvienne à plus de 50 % de leurs besoins vitaux et frais d'entretien.
36. *Loi sur l'assurance automobile*, art. 5.
37. *Id.*, art. 7.
38. *Id.*, art. 8. *Tolofson c. Jensen*, [1994] 3 R.C.S. 1022, EYB 1994-67135: « [...] le législateur a voulu que la loi s'applique à toutes les personnes ayant un accident au Québec, quelle que soit leur province de résidence. » (*id.*, p. 1074, j. La Forest).
39. *Loi sur l'assurance automobile*, art. 9.
40. *Id.*, art. 10.
41. Les tribunaux ont accepté, dans ces hypothèses, d'opposer au conducteur et au propriétaire les présomptions de fautes énoncées aux articles 108 et s. de la loi. Voir, à cet égard, *Procureur général du Québec c. Gérard Crête et fils Inc.*, REJB 1997-07311 (C.S.); *Bédard c. Royer*, REJB 2003-47339 (C.A.).

l'accident ou de la manifestation du préjudice et, dans le cas d'une indemnité de décès, à compter du décès[42]. Cela dit, la Société de l'assurance automobile du Québec, qui administre le régime, peut permettre à la personne qui fait la demande d'indemnité d'agir après l'expiration de ce délai si celle-ci n'a pu, pour des motifs sérieux et légitimes, agir plus tôt. Une demande d'indemnité produite conformément aux dispositions de la loi interrompt la prescription prévue au Code civil jusqu'à ce qu'une décision définitive soit rendue[43].

Sous réserve des articles 83.63 et 83.64 de la loi, lorsqu'un préjudice corporel a été causé par une automobile, les prestations ou avantages prévus pour l'indemnisation de ce préjudice par la *Loi sur les accidents du travail et les maladies professionnelle*[44], la *Loi visant à favoriser le civisme*[45], ou la *Loi sur l'indemnisation des victimes d'actes criminels*[46] tiennent lieu de tous les droits et recours en raison de ce préjudice et nulle action à ce sujet ne peut être reçue devant un tribunal de droit commun[47].

Suivant l'article 83.63 de la loi, lorsqu'en raison d'un accident, une personne a droit à la fois à une indemnité en vertu de la loi et à une prestation ou à un avantage pécuniaire en vertu de la *Loi sur les accidents du travail et les maladies professionnelles*[48] ou d'une autre loi relative à l'indemnisation de personnes victimes d'un accident du travail, en vigueur au Québec ou hors du Québec, cette personne doit réclamer la prestation ou l'avantage pécuniaire prévu par ces dernières lois.

Par ailleurs, suivant l'article 83.64 de la loi, lorsqu'en raison d'un accident, une personne a droit à la fois à une indemnité en vertu de la loi et à une prestation ou à un

avantage en vertu de la *Loi visant à favoriser le civisme*[49] ou de la *Loi sur l'indemnisation des victimes d'actes criminels*[50], cette personne peut, à son option, se prévaloir de l'indemnité prévue à la loi ou réclamer cette prestation ou cet avantage. L'indemnisation en vertu de la *Loi visant à favoriser le civisme* ou de la *Loi sur l'indemnisation des victimes d'actes criminels* fait perdre tout droit à l'indemnisation en vertu de la loi[51].

3- Les actes criminels

Au Québec, en vertu du régime de droit commun de la responsabilité civile, la victime d'un crime de même que ses proches, que la victime soit décédée ou non, peuvent poursuivre l'auteur du crime afin d'obtenir réparation pour le préjudice subi. Il leur faudra alors prouver que l'auteur du crime a commis une faute et que cette dernière est la cause directe et immédiate du préjudice qu'ils estiment avoir subi. Dans bien des cas, un tel recours pourra s'avérer illusoire dans la mesure où l'auteur du crime demeure inconnu ou introuvable ou encore est insolvable[52].

Cela dit, la personne qui est victime d'un crime[53] survenu au Québec peut, toutefois, se prévaloir de la *Loi sur l'indemnisation des victimes d'actes criminels* afin d'être indemnisée pour le préjudice subi[54]. Il en va de même pour les personnes à charge d'une personne tuée lors de la perpétration d'un crime[55], pour les parents d'un enfant mineur décédé, victime d'un crime[56], ainsi que certains tiers[57]. Il leur faut alors adresser une demande d'indemnisation à la Commission de la santé et de la sécurité du travail[58].

---

42.   *Loi sur l'assurance automobile*, art. 11.
43.   *Ibid.*
44.   L.R.Q., c. A-3.001.
45.   L.R.Q., c. C-20.
46.   L.R.Q., c. I-6.
47.   *Bibeau c. East Angus Auto Inc.*, [1980] C.S. 298; *Cordero c. British Leyland Motors Canada Limited*, [1980] C.S. 899; *Szeto c. Meng Hour Ear*, [1983] C.S. 922; [1986] R.J.Q. 218 (C.A.); *Lapalme c. Mareluc*, [1983] C.S. 646; *Tardif c. Bérubé*, [1986] R.J.Q. 1645, EYB 1986-83325 (C.S.); *Tordion c. Co. d'assurance du Home canadien*, [1989] R.J.Q. 41, EYB 1988-62953 (C.A.); *Ormsbee c. Bell Canada*, J.E. 90-892, EYB 1990-79543 (C.S.); *Moschopoulos c. Ford Motor Company of Canada Ltd.*, J.E. 92-1778, EYB 1992-84001; *Ross c. Ford Canada Ltée*, [1995] R.R.A. 1136 (C.S.); *Avis Canada Inc. c. Chantal Condoroussis*, J.E. 96-1872, EYB 1996-65454 (C.A.); *Larivière c. Turgeon*, REJB 1998-10388 (C.Q.); *Bergeron c. Allard*, REJB 2004-61880 (C.S.). À l'exception de recours devant des tribunaux étrangers, voir *Roy c. Boucher*, REJB 2002-35035 (C.A.).
48.   L.R.Q., c. A-3.001.
49.   L.R.Q., c. C-20.
50.   L.R.Q., c. I-6.
51.   *Loi sur l'assurance automobile*, art. 83.64
52.   J.-L. BAUDOUIN ET P. DESLAURIERS, *op. cit.*, note 3, par. 1-1059.
53.   Voir, à cet égard, l'article 3 de la *Loi sur l'indemnisation des victimes d'actes criminels*, L.R.Q., c. I-6, qui définit qui peut être considéré comme victime d'un crime et l'annexe de la loi qui identifie les crimes pour lesquels une indemnité peut être réclamée.
54.   Isabelle DOYON, Christel GROULX, Marie-Claire LEFEBVRE et Margaret MURRAY, *L'indemnisation des victimes d'actes criminels: une analyse jurisprudentielle*, Cowansville, Les Éditions Yvon Blais Inc., 2000, 190 p.; voir également, A. LAPORTE, *loc. cit.*, note 32.
55.   *Loi sur l'indemnisation des victimes d'actes criminels*, art. 2.
56.   *Id.*, art. 7.
57.   *Id.*, art. 6.
58.   *Id.*, art. 9.

Le recours à la *Loi sur l'indemnisation des victimes d'actes criminels* est facultatif en ce que la victime ou ses héritiers peuvent soit poursuivre en responsabilité civile la personne responsable du préjudice matériel, de la blessure ou de la mort, soit adresser une demande d'indemnisation à la Commission[59].

À cet égard, la *Loi sur l'indemnisation des victimes d'actes criminels* prévoit explicitement, en son article 10, que rien dans la loi n'affecte le droit du réclamant qui a choisi de présenter une demande d'indemnisation en vertu de la *Loi sur l'indemnisation des victimes d'actes criminels* de recouvrer de toute personne responsable du préjudice matériel, de la blessure ou de la mort associée au crime les montants requis pour équivaloir, avec l'indemnité accordée, le cas échéant par la Commission, à la perte réellement subie[60].

Suivant la loi, si la somme adjugée et perçue à la suite d'une poursuite civile est inférieure au montant des indemnités que le réclamant aurait pu obtenir en vertu de la loi, ce dernier peut bénéficier, pour la différence, des avantages de la loi en avisant la Commission et en lui formulant sa réclamation dans l'année suivant la date du jugement[61].

Celui qui entend présenter une demande d'indemnisation à la Commission doit le faire dans l'année de la survenance du préjudice matériel ou de la blessure ou de la mort de la victime[62]. La demande d'indemnisation peut être formulée, qu'une personne soit ou non poursuivie ou déclarée coupable de l'infraction ayant causé un préjudice matériel, des blessures ou la mort[63]. La demande interrompt la prescription prévue au Code civil jusqu'au jour où la Commission, ou, selon le cas, le Tribunal administratif du Québec rend sa décision sur la demande[64] dans la mesure où le délai pour présenter une réclamation en vertu de la loi a été respecté.

La demande d'indemnisation présentée à la Commission doit être accompagnée de l'avis d'option prévu à l'article 8 de la loi. Si le réclamant fait défaut de formuler une demande et de donner l'avis d'option dans le délai prescrit, il est présumé avoir renoncé à se prévaloir de la loi, sous réserve de ce qui est prévu au deuxième alinéa de l'article 8 de la loi[65].

Dès la production d'une demande, la Commission est de plein droit subrogée aux droits du réclamant jusqu'à concurrence du montant qu'elle pourra être appelée à lui payer et elle peut, en son nom ou aux nom et lieu du réclamant, continuer ou exercer une poursuite civile[66].

Sur réception d'une demande, la Commission, si elle est d'avis qu'elle accordera probablement le bénéfice des avantages prévus à la loi, peut faire des paiements temporaires à la personne qui a fait la demande, pour son entretien et ses frais médicaux, si cette personne est dans le besoin. Si la Commission en vient ensuite à la conclusion que la demande n'est pas fondée, les sommes payées ne sont pas recouvrables[67].

La Commission peut, de son propre chef ou à la demande du procureur général, ajourner sa décision en attendant le résultat final d'une poursuite en cours ou de toute poursuite qui pourra être intentée ultérieurement[68].

Les indemnités versées, soit à la victime, soit aux personnes à charge[69] si celle-ci est tuée, sont celles prévues à la *Loi sur les accidents du travail et les maladies professionnelles*[70].

La Commission ne peut faire droit à une demande d'indemnisation présentée en vertu de la *Loi sur l'indemnisation des victimes d'actes criminels* si la victime est tuée ou blessée dans des circonstances qui donnent ouverture, en sa faveur ou en faveur de ses personnes à charge, à la *Loi sur les accidents du travail et les maladies professionnelles* ou à une loi autre qu'une loi du Parlement du Québec[71]. Si les prestations prévues par une loi autre qu'une loi du Parlement du Québec sont inférieures à celles que prévoit la présente loi, la victime ou une personne à charge, selon le cas, peut en réclamer la différence en vertu de la loi[72].

59. *Id.*, art. 8.
60. Voir *Boucher c. Houle*, EYB 2004-82100 (C.S.).
61. *Loi sur l'indemnisation des victimes d'actes criminels*, art. 8.
62. *Id.*, art. 11.
63. *Id.*, art. 13.
64. *Id.*, art. 12. Voir, à cet égard, *Massicotte-Lapointe c. Landreville*, J.E. 97-1573, REJB 1997-03319 (C.S.).
65. *Id.*, art.11.
66. *Id.*, art. 9.
67. *Id.*, art. 16.
68. *Id.*, art. 13.
69. L'article 4 de la loi précise que les personnes à charge d'une victime sont les personnes qui au moment du crime ou du préjudice, le cas échéant, étaient à sa charge au sens de la *Loi sur les accidents du travail*.
70. *Loi sur l'indemnisation des victimes d'actes criminels*, art. 5.
71. *Id.*, art. 20, par. a.
72. *Id.*, art. 20, al. 2.

Si, en raison de la blessure subie par une victime d'acte criminel ou du décès qui en résulte, une personne a droit à une indemnité en vertu de la *Loi sur l'assurance automobile*, la personne peut, à son option, réclamer une indemnité en vertu de cette loi ou une indemnité en vertu de la *Loi sur l'indemnisation des victimes d'actes criminels*[73]. L'indemnisation en vertu de la *Loi sur l'assurance automobile* fait perdre tout droit à une indemnité en vertu de la *Loi sur l'indemnisation des victimes d'actes criminels*.

Par ailleurs, n'est pas éligible à être indemnisée en vertu de la *Loi sur l'indemnisation des victimes d'actes criminels* la victime qui a, par sa faute lourde, contribué à ses blessures ou à sa mort, le réclamant qui a été partie à l'infraction ou qui, par sa faute lourde, a contribué aux blessures ou à la mort de la victime, la victime qui est blessée ou tuée par suite d'un acte criminel commis au moyen d'un véhicule-automobile, sauf le cas prévu à l'article 265 du Code criminel[74].

4- Les actes de civisme

Au Québec, la *Charte des droits et libertés de la personne* impose à toute personne le devoir de porter secours à celui dont la vie est en péril, personnellement ou en obtenant du secours, en lui apportant l'aide physique nécessaire et immédiate, à moins d'un risque pour elle ou pour les tiers ou d'un autre motif raisonnable[75].

On peut envisager des situations où la personne qui porte secours à autrui puisse subir un préjudice physique ou matériel[76]. En vertu du droit commun, il lui sera possible de poursuivre la personne à qui elle est venue en aide afin d'obtenir de celle-ci réparation pour le préjudice subi. Il lui faudra, dans un tel cas, prouver que la personne a commis une faute et que sa faute est la cause directe et immédiate du préjudice subi par le sauveteur.

En marge du droit commun, la *Loi visant à favoriser le civisme*[77] prévoit qu'un sauveteur[78] qui subit un préjudice[79] ou, s'il en décède, une personne à sa charge, peut obtenir une prestation de la Commission de la santé et de la sécurité du travail pour compenser le préjudice subi[80].

Celui qui entend présenter une demande de prestation de la Commission doit le faire dans l'année de la survenance du préjudice[81]. Dans le cas d'une personne à charge, cette demande doit être présentée dans l'année du décès du sauveteur. Le réclamant qui ne formule pas sa demande dans le délai prescrit est réputé avoir renoncé à la prestation[82].

Dès la production d'une demande, la Commission est de plein droit subrogée aux droits du réclamant jusqu'à concurrence du montant qu'elle pourra être appelée à lui payer et elle peut, en son nom ou au nom et lieu du réclamant, continuer ou exercer une poursuite civile[83].

Toute demande présentée en vertu de la loi interrompt la prescription prévue au Code civil jusqu'à la décision de la Commission ou, lorsque celle-ci est contestée devant le Tribunal administratif du Québec, de la décision de ce tribunal[84].

La loi prévoit, par ailleurs, que le réclamant conserve son droit de recouvrer de la personne responsable du préjudice ou du décès, les montants requis pour équivaloir, avec l'indemnité reçue de la Commission, à la perte subie[85]. Si la somme adjugée et perçue à la suite d'une poursuite civile est inférieure à l'indemnité qui aurait pu être obtenue en vertu de la loi, un réclamant peut, pour la différence, adresser une demande de prestation à la Commission dans l'année du jugement, et ce malgré l'expiration du délai prévu par la loi pour déposer une demande[86].

Si le sauveteur a subi un préjudice ou est décédé dans des circonstances qui donnent ouverture à l'application de

---

73.   *Id.*, art. 20.1.
74.   *Id.*, art. 20.
75.   L.R.Q., c. C-12, art. 2.
76.   Voir, à cet égard, *Papin c. Éthier*, [1995] R.J.Q. 1795, EYB 1995-84534 (C.S.).
77.   L.R.Q., c. C-20. Voir, à cet égard, J.-L. BAUDOUIN et P. DESLAURIERS, *op. cit.*, note 3, par. 1-1089 et s.; voir également A. LAPORTE, *loc. cit.*, note 3.
78.   Est considéré comme sauveteur, en vertu de l'article 1 de la loi, celui qui, bénévolement porte secours à une personne s'il a un motif raisonnable de croire que la vie ou l'intégrité physique de cette personne est en danger.
79.   En vertu de l'article 1 de la loi, constitue un préjudice un dommage à l'intégrité physique ou aux biens d'une personne.
80.   *Id.*, art. 2.
81.   *Id.*, art. 3.
82.   *Id.*, art. 3, al. 2.
83.   *Id.*, art. 11.
84.   *Id.*, art. 19.
85.   *Id.*, art. 12.
86.   *Id.*, art. 14.

la *Loi sur les accidents du travail et les maladies professionnelles*, de la *Loi sur l'indemnisation des victimes d'actes criminels* ou d'une loi autre qu'une loi du Parlement du Québec, aucune prestation ne peut être accordée en vertu de la loi[87].

Toutefois, si les prestations prévues par une loi autre qu'une loi du Parlement du Québec sont inférieures à celles que prévoit la *Loi visant à favoriser le civisme*, le sauveteur ou une personne à charge, selon le cas, peut en réclamer la différence en vertu de la loi[88].

Si, par ailleurs, en raison du préjudice subi par un sauveteur ou du décès qui en résulte, une personne a droit à une indemnité en vertu de la *Loi sur l'assurance automobile* et une prestation en vertu de la *Loi visant à favoriser le civisme*, cette personne peut, à son option, réclamer une indemnité en vertu de la *Loi sur l'assurance automobile* ou une prestation en vertu de la *Loi visant à favoriser le civisme*. Toutefois, l'indemnisation en vertu de la *Loi sur l'assurance automobile* fait perdre tout droit à une prestation en vertu de la *Loi visant à favoriser le civisme*[89].

Enfin, la loi prévoit que, si le réclamant obtient, pour un cas donnant ouverture à la présente loi, une indemnité en vertu de l'article 79 de la *Loi sur la conservation et la mise en valeur de la faune*[90], cette indemnité doit être déduite de toute indemnité en vertu de la présente loi[91].

5- Le préjudice résultant d'une vaccination

C'est à la suite de la décision rendue par la Cour suprême du Canada dans l'affaire *Lapierre c. Procureur général du Québec*[92] que le législateur québécois a décidé d'indemniser, sans égard à la responsabilité de quiconque, le préjudice corporel subi par une personne vaccinée, une personne qui contracte la maladie d'une personne vaccinée ou le fœtus de l'une ou l'autre de ces personnes, ou, s'il y a décès, la personne qui a droit à une indemnité de décès[93].

La *Loi sur la santé publique* prévoit, à cet égard, que le ministre de la Santé et des Services sociaux indemnise, sans égard à la responsabilité de quiconque, toute victime d'un préjudice corporel[94] causé par une vaccination volontaire contre une maladie ou une infection prévue au règlement du gouvernement pris en vertu de l'article 137 ou causé par une vaccination imposée en vertu de l'article 123[95]. Dans les deux cas, la vaccination doit avoir eu lieu au Québec. En outre, pour qu'une personne soit indemnisée, il faut que soit établie la relation entre la vaccination et le préjudice[96]. Cela dit, dans l'éventualité où la demande d'indemnisation serait refusée par le ministre, le réclamant pourrait néanmoins obtenir le remboursement des frais d'expertise encourus en rapport avec sa demande d'indemnisation[97].

Une personne qui se croit lésée par une décision rendue par le ministre en vertu des articles 71 et 72 de la loi peut, dans un délai de 60 jours de la date de sa notification, la contester devant le Tribunal administratif du Québec[98]. Un recours devant le Tribunal administratif du Québec ne suspend pas le paiement d'une indemnité versée sous forme de rente[99].

Ce sont les règles prévues à la *Loi sur l'assurance automobile*[100] et à ses règlements qui s'appliquent au calcul de l'indemnité prévue à la loi, compte tenu des adaptations nécessaires[101].

Le droit à une indemnité d'une personne visée par les dispositions de la *Loi sur la santé publique* en matière de vaccination se prescrit par trois ans à compter de la date de l'acte vaccinal et, dans le cas d'une indemnité de décès, à compter de la date de ce décès. Toutefois, si le préjudice corporel se manifeste graduellement, le délai ne court qu'à compter du jour où il s'est manifesté pour la première fois[102].

---

87. *Id.*, art. 21.
88. *Ibid.*
89. *Id.*, art. 21.1.
90. L.R.Q., c. C-61.1.
91. *Loi visant à favoriser le civisme*, L.R.Q., c. C-20, art. 22.
92. [1985] R.C.S. 241, EYB 1985-150362.
93. *Loi sur la santé publique*, L.R.Q., c. S-2.2, art. 70 et 71.
94. Constitue un préjudice corporel, au sens de la loi, un préjudice permanent grave, physique ou mental, incluant le décès. *Loi sur la santé publique*, art. 70.
95. *Loi sur la santé publique*, art. 71.
96. *Services de santé et services sociaux – 13*, [1994] C.A.S. 737. Voir également, à cet égard, *M.B. c. Québec (Ministre de la Santé et des Services sociaux)*, [2001] T.A.Q. 1181; *J.T. c. Québec (Ministre de la Santé et des Services sociaux)*, [2003] T.A.Q. 812.
97. *B. (P.) c. Québec (Ministre de la Santé et des Services sociaux)*, EYB 2006-112148 (T.A.Q.A.S.).
98. *Id.*, art. 76.
99. *Id.*, art. 77.
100. *Loi sur l'assurance automobile*, L.R.Q., c. A-25.
101. *Loi sur la santé publique*, art. 72
102. *Id.*, art. 73.

La victime d'une vaccination peut, néanmoins, exercer une poursuite civile contre toute personne responsable des préjudices corporels qu'elle a subis[103]. La loi prévoit, à cet égard, que le ministre est subrogé de plein droit aux droits et actions de la victime contre le responsable du préjudice jusqu'à concurrence du montant de l'indemnité qu'il a versé ou du capital représentatif des rentes qu'il est appelé à verser[104].

6- Les détenteurs de permis de chasse et de piégeage

La *Loi sur la conservation et la mise en valeur de la faune*[105] contient des dispositions qui visent à indemniser, sans égard à la faute, les titulaires de permis de chasse et de piégeage qui se consacrent à ces activités à des fins récréatives et qui subissent des blessures reliées à ces activités, ainsi que leurs ayants cause s'ils décèdent.

À cet égard, l'article 79 de la loi prévoit que le ministre des Ressources naturelles, de la Faune et des Parcs accorde à tout titulaire de permis de chasse ou de piégeage qui subit une blessure par suite d'un accident qui résulte directement de la pratique, à des fins récréatives, de la chasse ou du piégeage au Québec ou, s'il meurt par suite d'un tel accident, à ses ayants cause, une indemnité dont le montant est déterminé par règlement; le montant de l'indemnité ne peut toutefois excéder 5 000 $ pour un même accident.

Le ministre est de plein droit subrogé au recours de toute personne qui reçoit une indemnité visée à l'article 79 de la loi à la suite d'une blessure ou de la mort d'un titulaire de permis de chasse ou de piégeage causée par la faute d'un tiers, jusqu'à concurrence du montant de l'indemnité; il n'est pas lié par un règlement ou un désistement, sauf s'il y a participé[106].

Par ailleurs, la loi prévoit que le ministre est tenu de payer les dommages-intérêts dont une personne qui chasse ou piège est responsable envers les tiers par suite d'un accident qui résulte directement de la pratique, à des fins récréatives, de la chasse ou du piégeage au Québec; le montant payé par le ministre ne peut toutefois excéder 10 000 $ outre les intérêts et les frais à l'égard d'une telle somme[107].

Le ministre n'est toutefois tenu de contribuer au paiement des dommages-intérêts dont la personne qui chasse ou piège est responsable que dans la mesure où ils excèdent l'obligation d'un assureur en vertu d'une police d'assurance-responsabilité qui couvre le même préjudice[108].

Le chasseur ou le piégeur visé à l'article 81 de la loi doit aviser par écrit, sans délai, le ministre de toute réclamation qui lui est faite ou de toute poursuite civile qui lui est intentée. À défaut d'un tel avis ou d'un avis donné par toute personne pouvant bénéficier de l'article 81, le ministre n'est pas tenu de payer les dommages-intérêts prévus audit article[109].

---

103. *Id.*, art. 74.
104. *Id.*, art. 75.
105. L.R.Q., c. C-61.1.
106. *Loi sur la conservation et la mise en valeur de la faune*, art. 80.
107. *Id.*, art. 81.
108. *Ibid.*
109. *Id.*, art. 82.

Titre II

La responsabilité des professionnels

Chapitre I

Mᵉ Patrice Deslauriers*

Commentaires généraux

Le Code des professions[1] régit aujourd'hui plus d'une quarantaine de professions. Le droit de la responsabilité des professionnels a connu, ces dernières décennies, une croissance importante, amenant plusieurs membres des corporations[2] à défiler devant les tribunaux chargés alors de scruter leur pratique[3]. Ce phénomène aurait été impensable il y a 50 ans, puisque à cette époque tout professionnel bénéficiait d'un statut spécial lui octroyant alors une quasi-immunité judiciaire. C'est ainsi qu'une condamnation n'était possible qu'à la condition que la victime fasse la preuve d'une négligence grossière du médecin, de l'avocat ou du notaire[4]. D'ailleurs, sur le plan sociologique, il est intéressant de constater qu'à l'époque les médecins n'étaient pas souvent désignés dans les procédures, leur nom étant remplacé par une lettre.

Les temps ont bien changé et, à cet égard, les professionnels ne sont plus à l'abri des poursuites civiles et demeurent, comme le simple citoyen, redevables de leur comportement fautif.

Cette augmentation des demandes en réparation du préjudice est tributaire de plusieurs facteurs[5]. Tout d'abord, il est indéniable que les victimes acceptent beaucoup moins leur sort sous prétexte qu'il s'agit là de leur destin. De même, le développement important du droit de la consommation a transformé inévitablement le client ou le patient en un consommateur. Ce dernier, toujours de plus en plus averti, est au fait de ses droits et n'hésite plus à se présenter devant les tribunaux pour les faire valoir. De plus, l'augmentation du nombre des rapports sociaux et économiques nous oblige à retenir plus souvent les services de spécialistes.

D'autres facteurs ont été signalés[6], par exemple, la complexité des rapports sociaux; pour les avocats et les notaires, l'augmentation du nombre de règles, le contrôle déficient des corporations à l'égard de leurs membres, le développement de l'assurance[7]. Également, l'octroi par les tribunaux de sommes importantes, dépassant les millions de dollars, au Québec, au Canada et surtout aux États-Unis a pu jouer un rôle non négligeable. La poursuite devant les tribunaux se révèle alors être une possibilité d'enrichissement (bien aléatoire, devrions-nous ajouter).

Finalement, on pourrait prétendre, sans preuve scientifique à l'appui, que les avocats qui se spécialisaient dans le domaine des accidents d'automobile ont dû se recycler, et que, s'ils ont désiré rester dans le domaine de la responsabilité civile, ils ont pu choisir le champ d'expertise de la responsabilité professionnelle.

Cela nous amène à notre deuxième observation.

Les professionnels sont, en général, tenus à une obligation de moyens. C'est-à-dire qu'on ne demande pas à un médecin de garantir la guérison de son patient, ni à un avocat de gagner sa cause. Le professionnel devra se comporter tel un professionnel prudent et diligent en tenant compte évidemment de son degré de spécialisation. Ainsi, un cardiologue est évalué selon le comportement des autres cardiologues. Toutefois, dans certaines situations, que nous analyserons plus loin, le professionnel peut être tenu de fournir un résultat précis, à défaut de quoi, il sera tenu responsable.

---

* Professeur à l'Université de Montréal et avocat.
1. L.R.Q., c. C-26.
2. Sur la responsabilité d'un ordre professionnel, voir *Finney c. Barreau du Québec*, [2004] 2 R.C.S. 17, REJB 2004-65746.
3. Pour l'influence du Code civil du Québec sur la responsabilité professionnelle, voir D. BORGIA, « L'impact du Code civil du Québec sur la responsabilité professionnelle : une réforme peut en cacher une autre », (2003) 105 *R. du N.* 643.
4. Par exemple, on écrivait : « An attorney is not liable in damages to his client except for gross negligence », *Dion c. Meunier*, (1941) 45 R.P. 170 (C.S.).
5. Voir Jean-Louis BAUDOUIN, « Rapport de synthèse », dans *La responsabilité civile des professionnels au Canada*, Cowansville, Les Éditions Yvon Blais Inc., 1988, p. 216.
6. *Ibid.* Pour l'influence de ces changements sur la profession notariale, voir J. LAMBERT, « Le notariat, une vision d'avenir pour une profession millénaire », (2003) 105 *R. du N.* 829.
7. Les professionnels étudiés dans le présent titre ont d'ailleurs tous l'obligation de s'assurer.

Par ailleurs, la doctrine[8] s'est ingéniée à établir une distinction théorique entre l'erreur et la faute, développement suivi par les tribunaux[9]. L'erreur, comportement d'une personne raisonnable et prudente, ne constitue pas le fondement de notre système d'indemnisation. À cet égard, aucune responsabilité n'est alors engagée. Au contraire, la faute, se définissant comme le comportement hors norme que n'aurait pas une personne raisonnablement prudente et diligente, engage la responsabilité de la personne l'ayant commise.

La distinction se révèle d'application difficile et le concept d'erreur devrait être banni, puisqu'il est source de confusion. Nous sommes d'avis que les juges doivent mettre l'accent, dans leurs décisions, non pas sur l'erreur, mais plutôt sur l'absence de faute. Cela permettra de démontrer que c'est véritablement la faute qui enclenche le processus de la responsabilité civile.

Nous voudrions souligner aussi que les professionnels sont astreints à respecter plusieurs devoirs édictés par les codes de déontologie[10]. Les tribunaux ont d'ailleurs une connaissance d'office de ces textes à caractère réglementaire[11]. Ces devoirs, qui expriment ce à quoi le milieu concerné s'attend des professionnels, s'avèrent une source importante de responsabilité. Un manquement aux règles déontologiques peut, sans aucun doute, constituer une faute contractuelle (à l'égard du client) ou extracontractuelle (à l'égard des tiers) qui, si elle entraîne un préjudice, rend redevable la personne fautive[12].

À cet égard, nous sommes d'avis que le principe énoncé par la Cour suprême dans l'arrêt *Morin c. Blais*[13], qui veut que la violation d'une règle statutaire énonçant une norme élémentaire de prudence[14] constitue une faute civile[15], devrait être utilisé dans le contexte de la responsabilité professionnelle[16].

8.   Jean PENNEAU, *La responsabilité du médecin*, Paris, Dalloz, 1992, p. 23.
9.   Dans l'affaire *Côté c. Drolet*, [1986] R.L. 236, EYB 1986-62442 (C.A.), on précise : « l'erreur [...] n'emporte pas en soi la faute. [...] L'erreur est certes un point de départ mais [...] elle ne suffit pas » (p. 247). Également, voir *Lapointe c. Hôpital Le Gardeur (N° 1)*, [1992] 1 R.C.S. 351, EYB 1992-67846, où la Cour suprême mentionne : « La doctrine et la jurisprudence font ressortir que les professionnels de la santé ne devraient pas être tenus responsables de simples erreurs de jugement qui sont distinctes de la faute professionnelle. » (p. 363); *Suite c. Cooke*, [1993] R.J.Q. 514, EYB 1993-86781 (C.S.), conf. par [1995] R.J.Q. 2765, EYB 1995-59148 (C.A.); *Johnson c. Forcier*, [1998] R.R.A. 1, REJB 1997-03578 (C.A.).
10. Code de déontologie des avocats, R.R.Q., c. B-1, r. 1; Code de déontologie des médecins, R.R.Q., c. M-9, r. 4.1; Code de déontologie des notaires, R.R.Q., c. N-3, r. 0.2. Voir, sur le sujet, Jean-Louis BAUDOUIN et Patrice DESLAURIERS, *La responsabilité civile*, 7e éd., volume 2 – Responsabilité professionnelle, Les Éditions Yvon Blais Inc., 2007, p. 1 et s., EYB2007RES34. Voir aussi Guy PÉPIN, « Concordances et dissonances entre les fautes civiles et déontologiques », dans *Le défi du droit nouveau pour les professionnels*, Les journées Maximilien-Caron, 1994, p. 105 et s.; Claude FABIEN, « Le nouveau cadre contractuel de l'exercice des professions », Les journées Maximilien-Caron, 1994, p. 73, p. 83 et s.; Line JANELLE, « L'impact de l'introduction de la faute disciplinaire en matière de responsabilité civile », Mémoire de maîtrise en droit, Université de Montréal, 1988; Odette JOBIN-LABERGE, « Normes, infraction et faute civile », dans Service de la formation permanente du Barreau du Québec, *Développements récents en déontologie, droit professionnel et disciplinaire (2000)*, Cowansville, Les Éditions Yvon Blais Inc., p. 31; Marie-Chantale THOUIN, « L'avocat, toujours de bon conseil », dans Service de la formation permanente du Barreau du Québec, vol. 228, *Développements récents en déontologie, droit professionnel et disciplinaire (2005)*, Cowansville, Les Éditions Yvon Blais Inc., 49, p. 69 et s.
11. *Millette c. Cigana*, J.E. 97-1854, REJB 1997-07530 (C.S.).
12. Il convient toutefois de souligner que si la jurisprudence fait usage des obligations déontologiques souvent par référence elle en tire rarement de véritables conclusions. Voir J.-L. BAUDOUIN et P. DESLAURIERS, *op. cit.*, note 10, p. 3 et 4; M.-C. THOUIN, *op. cit.*, note 10, p.72 et s. Pour des illustrations jurisprudentielles, voir *Bélair (Succession de) c. Delorme*, 98BE-1320 (C.S.); *Boivin c. 2955-0555 Québec Inc.*, [1999] R.J.Q. 1932, REJB 1999-13680 (C.A.); *Labrie c. Tremblay*, J.E. 2000-77, REJB 1999-15458 (C.A.); *Parizeau c. Poulin De Courcal*, J.E. 2000-370, REJB 2000-16283 (C.A.); *Goupil c. Centre hospitalier universitaire de Québec*, REJB 2001-25337 (C.S.); *Morin c. Couture*, REJB 2001-24293 (C.Q.) (dans cette affaire le juge nous semble toutefois trop catégorique lorsqu'il énonce « tout manquement au code constitue une faute civile »); *Laberge c. Avocats Gauthier Bédard, s.e.n.c.*, REJB 2001-27075 (C.S.); *Bernard c. Trottier*, REJB 2003-52029 (C.A.), conf. REJB 2003-40638 (C.S.); *Giguère c. Chambre des notaires*, [2004] 1 R.C.S. 3, REJB 2004-53100; *Côté c. Rancourt*, [2004] 3 R.C.S. 248, REJB 2004-70857; *Caisse populaire Desjardins de Rimouski c. Fonds d'assurance-responsabilité professionnelle de la Chambre des notaires du Québec*, REJB 2004-53082 (C.S.); *Caprera c. Viglione*, REJB 2004-66741 (C.S.), EYB 2006-103663 (C.A.); *Investissements Pliska Inc. c. Tiramani*, [2004] R.R.A. 1186, EYB 2004-71263 (C.S.); *Bailey c. Fasken Martineau Dumoulin, s.r.l.*, [2005] R.R.A. 842, EYB 2005-89537 (C.S.); *Mondoux c. Lapierre*, J.E. 2005-2193, EYB 2005-96932 (C.S.); *Rémillard c. Bélisle*, [2005] R.R.A. 972, EYB 2005-89608 (C.Q.); *Deslandes c. Union-vie (L')*, compagnie mutuelle d'assurances, EYB 2005-97724 (C.S.); *Stewart c. Valois*, [2006] R.R.A. 971, EYB 2006-109839 (C.S.); *Gagnon c. Compagnie d'assurance-vie AIG du Canada*, J.E. 2006-1540, EYB 2006-107634 (C.S.); *Daigle c. Lafond*, J.E. 2006-2105, EYB 2006-110324 (C.S.) (en appel); *Fermes Forcier & Fils, s.e.n.c. c. Promutuel Lac-St-Pierre – Les Forges, société mutuelle d'assurance générale*, J.E. 2006-2367, EYB 2006-111178 (C.S.); *Lemay c. Carrier*, EYB 2006-112232 (C.S.); *Côté c. Boiler Inspection and Insurance Company of Canada*, J.E. 2006-2215, EYB 2006-110764 (C.A.); *Sicé c. Langlois*, [2007] R.R.A. 515, EYB 2007-122245 (C.A.); *Parent c. Fortin*, J.E. 2007-143, EYB 2006-111704 (C.Q.); *Corporation prêts hypothécaires Ace c. Charron*, J.E. 2007-759, EYB 2007-115655 (C.Q.); *Durand c. Cossette*, J.E. 2007-848, EYB 2007-116930 (C.S.); *Placements Yvan Gaudreault inc. c. Cauchon*, J.E. 2007-1531, EYB 2007-122137 (C.S.); *Dulude c. Julien*, J.E. 2007-1664, EYB 2007-121994 (C.Q.); *Samson c. Carrier*, J.E. 2007-2026, EYB 2007-124686 (C.S.); *Dorion c. Larochelle*, [2008] R.R.A. 1009 (C.S.); *Gestion Maskimo Inc. c. Charbonneau*, J.E. 2008-1599, EYB 2008-138850 (C.S.); *Lanoue c. Courville*, J.E. 2008-2101, EYB 2008-148382 (C.S.) (en appel).
13. [1977] 1 R.C.S. 570.
14. Cette présomption est toutefois inapplicable si la règle statutaire visée à établir autre chose qu'une norme élémentaire de prudence. Voir, à titre d'illustration, *Zanchettin c. Demontigny*, REJB 2000-18486 (C.A.); *Therrien c. Launay*, [2005] R.R.A. 349, EYB 2005-86093 (appel rejeté sur requête, J.E. 2005-1345 (C.A.), EYB 2005-92515) (requête pour autorisation de pourvoi à la Cour suprême rejetée).
15. Il convient de souligner que dans l'arrêt *Morin c. Blais*, précité, note 13, la Cour suprême a également exprimé l'opinion, qu'en certaines circonstances, on pourrait présumer l'existence du lien de causalité. Dans un arrêt subséquent, la Cour suprême semble plus réticente à appliquer cette partie de l'arrêt *Morin c. Blais* au domaine médical, le cantonnant aux seuls accidents d'automobile : *St-Jean c. Mercier*, [2002] 1 R.C.S. 491, REJB 2002-28009. En revanche, dans un arrêt récent, ne traitant toutefois pas de responsabilité professionnelle, la Cour d'appel a appliqué le principe édicté par l'arrêt *Morin* relatif au lien de causalité. Voir *Matagami (Ville de) c. Cliche*, J.E. 2007-760, EYB 2007-116809 (C.A.).
16. Voir sur cette question, les commentaires de O. JOBIN-LABERGE, *loc. cit.*, note 10; M.-C. THOUIN, *op. cit.*, note 10, p. 71 et 72. Pour des discussions sur ce sujet dans la jurisprudence récente, voir *Therrien c. Launay*, précité, note 14; *Croteau c. Promutuel Bois-Francs*, J.E. 2005-1540, EYB 2005-92380 (C.S.), conf. par EYB 2007-119943 (C.A.).

Notre dernière observation concerne les conséquences, en matière de responsabilité professionnelle, de la décision importante de la Cour suprême dans une affaire de responsabilité notariale. Dans l'arrêt *Roberge c. Bolduc*, la Cour suprême a décidé que la pratique générale et établie d'un milieu ne lui conférait pas nécessairement un gage de raisonnabilité[17].

Certains ont vu dans cet arrêt la transformation, pour le notaire, du devoir de conseil en une obligation de résultat, alors que, traditionnellement, il avait toujours été considéré comme une simple obligation de diligence[18].

À notre avis, la Cour suprême n'a pas modifié le critère traditionnel : le professionnel est toujours tenu à une obligation de moyens[19]. En revanche, elle a refusé de faire l'équation selon laquelle la somme des pratiques individuelles de chaque praticien est nécessairement synonyme de pratique raisonnable. L'analyse *in abstracto* est tout simplement revalorisée. Nous traiterons de cet aspect dans le chapitre consacré à la responsabilité notariale.

Une question se pose toutefois dans le contexte général de la responsabilité professionnelle. Cette décision, rendue dans le contexte particulier de la responsabilité notariale, peut-elle être transposée à d'autres professionnels, en particulier aux professions juridiques?

Certains commentaires de l'arrêt nous amènent à poser cette question, par exemple, ceux de la juge L'Heureux-Dubé :

« [Le] fait qu'un professionnel ait suivi la pratique de ses pairs peut constituer une forte preuve d'une conduite raisonnable et diligente, *mais ce n'est pas déterminant.* »[20]

Ces propos semblent révéler l'intention arrêtée d'étendre l'application du principe aux professions en général. À notre avis, les tribunaux ne devraient pas s'autoriser de ce passage pour s'arroger le droit de s'immiscer dans des domaines d'expertise où ils sont profanes. Ils doivent ainsi faire preuve de réserve tout en étant conscients qu'un esprit de solidarité corporatiste puisse exister et fausser l'analyse de certains experts[21].

Ainsi, nous verrions mal un juge décider, en présence d'une preuve sérieuse de la soumission du chirurgien à la pratique médicale de l'époque, qu'il s'agit d'une conduite déraisonnable. Il est vrai que l'expertise ne lie pas le juge[22], mais il ne faut pas oublier que, sans l'expertise, le magistrat aura certains ennuis à suivre et à comprendre les débats[23]. Les professeurs Bernardot et Kouri expliquaient :

« L'expert [est] un spécialiste et le juge un profane. Ceci est vrai dans le domaine médical. Ce ne l'est plus dans le domaine juridique. Or quelle est la tâche de l'expert? Précisément de renseigner le juge au niveau des faits, de lui dire exactement dans un cas précis en quoi consistent « les données acquises de la science ». À ce niveau, le juge ne peut pas faire abstraction des informations données. Elles s'imposent à lui, en ce sens qu'il ne peut les ignorer. Mais au moment où la tâche de l'expert est terminée, celle du juge commence. »[24]

En somme, pour concilier ces deux réalités que représentent, d'une part, la marge de manœuvre qui doit être laissée aux personnes spécialisées et, d'autre part, le fait de ne pas laisser à la pratique le soin de fixer toutes les normes, la solution suivante s'impose[25]. La conformité avec la pratique devrait normalement exclure tout reproche de

---

17. La juge L'Heureux-Dubé fait remarquer à cet égard : « Que le notaire appelant ait agi en conformité avec la pratique notariale générale de l'époque ne semble pas contesté. [...] Cependant, il ne suffit pas, à mon avis, de suivre la pratique professionnelle courante pour échapper à sa responsabilité. Il faut que le caractère raisonnable de cette pratique puisse être démontré. », *Roberge c. Bolduc*, [1991] 1 R.C.S. 374, 434 et 437, EYB 1991-67727. Voir la réitération de ce principe dans le contexte médical, dans les décisions suivantes : *Ter Neuzen c. Korn*, [1995] 3 R.C.S. 674, EYB 1995-67069; *Gordon c. Weiswall*, [1998] R.R.A. 31, REJB 1998-04206 (C.A.); *Goupil c. Centre hospitalier universitaire de Québec*, précité, note 12. Voir toutefois les réserves importantes énoncées par la Cour d'appel dans les arrêts *Leduc c. Soccio*, [2007] R.R.A. 46, EYB 2007-114713 (C.A.) (requête pour autorisation de pourvoi à la Cour suprême rejetée) et *Ferland c. Ghosn*, [2008] R.R.A. 295 (C.A.).

18. Yvan DESJARDINS, « L'effet de la chose jugée et l'examen des titres, ou la responsabilité notariale selon la Cour suprême », (1992) 94 *R. du N.* 283, 290. Voir également sur cet arrêt, Paul-Yvan MARQUIS, « L'affaire Dorion : les conséquences du jugement de la Cour suprême sur la pratique notariale et sur l'examen de titres », (1992) 1 *C.P. du N.* 1; D. BORGIA, *op. cit.*, note 3, p. 656 et s.; Yvan DESJARDINS, « Les suites de l'affaire *Dorion* », dans *Mélanges Roger Comtois*, Montréal, Éditions Thémis, 2007, p. 271 (ci-après désigné « Y. DESJARDINS (2007) »).

19. Voir pour la réaffirmation nette de ce principe, *Trempe c. Fiducie Desjardins*, REJB 2003-46895 (C.A.); *Vachon c. Compagnie Trust Central Guaranty*, [1998] R.R.A. 16, REJB 1997-03576 (C.A.).

20. *Roberge c. Bolduc*, précité, note 17, p. 437 (souligné dans le texte).

21. *Gburek c. Cohen*, [1988] R.J.Q. 2424, EYB 1988-63095 (C.A.); *F. (L.) c. Villeneuve*, REJB 1999-14079 (C.S.) conf. par REJB 2002-30304 (C.A.). Voir aussi *Lauzon c. Ranger*, REJB 2002-35918 (C.S.); *Duguay c. Desjardins*, 2005BE-978 (C.S.). Heureusement, cette pratique n'est pas généralisée. Voir *Ratelle c. Hôpital Cité de la santé de Laval*, [2000] R.R.A. 697, REJB 2000-19670 (C.S.), 2005BE-17 (C.A.).

22. La Cour suprême s'est permis de le rappeler dans *Roberge c. Bolduc*, précité, note 17, p. 430. Voir toutefois certains commentaires ambigus dans l'arrêt *Gordon c. Weiswall*, précité, note 17.

23. Sur l'expertise en général voir Jean-Claude ROYER et Sophie LAVALLÉE, *La preuve civile*, 4ᵉ éd., Cowansville, Les Éditions Yvon Blais Inc., 2008, p. 325 et s.; Daniel BÉCHARD, « *L'expert : recevabilité, qualification et force probante* », dans Congrès annuel du Barreau du Québec, 2002, p. 11; Mohammad HOSSEINI, « Rôle de l'ingénieur légiste dans les procès de litige et vices cachés en construction », dans Service de la formation permanente du Barreau du Québec, vol. 223, *Développements récents en droit de la construction (2005)*, Cowansville, Les Éditions Yvon Blais Inc., p. 99.

24. Alain BERNARDOT et Robert KOURI, *La responsabilité civile médicale*, Sherbrooke, Éditions Revue de droit, 1980, p. 17.

25. Cette solution s'inspire notamment des commentaires des professeurs Bernardot et Kouri, *id.*, p. 19.

négligence. De plus, sur le terrain de la technique, le juge doit s'incliner. Comme l'explique la Cour d'appel : « Dans certains champs d'activité, comme la médecine par exemple, le droit a assimilé le standard scientifique, de sorte que la faute est appréciée en fonction des pratiques reconnues par les experts eux-mêmes. »[26] En revanche, le juge garde ses prérogatives à l'égard des comportements qui relèvent de la plus élémentaire prudence[27].

Quant à la preuve de la raisonnabilité de cette pratique, une question se pose : Dans le domaine juridique, doit-elle être nécessairement faite par un expert?

À cet égard, si en règle générale les tribunaux ne voyaient pas l'utilité de recourir à l'expertise lorsqu'il s'agit de questions de droit[28], certaines décisions récentes, non sans fondement[29], déplorent l'absence d'une expertise précise les éclairant sur la pratique surtout lorsque le défendeur œuvrait dans un domaine spécialisé[30].

Force est de constater que si l'arrêt *Roberge* a certainement pour effet de rehausser les critères de responsabilité, il devrait toutefois être appliqué avec circonspection à l'égard des avocats[31], des autres professions[32] et même des notaires.

Dans les pages qui suivent, nous étudierons le droit de la responsabilité civile de trois professionnels, l'avocat, le notaire et le médecin.

---

26. *Gordon c. Weiswall*, précité, note 17. Voir aussi *Leduc c. Soccio*, précité, note 17.
27. Voir ainsi l'affaire *G. c. C.* où le juge critique la pratique généralisée de l'époque, en l'occurrence celle de ne pas effectuer le décompte des pinces hémostatiques. *G. c. C.*, [1960] B.R. 161, 171. Voir également, sur la question, *Suite c. Cooke*, précité, note 9; *Ter Neuzen c. Korn*, précité, note 17; *Gordon c. Weiswall*, précité, note 17; *Goupil c. Centre hospitalier universitaire de Québec*, précité, note 12; *Compagnie mutuelle d'assurance Wawanesa c. GMAC location limitée*, [2005] R.R.A. 25, EYB 2005-85990 (C.A.); *Boothman c. Poirier*, 2005BE-380, EYB 2005-86339 (C.S.); *Lafaille & Fils (1975) Ltée c. Habitations d'Argoulème Inc.*, J.E. 2006-75, EYB 2005-98707 (C.A.).
28. *Rocheleau c. Pouliot*, J.E. 2000-78, REJB 1999-15129 (C.S.). Pour certains, l'expertise en droit serait d'ailleurs irrecevable, voir *Parizeau c. Lafrance*, [1999] R.J.Q. 2399, REJB 1999-14780 (C.S.); *Côté c. Gagnon*, J.E. 2005-498, EYB 2005-82704 (C.S.). Voir, en sens contraire, *Khalid c. Lépine*, REJB 2000-20064 (C.S.), [2004] R.J.Q. 2415, REJB 2004-70368 (C.A.).
29. Voir à ce sujet, *Bailey c. Fasken Martineau Dumoulin, s.r.l.*, précité, note 12.
30. *Bailey c. Fasken Martineau Dumoulin, s.r.l.*, précité, note 12. Voir aussi *Mondoux c. Lapierre*, précité, note 12; *contra : Parizeau c. Lafrance*, précité, note 28; *Côté c. Gagnon*, précité, note 28.
31. Plusieurs décisions qui impliquent des avocats appliquent l'arrêt *Roberge*, précité, note 17. Voir la jurisprudence citée dans J.-L. BAUDOUIN et P. DESLAURIERS, *op. cit.*, note 10, p. 12 (à la note 53). Il convient de souligner que dans un arrêt récent la Cour d'appel souligne que même à l'égard de l'avocat, la règle énoncée par l'affaire *Roberge* n'est pas sans limites. Voir *Leduc c. Soccio*, précité, note 17.
32. Pour des exemples où les tribunaux ont appliqué l'arrêt *Roberge*, précité, note 17, à d'autres professions ou métiers, voir la jurisprudence citée dans J.-L. BAUDOUIN et P. DESLAURIERS, *op. cit.*, note 10, p. 12 (notes 54 à 63); *Samson c. Carrier*, précité, note 12 (conseiller financier); *Imbeault c. Collège d'enseignement général et professionnel de Maisonneuve*, [2007] R.J.Q. 86, EYB 2006-111766 (C.S.) (en appel). Il convient toutefois de noter les réserves récentes énoncées par la Cour d'appel. Voir *Leduc c. Soccio*, précité, note 17; *Ferland c. Ghosn*, précité, note 17.

Chapitre II

Me Patrice Deslauriers*

La responsabilité des avocats[1]

1- La nature de la relation

On s'accorde généralement pour qualifier la relation entre un client et son avocat comme étant de nature contractuelle. L'article 1458 C.c.Q. oblige donc le client à recourir exclusivement au régime contractuel s'il désire poursuivre son procureur. Mais quelle est la nature de ce contrat? Certains sont d'avis que tous les éléments sont présents pour faire de l'avocat le mandataire de son client[2]. Cette qualification n'est pas inexacte mais elle ne correspond pas à toutes les facettes du travail de l'avocat. En effet, il est de l'essence du mandat qu'il y ait représentation (art. 2130 C.c.Q.). Cette composante n'est pas toujours présente. C'est pourquoi, certains auteurs assimilent le tout à un contrat de service ou d'entreprise[3]. Existe-t-il un intérêt véritable à distinguer les deux? Entre les parties[4], il ne semble pas, puisque les parties sont

* Professeur à l'Université de Montréal et avocat. L'auteur remercie Mme Carole Goyette pour son aide.

1. L'étudiant qui désire approfondir cette question peut lire : Jean-Louis BAUDOUIN et Patrice DESLAURIERS, *La responsabilité civile*, 7e éd., volume 2 – Responsabilité professionnelle, Cowansville, Les Éditions Yvon Blais Inc., 2007, p. 119 à 142, EYB2007RES36; Patrick MOLINARI, « La responsabilité civile de l'avocat », (1977) 37 *R. du B.* 275; André POUPART, « En matière de responsabilité professionnelle, les tribunaux ont-ils été trop sévères à l'égard des avocats? », dans *La responsabilité civile des professionnels au Canada*, Cowansville, Les Éditions Yvon Blais Inc., 1988, p. 157; Gérald TREMBLAY, « La responsabilité professionnelle de l'avocat-conseil », dans *Meredith Memorial Lectures*, Toronto, De Boo, 1984, p. 177; Odette JOBIN-LABERGE, « La responsabilité civile des avocats pour la diffamation dans les actes de procédures », dans Service de la formation permanente, Barreau du Québec, *Développements récents en droit civil (1993)*, Cowansville, Les Éditions Yvon Blais Inc., p. 21 (ci-après : O. JOBIN-LABERGE (1993); Yves-Marie MORISSETTE, « L'initiative judiciaire vouée à l'échec et la responsabilité de l'avocat ou de son mandant », (1984) 44 *R. du B.* 397 (ci-après : Y.-M. MORISSETTE (1984); André et Richard NADEAU, *Traité pratique de la responsabilité civile délictuelle*, Montréal, Wilson & Lafleur, 1971, p. 299 à 308; Pierre-Gabriel GUIMONT, « Les honoraires professionnels de l'avocat : question de contrat ou question d'éthique », dans Service de la formation permanente, Barreau du Québec, *Développements récents en déontologie, droit professionnel et disciplinaire (2001)*, Cowansville, Les Éditions Yvon Blais Inc., p. 151, EYB2001DEV693; Marie ST-PIERRE, « Règles du jeu : l'avocat et les renseignements personnels », dans Service de la formation permanente, Barreau du Québec, vol. 161, *Développements récents en droit civil (2001)*, Cowansville, Les Éditions Yvon Blais Inc., p. 1, EYB2001DEV398; Odette JOBIN-LABERGE, « La prescription extinctive : attention aux délais hors normes », dans Service de la formation permanente, Barreau du Québec, vol. 161, *Développements récents en droit civil (2001)*, Cowansville, Les Éditions Yvon Blais Inc., 2001, p. 101, EYB2001DEV400; Marie-Ève ARBOUR, « Réflexions portant sur le contrôle de la compétence professionnelle des membres du Barreau du Québec », (2001) 42 *C. de D.* 1063; Pierre BERNARD, « La responsabilité des avocats en matière de procédures abusives : une question complexe », (2001-2002) 32 *R.D.U.S.* 271; Jean-Jacques GAGNON, « La diffamation et la procédure abusive en matière familiale », dans Service de la formation permanente, Barreau du Québec, vol. 176, *Développements récents en droit familial (2002)*, Cowansville, Les Éditions Yvon Blais Inc., p. 131, EYB2002DEV302; Jean-Paul MICHAUD, « Le syndic et l'avocat : le syndrome du coyote », dans Service de la formation permanente, Barreau du Québec, vol. 174, *Développements récents en déontologie, droit professionnel et disciplinaire (2002)*, Cowansville, Les Éditions Yvon Blais Inc., p. 19, EYB2002DEV559; Yves-Marie MORISSETTE, « Pathologie et thérapeutique du plaideur trop belliqueux », (2002) 32 *R.D.U.S.* 251; William DUFORT, « Les principales difficultés en matière de tenue de dossiers et du domicile professionnel des avocats », dans Service de la formation permanente, *Développements récents en déontologie, droit professionnel et disciplinaire (2003)*, Cowansville, Les Éditions Yvon Blais Inc., p. 1, EYB2003DEV540; Jean-Denis ARCHAMBAULT, *L'exercice anormal du droit d'ester en matière civile et sa sanction judiciaire*, Cowansville, Les Éditions Yvon Blais Inc., 2005, p. 133 et s.; Marie-Chantale THOUIN, « L'avocat, toujours de bon conseil? », dans Service de la formation permanente, Barreau du Québec, vol. 228, *Développements récents en déontologie, droit professionnel et disciplinaire (2005)*, Cowansville, Les Éditions Yvon Blais Inc., p. 49; Christian M. TREMBLAY, « L'abus de procédures : quand la limite est franchie, qui sera responsable? », dans Service de la formation permanente, Barreau du Québec, vol. 231, *Développements récents sur les abus de droit (2005)*, Cowansville, Les Éditions Yvon Blais Inc., p. 453; Robert PIDGEON, « L'avocat et la partie non représentée : jusqu'où le Tribunal peut-il repousser les limites déontologiques », dans Service de la formation continue du Barreau du Québec, vol. 248, *Développements récents en déontologie, droit professionnel et disciplinaire (2006)*, Cowansville, Les Éditions Yvon Blais Inc., 2006, p. 93; Martine GERVAIS, « L'obligation d'attestation d'identité : obligation de résultat? », dans Service de la formation continue du Barreau du Québec, vol. 296, *Développements récents en vol d'identité et protection des renseignements personnels (2008)*, Cowansville, Les Éditions Yvon Blais Inc., 2008. p. 1.
2. P. MOLINARI, *loc. cit.*, note 1, p. 278; A. et R. NADEAU, *loc. cit.*, note 1, p. 300. Voir en jurisprudence *Villeneuve*, *Venne c. Marois*, J.E. 99-1629, REJB 1999-14420 (C.S.); *Montréal (Communauté urbaine de) c. Crédit commercial de France*, REJB 2001-24497 (C.A.); *Benoit c. Béliveau*, 2003BE-96 (C.S.); *Jean-Louis c. St-Hilaire*, J.E. 2007-992, EYB 2007-118069 (C.S.), conf. par EYB 2008-132024 (C.A.); *2731-9359 Québec Inc. c. Morency, Tremblay, Lemieux, Fortin*, J.E. 2008-2158, EYB 2008-148997 (C.S.) (en appel). Cette qualification a des conséquences parfois importantes pour le client. *Compagnie d'assurance Standard Life c. Mc Master Meighen*, J.E. 2005-1855, EYB 2005-92941 (C.S.), conf. par J.E. 2007-1897, EYB 2007-124379 (C.A.). Voir *Malenfant c. Assurances générales des Caisses Desjardins*, [1999] R.R.A. 832, REJB 1999-15345 (C.A.) (client lié par l'aveu de l'avocat).
3. G. TREMBLAY, *loc. cit.*, note 1, p. 180. Voir aussi *Fasken Martineau Dumoulin c. Association étudiante de l'Université McGill*, REJB 2001-25371 (C.Q.). *Jasmin c. Wolfe*, REJB 2003-44703 (C.S.); *Bailey c. Fasken Martineau Dumoulin, s.r.l.*, [2005] R.R.A. 842, EYB 2005-89537 (C.S.).
4. L'intérêt semble toutefois jouer en ce qui a trait au tiers. Ainsi, on a condamné personnellement un avocat à payer à Thémis Multifactum les frais pour la préparation matérielle du mémoire d'appel d'un client en niant au procureur sa simple qualité de mandataire du client : *Thémis Multifactum Inc. c. Brassard,*

tenues sensiblement au même fardeau obligationnel[5], quelle que soit la qualification du contrat.

2- La responsabilité personnelle de l'avocat à l'égard de son client

A- L'intensité de son obligation

L'avocat est tenu généralement à une obligation de moyens, c'est-à-dire qu'il doit dispenser des services attentifs, consciencieux et conformes aux règles de l'art. Comme l'exprimait la Cour supérieure : « L'avocat est comptable d'une obligation de soins et de diligence raisonnable; il est clair qu'il doit faire usage de ses connaissances particulières pour bien protéger son client. [...] le mandataire doit agir comme fait un père diligent pour protéger celui qu'il assiste et conseille. »[6] D'ailleurs, les règles spécifiques édictées pour le contrat imposent au mandataire d'agir avec prudence et diligence[7] (art. 2138 C.c.Q.), rappelant ainsi le concept de la personne raisonnable[8].

En revanche, ponctuellement, la jurisprudence se montre plus sévère et impose à l'avocat une obligation de résultat[9]. Par exemple, il est de jurisprudence constante qu'au regard de la prescription, l'avocat ne peut se tromper et que le défaut de respecter un délai de prescription constitue une faute contractuelle dont il ne peut se disculper en plaidant simplement avoir agi raisonnablement[10].

D'autres situations, par exemple en matières immobilières ou lorsque le procureur garantit un résultat[11], révèlent de temps à autre une obligation « enrichie »[12].

B- Les devoirs de l'avocat

L'avocat, à titre de mandataire, doit agir avec prudence et diligence. Le Code civil du Québec prévoit également l'obligation pour lui « d'agir avec honnêteté et loyauté dans le meilleur intérêt du mandant et [d'] éviter de se placer dans une situation de conflit [d'intérêts] » (art. 2138 C.c.Q.).

Concrètement, cela signifie que l'avocat doit faire preuve de compétence et de loyauté. Également, à l'instar des autres professionnels, l'avocat est tenu au secret professionnel. Analysons successivement ces obligations.

1. *Le devoir de compétence*[13]

L'avocat, détenteur d'un quasi-monopole au regard de certains actes[14], a en contrepartie certaines obligations. En raison de ses connaissances particulières, le public est en droit d'avoir certaines attentes légitimes[15] qui, si elles ne sont pas comblées, peuvent déclencher une action en justice. Cette obligation de compétence de l'avocat se divise en deux devoirs différents; tout d'abord un devoir de conseil, et ensuite un devoir de diligence dans la rédaction des actes de procédure et la conduite du procès.

REJB 2000-17469 (C.Q.), conf. par C.A. Montréal, n° 500-09-009271-008, 9 juin 2000. Pour des solutions inverses, voir *Lex-Libris documentation juridique Inc. c. Kushnir & Water, s.e.n.c.*, 2007BE-10 (C.Q.p.c.) (le cabinet a toutefois été condamné à payer une portion de la facture pour d'autres motifs); *Shvartsman c. Petit*, 2000BE-1330 (C.Q.p.c.).

5.   G. TREMBLAY, *loc. cit.*, note 1, p. 186. Voir aussi *3090-6945 Québec Inc. c. Canal*, REJB 2001-25141 (C.Q.).

6.   *Okraine c. Vaillant*, [1983] C.S. 492, conf. par [1985] C.A. 581; *Harris c. Quain et Quain*, [1977] C.A. 588; *Marcotte c. Simard*, [1996] R.R.A. 554, REJB 1996-29237 (C.A.); *Labrie c. Tremblay*, REJB 1999-15458 (C.A.); *Parizeau c. Lépine*, REJB 2002-35328 (C.A.), inf. REJB 2001-25238 (C.S.); *1632-6787 Québec Inc. c. Compagnie Montréal Trust*, REJB 2003-50516 (C.A.), conf. par REJB 2002-32079 (C.S.); *Perreault c. Kingsbury*, REJB 2004-53268 (C.S.); *K.S. c. Lancry*, J.E. 2007-1774, EYB 2007-123073 (C.S.); *Lamarre, Perron, Lambert, Vincent, s.e.n.c. c. MIC, maisons internationales du Canada Inc.*, EYB 2007-119037 (C.Q.). Par ailleurs, l'avocat ne doit pas outrepasser son mandat, voir *Gagnon-Bérubé c. Poulin*, 2002BE-813, EYB 2002-123243 (C.S.). Certaines décisions de common law répertoriées par G. TREMBLAY, *loc. cit.*, note 1, p. 208, semblent demander de prendre en considération certaines particularités régionales, mais comme l'auteur l'indique cette composante ne devrait pas être prise en compte à moins qu'il s'agisse là d'un élément exceptionnel au dossier.

7.   Voir aussi le nouvel article 3.00.01 du Code de déontologie des avocats, R.R.Q., c. B.-1, r. 1.

8.   *Perreault c. Kingsbury*, précité, note 6.

9.   Dans ce domaine, comme ailleurs, l'absence d'aléas constitue le critère déterminant dans l'analyse de l'intensité de l'obligation : Paul-André CRÉPEAU, *L'intensité de l'obligation juridique ou des obligations de diligence, de résultat et de garantie*, Cowansville, Les Éditions Yvon Blais Inc., 1989.

10.   *Beaupré c. Joly*, [1971] C.S. 199; *Lacoursière c. Laplante*, [1976] C.A. 433; *Leclerc c. Pépin et Germain*, [1976] C.S. 1398; *Salesse c. Truchon*, REJB 2003-40739 (C.S.), REJB 2004-60916 (C.A.); *Lapierre c. Leduc*, EYB 2006-107275 (C.S.); *Agritron Inc. c. Dauphin*, J.E. 2008-835, EYB 2008-131161 (C.S.) (en appel).

11.   *Pinard c. Meunier*, [1995] R.R.A. 63, EYB 1995-84686 (C.S.).

12.   Voir les exemples donnés dans A. POUPART, *loc. cit.*, note 1, p. 157. Voir aussi *Gestion Maskimo Inc. c. Charbonneau*, J.E. 2008-1599, EYB 2008-138850 (C.S.).

13.   Sur la responsabilité du Barreau pour avoir toléré un membre incompétent, voir *Finney c. Barreau du Québec*, [2004] 2 R.C.S. 17, REJB 2004-65746; *MacLean (Forbes) (Succession de) c. Barreau du Québec*, J.E. 2008-1476, EYB 2008-136610 (C.S.) (il s'agissait d'une requête (rejetée) pour autorisation d'exercer un recours collectif). Voir aussi, en common law, *Edwards c. Barreau du Haut-Canada*, [2001] 3 R.C.S. 562, REJB 2001-26863.

14.   Sur la question de la validité des actes de procédures rédigés par une personne qui n'est pas membre du Barreau, voir *Fortin c. Chrétien*, [2001] 2 R.C.S. 500, REJB 2001-25001.

15.   *Labrie c. Tremblay*, précité, note 6.

a) Le devoir de conseil

L'avocat demeure, avec le notaire, la personne apte à conseiller son client[16] sur l'existence, l'étendue et la réalisation de ses droits[17]. L'avocat doit conseiller son client et s'assurer que ce dernier prend une décision éclairée. Toutefois, il ne doit pas décider à la place de son client[18]. Ce devoir existe « en tout temps » et « peu importe la spécificité du mandat confié »[19]. À cet égard, le Code de déontologie des avocats précise certains paramètres : « L'avocat doit exposer au client de façon objective la nature et la portée du problème qui, à son avis, ressort de l'ensemble des faits qui ont été portés à sa connaissance et des risques inhérents aux mesures recommandées. » (art. 3.02.04); « En plus des avis et des conseils, l'avocat doit fournir au client les explications nécessaires à la compréhension et à l'appréciation des services qu'il lui rend. » (art. 3.03.02)[20]. L'avocat n'est pas tenu de tout savoir[21], surtout depuis le foisonnement des normes législatives et réglementaires, mais il doit être en mesure de conseiller et de renseigner adéquatement son client. Les connaissances de ce dernier se révèlent un facteur qui doit être pris en considération dans l'analyse de l'étendue de son devoir de conseil[22]. Par ailleurs, si le mandat qu'on lui a confié excède sa compétence, les règles déontologiques l'obligent à se retirer du dossier[23]. En d'autres mots, l'avocat doit être au fait de sa propre compétence et surtout des limites de celle-ci[24].

À l'opposé, si l'avocat accentue sa publicité sur les connaissances approfondies qu'il détient dans certains domaines, les attentes du client seront accrues et considérées comme des circonstances importantes[25].

L'ignorance d'une règle de droit ne constitue pas automatiquement une omission fautive, mais eu égard aux circonstances, elle peut servir de fondement à une action en réparation du préjudice. Ainsi, l'avocat ne doit aucunement se tromper quand le droit est clair et dépourvu d'ambiguïté[26].

---

16. Pour des discussions sur l'obligation d'information de l'avocat à l'égard d'une autre partie, voir *General Accident, compagnie d'assurances c. Moreau*, J.E. 98-2213, REJB 1998-09630 (C.Q.); *Abou-Kasm c. Levine*, REJB 2003-39853 (C.S.); *Savard c. 2329-1297 Québec Inc. (Hôtel Lord Berri Inc.)*, [2005] R.J.Q. 1997, EYB 2005-93444 (C.A.) (demande d'autorisation d'appel à la Cour suprême rejetée); *Gestion Grondin Inc. c. Morin*, J.E. 2009-185, EYB 2008-151395 (C.S.).

17. Voir, à titre d'illustration, *Bernley Investments Inc. c. Salomon*, 99BE-1206 (C.S.), conf. par C.A. Montréal, nº 500-09-008811-994, 31 mai 2002 (AZ-02019621); *Labrie c. Tremblay*, précité, note 6; *Parizeau c. Poulin De Courval*, REJB 2000-16283 (C.A.); *Lépine c. Parizeau*, REJB 2001-25238 (C.S.), conf. sur ce point par REJB 2002-35328 (C.A.); *Abou-Kasm c. Levine*, précité, note 16; *Investissements Pliska Inc. c. Tiramani*, J.E. 2004-2049, EYB 2004-71263 (C.S.); *K.S. c. Lancry*, précité, note 6; *Gingras c. Pharand*, J.E. 2007-1350, EYB 2007-120749 (C.S.); *Bomba c. Thomas*, J.E. 2007-2065, EYB 2007-124286 (C.S.) (en appel); *Grenier c. Pothier Delisle*, 2007BE-960, EYB 2007-116909 (C.S.) (appel rejeté sur requête) (requête pour autorisation de pourvoi à la Cour suprême rejetée); *Mathieu c. Fonds d'assurance responsabilité professionnelle du Barreau du Québec*, [2008] R.R.A. 671, EYB 2008-139191 (C.S.) (en appel); *Dufour c. Blanchet*, J.E. 2008-1177, EYB 2008-132700 (C.S.); *Gestion Maskimo Inc. c. Charbonneau*, précité, note 12; *2731-9359 Québec Inc. c. Morency, Tremblay, Lemieux, Fortin*, précité, note 2.

18. *Fortin c. Lanouette*, 2002BE-812 (C.S.).

19. *Labrie c. Tremblay*, précité, note 6; *Côté c. Rancourt*, [2004] 3 R.C.S. 248, REJB 2004-70857; *Lenetsky c. Feldman*, [2005] R.R.A. 501, EYB 2005-89827 (C.S.); *André Joyal Motoneige c. Fonds d'assurance responsabilité professionnelle du Barreau du Québec*, [2005] R.R.A. 626, EYB 2005-86303 (C.S.); *Clermont c. Plante*, [2005] R.R.A. 799, EYB 2005-90583 (C.S.); *Compagnie d'assurance Standard Life c. Mc Master Meighen*, précité, note 2; *Mathieu c. Fonds d'assurance responsabilité professionnelle du Barreau du Québec*, précité, note 17; *Meunier c. Gagnon*, J.E. 2008-339, EYB 2007-128154 (C.Q.). Voir toutefois l'affaire *Chatzizanaki c. Revelis*, EYB 2008-132885 (C.Q.) où, en raison de circonstances particulières, le tribunal a fait preuve d'une certaine clémence à l'égard d'une avocate.

20. Code de déontologie des avocats, R.R.Q., c. B-1, r. 1. Voir en jurisprudence *Raymond c. Biron*, [1997] R.R.A. 1089 (C.S.); *Bomba c. Thomas*, précité, note 17.

21. La Cour suprême précisait ainsi que : « L'exigence de compétence professionnelle dont il est particulièrement question en l'espèce est la connaissance raisonnable des règles de droit applicables ou pertinentes. Un avocat est tenu non pas de connaître toutes les règles de droit applicables à la prestation d'un service juridique donné, en ce sens que cela fasse partie de son « bagage professionnel », sans qu'il soit nécessaire de procéder à des recherches plus fouillées, mais plutôt de posséder une connaissance suffisante des points ou des principes de droit fondamentaux applicables au travail précis qu'il a entrepris, de sorte qu'il puisse percevoir la nécessité de vérifier les règles de droit qui s'appliquent à chaque point pertinent. » *Central Trust Co. c. Rafuse*, [1986] 2 R.C.S. 147, 208, EYB 1986-67369.

22. *Groupe Acme Canada Inc. c. McCarthy Tétrault*, REJB 2000-17361 (C.S.); *Côté c. Rancourt*, précité, note 19; *Jodoin c. Dauphin*, REJB 2003-43983 (C.S.); *Investissements Pliska Inc. c. Tiramani*, précité, note 17; *Mondoux c. Lapierre*, J.E. 2005-2193, EYB 2005-96932 (C.S.); *Tousignant c. Poliquin*, J.E. 2008-485, EYB 2008-128818 (C.S.) (en appel).

23. Code de déontologie des avocats, précité, note 20, art. 3.01.01. Pour des discussions relatives à cet article et sur le devoir impératif de l'avocat de consulter ses propres experts fiscaux dans son cabinet juridique ou de s'assurer que la transaction de son client est soumise à des experts en la matière, voir *Consentini c. McMaster Meighen*, REJB 2002-30772 (C.S.) (l'action a été rejetée, les dommages n'ayant pu être prouvés).

24. *Côté c. Rancourt*, précité, note 19; *Marc Chartrand Conseil M.C.C. Inc. c. Boivin & Deschamps*, 2004BE-553, REJB 2004-59950 (C.Q.); *Roussin c. Charbonneau*, [2005] R.R.A. 924, EYB 2005-92394 (C.S.); *Dupuis c. Fraygui*, [2008] R.R.A. 807, EYB 2008-147397 (C.A.); *Gestion Maskimo Inc. c. Charbonneau*, précité, note 12.

25. *Labrie c. Tremblay*, précité, note 6; *Parizeau c. Poulin De Courval*, précité, note 17; *Groupe Acme Canada Inc. c. McCarthy Tétrault*, précité, note 22; *Lépine c. Parizeau*, précité, note 17; *Côté c. Rancourt*, précité, note 19; *Fournier c. Sauvageau*, J.E. 2006-239, EYB 2005-99310 (C.S.).

26. P. MOLINARI, *loc. cit.*, note 1, p. 290. Voir l'affaire *Darveau c. Colas*, [1992] R.R.A. 543, EYB 1992-59223 (C.A.); *Rocheleau c. Pouliot*, REJB 1999-15129 (C.S.). *Salesse c. Truchon*, précité, note 10; *Roussin c. Charbonneau*, précité, note 24; *André Joyal Motoneige c. Fonds d'assurance responsabilité professionnelle du Barreau du Québec*, précité, note 19; *Clermont c. Plante*, précité, note 19; *Lapierre c. Leduc*, précité, note 10; *Stewart c. Valois*, EYB 2006-109839 (C.S.); *Bomba c. Thomas*, précité, note 17; *Gestion Maskimo Inc. c. Charbonneau*, précité, note 12.

En revanche, lorsque la règle est controversée, ou son application aux faits[27], l'avocat doit en faire part à son client[28] et doit évidemment prendre position. N'étant pas soumis à une obligation de résultat, il ne peut garantir que son opinion est nécessairement la meilleure; il doit néanmoins établir sa position sur des bases légales raisonnables[29], même si son raisonnement est plus tard rejeté par les tribunaux[30]. Il est d'ailleurs essentiel que les tribunaux chargés d'évaluer le raisonnement du procureur soient en mesure de se replacer à l'époque où il a pris position et non pas au jour du jugement[31].

Un contentieux qui n'est pas apparu au Québec, mais qui a connu quelques rebondissements en France[32] est le suivant : un avocat doit-il connaître toute la jurisprudence et jusqu'à quel degré doit-il maintenir ses connaissances en droit comparé?

En ce qui a trait à la jurisprudence, une distinction s'impose. On sait que toute décision n'est pas automatiquement publiée et, de ce fait, n'est pas nécessairement connue[33]. En revanche, elle sera évidemment connue par ceux et celles qui ont participé de près ou de loin au procès et par un cercle réduit de confrères et de consœurs.

Les décisions non publiées ne le sont pas souvent pour une raison bien simple, elles confirment des décisions antérieures ou l'élément factuel qui en fait l'objet est trop déterminant pour en faire une décision de principe. Mais il peut arriver que certains points importants aient échappé à ceux qui sont chargés de les répertorier.

Si une décision qui était venue changer complètement une tendance jurisprudentielle sur laquelle le procureur s'était fondé n'était pas publiée et donc inconnue de l'avocat au moment de son conseil, on ne pourrait reprocher à ce dernier de ne pas l'avoir considérée. À cet égard, l'avocat échappe probablement à toute responsabilité[34]. Toutefois, les décisions publiées sont présumées connues d'un procureur normalement diligent.

De même, la plupart des décisions des tribunaux supérieurs sont maintenant disponibles *via* les banques de données. À notre avis, celles-là sont présumément connues des procureurs[35]. Aujourd'hui, une recherche jurisprudentielle adéquate amène nécessairement à connaître les décisions non publiées mais facilement accessibles[36].

Une observation s'impose néanmoins.

Un avocat, qui n'est pas au fait des décisions non publiées, mais néanmoins stockées dans une banque de données, commet sans doute une faute, mais cette faute n'a pas nécessairement entraîné un préjudice. Il ne faut pas oublier que, en droit civil du moins, la jurisprudence joue un rôle important certes, mais ne constitue pas la source première de notre droit[37]. Notre système donne

---

27. *Déclic-Vinette c. Bissonnette*, 2001BE-345 (C.S.).
28. J.-L. BAUDOUIN et P. DESLAURIERS, *op. cit.*, note 1, p. 131. Voir également Paul-Yvan MARQUIS, « L'affaire *Dorion* : les conséquences du jugement de la Cour suprême sur la pratique notariale et sur l'examen de titres », (1992) 1 *C.P. du N.* 1, 25. Pour des illustrations, voir *Pinard c. Meunier*, précité, note 11; *2731-9359 Québec Inc. c. Morency, Tremblay, Lemieux, Fortin*, précité, note 2.
29. *Michaud c. Boucher*, [1998] R.R.A. 1130, REJB 1998-10397 (C.Q.). Dans l'affaire *Roberge c. Bolduc*, [1991] 1 R.C.S. 374, 437, EYB 1991-67727, la cour explique : « Il est possible que la question de droit dont est saisi le notaire soit controversée. En pareil cas, le notaire ne peut être fautif pour avoir choisi une méthode ou une théorie plutôt qu'une autre, dans la mesure où ce choix est raisonnable. » Voir aussi *Coronation Credit Co. c. Giasson*, J.E. 79-546 (C.S.). Dans les deux cas, il s'agissait de notaires, mais la règle est évidemment transposable à l'avocat.
30. G. TREMBLAY, *loc. cit.*, note 1, p. 193; J.-L. BAUDOUIN et P. DESLAURIERS, *op. cit.*, note 1, p. 131; P. MOLINARI, *loc. cit.*, note 1, p. 290. Le principe a été énoncé dès 1901 par la Cour suprême dans *Taylor c. Robertson*, (1901) 31 R.C.S. 615, 629. Voir aussi *Dubreuil c. 2847-0656 Quebec Inc.*, 2000BE-505 (C.Q.); *Mondoux c. Lapierre*, précité, note 22; *Bomba c. Thomas*, précité, note 17; *Mathieu c. Fonds d'assurance responsabilité professionnelle du Barreau du Québec*, précité, note 17; *2731-9359 Québec Inc. c. Morency, Tremblay, Lemieux, Fortin*, précité, note 2.
31. G. TREMBLAY, *loc. cit.*, note 1, p. 194. Voir, à titre d'exemples, *Pinard c. Meunier*, précité, note 11; *Marcotte c. Simard*, précité, note 6, inf. [1992] R.R.A. 226, EYB 1991-74855 (C.S.); *1632-6787 Québec Inc. c. Compagnie Montréal Trust*, précité, note 6; *Mondoux c. Lapierre*, précité, note 22; *Dupuis c. Fraygui*, précité, note 24.
32. Voir les observations de Jérôme HUET, (1986) 85 *R.T.D.C.* 759.
33. Adrian POPOVICI, « Notes sur l'état inadéquat des recueils de jurisprudence au Québec », (1972) 32 *R. du B.* 82.
34. En ce sens, G. TREMBLAY, *loc. cit.*, note 1, p. 192.
35. À cet égard, il convient de signaler que le coût lié à la consultation des banques de données est un élément à considérer dans l'analyse de ce que représente une recherche complète. Ainsi, dans l'hypothèse où un client veut minimiser les coûts, la recherche jurisprudentielle s'en trouvera réduite; il sera alors difficile d'en tenir rigueur au procureur. Néanmoins, l'avocat prudent et diligent doit mentionner à son client les avantages et les désavantages liés à l'utilisation des banques de données. Nous aimerions remercier notre collègue Nathalie Vézina, qui a bien voulu attirer notre attention sur le présent problème.
36. Jérôme Huet émet cependant certaines réserves : « [La] notion même de publicité risque d'évoluer. Car c'est une chose que des arrêts figurent dans des recueils de jurisprudence dont les abonnés prennent connaissance, éventuellement en lisant les décisions les unes à la suite des autres. C'en est une autre que de savoir ces mêmes décisions enregistrées dans une banque de données, où elles peuvent être consultées. Dans ce second cas, l'accès à l'information n'est plus direct et séquentiel, mais passe par une interrogation qui permettra plus ou moins facilement, selon les cas, d'en prendre connaissance. » J. HUET, *loc. cit.*, note 32, p. 761.
37. Philippe JESTAZ, « Source délicieuse... (remarques en cascades sur les sources du droit) », (1993) 91 *R.T.D.C.* 73; Adrian POPOVICI, « Dans quelle mesure la jurisprudence et la doctrine sont-elles source de droit au Québec? », (1973) 8 *R.J.T.* 189; Maurice TANCELIN, « L'utilisation concurrente de la règle du précédent et de la mauvaise interprétation de la Loi ou comment un précédent erroné ne devrait pas faire jurisprudence », (1979) 39 *R. du B.* 971. Jérôme Huet expliquait : « Si le praticien du droit ne doit pas ignorer un principe établi par la jurisprudence, il ne saurait non plus s'y fier à celle-ci sans réserve. Il y a là un élément d'incertitude qui affecte, plus ou moins d'ailleurs, mais de manière irrévocable, la prise de décision juridique. » J. HUET, *loc. cit.*, note 32, p. 760.

préséance à la loi sur la jurisprudence. La faute n'est donc pas nécessairement causale.

Par ailleurs, même si on a pu être tenté, dans cette ère de développement des moyens techniques, de soutenir que les sources deviennent de plus en plus accessibles, la méconnaissance du droit étranger ne devrait pas constituer une faute en soi. En revanche, la promulgation du nouveau Code civil pourrait modifier les données[38]. En effet, puisque nos textes ont été peu interprétés, il pourrait être argué qu'un avocat raisonnablement prudent doit consulter certains documents étrangers primaires qui ont inspiré notre nouveau code[39].

b) Les procédures et la conduite du procès

L'avocat étant aussi le titulaire du droit quasi absolu de représenter les intérêts d'une partie devant les tribunaux, il est redevable des procédures inadéquates[40], faites avec retard[41], des stratégies douteuses[42] ou de l'assignation inutile d'un témoin[43]. Encore là, le critère applicable est celui de l'avocat normalement prévoyant et diligent, possédant des connaissances ordinaires[44]. Il convient d'ailleurs que le tribunal se replace à l'époque où la stratégie a été adoptée[45]. Comme le souligne un auteur, le procès se terminant inévitablement par la victoire d'une partie et la défaite de l'autre, la moitié des clients pourra être potentiellement frustrée du résultat du procès[46].

C'est pourquoi il est impossible de considérer l'obligation d'un avocat comme étant une garantie de résultat[47]. Toutefois, si le procureur commet une erreur relative à la rédaction d'un acte de procédure[48], n'intente pas le bon recours[49] en temps utile[50] ou devant le tribunal compétent[51], ne se présente pas le jour de l'audition[52], laisse périmer une instance, néglige le dossier[53] ou de produire un mémoire[54], ou présente une preuve inadéquate[55], il conviendra d'établir que c'était le comportement d'un avocat non diligent ou non prévoyant. Quant à la preuve de la raisonnabilité de cette pratique, une question se pose : Doit-elle être faite nécessairement par un expert?

À cet égard, si en règle générale les tribunaux ne voyaient pas l'utilité ou la pertinence de recourir à l'expertise[56], certaines décisions récentes, non sans fonde-

---

38.   Voir généralement sur le sujet, H. Patrick GLENN, « Le droit comparé et l'interprétation du Code civil », dans *Le nouveau code civil, interprétation et application*, Journées Maximilien-Caron, 1992, p. 174 et s.
39.   Voir le texte du professeur Glenn, qui comporte en annexe les sources étrangères ayant inspiré le texte du Code civil, *id.*, p. 197 et s.
40.   *Lacoursière c. Laplante*, précité, note 10; *Gravel c. Leduc*, REJB 2002-32267 (C.S.); *Jodoin c. Dauphin*, précité, note 22; *Perreault c. Kingsbury*, précité, note 6.
41.   *Koch c. Lévesque*, REJB 2001-26719 (C.S.); *Roussin c. Charbonneau*, précité, note 24. Pour le cas (particulier) du suivi négligent d'une demande, voir *Gariépy c. Dussault*, [2006] R.R.A. 134, EYB 2005-98475 (C.S.); EYB 2006-103964 (C.A.).
42.   *K.S. c. Lancry*, précité, note 6.
43.   *Leclair c. Rancourt*, 98BE-1083 (C.Q.p.c.) (poursuite du témoin assigné inutilement). Pour une assignation jugée non abusive, voir *Trottier c. Gauthier*, REJB 2001-27079 (C.Q.).
44.   *Harris c. Quain & Quain*, précité, note 6; *Rocheleau c. Downs*, REJB 1997-03873 (C.S.), conf. par REJB 2001-24387 (C.A.); *Daigneault c. Lapierre*, REJB 2003-44171 (C.S.); *Perreault c. Kingsbury*, précité, note 6; *Côté c. Karim*, J.E. 2005-1537, EYB 2005-92691 (C.S.), conf. par EYB 2007-126953 (C.A.); *Lamarre, Perron, Lambert, Vincent, s.e.n.c. c. MIC, maisons internationales du Canada Inc.*, précité, note 6; *Mathieu c. Fonds d'assurance responsabilité professionnelle du Barreau du Québec*, précité, note 17. Sur les règles applicables au procureur général, *Proulx c. Procureur général du Québec*, [2001] 3 R.C.S. 9, REJB 2001-26159; *Lacombe c. André*, [2003] R.J.Q. 720, REJB 2003-38268 (C.A.); *Mputu-Bijimine c. Procureur général du Québec*, [1998] R.R.A. 901, REJB 1998-05765 (C.Q.). Voir aussi Jean-Denis ARCHAMBAULT, « Les sources juridiques des immunités civiles et de la responsabilité extracontractuelle du procureur général à raison d'accusations pénales erronées : le mixte et le mêlé (*Québec c. Proulx*) », (1999) 59 *R. du B.* 61.
45.   *Perreault c. Kingsbury*, précité, note 6; *Mondoux c. Lapierre*, précité, note 22. Voir aussi *Daigle c. Forgues*, 2005BE-925, EYB 2005-91865 (C.Q.).
46.   A. POUPART, *loc. cit.*, note 1, p. 36.
47.   *Marcotte c. Simard*, précité, note 6; *Portelance c. Marchand*, EYB 2006-105784 (C.S.); *Clermont-Bizzaro c. Artuso*, J.E. 2008-1310, EYB 2008-135947 (C.S.) (en appel). Sauf évidemment s'il s'agit d'une question de prescription. Voir *supra*.
48.   *Jodoin c. Dauphin*, précité, note 22. Ou d'un avis de privilège, maintenant une hypothèque légale (absence d'avis d'adresse), *Blanchet c. Simard*, [1997] R.R.A. 35, REJB 1997-00097 (C.A.).
49.   *Rémillard c. Plourde*, 98BE-1046 (C.Q.p.c.).
50.   *Duhamel c. Manella*, [1995] R.R.A. 333, EYB 1994-72323 (C.S.); *Marcotte c. Simard*, précité, note 31, p. 234 (C.S.), conf. sur ce point par la Cour d'appel, précité, note 6; *Bonneau c. Audet*, [1998] R.R.A. 1027, REJB 1998-07976 (C.S.), conf. par [2000] R.R.A. 58, REJB 2000-16285 (C.A.); *Sawodny c. Beauchamp & Houle*, REJB 2003-52546 (C.Q.p.c.); *Boissonnault c. Hénault*, J.E. 2005-1651, EYB 2005-93651 (C.S.); *Lapierre c. Leduc*, précité, note 10.
51.   *Ruel c. Gilbert*, [1995] R.R.A. 516 (C.S.), conf. par [2000] R.R.A. 58, REJB 2000-16285 (C.A.).
52.   *Routhier c. Fonds d'assurance responsabilité professionnelle du Barreau du Québec*, 98BE-843 (C.Q.). En revanche, le fait pour un avocat, incapable de se présenter en cour, d'avoir envoyé un confrère compétent pour le remplacer n'est pas constitutif de faute. *Côté c. Karim*, précité, note 44.
53.   *Lavoie c. West Island Plomberie et chauffage Ltée*, [1996] R.R.A. 13, EYB 1995-56698 (C.A.); *Deschamps Pontiack Buick GMC Ltée c. Eybalin*, 2004BE-467, EYB 2004-52503 (C.Q.); *Lawlor c. Brodeur*, 2005BE-122, EYB 2004-80754 (C.S.); *Restaurant Orlando Inc. c. Ashenmil*, 2008BE-452, EYB 2007-129984 (C.Q.).
54.   *Fertek Inc. c. Sproule et al.*, REJB 1999-11543 (C.S.); *Aubertin c. Baillargeon*, REJB 2003-49871 (C.S.).
55.   *Morin c. Coogan*, REJB 2000-22492 (C.Q.), conf. par C.A. Montréal, n° 500-09-010473-007, 29 mai 2003. Patrick Molinari explique : « On a même admis que le fait pour un avocat de ne pas faire témoigner quelqu'un peut constituer une négligence équivalant à faute. » P. MOLINARI, *loc. cit.*, note 1, p. 291.
56.   « [...] dans la majorité des cas, [le juge sera] en mesure d'évaluer la conduite de l'avocat sans l'aide de témoins experts », G. TREMBLAY, *loc. cit.*, note 1, p. 205. Il cite, à titre d'exemple, *Harris c. Quain et Quain*, précité, note 6. Voir aussi *Roberge c. Bolduc*, précité, note 29; *Rocheleau c. Pouliot*, J.E. 2000-78, REJB 1999-15129 (C.S.). Pour certains, l'expertise en droit serait d'ailleurs irrecevable, voir *Parizeau c. Lafrance*, [1999] R.J.Q. 2399, REJB 1999-14780 (C.S.); *Côté c. Gagnon*, J.E. 2005-498, EYB 2005-82704 (C.S.); *Gestion Maskimo Inc. c. Charbonneau*, précité, note 12. Voir en sens contraire, *Khalid c. Lépine*, REJB 2000-20064 (C.S.); [2004] R.J.Q. 2415, REJB 2004-70368 (C.A.).

ment[57], en déplorent maintenant l'absence surtout lorsque le défendeur œuvrait dans un domaine spécialisé[58]. Il est important comme dans l'analyse de toute faute, de tenir compte de certaines circonstances, par exemple, le degré de difficulté du dossier[59], le très court délai pour préparer la procédure en raison de la prescription imminente du recours[60], sa péremption[61] ou les moyens financiers du client[62]. Dans la conduite du procès, l'avocat conserve néanmoins une certaine discrétion, comme le précise la Cour d'appel[63] et il ne doit pas être tenu responsable s'il a, compte tenu des circonstances et des informations disponibles, adopté une bonne stratégie[64]. De même, dans certaines circonstances, un avocat pourra se dégager de sa responsabilité en prouvant qu'il a suivi les instructions de son client[65]. Soulignons aussi que se greffe à cette obliga-

tion un devoir de renseignement du coût approximatif des services[66].

Finalement, lorsque le contexte rend la poursuite du mandat impossible à réaliser, l'avocat ne commet aucune faute en le confiant à un confrère[67] ou en se retirant du dossier[68].

2. *Le secret professionnel*[69]

La contravention à l'obligation du secret professionnel est non seulement une faute disciplinaire très grave[70], mais elle est aussi une faute civile importante, d'autant plus que ce devoir est fondé sur l'article 9 de la *Charte*

57. « However, as in any other area of professional negligence, the general rule requires the client to prove the alleged negligence of his lawyer. In a case where a dissatisfied client alleges, explicitly or tacitly, that her lawyer did not act in accordance with the usual practice, the expert opinion of an experienced member of the Bar practising in the same specialized area of law as the defendant lawyer is an important element of proof. It assists the Court in identifying the standard of care to be met by a reasonably competent and diligent lawyer practicing in that area of law. [...]
    To expect a judge (particularly a more senior member of the Bench who may have been absent from the practice of law for many years) presiding at a civil negligence trial against a lawyer, to take judicial notice of the current intricacies of the usual practice in a specialized field of law, is a big gamble for the suing client who has the burden of proof. » *Bailey c. Fasken Martineau Dumoulin, s.r.l.*, précité, note 3, par. 42 et 44.
58. *Bailey c. Fasken Martineau Dumoulin, s.r.l., id.* Voir aussi *Mondoux c. Lapierre*, précité, note 22; *contra : Parizeau c. Lafrance*, précité, note 56; *Côté c. Gagnon*, précité, note 56.
59. *Mathieu c. Fonds d'assurance responsabilité professionnelle du Barreau du Québec*, précité, note 17.
60. *Rocheleau c. Downs*, précité, note 44.
61. *Clermont-Bizzaro c. Artuso*, précité, note 47.
62. *Déclic-Vinette c. Bissonnette*, précité, note 27; *Mondoux c. Lapierre*, précité, note 22. Comme pour le notaire, ce critère doit être utilisé avec circonspection.
63. *Harris c. Quain et Quain*, précité, note 6 (résumé). Voir aussi *Parizeau Peryer c. D. (L.)*, REJB 2000-19578 (C.Q.); *Bailey c. Fasken Martineau Dumoulin, s.r.l.*, précité, note 3; *Dubé c. Legault*, EYB 2008-133036 (C.Q.).
64. *2717450 Canada Inc. c. Lechter*, REJB 2001-25790 (C.S.); *Perreault c. Kingsbury*, précité, note 6; *Côté c. Karim*, précité, note 44. Voir aussi *Daigle c. Forgues*, précité, note 45; *Grenier c. Pothier Delisle*, précité, note 17; *Clermont-Bizzaro c. Artuso*, précité, note 47; *P. (N.) c. McConomy*, EYB 2008-128238 (C.S.); *Dubé c. Legault*, précité, note 63.
65. *Tremblay c. Bastien*, [1995] R.R.A. 1003, REJB 1995-72512 (C.S.); *Caisse c. Entreprises Denis Villiard Inc.*, REJB 2000-22467 (C.S.), inf. par REJB 2002-31081 (C.A.). *Spinhaer c. Hévey*, REJB 2003-39701 (C.S.). En revanche, peut constituer une faute le fait de ne pas avoir suivi les instructions du client. *Bonneau c. Audet*, précité, note 50; *Bernley Investments Inc. c. Salomon*, précité, note 17; *K.S. c. Lancry*, précité, note 6.
66. *Mathieu c. Marchand*, [1986] R.D.J. 296 (C.A.); *Ogilvy Renault c. Beauce, Société mutuelle d'assurances générales*, J.E. 97-2066, REJB 1997-05114 (C.Q.); *Gagné c. Desgroseilles*, 2000BE-1265 (C.Q.); *Desjardins, Ducharme, Stein, Monast c. Perkins Pelletier*, REJB 2001-25385 (C.S.); *Rochefort et Ass. c. Laprairie (Ville de)*, J.E. 2004-150, REJB 2003-52554 (C.S.), conf. par J.E. 2006-1255, EYB 2006-106380 (C.A.); *Belleau, Lapointe c. Graf*, 2005BE-819, EYB 2005-90679 (C.Q.); *Bernier Beaudry Inc. c. Nadeau*, EYB 2006-109637 (C.Q.); *Gagné c. Tremblay*, J.E. 2007-329, EYB 2006-112185 (C.Q.); *Prévost, Fortin, D'Aoust c. Tec-Hi Shi Technology Inc.*, EYB 2007-116662 (C.S.); *Lamarre, Perron, Lambert, Vincent, s.e.n.c. c. MIC, maisons internationales du Canada Inc.*, précité, note 6; *Ravinsky Ryan c. Voisine*, J.E. 2008-1389, EYB 2008-134453 (C.Q.); *Doyon c. Koc*, EYB 2008-149467 (C.Q.). Se greffe aussi une obligation de dévoiler l'identité du mandant, voir *Du Barry, Gaston-Dreyfus Lévesque, Le Douarin, Servan-Schreiber & Veil c. Pouliot*, REJB 1999-10471 (C.S.), conf. par REJB 2002-30219 (C.A.), REJB 2002-31717 (C.A.), REJB 2002-31920 (C.A.).
67. *Côté c. Karim*, précité, note 44.
68. *Bastien c. Cardin*, J.E. 97-1198, REJB 1997-07373 (C.S.); *Parizeau c. Lépine*, précité, note 6 (l'avocat doit évidemment procéder par requête pour cesser d'occuper).
69. Louis BORGEAT, « Le secret professionnel devant les tribunaux québécois », (1976) 36 *R. du B.* 148; Jean-Louis BAUDOUIN, « Le secret professionnel du conseiller juridique », (1962-62) 65 *R. du N.* 483 : Martin CLOUTIER, « Le secret professionnel de l'avocat et du notaire en cas de fraude fiscale », (1995) 17 *R.P.F.S.* 489; Alain CARDINAL, « Secret professionnel ou secret de polichinelle : conséquences déontologiques du devoir de loyauté de l'avocat », dans Service de la formation permanente, Barreau du Québec, *Développements récents en déontologie et responsabilité professionnelle (1998)*, Cowansville, Les Éditions Yvon Blais Inc., page 1; Michel TÉTRAULT, « La déontologie et le droit de la famille », dans Service de la formation permanente, Barreau du Québec, vol. 158, *Développements récents en droit familial (2001)*, Cowansville, Les Éditions Yvon Blais Inc., p. 1, EYB2001DEV288. Sur la question des perquisitions et saisies dans un cabinet d'avocats et leur incidence sur le secret professionnel (en relation avec l'article 488.1 C.cr.), voir V. MORIN, « *Lavallée, Rackel & Heintz c. Procureur général du Canada* : lorsque le droit procédural ajoute au droit substantif en matière de secret professionnel », dans Service de la formation permanente, *Développements récents en déontologie, droit professionnel et disciplinaire (2003)*, Cowansville, Les Éditions Yvon Blais Inc., p. 67, EYB2003DEV542; Giuseppe BATTISTA, « Le secret professionnel et les perquisitions dans les cabinets d'avocats », dans Service de la formation permanente, Barreau du Québec, *Développements récents en déontologie, droit professionnel et disciplinaire (2004)*, Cowansville, Les Éditions Yvon Blais Inc., p. 127, EYB2004DEV417; Michel TÉTRAULT, « Le secret professionnel et son incidence en droit familial, le dernier des Mohicans? Une revue de la jurisprudence récente », dans Congrès du Barreau du Québec, 2005, p. 141; Pierre BERNARD, « Le secret professionnel et la loyauté de l'avocat – Dans une entreprise, qui y a droit? », dans Service de la formation continue du Barreau du Québec, vol. 274, *Avocats en entreprise – Tendances et perspectives (2007)*, Cowansville, Les Éditions Yvon Blais Inc., 2007, p. 1; Mahmud JAMAL et Sylvain LUSSIER, « Le secret professionnel de l'avocat ce que tout avocat doit savoir selon la Cour suprême du Canada », dans Service de la formation continue du Barreau du Québec, vol. 290, *Développements récents en déontologie, droit professionnel et disciplinaire (2008)*, Cowansville, Les Éditions Yvon Blais Inc., 2008, p. 199.
70. Voir les articles 3.06.01 et s. du Code de déontologie des avocats, précité, note 20. Le même code prévoit toutefois certaines limites notamment en ce qui a trait à la levée en vue d'assurer la protection des personnes (voir art. 3.06.01.01 et s.).

des droits et libertés de la personne[71]. La jurisprudence civile ne foisonne pas sur le sujet pour la simple raison que le préjudice est extrêmement difficile à prouver, s'agissant essentiellement de préjudice moral. Évidemment, si la preuve le justifie, des dommages en compensation d'un préjudice matériel et des dommages punitifs peuvent être réclamés (art. 49 de la Charte).

Cette difficulté d'évaluation ne doit pas empêcher une action en justice, mais il faut bien mentionner que le préjudice subi est souvent minime et n'incite pas la personne lésée à faire valoir ses droits devant les tribunaux civils[72].

3. *Le devoir de loyauté*

Un procureur ne doit pas placer ses intérêts personnels avant ceux de son client[73]. Il doit, le cas échéant, avouer être en conflit d'intérêts potentiel[74] et se retirer alors du dossier[75]. Qui plus est, il ne doit pas cautionner les comportements répréhensibles de son client[76]. De plus, l'avocat ne peut représenter un client dont les intérêts sont directement opposés à un autre de ses clients, à moins d'obtenir leur consentement écrit et ce, après leur avoir transmis les informations pertinentes entourant le conflit de loyauté[77]. Par ailleurs, il existe une faute également déontologique extrêmement répréhensible, mais malheureusement trop fréquente en période de récession, soit « l'emprunt » de sommes à même le compte en fiducie[78].

Évidemment, l'avocat est obligé de les rembourser[79] et peut être condamné à payer des dommages moraux si la preuve le soutient[80].

C- **Le problème du lien de causalité**[81]

Le créancier peut évidemment réclamer tous les dommages prévisibles (art. 1613 C.c.Q.). Dans les cas où on reproche à un avocat d'avoir fait perdre un droit à son client, la victime qui s'estime lésée par la faute de son avocat doit établir, en plus de l'acte illicite, que sans celui-ci son recours aurait été accueilli et son droit reconnu. Étant donné l'absence de certitude complète sur les chances de succès d'un recours manqué, il s'agit en fait de compenser la victime pour la perte de chance de voir son droit reconnu. Cette notion de « perte de chance » a fait l'objet, en droit québécois, de riches développements avec comme aboutissement l'affaire *Laferrière c. Lawson*[82], où la Cour suprême refusa d'y voir un chef de dommage pouvant être indemnisé en matière médicale.

À noter qu'en matière de perte de chance « juridique » la Cour suprême n'a pas désavoué la pertinence de ce principe, le qualifiant d'exception classique[83]. Ce chef est donc reconnu même si on peut s'interroger s'il s'agit d'une véritable perte de chance. En effet, généralement la victime ne pourra obtenir réparation que dans la seule mesure où elle prouve, selon la prépondérance de la

---

71. L.R.Q., c. C-12.
72. Voir l'affaire *Parizeau Peryer c. D. (L.),* précité, note 63, où la cour considère qu'il y a eu bris du secret professionnel, mais que cela n'a entraîné aucun préjudice. Voir aussi, sur cette question, *Latendresse c. Bazinet,* 2003BE-647, EYB 2003-40737 (C.S.); *Dufour c. Blanchet,* précité, note 17.
73. Sur le sujet, voir C. PERREAULT, « Êtes-vous « habile » à reconnaître votre conflit d'intérêt? », dans Barreau du Québec, Service de formation permanente, *Développements récents en déontologie, droit professionnel et disciplinaire (2003),* Cowansville, Les Éditions Yvon Blais Inc., p. 107, EYB2003DEV543; Carole BROSSEAU, « Responsabilités des juristes aux conflits d'intérêt dans un contexte de protection », dans Service de la formation permanente, Barreau du Québec, vol. 200, *Responsabilités et mécanisme de protection (2004),* Cowansville, Les Éditions Yvon Blais Inc., p. 47. Sur la question des conflits d'intérêts pouvant toucher les conseillers juridiques d'entreprises ou les avocats administrateurs, voir C. PERREAULT, « L'avocat corporatif et les conflits d'intérêts : quel maître servez-vous? », *id.,* p. 181, EYB2003DEV342; Marie-André LATREILLE, « La responsabilité des avocats administrateurs », dans Service de la formation permanente, Barreau du Québec, vol. 206, *Développements récents en déontologie, droit professionnel et disciplinaire (2004),* Cowansville, Les Éditions Yvon Blais Inc., p. 15; P. BERNARD, « Le secret professionnel et la loyauté de l'avocat – Dans une entreprise, qui y a droit? », précité, note 69; André LAURIN, « Le conseiller juridique d'entreprise face à certaines dispositions du Code de déontologie des avocats », dans *Congrès annuel du Barreau du Québec (2007),* Montréal, Service de la formation permanente, Barreau du Québec, 2007, p. 1.
74. *Luppoli c. Mannella,* [1995] R.R.A. 876, EYB 1995-72455 (C.S.); *Beauchamps c. La Reine,* REJB 2001-29776 (C.S.). Voir aussi *Investissements Pliska Inc. c. Tiramani,* précité, note 17; *Compagnie d'assurance Standard Life c. Mc Master Meighen,* précité, note 2.
75. Dans ce domaine, les recours en responsabilité sont quasi inexistants. En revanche, les requêtes pour rendre inhabile un procureur foisonnent. Voir, sur cette question, le volume 1 de la Collection de droit.
76. *K.S. c. Lancry,* précité, note 6.
77. *Samson Bélair/Deloitte & Touche, s.e.n.c. c. Dexia Banque internationale A Luxembourg société anonyme,* REJB 2003-49350 (C.A.); *Côté c. Rancourt,* précité, note 19; *Edwards c. Leduc,* EYB 2006-111226 (C.S.).
78. Voir Julie CHARBONNEAU, « L'utilisation illégale de compte en fidéicommis et le droit disciplinaire », dans Service de la formation permanente, Barreau du Québec, vol. 137, *Développements récents en déontologie, droit professionnel et disciplinaire (2000),* Cowansville, Les Éditions Yvon Blais Inc., p. 59.
79. Lors de l'appropriation illicite de sommes d'argent, le demandeur doit démontrer que l'avocat a commis « une faute en s'appropriant des sommes non dues, qu'il a agi de manière déraisonnable ou excessive et avec l'intention de lui nuire et en le privant de sommes lui appartenant et que ces fautes lui ont causé des préjudices », voir *Exarhos c. Miller,* REJB 2002-35142 (C.S.) (appel rejeté sur requête, requête pour autorisation de pourvoi à la Cour suprême rejetée).
80. *Goyette c. Fournier,* J.E. 2007-386, EYB 2006-112070 (C.S.).
81. Pour une illustration de l'absence de causalité dans le contexte d'une omission de l'avocat de renseigner adéquatement son client, voir *Raymond c. Biron,* précité, note 20; dans le contexte d'un non-renouvellement d'enregistrement des droits du client, voir *Lebovics c. Murray Hill Capital Corp.,* REJB 2002-36131 (C.S.). Pour une illustration de la présence d'un lien de causalité entre les honoraires requis par un nouvel avocat et l'incompétence de l'avocat précédent, voir *Sanscartier c. Morin,* REJB 2002-35301 (C.S.).
82. [1991] 1 R.C.S. 541, EYB 1991-67747.
83. *Id.,* p. 561.

preuve, qu'elle aurait réussi dans son premier recours, n'eût été de la faute du procureur[84]. Les juges appelés à statuer sur la responsabilité éventuelle de l'avocat s'estiment en mesure de déterminer quelle aurait été l'issue du recours mal ou non engagé[85] et coiffent, en fait, un double chapeau, celui de juge de l'action en réparation, de même que celui de juge du fond de l'affaire initiale[86]. À cet égard, ils s'estiment en mesure d'évaluer l'ensemble de la preuve et de déterminer, selon une forte probabilité, quelle aurait été l'issue raisonnable du recours initial envisagé[87].

Lorsque la négligence du procureur fait perdre à la partie un droit d'appel, la situation est insolite, puisque le juge qui siège en matière de responsabilité professionnelle se trouve en « quelque sorte [à siéger] en appel d'une décision émanant de sa propre juridiction »[88]. Il doit néanmoins statuer sur la responsabilité de la partie défenderesse[89]. Finalement, si la négligence du procureur a subséquemment été suivie par la faute du client ou d'un autre avocat, cela peut avoir comme effet de briser le lien causal et aucune responsabilité ne peut alors être attribuée au premier procureur[90].

D- La réparation appropriée

En général, le tribunal fixera l'allocation des dommages-intérêts selon les principes généraux de la responsabilité contractuelle. L'avocat est donc responsable de tous les dommages qui étaient normalement prévisibles au moment de la conclusion du contrat (art. 1613 C.c.Q.), à moins, évidemment, de prouver la faute lourde ou intentionnelle du débiteur. Devant une telle hypothèse, tout dommage qui constitue une suite immédiate et directe pourra être recouvré (art. 1607 C.c.Q.)[91].

Soulignons en terminant que, comme tout créancier, le client a l'obligation de minimiser son préjudice (art. 1479 C.c.Q.)[92].

Par ailleurs, une autre réparation peut être envisagée. Dans une des seules décisions québécoises sur le sujet[93], le juge Vallerand, après s'être mis en garde[94], a finalement décidé d'interdire à l'avocat de réclamer des honoraires à sa cliente. Pour le magistrat, le recours en responsabilité civile, eu égard à la preuve, n'aurait jamais dû être engagé, ni envisagé, et il convenait de punir le procureur pour ses conseils[95] inadéquats.

---

84. *Trudel c. Dion*, [1992] R.R.A. 96, 98 (C.S.); *Ruel c. Gilbert*, précité, note 51; *Gunite Investments Inc. c. Guy Gilbert*, 2003BE-203 (C.A.); *Jodoin c. Dauphin*, précité, note 22; *André Joyal Motoneige c. Fonds d'assurance responsabilité professionnelle du Barreau du Québec*, précité, note 19; *Clermont c. Plante*, précité, note 19; *Salesse c. Truchon*, précité, note 10; *Lapierre c. Leduc*, précité, note 10; *Houde (Succession de) c. Fonds d'assurance responsabilité professionnelle du Barreau du Québec*, [2006] R.R.A. 1026, EYB 2006-108945 (C.S.); *Adamczewski-Dire c. Bissonnette*, 2006BE-760 (C.S.); *Prévost, Fortin, D'Aoust c. Tec-Hi Shi Technology Inc.*, précité, note 66; *Mathieu c. Fonds d'assurance responsabilité professionnelle du Barreau du Québec*, précité, note 17; *Agritron Inc. c. Dauphin*, précité, note 10; *Morel c. Tremblay*, J.E. 2008-1969, EYB 2008-147713 (C.S.) (en appel); *2731-9359 Québec Inc. c. Morency, Tremblay, Lemieux, Fortin*, précité, note 2. Voir aussi, dans le cas d'une simple requête présentée tardivement, *B. (E.) c. Schatia*, [1998] R.R.A. 1014, REJB 1998-07914 (C.S.).
85. « Cette analyse est facilitée par la disponibilité des éléments de preuve relatifs à la première action et par la compétence du juge en matière de droit », *Laferrière c. Lawson*, précité, note 82, p. 588.
86. On a qualifié le tout de « action within the action », G. TREMBLAY, *loc. cit.*, note 1, p. 202 se référant à *Leclerc c. Pépin et Germain*, précité, note 10.
87. Voir *Lacoursière c. Laplante*, précité, note 10; *Lenneville c. Gauthier*, [1971] C.A. 44; *Harris c. Quain et Quain*, précité, note 6; *Darveau c. Colas*, précité, note 26; *Trudel c. Dion*, précité, note 84; *Rocheleau c. Downs*, précité, note 44; *Bonneau c. Audet*, précité, note 50; *Ruel c. Gilbert*, précité, note 51; *Lépine c. Parizeau*, précité, note 17; *139916 Canada Inc. c. Caisse*, REJB 2001-25260 (C.S.); *Jasmin c. Wolfe*, précité, note 3; *Perreault c. Kingsbury*, précité, note 6; *Laflamme c. Fonds d'assurance responsabilité professionnelle du Barreau du Québec*, [2004] R.R.A. 208, EYB 2004-52998 (C.S.); *Tremblay c. Thibeault*, 2004BE-668, EYB 2004-60830 (C.S.); *Lawlor c. Brodeur*, précité, note 53. Voir aussi *Roussin c. Charbonneau*, précité, note 24; *Boissonnault c. Hénault*, précité, note 50; *Parkinson c. Abugov*, 2007BE-499, EYB 2006-111338 (C.Q.); *Grenier c. Pothier Delisle*, précité, note 17; *Mathieu c. Fonds d'assurance responsabilité professionnelle du Barreau du Québec*, précité, note 17; *Meunier c. Gagnon*, précité, note 19; *Clermont-Bizzaro c. Artuso*, précité, note 47; *Morel c. Tremblay*, précité, note 84; *P. (N.) v. McConomy*, précité, note 64; *Lavigne c. Poirier*, EYB 2008-148929 (C.Q.). L'époque pertinente pour l'évaluation des chances de succès est celle du moment où le recours initial a été intenté, *Gunite Investments Inc. c. Guy et Gilbert*, précité, note 84.
88. G. TREMBLAY, *loc. cit.*, note 1, p. 195.
89. Par exemple, dans l'affaire *Marcotte c. Simard*, précitée, note 6, le tribunal de première instance devait décider si l'avocat défendeur était responsable des dommages pour ne pas avoir déposé un pourvoi en appel sur un aspect du dossier. Mme la juge Deschamps, alors de la Cour supérieure, précisait : « Si la Cour d'appel s'était penchée sur le problème, il est peu probable qu'elle aurait statué en faveur des demandeurs. », p. 233. Soulignons toutefois que la Cour d'appel fut d'avis de renverser cette conclusion. Voir aussi *Aubertin c. Baillargeon*, J.E. 2003-2210, REJB 2003-49871 (C.S.).
90. *Gravel c. Leduc*, précité, note 40. La portée de cette décision est tempérée du fait que le client était lui-même avocat. Voir aussi *Lenetsky c. Feldman*, [2005] R.R.A. 501, EYB 2005-89827 (C.S.).
91. Voir, pour des illustrations récentes, *Ruel c. Gilbert*, précité, note 51; *Deschamps Pontiack Buick GMC Ltée c. Eybalin*, précité, note 53; *Duhamel c. Manella*, précité, note 50; *Restaurant Orlando Inc. c. Ashenmil*, précité, note 53.
92. *Groupe Sodisco-Howden Inc. c. Goodman Phillips & Vineberg*, 2002BE-782, EYB 2002-33541 (C.S.); *Michaud c. Boucher*, précité, note 29. Dans cette affaire, on a reproché à la cliente d'avoir contesté les requêtes en irrecevabilité présentées à l'encontre de son recours principal qui était pourtant vraisemblablement prescrit. Cette solution nous paraît inéquitable en ce qu'elle fait grief à une néophyte en droit de ne pas s'être désistée d'une action. Or, en l'espèce, la cliente était justement conseillée par un avocat.
93. *L. c. G.*, [1982] C.S. 578. L'avocat fut également condamné à payer les dépens de l'autre partie.
94. *Id.*, p. 580. « Je me mets moi-même en garde contre les dangers d'une démarche comme celle que je m'apprête à faire. Il est évident que de telles démarches, si elles n'étaient pas faites avec la plus extrême prudence [...] seraient de nature à rendre les avocats trop prudents face aux recours possibles de leurs clients. »
95. *Id.*, p. 580. Il est paradoxal de constater que l'avocat en cause avait d'ailleurs le titre de conseiller de la Reine.

Cette démarche demeure évidemment un moyen exceptionnel.

3- La responsabilité civile de l'avocat à l'égard des tiers[96]

L'avocat qui exerce dans le domaine du litige est, par définition, souvent consulté lorsque surviennent, entre les parties, des périodes de confrontation. Ses actes, qu'ils soient dictés par son client ou non, peuvent évidemment causer un certain tort à l'autre partie. Par ses gestes quotidiens (rédaction d'actes de procédure, délivrance d'un bref de saisie, etc.), le procureur est susceptible de porter atteinte à certains droits des tiers. Peut-il en être tenu responsable et à quelles conditions?

Rappelons que l'avocat est tenu, en vertu du Code de déontologie, de respecter une conduite empreinte d'objectivité, de modération et de dignité. L'article 4.02.01 du code établit que c'est déroger à la dignité de la profession que d'« introduire une demande en justice, d'assumer une défense, de retarder un procès ou de prendre quelqu'autre action au nom du client, alors qu'il sait ou qu'il est évident que pareille action a pour but de nuire à autrui ou d'adopter une attitude allant à l'encontre des exigences de la bonne foi »[97]. À cela s'ajoutent des obligations de coopération, de loyauté et d'information envers les adversaires[98]. À cet égard, les usages (raisonnables) développés par la pratique peuvent s'avérer de précieux guides[99].

Le principe veut que l'avocat jouisse d'une immunité relative dans ses fonctions. Il peut être néanmoins poursuivi pour les fautes commises à l'endroit des tiers[100]. On trouve un contentieux orienté principalement autour de deux pôles : d'une part, les actes diffamatoires et, d'autre part, les procédures abusives.

A- Les actes ou les propos diffamatoires[101]

Il est dans la nature même des situations litigieuses que les parties fassent valoir leurs points de vue nécessairement opposés. Les échanges écrits ou verbaux peuvent être vifs et comporter certains commentaires désobligeants. D'ailleurs, comme le souligne la doctrine, « Certains litiges suscitent plus de risques d'écrits ou de paroles susceptibles d'être outrageants. »[102]

On cite généralement comme exemple les actions en nullité pour dol, les déclarations mensongères, les actions pauliennes, les saisies avant jugement[103], autant de situations où on met souvent en doute l'intégrité de l'autre partie. L'avocat jouit, dans l'exécution de ses fonctions, d'une immunité relative lorsqu'il s'adresse au tribunal ou rédige des procédures judiciaires[104]. Il est primordial et dans l'intérêt de la justice que le procureur puisse accomplir son rôle dans des conditions favorisant un débat judiciaire franc et direct[105]. Comme l'exprimait le juge Cross :

> « It is important and in the interest of truth that parties should be free to set forth their pretentions in Courts of law. They have resorted to the proper authority to obtain justice and should be allowed to express themselves freely. »[106]

En revanche, le procureur ne doit pas dépasser certaines limites qui ont été circonscrites par la jurisprudence. L'avocat qui allègue des faits non pertinents, fait des commentaires téméraires ou malicieux[107] ou ne prend pas les précautions qu'aurait prises un procureur raisonnable-

---

96. La question de savoir à quel moment les avocats ont envers les tiers une obligation de diligence dépasse le cadre du présent exposé. Pour des discussions relatives à ce problème, voir *Savard c. 2329-1297 Québec Inc. (Hôtel Lord Berri Inc.)*, [2005] R.J.Q. 1997, EYB 2005-93444 (C.A.) (demande d'autorisation d'appel à la Cour suprême rejetée).
97. Code de déontologie des avocats, précité, note 20, art. 4.02.01 a). Voir également les articles 2.00.01 et 2.05.
98. *Chagnon c. Neuer*, 2000BE-38 (C.Q.). (Dans cette affaire, aucun dommage n'a cependant été prouvé). Mais, pour une limite à ce devoir d'information, voir *General Accident, Compagnie d'assurances c. Moreau*, précité, note 16.
99. *Société mutuelle d'assurance-vie Inc. c. Grondin, Poudrier, Bernier*, [1999] R.R.A. 401, REJB 1999-11724 (C.Q.).
100. Pour une faute commise hors des contextes de diffamation ou d'abus, voir *Gariépy c. Dussault*, précité, note 41.
101. Marième LACROIX, *L'avocat diffamateur : ses devoirs de conduite et la mise en œuvre de sa responsabilité civile*, Cowansville, Les Éditions Yvon Blais Inc., 2007.
102. O. JOBIN-LABERGE (1993), *loc. cit.*, note 1, p. 23. Pour des propos similaires en matière familiale, voir J.-J. GAGNON, *loc. cit.*, note 1, p. 134 et s.
103. O. JOBIN-LABERGE, *ibid.*
104. *Pearl c. Byers*, [1986] R.J.Q. 1194, 1197, EYB 1986-79568 (C.S.). Cette immunité ne signifie toutefois pas qu'une action contre un procureur sera rejetée sur simple requête en irrecevabilité. Voir *Plamondon c. Baudouin*, J.E. 2007-1819, EYB 2007-113651 (C.S.). Voir, en common law, *Botiuk c. Toronto Free Press*, [1995] 3 R.C.S. 3, EYB 1995-67440.
105. J.-L. BAUDOUIN et P. DESLAURIERS, *op. cit.*, note 1, p. 126; *Simart c. Syndicat des copropriétaires des condominiums Versailles*, 2000BE-874 (C.S.).
106. *Forget c. Belleau*, (1917) 26 R.J. 1 (C.S.).
107. *Pearl c. Byers*, précité, note 104; *Borenstein c. Eymard*, [1992] R.R.A. 491, EYB 1992-58883 (C.A.); *Juneau c. Taillefer*, [1992] R.J.Q. 2550, EYB 1992-75080 (C.S.), conf. par [1996] R.J.Q. 2219, EYB 1996-65417 (C.A.); *Botiuk c. Toronto Free Press*, précité, note 104; *Bélisle-Heurtel c. Tardif*, REJB 2000-20086 (C.S.); *Corriveau c. Speer*, REJB 2001-25352 (C.A.); *Millette c. Therrien*, EYB 2005-91784 (C.A.); *Doucet c. Normandeau*, J.E. 2006-1164, EYB 2006-103958 (C.Q.); *Vary c. Vary*, J.E. 2007-1557, EYB 2007-122374 (C.S.).

ment diligent, s'expose à une poursuite en dommages-intérêts selon les principes généraux de la responsabilité civile[108].

Il ne pourra dégager sa responsabilité que s'il démontre avoir eu des motifs raisonnables de croire en la véracité des commentaires[109] et de la conclusion tirée. Une auteure définit ce critère de la façon suivante :

« La croyance raisonnable ou la conviction honnête dans l'esprit [d'une personne prudente] que les faits reprochés sont vrais, même si cette croyance résulte d'une erreur. »[110]

À cet égard, l'avocat est-il tenu d'effectuer une enquête approfondie et de vérifier toutes les informations que lui a communiquées son client?

Nous ne croyons pas que l'avocat soit contraint d'effectuer une enquête très approfondie. Il doit néanmoins prendre certaines précautions pour s'assurer de la véracité des informations[111]. Certaines décisions exonèrent justement l'avocat qui avait obtenu des renseignements de tierces personnes[112]. Il est donc conseillé au praticien de ne pas tenir tout pour acquis et de faire les recherches qui s'imposent habituellement au praticien raisonnablement prudent.

On remarque donc que c'est là une situation rare, où la bonne foi peut jouer un rôle dans la détermination de ce que constitue un comportement illicite. Il s'agit en fait de « déterminer si les allégations ou les propos tenus étaient [...] faits de bonne foi, dans le but [...] de faire valoir les droits du client ou, au contraire, de façon téméraire ou dans le but de nuire »[113].

Terminons en soulignant que le client peut, s'il n'a pas désavoué son procureur, être condamné[114]. La condamnation du client est d'ailleurs possible même si l'avocat a réussi à se disculper et n'est pas condamné[115] si on démontre sa faute personnelle, par exemple, de n'avoir pas lui-même vérifié la véracité des faits communiqués à son procureur.

B- Les procédures abusives ou dilatoires[116]

Le droit de porter un litige devant les tribunaux s'inscrit dans la catégorie des droits fondamentaux. Il est de l'essence même de la vie en société qu'une partie qui s'estime lésée puisse demander à un tiers, dont le pouvoir est reconnu, de statuer sur l'existence de son droit. Malheureusement, il est possible de pervertir le système, de le détourner de sa fonction pour l'utiliser à des fins étrangères. C'est pourquoi l'avocat ou la partie qui intente une action ou pratique une saisie[117] dans le seul but de nuire à autrui ou de manière déraisonnable pourra être poursuivi à son tour pour abus de procédure[118].

108. La jurisprudence n'a pas toujours été constante sur ce point, mais elle s'est finalement ralliée à l'application pure et simple des principes de droit civil. À l'opposé, certaines décisions avaient choisi d'analyser le tout en fonction des principes de droit public, aux motifs que l'avocat était un officier public. Voir l'analyse de la jurisprudence dans *Pearl c. Byers*, précité, note 104.

109. *Juneau c. Taillefer*, précité, note 107; *Daoust c. Bernier*, [1992] R.J.Q. 1868, EYB 1992-75004 (C.S.); *Lecours c. Pichet*, [1998] R.R.A. 268, REJB 1997-05125 (C.Q.); *Nudelman c. Dupuis*, 99BE-239 (C.S.); *Société Rodaber ltée. c. Masse*, REJB 2003-39888 (C.A.); *Terreault c. Bigras*, REJB 2003-52265 (C.S.), conf. par J.E. 2006-125, EYB 2005-99100 (C.A.); *Bouchard c. Union Canadienne (L'), Compagnie d'assurance*, EYB 2005-97444 (C.S.); *B.A. c. Lacroix*, J.E. 2007-244, EYB 2007-110790 (C.S.).

110. O. JOBIN-LABERGE (1993), *loc. cit.*, note 1, p. 36. Voir *Juneau c. Taillefer*, précité, note 107, p. 2557; *Borenstein c. Eymard*, précité, note 107.

111. *Juneau c. Taillefer*, précité, note 107, p. 2557; *Nudelman c. Dupuis*, précité, note 109. Voir les commentaires de O. JOBIN-LABERGE (1993), *loc. cit.*, note 1, p. 38. Un avocat ne saurait être tenu responsable en raison d'une opinion erronée émise à partir d'informations fausses fournies par son client si la preuve en l'espèce ne révèle pas que l'avocat avait ou devait avoir des motifs de ne pas croire la véracité des faits. Voir aussi *Groupe Sodisco-Howden Inc. c. Goodman Phillips & Vineberg*, précité, note 92, où le mandat donné aux avocats était restreint et n'incluait pas la vérification de la légalité de l'acte quant à sa forme et à sa substance.

112. *Juneau c. Taillefer*, précité, note 107, p. 2557.

113. J.-L. BAUDOUIN et P. DESLAURIERS, *op. cit.*, note 1, p. 126 et 127. Voir en jurisprudence *Descôteaux c. Presse Ltée (La)*, REJB 2002-32701 (C.S.), REJB 2004-66412 (C.A.) (demande d'autorisation d'appel à la Cour suprême rejetée), où la cour conclut à l'absence de mauvaise foi de la part de l'avocat ou de son intention de nuire ou d'un quelconque agissement motivé par la vengeance. Voir aussi *Descôteaux c. Groupe communautaire L'Itinéraire*, REJB 2002-32704 (C.S.), REJB 2004-66411 (C.A.) (demande d'autorisation d'appel à la Cour suprême rejetée).

114. Pour une illustration récente, voir *Doucet c. Normandeau*, précité, note 107.

115. *Borenstein c. Eymard*, précité, note 107. Une auteure, O. JOBIN-LABERGE (1993), *loc. cit.*, note 1, p. 40, a d'ailleurs retracé une décision où le client fut tenu responsable des allégations, alors qu'il n'en avait eu aucune connaissance personnelle : *McKinnon c. Kelly*, [1957] B.R. 220.

116. Sur le rôle du syndic, voir P. BERNARD, *loc. cit.*, note 1, p. 302 et s. Dans le cas d'accusations pénales, le procureur général jouit d'une immunité. Voir, sur ce sujet, *R. c. Proulx*, précité, note 44; *Lacombe c. André*, précité, note 44; J.-D. ARCHAMBAULT, *loc. cit.*, note 44.

117. En pratique, les poursuites sont intentées contre la partie, mais l'avocat n'est pas à l'abri d'un recours. Voir *Stranges c. Bélanger*, [1993] R.R.A. 580, EYB 1993-74201 (C.S.), où le juge condamne un avocat en lui rappelant qu'il est un auxiliaire de la justice et ne doit pas « se comporter comme un instrument docile et servile entre les mains de son client » (p. 583). Voir aussi, sur cette question, *Voyages Héritage J & A Inc. c. Voyages Héritage A & G Inc.*, J.E. 2008-1533, EYB 2008-135276 (C.S.) (en appel); Marie-Josée BÉLAINSKY, « L'avocat est-il exposé déontologiquement à la suite d'un abus de droit ou de procédure de son client? », dans Service de la formation permanente, Barreau du Québec, vol. 231, *Développements récents sur les abus de droit (2005)*, Cowansville, Les Éditions Yvon Blais Inc., p. 103.

118. Voir, sur cette question, *Languedoc c. Martin*, REJB 2000-20754 (C.S.), conf. par REJB 2003-39410 (C.A.); *Lawyers Title Insurance Corp. c. Michalakopoulos*, [2004] R.R.A. 1215, EYB 2004-71628 (C.S.); *Landry c. Vezina*, J.E. 2005-1647, EYB 2005-93694 (C.S.); *Kizner (Estate of) v. Constantine*, EYB 2008-133863 (C.S.).

Il est intéressant de noter que la jurisprudence accepte que le recours en réparation du préjudice contre la partie soit intenté dans la même action, par voie de demande reconventionnelle[119]. On justifie cette décision en faisant valoir qu'il existe une connexité entre les deux recours et que le juge du fond est la personne la mieux placée pour décider si le recours principal est abusif. Comme l'exprime la Cour d'appel :

« En l'espèce, la dépendance entre les causes est évidente. La demande reconventionnelle trouve sa source dans les allégations mêmes de la demande principale. Le demandeur principal pour réussir devra en faire la preuve; s'il y parvient, cela disposera automatiquement du sort de la demande reconventionnelle, qui devra alors être rejetée. Dans le cas contraire, le rejet par le juge des allégations en question comme mal fondées établit l'élément premier et principal de la preuve de la demande reconventionnelle. Outre le fait que cette preuve n'aura pas à être refaite devant un autre juge, on évite le danger de jugements contradictoires et la multiplicité des recours, facilitant ainsi l'administration de la justice. Certes, cela aura pour effet de rallonger quelque peu le débat mais c'est là un moindre inconvénient à côté des avantages certains de la réunion de ces deux instances pour fins d'enquête, d'audition et de jugement. »[120]

Dans la jurisprudence, on trouve des actions pour recours abusif qui recoupent plusieurs étapes d'un litige[121]. Ainsi, le domaine de la procédure abusive s'étend aux procédures introductives d'instance, aux défenses, aux mesures provisionnelles, aux voies d'exécution, aux moyens préliminaires aux incidents.

De même, certains arrêts condamnent les avocats pour avoir méconnu leur « rôle d'associé de l'administration de la justice »[122].

Le législateur a d'ailleurs, depuis quelques années, tenté de réprimer les procédures abusives ou dilatoires. Que ce soit en appel (art. 501.5 C.p.c.) ou en première instance (art. 75.1 C.p.c.), plusieurs dispositions du Code de procédure civile offrent des outils au plaideur qui désire faire rejeter de façon préliminaire les procédures frivoles ou abusives. Plus récemment, le législateur a prévu des moyens supplémentaires. En effet, le juge investi du pouvoir de rejeter les procédures frivoles ou manifestement mal fondées peut également condamner sur-le-champ la partie ayant produit cette procédure à des dommages-intérêts compensatoires (art. 75.2 C.p.c.)[123].

Une question se pose alors inévitablement. Une partie (ou son avocat), convaincue que la procédure engagée par l'adversaire est abusive, doit-elle soulever ce fait le plus rapidement possible au moyen de requêtes prévues par le code? En d'autres termes, pourrait-on lui reprocher d'avoir agi trop tard? À notre avis, le fait de ne pas avoir présenté une demande de rejet de la procédure à la première occasion ne constitue pas une fin de non-recevoir à l'action en réparation du préjudice, quoique le refus, par la partie défenderesse, de présenter en temps utile une requête en vertu de l'article 75.1 C.p.c. a été considéré comme un élément démontrant qu'elle jugeait qu'il était possible qu'elle soit condamnée, d'où l'absence du caractère abusif de la demande en justice[124]. En revanche, il pourra à tout le moins être plaidé que le créancier n'a pas minimisé ses dommages[125] et qu'il ne peut ainsi prétendre à une indemnisation totale.

C- La réparation adéquate[126]

Les dommages qui pourront être réclamés comprendront évidemment les frais engagés pour contester la procédure futile ainsi que les inconvénients (stress, anxiété) causés par cette procédure. Certaines décisions

119. Voir *Ammendolea c. Aqua Mare Seafood Inc.*, [1993] R.D.J. 347, EYB 1993-57993 (C.A.); *York-Hannover Developments Co. Ltd. c. Blumer's Ltd.*, [1992] R.D.J. 358, EYB 1992-58834 (C.A.); *F.G.N. Gibraltar Inc. c. Aziz*, [1990] R.D.J. 81, EYB 1989-57193 (C.A.). Voir aussi *Tobolewski c. Szewczyk*, 2002BE-626 (C.S.).

120. *F.G.N. Gibraltar Inc. c. Aziz*, précité, note 119, p. 84.

121. Voir Pierre LAROUCHE, « La procédure abusive », (1991) 70 *R. du B. can.* 650, 658 et s., qui recense la jurisprudence pertinente à toutes les étapes. Voir aussi Pierre BÉLANGER et Ruth VEILLEUX, « La responsabilité de l'avocat en matière de procédures civiles », dans *Congrès du Barreau (1994)*, Montréal, Service de la formation permanente, Barreau du Québec, p. 831, 838 et s.; Y.-M. MORISSETTE (1984), *loc. cit.*, note 1, p. 431 et s.; P. BERNARD, *loc. cit.*, note 1, p. 289 et s.; J.-D. ARCHAMBAULT, *op. cit.*, note 1, p. 155 et s.; C. TREMBLAY, *loc. cit.*, note 1, p. 479 et s.

122. *Location Panorama Inc. c. Gaucher*, [1991] R.J.Q. 1237, EYB 1991-56361 (C.A.). Voir aussi *Chagnon c. Neuer*, 2001BE-38 (C.Q.); *Lawyers Title Insurance Corp. c. Michalakopoulos*, précité, note 118.

123. Pour une illustration, voir *Genad Inc. c. Mathieu*, 2001BE-1042 (C.Q.).

124. *St-Jovite (Ville de) c. Compagnie de construction Transit Ltée*, [1998] R.J.Q. 779, REJB 1997-05926 (C.S.); *Lawyers Title Insurance Corp. c. Michalakopoulos*, précité, note 118.

125. P. LAROUCHE, *loc. cit.*, note 121. Comme le signale toutefois cet auteur, « Les articles 75.1 et 165, par. 4, du Code [de procédure civile] se limitent à un examen superficiel, au tout début de la procédure, et ne suffisent pas nécessairement à démasquer tout abus. » (p. 651).

126. Voir à ce sujet Y.-M. MORISSETTE (1984), *loc. cit.*, note 1; P. BÉLANGER et R. VEILLEUX, *loc. cit.*, note 121, p. 831; Odette JOBIN-LABERGE, « Le plaideur téméraire : gradation des sanctions? », dans Service de la formation permanente, Barreau du Québec, *Développements récents en déontologie et responsabilité professionnelle (1998)*, Cowansville, Les Éditions Yvon Blais Inc., p. 117; Yves-Marie MORISSETTE, « Abus de droit, quérulence et parties non représentées », (2004) 49 *R.D. McGill* 23, 46 et s.; J.-D. ARCHAMBAULT, *op. cit.*, note 1, p. 137 et s.

ont également condamné le procureur à payer personnellement les dépens. Dans l'affaire *L. c. G.*[127], le procureur fut condamné personnellement pour avoir engagé, au nom de sa cliente, un recours en responsabilité civile qui n'avait aucune chance de succès[128].

La jurisprudence civile[129] subséquente s'est montrée extrêmement timorée. Deux affaires en témoignent. Dans l'affaire *Young c. Young*[130], le plus haut tribunal du pays fut d'avis de ne pas condamner le procureur aux dépens rattachés à cette affaire. La cour saisit alors l'occasion pour préciser les paramètres qui permettront de condamner un procureur au paiement des dépens :

« Le principe fondamental en matière de dépens est l'*indemnisation*[131] de la partie ayant gain de cause, et non la punition d'un avocat. Certes, tout membre de la profession juridique peut faire l'objet d'une ordonnance compensatoire pour les dépens s'il est établi que les procédures dans lesquelles il a agi ont été marquées par la production de documents répétitifs et non pertinents, de requêtes et de motions excessives, et que l'avocat a agi de mauvaise foi en encourageant ces abus et ces délais. Il est évident que les tribunaux ont compétence en la matière, souvent en vertu d'une loi, en tout état de cause, en vertu de leur pouvoir inhérent de réprimer l'abus de procédures et l'outrage au tribunal. »[132]

Plus récemment, la Cour d'appel du Québec fut saisie de la même question relativement à un litige matrimonial. En première instance, au terme d'une saga judiciaire acharnée[133], le juge Tellier avait condamné le procureur à supporter 75 % des dépens[134]. Il reprochait au procureur de n'avoir rien fait pour dissuader sa cliente d'entamer toutes ces procédures et même de l'avoir encouragée à le faire.

Pour le magistrat, le devoir d'intégrité de l'avocat signifiait que :

« [L']avocat n'a pas le droit de présenter au tribunal une demande qu'il sait manifestement mal fondée, qu'il sait être fausse et qu'il sait n'avoir aucune chance d'être retenue. De la même façon, l'avocat n'a pas le droit d'inciter des procédures inutiles, de favoriser l'affrontement des parties dans le but de gagner des honoraires, de donner à son action une connotation de mercantilisme ou encore pour nuire à la partie adverse. »[135]

La Cour d'appel fut cependant d'avis contraire et décida de fixer certaines balises :

« Mais, à mon humble avis, il faut que l'abus de la procédure constitue quelque chose de grossier : i.e. une poursuite sans mandat ou une poursuite fondée sur des faits que l'avocat sait être faux ou une poursuite qui n'a aucun semblant de fondement juridique. Il faut aussi que le fait soit manifeste et indiscutable puisqu'une condamnation aux frais ne doit pas être un succédané rapide pour une condamnation en faveur de la partie adverse sur une action pour une poursuite abusive ou pour une condamnation en faveur du client pour une faute professionnelle de l'avocat. Car, devant la menace d'une condamnation aux frais avant même que le jugement ne soit rendu sur la procédure principale, l'avocat se trouve en conflit entre son propre intérêt et celui de son client. »[136]

Cette attitude de la Cour d'appel ne peut qu'être approuvée. La condamnation du procureur aux dépens doit être utilisée comme réparation exceptionnelle. En effet, les procureurs doivent pouvoir exécuter leur mandat en toute sérénité et ce n'est que dans certains cas extrêmes, telle la preuve d'une intention de nuire ou de négligence

---

127. Précitée, note 93. Cette décision s'était basée sur deux arrêts, *Myers c. Elman*, [1940] A.C. 282; *Pacific Mobile Corporation c. Hunter Douglas Canada Limited*, [1979] 1 R.C.S. 842.
128. *L. c. G.*, précité, note 93, p. 580. Voir cependant la critique de Y.-M. MORISSETTE (1984), *loc. cit.*, note 1, p. 412.
129. Dans une affaire pénale, on a condamné un procureur à payer certains frais en raison de sa négligence grossière dans la conduite de la défense (ne pas avoir avisé en temps utile de la présentation d'une requête) : *Procureur général du Canada c. Bisson*, J.E. 95-1428, EYB 1995-78284 (C.S.).
130. [1993] 4 R.C.S. 3, EYB 1993-67111.
131. Un auteur est cependant d'avis que « [...] les finalités se confondent et que la mesure est à la fois punitive dans son imposition et compensatoire dans son effet », Y.-M. MORISSETTE (1984), *loc. cit.*, note 1, p. 415.
132. *Id.*, p. 136 et 137 (souligné dans le texte).
133. Au cours des procès, 158 entrées de procédure avaient été enregistrées : *Droit de la famille – 1777*, [1993] R.J.Q. 1176, 1195, EYB 1993-86778 (C.S.).
134. *Id.*, p. 1198.
135. *Id.*, p. 1192.
136. *Droit de la famille – 1777*, [1994] R.J.Q. 1493, 1497, EYB 1994-59173 (C.A.). La jurisprudence ultérieure a appliqué les principes dégagés par la Cour d'appel pour refuser de condamner le procureur. Voir *Droit de la famille – 2229*, J.E. 95-1400, EYB 1995-72920 (C.S.); *Pearl c. Gentra Canada Investments Inc.*, [1998] R.L. 581, REJB 1998-06357 (C.A.). Pour une analyse fouillée de la jurisprudence, voir *Lawyers Title Insurance Corp. c. Michalakopoulos*, précité, note 118.

grossière[137], qu'on les tiendra responsables de cette façon. Comme l'expliquent des auteurs, en faisant référence à l'affaire *Young c. Young*[138] :

> « Les tribunaux [doivent] faire montre de la plus grande prudence en condamnant les procureurs personnellement aux dépens et ce, en raison de l'obligation qui leur incombe de préserver le caractère confidentiel de leur mandat et de défendre avec courage des causes mêmes impopulaires. De plus, la cour ajoute qu'un avocat ne devrait pas être placé dans une situation où la peur d'être condamné aux dépens pourrait l'empêcher de remplir les devoirs fondamentaux de sa charge. »[139]

137.   Voir *Procureur général du Canada c. Bisson*, précité, note 129.
138.   Précitée, note 130.
139.   P. BÉLANGER et R. VEILLEUX, *loc. cit.*, note 121, p. 845. Voir aussi P. BERNARD, *loc. cit.*, note 1, p. 285 et s.

Chapitre III

Mᵉ Patrice Deslauriers*

La responsabilité des notaires[1]

En 1984, un auteur constatait, statistiques à l'appui, que, dans le domaine du droit, la grande majorité des réclamations proviennent du droit immobilier et du financement hypothécaire, champs d'activité traditionnels des notaires[2]. Il ressort effectivement de la jurisprudence que les notaires sont fréquemment poursuivis pour leurs fautes professionnelles.

Une décision de la Cour suprême, l'affaire *Roberge*[3], a réitéré certains principes fondamentaux relativement à cette responsabilité et a précisé certaines normes de comportement. Cette décision a soulevé un tollé de protestations chez les notaires qui y ont vu l'exigence d'un degré de responsabilité s'apparentant à une obligation de résultat. Par exemple, Mᵉ Desjardins écrivait :

« La Cour suprême [...] a jugé que l'erreur de droit constitue nécessairement une faute, transformant ainsi l'obligation de moyens du conseiller juridique en obligation de résultat. [...] C'est grave, très grave. »[4]

Dans les pages qui suivent, nous y reviendrons en traitant de la nature de la relation entre le notaire et le client, de l'intensité de ce lien et des principaux devoirs de ce conseiller juridique.

1- La nature de la relation

En vertu de l'article 11 de la *Loi sur le notariat*[5], le notaire a « le devoir d'agir avec impartialité et de conseiller toutes les parties à un acte auquel elles doivent ou

* Professeur à l'Université de Montréal et avocat. L'auteur remercie Christina Parent-Roberts pour son aide dans le repérage des autorités.
1. Voir généralement sur le sujet, Jean-Louis BAUDOUIN et Patrice DESLAURIERS, *La responsabilité civile*, 7ᵉ éd., volume 2 – Responsabilité professionnelle, Cowansville, Les Éditions Yvon Blais Inc., 2007, p. 142 à 166, EYB2007RES36; François AQUIN, « Réflexions sur la responsabilité civile du notaire », (1990) 2 *C.P. du N.* 395; Pierre CIOTOLA et Roger COMTOIS, « La responsabilité notariale », dans *Répertoire de droit – Pratique notariale*, vol. I, doc. 2, 1984; Claude SÉGUIN, « La responsabilité civile du notaire, officier public et conseiller juridique », dans *Meredith Memorial Lectures*, Toronto, De Boo, 1984, p. 227 à 246; Paul-Yvan MARQUIS, *La responsabilité du notaire, officier public*, Ottawa, Éditions de l'Université d'Ottawa, 1977 (ci-après désigné : « P.-Y. MARQUIS (1977) »); Martin CLOUTIER, « Le secret professionnel de l'avocat et du notaire en cas de fraude fiscale », (1995) *R.P.F.S.* 489; Jacques CHAMBERLAND, *Le notaire dans l'œil du juge*, dans Pierre CIOTOLA (dir.), *Le notariat de l'an 2000 : défis et perspectives, Journées Maximilien-Caron*, Les Éditions Thémis, 1997, p. 61; Paul-Yvan MARQUIS, *La responsabilité civile du notaire*, Les Éditions Yvon Blais Inc., 1999 (ci-après désigné : « P.-Y. MARQUIS (1999) »); Nicholas KASIRER, « Le parfait notaire », (1999) 101 *R. du N.* 403; Yvan DESJARDINS, « Le notaire et l'obligation de résultat », (2000) 102 *R. du N.* 433; Daniel TOUSIGNANT, « La fonction notariale au Québec, fonction préventive des litiges : le conseil et la médiation comme deux de ses instruments », (2001) 103 *R. du N.* 143; François FRENETTE, « La fonction créatrice de droit du notaire québécois mesurée à l'aune de son activité principale », (2001) 103 *R. du N.* 213; Pierre PÉPIN, « Circulation du document notarié et ses effets comme acte qui légitime dans le domaine juridique », (2001) 103 *R. du N.* 253; Alain ROY, « La nouvelle *Loi sur le notariat* : un virage décisif vers l'avenir », (2001) 1 *C.P. du N.* 53; Martine ARIAL, « L'inflation judiciaire en responsabilité professionnelle : comment limiter les dégâts? », (2001) 1 *C.P. du N.* 185; Jean MORIN, « Le développement du droit et l'évolution du notariat : l'objectif de justice est-il atteint? », (2001) 42 *C. de D.* 487; Alain ROY, *Déontologie et procédure notariales*, Montréal, Les Éditions Yvon Blais Inc., 2002; Alain ROY et Bertrand SALVAS, « Réflexions sur l'acte notarié électronique en droit québécois », dans Vincent GAUTRAIS (Dir.), *Droit du commerce électronique*, Montréal, Éditions Thémis, 2002, p. 653; H. BARABÉ, « Le notaire et les valeur$ mobilière$, des honoraire$, mais pas à n'importe quel prix! », (2002) 2 *C.P. du N.* 195; Daniel GARDNER et Frédéric LÉVESQUE, « La responsabilité notariale : une responsabilité à part ... entière », (2003) 105 *R. du N.* 881; Denis BORGIA, « L'impact du Code civil du Québec sur la responsabilité professionnelle : une réforme peut en cacher une autre », (2003) 105 *R. du N.* 643; Alain ROY, « Notariat et multidisciplinarité reflet d'une crise d'identité professionnelle? », (2004) 106 *R. du N.* 1 (ci-après désigné : « ROY (2004) »); Elizabeth BRIÈRE et Pierre DUCHAINE, « Compendium pratique sur l'art de chercher ... en espérant ne rien trouver », (2005) 2 *C.P. du N.* 179; Denis BORGIA, « Responsabilité notariale : naissance de l'obligation de garantie après une gestation difficile », (2005) 107 *R. du N.* 365 (ci-après désigné « D. BORGIA (2005) »); Pierre CIOTOLA, « La suspicion et le droit : aux confins de la déontologie et du droit privé », dans *Mélanges Roger Comtois*, Montréal, Éditions Thémis, 2007, p. 193; Stéphane BRUNELLE et Nancy DÉSAULNIERS, « Le rapport sur titres : formulaire imposé ou geste professionnel à valeur ajoutée », (2008) 1 *C.P. du N.* 131; Pierre PÉPIN et Sevgi KELCI, « Spicilège de préoccupations déontologiques (Guide pratique de survie d'un notaire) », (2008) 2 *C.P. du N.* 107.
2. C. SÉGUIN, *id.*, p. 227.
3. *Roberge c. Bolduc*, [1991] 1 R.C.S. 374, EYB 1991-67727.
4. Yvan DESJARDINS, « L'effet de la chose jugée et l'examen des titres, ou la responsabilité notariale selon la Cour suprême », (1992) 94 *R. du N.* 283, 290 (ci-après désigné « Y. DESJARDINS (1992) »). Voir aussi, du même auteur, Yvan DESJARDINS, « Les suites de l'affaire *Dorion* », dans *Mélanges Roger Comtois*, Montréal, Éditions Thémis, 2007, p. 271 (ci-après désigné « Y. DESJARDINS (2007) »).
5. L.R.Q., c. N-3.

veulent faire donner le caractère d'authenticité ». Un rapprochement peut être fait avec l'article 2138 C.c.Q., qui prescrit au mandataire « d'agir avec honnêteté et loyauté dans le meilleur intérêt du mandant et éviter de se placer dans une situation de conflit entre son intérêt personnel et celui de son mandant ».

Toutefois, la nature du contrat conclu entre le notaire et son client reste aujourd'hui encore controversée[6]. Plusieurs voient effectivement dans la convention intervenue avec un notaire, un contrat de mandat. Cela s'expliquait du fait que le Code civil du Bas-Canada édictait que : « les notaires sont sujets aux règles générales contenues dans ce titre [du mandat], en autant qu'elles peuvent s'appliquer » (art. 1732 C.c.B.-C.). Cela s'avère donc exact dans plusieurs situations, comme la négociation d'un prêt, les transactions immobilières ou la distribution de sommes d'argent selon les instructions du client[7]. En revanche, un auteur a souligné, avec justesse, qu'on ne peut qualifier le notaire de mandataire pour toutes ses activités, parce que, en certaines circonstances, par exemple lorsqu'il reçoit un acte authentique, sa loi constitutive, la *Loi sur le notariat*[8], l'empêche de représenter quiconque[9]. De même, le notaire qui agit à titre de conseiller ne représente pas son client[10], et le contrat de mandat est alors inapplicable puisque n'oublions pas que le mandat est défini comme : « le contrat par lequel une personne, le mandant, donne le pouvoir de la représenter dans l'accomplissement d'un acte juridique avec un tiers » (art. 2130 C.c.Q.).

D'autres considèrent que certains actes accomplis par un notaire relèvent plutôt d'une convention de services professionnels[11], comme la recherche de titres[12], ou d'un contrat *sui generis*[13]. Il paraît donc difficile de généraliser et d'apposer une étiquette unique sur les services rendus par les notaires. En fait, « l'exactitude de cette qualification dépend essentiellement du rôle particulier joué par le notaire pour chaque acte précis et donc du type spécifique d'obligation qu'il assume alors »[14].

2- L'intensité du lien obligationnel

Il est reconnu que les notaires sont tenus à une obligation de moyens[15]. Dans l'affaire *Legault c. Thiffault*, la Cour d'appel exprime l'opinion que « les professionnels que sont les notaires ont l'obligation de rendre à leurs clients des services attentifs, diligents et compétents, de leur donner des conseils et des avis sages et judicieux en autant qu'il est raisonnable d'en attendre d'un praticien du droit de compétence ordinaire »[16].

Cette analyse fut reprise dans l'arrêt *Roberge*, où la Cour suprême précise que les notaires ont « *en principe*, envers leurs clients, une obligation de diligence »[17].

Pour établir la faute d'un notaire, il incombe donc à la victime de démontrer que le défendeur s'est écarté d'une conduite raisonnablement prudente et diligente eu égard aux circonstances[18]. Toutefois, exceptionnellement, le notaire est tenu à une obligation de résultat[19], par exemple, lorsqu'il doit, aux termes d'un mandat clair et précis[20], « procurer au client un acte valide authentique »[21] ou débourser des fonds[22], ou encore lorsqu'il reçoit et accepte un « mandat en termes très spécifiques »[23].

---

6.   F. AQUIN, *loc. cit.*, note 1, parle d'un « flottement jurisprudentiel sur le sujet » (p. 413).
7.   *Villeneuve c. Lefebvre*, [1996] R.R.A. 726, EYB 1996-84905 (C.S.).
8.   Précitée, note 5. L'article 41 énonce : « Un notaire ne peut recevoir un acte dans lequel lui ou son conjoint est ou représente l'une des parties. »
9.   Voir C. SÉGUIN, *loc. cit.*, note 1, p. 242; F. AQUIN, *loc. cit.*, note 1, p. 414.
10.   *Bouchard c. Boucher*, J.E. 2006-243, EYB 2005-98770 (C.S.), conf. par [2007] R.R.A. 859, EYB 2007-125432 (C.A.).
11.   *Plante c. Lafleur*, [1990] R.R.A. 290, EYB 1990-58771 (C.A.).
12.   *Bracken c. Savard*, 2004BE-437, EYB 2003-51636 (C.Q.).
13.   Paul-Yvan MARQUIS, « La nature de la responsabilité civile du notaire, officier public », R.D. – Pratique notariale – Doctrine – Document 6, par. 193 et s.; C. SÉGUIN, *loc. cit.*, note 1, p. 241.
14.   J.-L. BAUDOUIN et P. DESLAURIERS, *op. cit.*, note 1, p. 143.
15.   *Id.*, p. 144. P.-Y. MARQUIS (1977), *op. cit.*, note 1, p. 27.
16.   *Legault c. Thiffault*, [1976] C.A. 729, p. 8 du Minibiblex.
17.   *Roberge c. Bolduc*, précité, note 3, p. 398 (souligné dans l'original); *Jolette c. Emery*, [1996] R.R.A. 18, EYB 1995-57614 (C.A.); *Richmond c. Lévesque*, [1997] R.R.A. 11, EYB 1996-65575 (C.A.); *2434-5084 Québec Inc. c. Marquis*, [1997] R.R.A. 749, REJB 1997-03386 (C.S.); *Vachon c. Compagnie Trust Central Guaranty*, [1998] R.R.A. 16, REJB 1997-03576 (C.A.); *Boivin c. 2955-0555 Québec Inc.*, [1999] R.J.Q. 1932, REJB 1999-13680 (C.A.); *Trempe c. Fiducie Desjardins*, REJB 2003-46895 (C.A.), inf. REJB 2001-23727 (C.S.); *Gingras c. Pharand*, [2007] R.R.A. 609, EYB 2007-120749 (C.S.).
18.   Comme pour l'avocat, le fait d'afficher des compétences particulières est un élément à considérer : *Bisson c. Leblanc*, REJB 2001-23733 (C.S.), conf. par REJB 2002-36373 (C.A.); *Gestion Mécatriel c. Lopez*, REJB 2002-33238 (C.S.).
19.   D. BORGIA (2005), *loc. cit.*, note 1.
20.   *Trempe c. Fiducie Desjardins*, précité, note 17.
21.   P.-Y. MARQUIS (1977), *op. cit.*, note 1, p. 177; J.-L. BAUDOUIN et P. DESLAURIERS, *op. cit.*, note 1, p. 145-146; É. BRIÈRE et P. DUCHAINE, *loc. cit.*, note 1; *Véronneau c. Montreuil*, REJB 2000-17585 (C.Q.). À cet égard, la précision du libellé du mandat s'avère extrêmement importante : *Trempe c. Fiducie Desjardins*, précité, note 17.
22.   *Houle c. Société hypothécaire B.N.E.*, [1996] R.R.A. 547, EYB 1996-72076 (C.A.); *MFQ Vie, corporation d'assurances c. Dussault*, REJB 2000-20983 (C.S.), REJB 2003-42964 (C.A.); *Assurance-vie Desjardins Laurentienne Inc. c. Lamoureux*, REJB 2002-35661 (C.A.); *Caisse populaire Desjardins des Plateaux de Sherbrooke c. Fonds d'assurance responsabilité professionnelle de la Chambre des notaires du Québec*, 2005BE-584, EYB 2005-88521 (C.S.); *Groupe Sutton Excellence Inc. c. Mamani*, J.E. 2008-103, EYB 2007-125996 (C.S.). Voir aussi Y. DESJARDINS, *loc. cit.*, note 1; D. BORGIA, *op. cit.*, note 1, p. 657 et s. À noter que certains y voient plutôt une obligation de diligence. Voir *infra*.
23.   *Gestion Mécatriel c. Lopez*, précité, note 18.

Plusieurs se sont interrogés sur les conséquences de l'affaire *Roberge*[24] et ont vu se transformer l'obligation du notaire en une obligation de résultat[25]. Nous partageons plutôt l'opinion que cette décision, très sévère à l'endroit de certaines pratiques notariales, n'introduit aucunement une obligation de résultat[26]. À notre avis, cet arrêt réaffirme simplement que la notion du notaire raisonnablement prudent et diligent s'avère un concept abstrait qui peut être différent de l'ensemble des pratiques individuelles et concrètes des notaires. Il est vrai cependant que, par ce passage du jugement énonçant « qu'il ne suffit pas [...] de suivre la pratique professionnelle courante pour échapper à sa responsabilité. Il faut que le caractère raisonnable de cette pratique puisse être démontré »[27], la Cour suprême livre une appréciation sévère de la pratique notariale[28].

En fait, ce jugement ne nous paraît pas porter sur la transformation du devoir du notaire en une obligation de résultat[29], mais plutôt sur la question, très importante, de la valeur probante d'une expertise.

D'ailleurs, la Cour suprême le spécifie clairement lorsqu'elle énonce que « [l]e juge [...] reste l'arbitre final [...] le témoignage d'un expert ne lie pas quant à la question de droit précise que le juge est appelé à trancher »[30].

Une question se pose alors invariablement. La preuve d'expertise est-elle essentielle? Il nous semble qu'en général, elle ne le soit pas. C'est d'ailleurs en ce sens que la Cour d'appel décidait qu'un juge peut « statuer sur le caractère de l'erreur en l'absence de [...] témoins [experts] »[31]. En revanche, cette preuve ne semble pouvoir être faite par la simple production d'un article de doctrine[32].

Il n'en demeure pas moins que cet arrêt, qui se caractérise par une ingérence marquée de la Cour suprême, peut laisser songeur, puisqu'il devient ainsi hasardeux de suivre une pratique établie. Le dilemme est d'autant plus grand que la Cour d'appel, par la suite, s'exprimait ainsi : « Je crois toutefois, qu'il faut [...] convenir que le notaire qui ne suit pas la pratique professionnelle courante n'échappe pas à sa responsabilité. »[33] Dans cet arrêt, une directive de la Chambre des notaires a ainsi été considérée comme « confirm[ant] une mesure de prudence élémentaire ». En revanche, dans une autre affaire, un notaire n'a pas été considéré responsable même s'il n'avait pas suivi les contrats-types proposés par la Chambre des notaires[34].

Comment concilier ce paradoxe? La solution réside probablement dans les recommandations du professeur Marquis[35]. Le notaire normalement diligent vérifie le caractère raisonnable de la pratique avant de la suivre. Si la pratique est déraisonnable, il convient de l'ignorer. Si la pratique s'avère raisonnable, le notaire doit l'adopter sinon il pourra encourir des sanctions civiles. Comme le signale toutefois l'auteur, le caractère raisonnable de la pratique « ne sera pas toujours facile à établir »[36].

---

24. *Roberge c. Bolduc*, précité, note 3.

25. Y. DESJARDINS (1992), *loc. cit.*, note 4, p. 290; Paul-Yvan MARQUIS, « L'affaire Dorion : les conséquences du jugement de la Cour suprême sur la pratique notariale et sur l'examen de titres », (1992) 1 *C.P. du N.* 1; Y. DESJARDINS (2007), *loc. cit.*, note 4.

26. En ce sens, Daniel CHÉNARD, « L'erreur de droit et la faute professionnelle du notaire », dans *Le défi du droit nouveau pour les professionnels, Les Journées Maximilien-Caron 1994*, p. 187. Voir également *Vachon c. Compagnie Trust Central Guaranty*, précité, note 17.

27. *Roberge c. Bolduc*, précité, note 3, p. 434. Cette décision a eu des répercussions dans les instances inférieures : voir notamment *Archambault c. Berthiaume*, [1994] R.R.A. 837 (C.S.); *Dorgebray c. Desbiens*, REJB 2001-25266 (C.S.); *Tremblay c. Aubert*, [2008] R.R.A. 1004, EYB 2008-146986 (C.S.).

28. Voir, sur cette question, N. KASIRER, *loc. cit.*, note 1, p. 404 et s.; D. BORGIA, *op. cit.*, note 1, p. 657 et s.

29. *Trempe c. Fiducie Desjardins*, précité, note 17.

30. *Roberge c. Bolduc*, précité, note 3, p. 430 et 431. Plus loin, la cour reprend dans le même sens lorsqu'elle affirme « les tribunaux ont le pouvoir discrétionnaire d'apprécier la responsabilité, malgré l'existence d'une preuve non contredite quant à la pratique professionnelle courante à l'époque en question. La norme doit toujours être, compte tenu des faits particuliers de chaque espèce, celle du professionnel raisonnable placé dans les mêmes circonstances » (p. 436).

31. *Julien c. Banque nationale du Canada*, [1991] R.R.A. 265, EYB 1991-57482 (C.A.). Cependant, plus récemment, la même cour semble avoir suggéré le contraire lorsqu'elle écrit « Pour évaluer ce standard de conduite, c'est à la preuve d'expertise qu'il convient de se référer. » : *Vachon c. Compagnie Trust Central Guaranty*, précité, note 17. On doit toutefois s'interroger sur la portée générale de cette dernière affirmation puisqu'on pourrait prétendre qu'elle est limitée à ce cas d'espèce. Voir également sur ce sujet, *Ruimy c. Zhaty*, 2000BE-479 (C.Q.); *Dorgebray c. Desbiens*, précité, note 27; *Parent c. Bonin*, REJB 2002-31342 (C.S.); *Franck c. Fonds d'assurance-responsabilité professionnelle de la Chambre des notaires*, 2003BE-690 (C.S.); *Entreprises Malo Inc. c. Gagnon, Cantin, notaires, s.e.n.c.*, REJB 2004-60291 (C.S.); *Matteau c. Québec (Ministère de la Justice)*, EYB 2004-70478 (C.S.). Voir généralement sur cette question, D. BORGIA, *op. cit.*, note 1, p. 650 et s. Par ailleurs, l'expert doit témoigner sur la pratique et non pas « plaider » en droit. Ainsi, l'opinion juridique d'un expert en droit a récemment été rejetée. Voir *Parizeau c. Lafrance*, [1999] R.J.Q. 2399, REJB 1999-14780 (C.S.). Voir toutefois en sens contraire, *Khalid c. Lépine*, REJB 2000-20064 (C.S.), conf. par [2004] R.J.Q. 2415, REJB 2004-70368 (C.A.).

32. *Sasseville c. Bonneville*, [1991] R.R.A. 423, EYB 1991-56360 (C.A.). Voir aussi *Dufault c. Laferrière*, REJB 2000-16729 (C.S.), conf. par REJB 2002-35390 (C.A.); *contra* : *Entreprises Malo Inc. c. Gagnon, Cantin, notaires, s.e.n.c.*, précité, note 31. Soulignons toutefois que dans une affaire, le juge, de façon surprenante, a référé un extrait d'un rapport d'expert cité dans une autre décision. Voir *National Trust c. Latour*, 2000BE-29 (C.Q.).

33. *Id.*, p. 425; *Jolette c. Emery*, précité, note 17.

34. *Robitaille c. Fleurent*, [1995] R.R.A. 197, EYB 1994-75621 (C.S.), conf. par C.A. Montréal, nº 500-09-001927-946, 26 avril 1998.

35. Voir son commentaire d'arrêt dans Paul-Yvan MARQUIS, « Responsabilité professionnelle – Responsabilité civile du notaire québécois – chose jugée – erreur de droit – faute professionnelle – pratique notariale courante – rôle des experts – devoir de conseil : *Dorion c. Roberge et Beaupré* », (1991) 70 *R. du B. can.* 768.

36. *Id.*, p. 778.

3- La faute du notaire à l'endroit de son client[37]

Le notaire est débiteur de certaines obligations vis-à-vis de son client, et l'inexécution de celles-ci peut engager sa responsabilité dès lors que les trois conditions (faute, préjudice, lien de causalité) sont réunies.

A- Les devoirs du notaire

1. Le devoir d'authentification des actes[38]

Ce devoir trouve principalement sa source dans l'article 10 *L.n.*[39], qui prévoit que :

« Le notaire est un officier public et collabore à l'administration de la justice. Il est également un conseiller juridique.

En sa qualité d'officier public, le notaire a pour mission de recevoir les actes auxquels les parties doivent ou veulent faire donner le caractère d'authenticité qui s'attache aux actes de l'autorité publique, d'en assurer la date et, s'il s'agit d'actes reçus en minute, d'en conserver le dépôt dans un greffe et d'en donner com-munication en délivrant des copies ou extraits de ces actes. »

Le notaire est donc astreint à respecter certaines formalités essentielles pour conférer à un acte son caractère solennel[40]. Ainsi, le notaire doit y inscrire la date et le lieu. De plus, il doit y reproduire les clauses qui traduisent juridiquement l'intention des parties[41]. Il importe d'ailleurs au notaire d'agir avec probité et « de ne pas y inscrire de mention qui soit fausse ou préjudiciable à l'une des parties »[42]. Il doit aussi y désigner correctement les immeubles, les lots[43] ou les prêts quittancés[44]. Il doit également faire lecture de l'acte[45], s'assurer de l'identité des parties[46], recueillir les signatures et obtenir lorsque nécessaire une déclaration solennelle[47]. Finalement, le notaire doit signer lui-même l'acte[48]. On reconnaît généralement qu'il s'agit d'une obligation de résultat[49].

Par ailleurs, dans certaines circonstances, le notaire doit assurer le suivi de l'authentification, et, accessoirement, il est requis d'observer les formalités relatives à l'effectivité[50] et à la publicité de l'acte[51].

Une décision apporte toutefois à ce principe certaines nuances en mentionnant que, si le notaire n'a pas l'obligation de publier tous les actes, il doit, à tout le moins, « informer ses clients des formalités requises pour préserver aux actes reçus leur portée juridique »[52].

---

37. Sur l'absence de lien entre le cessionnaire d'un greffe et le client du cédant, voir *Careau c. Delage*, 2004BE-264, EYB 2003-51912 (C.S.).
38. Voir généralement sur ce sujet, Roger COMTOIS, « L'authenticité de l'acte notarié », 1992, Pratique notariale – Doctrine – Document 3. P.-Y. MARQUIS (1999), *op. cit.*, note 1, p. 247 et s.; F. FRENETTE, *loc. cit.*, note 1; P. PEPIN, *loc. cit.*, note 1; A. ROY, *op. cit.*, note 1, p. 69 et s.; P. PÉPIN et S. KELCI, « Spicilège de préoccupations déontologiques (Guide pratique de survie d'un notaire) », précité, note 1, p. 114 et s. Sur l'impact des nouvelles technologies, voir A. ROY et B. SALVAS, *loc. cit.*, note 1, p. 665 et s.
39. Précitée, note 5.
40. *Bélanger c. Guérin*, [1992] R.R.A. 649 (C.S.).
41. À titre d'illustration, voir *Martin c. Denis*, REJB 2001-25765 (C.S.); *Henri Labbé & Fils Inc. c. 9057-0045 Québec Inc.*, J.E. 2004-1579, REJB 2004-66065 (C.S.).
42. P. CIOTOLA et R. COMTOIS, *loc. cit.*, note 1, p. 8. Voir en jurisprudence *Fonds d'assurance-responsabilité professionnelle de la Chambre des notaires du Québec c. Frankl*, [1997] R.R.A. 296, REJB 1997-00716 (C.A.), inf. [1994] R.J.Q. 746, EYB 1994-73295 (C.S.); *Corporation professionnelle des notaires du Québec c. Maurice Bilodeau Inc.*, [1998] R.R.A. 362, REJB 1998-05870 (C.A.); *Boivin c. 2955-0555 Québec Inc.*, précité, note 17; *Trans-American Trade Exchange Inc. c. Haltrecht*, REJB 2000-16737 (C.A.).
43. *Brossard c. Banque Toronto-Dominion*, [1996] R.R.A. 596, EYB 1996-65239 (C.A.); *Lepage c. Nichols*, 2002BE-827 (C.Q.p.c.). Toutefois, dans ces dernières affaires, l'action a été rejetée au motif d'absence de mise en demeure préalable de remédier à la situation.
44. *Charest c. Caisse populaire Ste-Claire d'Assise*, J.E. 97-176, EYB 1996-105375 (C.A.); *Caisse populaire Desjardins de Bienville c. Roy*, 2005BE-769, EYB 2005-89957 (C.Q.).
45. Selon un auteur, « [C]ette formalité est une des plus importantes tant pour les parties que pour le notaire », C. SÉGUIN, *loc. cit.*, note 1, p. 232. Toutefois, la jurisprudence récente a adouci cette formalité lorsque les parties sont expérimentées : *Fernet c. Gareau*, [1998] R.R.A. 192, REJB 1997-02227 (C.S.).
46. *Vachon & Lessard Construction Inc. c. Beaumier*, [1997] R.R.A. 58, REJB 1997-00215 (C.A.); *Caisse populaire Canadienne Italienne c. Gallo-Greco*, REJB 2000-17777 (C.S.); Martine GERVAIS, « L'obligation d'attestation d'identité : obligation de résultat? », dans Service de la formation continue du Barreau du Québec, *Développements récents en vol d'identité et protection des renseignements personnels (2008)*, Cowansville, Les Éditions Yvon Blais Inc., 2008, EYB2008DEV1501. Selon certaines décisions, il ne serait toutefois pas nécessaire pour le notaire de vérifier la capacité des parties. Voir *Vachon & Lessard Construction Inc. c. Beaumier*, *id.*; *B.P. c. C.B.*, J.E. 2007-2250, EYB 2007-126025 (C.S.).
47. *Roynat c. Rainville*, [1996] R.R.A. 787 (C.S.).
48. C. SÉGUIN, *loc. cit.*, note 1, p. 233.
49. F. AQUIN, *loc. cit.*, note 1, p. 421; *Houle c. Société hypothécaire B.N.E.*, précité, note 22; *Véronneau c. Montreuil*, précité, note 21. Voir toutefois les commentaires de M. ARIAL, *loc. cit.*, note 1, p. 199.
50. *Blanchet c. Simard*, [1997] R.R.A. 35, REJB 1997-00097 (C.A.).
51. *Woo-Lee c. Bierbrier*, [1994] R.R.A. 984 (C.S.), conf. par J.E. 99-58, REJB 1998-09623 (C.A.); *Drouin c. Garneau*, [1989] R.R.A. 34, EYB 1988-77088 (C.S.), conf. par J.E. 91-61, EYB 1990-56310 (C.A.); *Wilfrid Noël & Fils Ltée c. Bouchard*, [1997] R.R.A. 894 (C.Q.), conf. par REJB 2000-16650 (C.A.); *Landry c. Lévesque*, REJB 2000-22813 (C.S.); *Paquet c. Tremblay*, 2008BE-777 (C.Q.), conf. par [2008] R.R.A. 860, EYB 2008-148285 (C.A.). En certaines circonstances particulières, il pourra aussi lui être reproché d'avoir publié trop rapidement. Voir *Banque Toronto Dominion c. Dhillon*, J.E. 98-82, REJB 1997-03571 (C.S.).
52. *Système de buanderie Lavoco Inc. c. Pinchiaroli*, 98BE-949 (C.S.).

2. *Le devoir de conseil*[53]

Le devoir de conseil est défini comme une « obligation à la fois morale et légale qui incombe au notaire d'éclairer les parties, suivant leurs besoins respectifs et les circonstances particulières de chaque cas, sur la nature et les conséquences juridiques parfois même économiques de leurs pactes et conventions, ainsi que sur les formalités requises pour assurer leur validité et leur efficacité »[54].

Il s'agit d'une obligation de moyens[55] qui se veut un devoir de renseignement, d'information[56], de recommandation[57] et de protection[58]. Cette obligation qui peut être solidaire[59] est d'autant plus importante lorsque le notaire est au courant de certains problèmes[60]. Ce devoir de protéger les intérêts des parties implique d'ailleurs que le notaire soit tenu, en certaines circonstances, de faire des vérifications sommaires[61]. En tant qu'officier public et conseiller désintéressé[62], le notaire est débiteur de ses obligations à l'égard de toutes les parties à l'acte[63] et il doit s'assurer de leur avoir transmis les explications utiles. En outre, il doit éviter que l'une d'elles, faute de conseils, ne devienne la victime inconsciente des manipulations de l'autre partie[64]. L'intensité de cette obligation d'information varie toutefois en fonction de la présence de certains facteurs. Par exemple, le fait d'être rompu à ce genre d'affaires[65], l'importance[66] ou la nouveauté de la réglementation[67], l'étendue du mandat[68], le degré des

---

53. Voir, sur le sujet, P.-Y. MARQUIS (1999), *op. cit.*, note 1, p. 109 et s.; A. ROY, *op. cit.*, note 1, p. 17 et s.; D. TOUSIGNANT, *loc. cit.*, note 1; D. BORGIA, *op. cit.*, note 1, p. 650 et s.

54. P.Y. MARQUIS (1977), *op. cit.*, note 1, p. 32. Voir aussi Code de déontologie des notaires, R.R.Q., c. N-3, r. 0.2, art. 7; Dominique JOLIN et Kathleen SAUVÉ, « La responsabilité professionnelle du notaire face à son obligation de conseil », (1997) 11 *R.J.E.L.* 225. Le professeur Marquis fait remarquer que le devoir de conseil est la première cause de réclamations contre les notaires : P.-Y. MARQUIS (1999), *op. cit.*, note 1, p. 108 (note 173-1).

55. « La conduite [du notaire] doit être évaluée par rapport à celle du notaire raisonnablement prudent et diligent et que l'on ne saurait demander au notaire d'être prophète ni devin », voir *Gestion Mécatriel c. Lopez*, précité, note 18; *Tremblay c. Hébert*, 2004BE-438, EYB 2003-51373 (C.Q.); *Crépeau c. Blain*, 2005BE-1007, EYB 2005-92985 (C.S.), conf. par J.E. 2007-1260, EYB 2007-120646 (C.A.); *Martin c. Marcon*, J.E. 2008-1440, EYB 2008-135192 (C.S.); *Lanoue c. Courville*, J.E. 2008-2101, EYB 2008-148382 (C.S.) (en appel). Voir toutefois la nuance apportée quant au notaire instrumentant dans *Parent c. Bonin*, précité, note 31.

56. Voir généralement *Jolette c. Emery*, précité, note 17; *Caisse populaire Desjardins Terrebonne c. Parent*, [1996] R.J.Q. 2609, EYB 1996-30283 (C.S.), conf. en partie par REJB 2000-17278 (C.A.); *2434-5084 Québec Inc. c. Marquis*, précité, note 17; *Duchesne c. Bouchard*, [1998] R.R.A. 161, REJB 1997-05302 (C.S.); *Corporation financière E.J.G. Inc. c. Audet*, J.E. 98-1100, REJB 1998-06934 (C.S.); *Robinson c. Barbe*, REJB 2000-20649 (C.A.); *Gauthier c. Durocher*, REJB 2000-19356 (C.S.); *Chartré c. Exploitation agricole et forestière des Laurentides Inc.*, REJB 2002-32116 (C.A.); *Laferrière c. Fonds d'assurance-responsabilité professionnelle de la Chambre des notaires*, J.E. 2005-1538, EYB 2005-92986 (C.Q.); *Mackay c. Lagacé*, EYB 2005-98586 (C.Q.); *Parent c. Fortin*, J.E. 2007-143, EYB 2006-111704 (C.Q.); *Bergeron c. Racette*, J.E. 2006-2262, EYB 2006-110860 (C.A.); *Vermette c. Lebeau*, J.E. 2007-86, EYB 2006-112351 (C.Q.); *Syndicat des copropriétaires du 502, des Prairies c. Syndicat des copropriétaires du 504, des Prairies*, J.E. 2008-794, EYB 2008-132185 (C.S.).

57. *Poulin c. Pilon*, [1984] C.S. 177, cité dans C. SÉGUIN, *loc. cit.*, note 1, p. 235; *Trottier c. Turgeon*, [1994] R.R.A. 510 (C.S.); *Woo-Lee c. Bierbrier*, précité, note 51; *Fonds d'assurance-responsabilité professionnelle de la Chambre des notaires du Québec c. Côté*, [1995] R.R.A. 300, EYB 1995-56907 (C.A.); *Gravelle c. Monnet*, REJB 2003-50865 (C.A.).

58. *Gestion Michel et Paul-André Papillon Inc. c. Cossette*, J.E. 96-1291, EYB 1996-84906 (C.S.), inf. par J.E. 97-1941, REJB 1997-02726 (C.A.); *Selye c. Mackay*, [1997] R.R.A. 191 (C.S.); *Vachon c. Compagnie Trust Central Guaranty*, précité, note 17; *2172-0644 Québec Inc. c. Trottier*, J.E. 98-1518, REJB 1998-07069 (C.A.) (la cour a toutefois jugé qu'il y avait eu absence de lien de causalité); *Caisse populaire St-Stanislas-de-Kostka c. Pilon*, 99BE-594, REJB 1999-11382 (C.Q.) (la cour a toutefois jugé qu'il y avait eu absence de lien de causalité); *Dorgebray c. Desbiens*, précité, note 27; *Caprera c. Viglione*, REJB 2004-66741 (C.S.), J.E. 2006-877, EYB 2006-103663 (C.A.); *Giguère c. Chambre des notaires*, [2004] 1 R.C.S. 3, REJB 2004-53100; *Raymond-Maheux c. Pagé*, J.E. 2005-1985, EYB 2005-95212 (C.Q.); *Crépeau c. Blain*, précité, note 55 (dans cette dernière affaire, la notaire a été exonérée compte tenu du fait qu'elle avait très bien informé le demandeur); *Bergeron c. Racette*, précité, note 56; *Parent c. Fortin*, [2007] R.R.A. 197, EYB 2006-111704 (C.Q.); *Ferme LLR Inc. c. Fonds d'indemnisation de la Chambre des notaires*, 2008BE-808, EYB 2008-132975 (C.S.) (en appel).

59. Pour une illustration, voir *Sanscartier c. Morin*, REJB 2002-35301 (C.S.).

60. *Selye c. Mackay*, précité, note 58; *Vachon c. Compagnie Trust Central Guaranty*, précité, note 17; *Corporation professionnelle des notaires du Québec c. Maurice Bilodeau Inc.*, précité, note 42; *Caisse populaire Desjardins de Charlemagne c. Therrien*, REJB 2001-25098 (C.S.); *Brochu c. Lambert*, REJB 2001-24915 (C.S.), conf. par REJB 2003-48919 (C.A.) et REJB 2003-48920 (C.A.); *Société d'aide au développement de la collectivité de Témiscouata c. Thibeault*, REJB 2003-52555 (C.A.), inf. REJB 2002-33677 (C.S.); *Caprera c. Viglione*, précité, note 58.

61. *Roynat c. Rainville*, précité, note 47; *Caisse populaire Desjardins de la Haute-Beauce c. Grondin*, 2006BE-1076, EYB 2006-106109 (C.S.); *Blais c. Malus*, J.E. 2008-1559, EYB 2007-135369 (C.S.). Voir aussi, sur la question, *Djoufo c. Isabelle*, J.E. 2008-781, EYB 2008-131508 (C.A.) (le notaire a été exonéré).

62. *Jutras c. Val-Marine Construction*, J.E. 97-994, REJB 1997-00704 (C.A.); *Desparois c. 162157 Canada Inc.*, J.E. 97-1624, REJB 1997-03270 (C.S.). Voir généralement, sur le statut d'officier public du notaire et de son devoir d'impartialité, A. ROY (2004), *op. cit.*, note 1, p. 8 et s.; P. PÉPIN et S. KELCI, « Spicilège de préoccupations déontologiques (Guide pratique de survie d'un notaire) », précité, note 1, p. 119 et s.

63. J.-L. BAUDOUIN et P. DESLAURIERS, *op. cit.*, note 1, p. 150. Pour des exemples, voir *Garfield c. Riel*, J.E. 94-1596, EYB 1994-73484 (C.S.); *Jutras c. Val-Marine Construction*, précité, note 62; *Banque Toronto Dominion c. Dhillon*, précité, note 51; *Chartré c. Exploitation agricole et forestière des Laurentides Inc.*, REJB 2000-16360 (C.S.), conf. en partie par REJB 2002-32116 (C.A.); *Brochu c. Lambert*, précité, note 60; *Doucet c. Lemieux*, REJB 2003-46803 (C.Q.); *Bouchard c. Boucher*, précité, note 10.

64. *Douville c. Douville*, REJB 2003-45779 (C.S.).

65. *Parent c. Bonin*, précité, note 31; *Gagnon c. Lemay*, REJB 2004-62109 (C.S.). De même, le fait pour la demanderesse d'avoir pu consulter un conseiller juridique a été jugé comme une circonstance atténuante. Voir *Majeau c. Chamberland*, J.E. 99-699, REJB 1999-11873 (C.Q.); voir aussi *Haziza c. Lacroix*, REJB 2002-35449 (C.A.).

66. *Gauthier c. Durocher*, précité, note 56; *Careau c. Delage*, précité, note 37.

67. *Michielli c. Audette*, 99BE-1079 (C.S.).

68. *9009-9300 Québec Inc. c. Fonds d'assurance-responsabilité professionnelle de la Chambre des notaires du Québec*, REJB 2000-21560 (C.S.); *Entreprises Malo Inc. c. Gagnon, Cantin, notaires, s.e.n.c.*, précité, note 31; *Mackey c. Lagacé*, EYB 2005-98586 (C.Q.); *Durand c. Cossette*, J.E. 2007-848, EYB 2007-116930 (C.S.). Il faut toutefois souligner que, selon les circonstances, le notaire comme l'avocat, peut être débiteur d'un devoir de conseil inhérent à sa fonction.

connaissances[69], l'initiation aux affaires[70], l'âge et la scolarisation des clients[71] servent à mesurer les informations qui doivent être communiquées[72]. Également, le fait d'avoir entretenu des relations d'affaires a été jugé comme un facteur d'intensification du devoir[73]. Par contre, à moins d'une entente spécifique sur la question, ce devoir n'est pas perpétuel puisque les notaires n'ont pas comme mandat inhérent d'assurer une « veille juridique »[74] sur les affaires de leurs clients. Par ailleurs, même si, dans une affaire, la modicité des honoraires a également été considérée comme un facteur de relativité, il nous semble que ce critère doive être utilisé avec une très grande circonspection[75].

En revanche, le notaire est justifié de considérer que les parties ont connaissance des notions les plus élémentaires[76]. C'est ainsi qu'une décision a tenu compte de l'expérience de la demanderesse pour lui reprocher de ne pas avoir tenté de minimiser son préjudice[77]. Ainsi, malgré une erreur de jugement du notaire dans le cadre de son devoir de conseil, ce dernier ne sera pas responsable des imprécisions ou omissions postérieures de ses clients.

Par ailleurs, le notaire est responsable de son ignorance des principes de droit[78] et d'une jurisprudence établie[79].

Par contre, si le droit paraît incertain[80], il ne sera fait grief au notaire d'une faute que dans le cas où il aura adopté « une ligne de conduite que n'aurait pas adoptée un notaire raisonnable, diligent et prudent »[81]. À cet égard, même si la position adoptée par le notaire se voyait renversée ultérieurement par les tribunaux, le notaire ne sera pas inquiété d'avoir choisi une autre position, si cette dernière était raisonnable[82]. D'ailleurs, tout comme l'avocat, le notaire doit « informer ses clients des conséquences et des risques de chacune des opinions divergentes »[83]. Doctrine[84] et jurisprudence[85] imposent d'ailleurs aux tribunaux de se replacer à l'époque où le conseil a été donné et de ne pas juger en fonction des nouveaux événements survenus depuis.

69. *Caisse populaire Desjardins de la rivière Trois-Pistoles c. Vien*, REJB 2002-28330 (C.S.); *Assurance-vie Desjardins Laurentienne Inc. c. Lamoureux*, précité, note 22; *Caisse Populaire de Rimouski c. Fonds d'assurance responsabilité professionnelle de la Chambre des notaires du Québec*, REJB 2004-53082 (C.S.) *Careau c. Delage*, précité, note 37; *Trottier c. Isabelle,* J.E. 2005-1430, EYB 2005-92701 (C.Q.); *Belhumeur c. Gosset*, 2005BE-471 (C.Q.p.c.); *Henri-Paul Boulianne Inc. c. Boisvert*, J.E. 2007-144, EYB 2006-111496 (C.S.), J.E. 2009-141, EYB 2008-151973 (C.A.); *Aubé c. Bibeau*, J.E. 2007-766, EYB 2007-117137 (C.S.); *Commission scolaire du Val-des-Cerfs c. Farnham (Ville de)*, J.E. 2008-360, EYB 2007-126986 (C.S.); *Côté c. Létourneau*, J.E. 2008-1178, EYB 2008-133208 (C.Q.); *Fabi c. Pilon*, EYB 2008-151003 (C.Q.).

70. Pour des exemples récents, voir *Magasins Wise Inc. c. Rapp*, [1995] R.R.A. 100 (C.S.); *Tavel Corp. c. Isabelle*, [1995] R.R.A. 1111 (C.S.); *Corporation professionnelle des notaires du Québec c. Maurice Bilodeau Inc.*, précité, note 42; *Nuccio c. Bechara*, J.E. 99-185, REJB 1998-09769 (C.S.); *Caisse populaire Desjardins Terrebonne c. Parent*, précité, note 56; *Doucet c. Lemieux*, précité, note 63; *Société d'aide au développement de la collectivité de Témiscouata c. Thibeault*, précité, note 60; *Manseau c. Manoir Champlain*, REJB 2003-44048 (C.S.); *Parent c. Fortin*, précité, note 58.

71. *Fonds d'assurance-responsabilité professionnelle de la Chambre des notaires du Québec c. Côté*, précité, note 57; *Tremblay c. Patenaude*, REJB 2001-21925 (C.S.); *Moreau c. Audette*, REJB 2001-25995 (C.S.); *Douville c. Douville*, précité, note 64; *Gagnon c. Lemay*, précité, note 65; P. CIOTOLA et R. COMTOIS, *loc. cit.*, note 1, p. 7. Ces auteurs font du sexe une considération à prendre en compte. Nous ne croyons pas qu'il s'agisse en soi d'un facteur à considérer.

72. Sur la légalité et l'impact des clauses limitant la responsabilité, voir M. ARIAL, *loc. cit.*, note 1, p. 204 et s.; E. BRIÈRE et P. DUCHAINE, *op. cit.*, note 1, p. 185.

73. *Androutsos c. Manolakos*, REJB 2000-20466 (C.S.).

74. *Entreprises Malo Inc. c. Gagnon, Cantin, notaires, s.e.n.c.*, précité, note 31.

75. *S.D.G. Machine Shop c. Neveu*, [1990] R.R.A. 370, EYB 1990-76603 (C.S.); *Careau c. Delage*, précité, note 37. Voir toutefois *St-Pierre c. Pelletier*, J.E. 2005-2044, EYB 2005-97848 (C.Q.p.c.).

76. *Grégoire c. Drouin*, [1994] R.R.A. 763, EYB 1994-73472 (C.S.); *St-Amour c. Beauparlant*, [1994] R.R.A. 738, EYB 1994-73461 (C.S.).

77. *Banque Laurentienne du Canada c. Labrosse*, [1996] R.R.A. 782 (C.S.). Voir aussi *Majeau c. Chamberland,* précité, note 65; *Gagnon c. Lemay*, précité, note 65, où on a jugé que le fait d'être conseillé par un tiers, relativisait l'obligation de renseignement.

78. *St-Amour c. Beauparlant*, précitée, note 76 (on a d'ailleurs reproché une interprétation erronée d'un texte de loi même si elle provenait d'un bulletin de la Chambre des notaires); *Gauthier c. Durocher*, précité, note 56; *Parent c. Bonin*, précité, note 31; *Caisse Populaire de Rimouski c. Fonds d'assurance responsabilité professionnelle de la Chambre des notaires du Québec*, précité, note 69; *Gravelle c. Monnet*, précité, note 57; *Careau c. Delage*, précité, note 37; *Allaire c. Aubry*, J.E. 2005-2160, EYB 2005-95437 (C.Q.); *Létourneau c. Marcoux*, [2006] R.R.A. 980, EYB 2006-110186 (C.S.); *Dorion c. Larochelle*, [2008] R.R.A. 1009, EYB 2008-147082 (C.S.); *Gagnon c. Lévesque*, J.E. 2008-1606, EYB 2008-138219 (C.Q.). Pour une illustration où le notaire est jugé responsable en raison d'une opinion juridique erronée, malgré les démarches postérieures des demandeurs auprès d'un avocat, voir *Lacombe c. Parenteau*, REJB 2002-34932 (C.S.).

79. *St-Amour c. Beauparlant*, précité, note 76; *Bourque c. Hétu*, [1992] R.J.Q. 960, EYB 1992-58869 (C.A.); André NADEAU et Richard NADEAU, *Traité pratique de la responsabilité civile délictuelle*, Montréal, Wilson & Lafleur, 1971, p. 305.

80. Dans une affaire, on a reproché au notaire de s'être inspiré des commentaires du ministre plutôt que de s'en être tenu à la loi : *Landry c. Lévesque*, précité, note 51.

81. *Roberge c. Bolduc*, précité, note 3, p. 441.

82. *Ibid*. Voir aussi *Bourque c. Hétu*, précité, note 79; *Joyal c. Beaudouin*, [1996] R.R.A. 617, EYB 1996-84896 (C.S.); *Tremblay c. Hébert*, précité, note 55.

83. P.-Y. MARQUIS, *loc. cit.*, note 25, p. 24. Voir *Julien c. Banque Nationale du Canada*, précité, note 31; *Raymond c. Biron*, [1997] R.R.A. 1089 (C.S.); *Desloges c. Cascades Inc.*, J.E. 2005-1577, EYB 2005-92573 (C.Q.).

84. P.-Y. MARQUIS, *loc. cit.*, note 25, p. 21; P.-Y. MARQUIS (1999), *op. cit.*, note 1, p. 52.

85. *Caisse populaire St-Étienne de la Malbaie c. Tremblay*, [1986] R.D.I. 554 (C.S.), inf. pour d'autres motifs par [1990] R.D.I. 483, EYB 1990-63501 (C.A.); *Entreprises Malo Inc. c. Gagnon, Cantin, notaires, s.e.n.c.*, précité, note 31; *Tremblay c. Hébert*, précité, note 55. Voir par analogie pour un examen de titres, *Les Pétroles Irving Inc. c. Brassard*, [1989] R.R.A. 237, 241, EYB 1988-83477 (C.S.); *Martin c. Marcon*, précité, note 55.

3. *L'examen de titres*[86]

On définit généralement l'examen de titres comme « l'examen en vertu duquel le notaire dresse la liste des transactions à partir de l'index aux immeubles et ensuite, procède à l'analyse de chacun des actes pour être en mesure de se prononcer sur leur validité, leurs effets juridiques et la capacité des parties qui y figurent »[87].

Comme le rappelle fort à propos la Cour d'appel, un notaire ne peut, dans la préparation d'un contrat, « laisser subsister des irrégularités et des antinomies susceptibles de nuire à l'efficacité des titres et de faire naître l'ambiguïté que, précisément le notaire est habituellement chargé de dissiper »[88].

En général, et à moins que le contexte n'indique le contraire, la doctrine y voit là une obligation de moyens[89], ce que confirme la jurisprudence[90].

Sera ainsi taxé de négligent le notaire qui se satisfait d'une vérification sommaire ou de renseignements incomplets[91] ou communiqués verbalement[92], ou qui omet carrément la vérification des titres[93] à moins que cette

tâche n'ait pas été requise[94]. Au contraire, il doit se présenter en personne au bureau de publicité des droits[95]. Par ailleurs, il convient de souligner que le libellé de certains rapports de titre confectionnés par les notaires « a pour conséquence juridique de faire assumer sur les praticiens une obligation de résultat et même parfois de garantie »[96].

Soulignons finalement qu'une recherche de titres trentenaires, en présence d'indices[97] laissant présumer certains vices antérieurs à cette période, a été jugée insuffisante[98], de même que de s'en remettre aux recherches faites au préalable par d'autres notaires[99] à l'occasion de transactions antérieures ou de laisser persister les erreurs commises par ces derniers[100]. En revanche, le fait de s'être fié à l'arpenteur-géomètre peut constituer une cause d'exonération[101].

4. *Le dépôt, l'utilisation et la restitution des sommes en fidéicommis*[102]

En vertu des dispositions de la *Loi sur le notariat*, le notaire détient des sommes pour le compte d'autres personnes. D'une part, il lui importe de respecter les ins-

---

86. Voir P.-Y. MARQUIS (1999), *op. cit.*, note 1, p. 264 et s.; E. BRIÈRE et P. DUCHAINE, *op. cit.*, note 1, 184 et s.; S. BRUNELLE et N. DÉSAULNIERS, « Le rapport sur titres : formulaire imposé ou geste professionnel à valeur ajoutée », précité, note 1.

87. F. AQUIN, *loc. cit.*, note 1, p. 418.

88. *Richmond c. Lévesque*, précité, note 17. Voir aussi *Matteau c. Québec (Ministère de la Justice)*, précité, note 31.

89. P.-Y. MARQUIS, *loc. cit.*, note 25; J.-L. BAUDOUIN et P. DESLAURIERS, *op. cit.*, note 1, p. 159. *Trempe c. Fiducie Desjardins*, précité, note 17; *Matteau c. Québec (Ministère de la Justice)*, id.

90. Voir, entre autres, *Landry c. Dufour*, [1996] R.R.A. 814, EYB 1996-88193 (C.S.); *Falardeau c. Gestion Ginmic Inc.*, [1996] R.R.A. 1046, EYB 1996-88152 (C.S.), conf. par C.A. Québec, nº 200-09-001109-963, 22 novembre 1999; *Auger c. Foucault*, REJB 2000-17279 (C.Q.).

91. *Chartré c. Exploitation agricole et forestière des Laurentides Inc.*, précité, note 56; *Dufault c. Laferrière*, précité, note 32; *Stornoway (Municipalité de) c. Veilleux*, 2001BE-235 (C.Q.); *Dostie c. Leclerc*, 2002BE-506 (C.Q.p.c.); *Raymond-Maheux c. Pagé*, précité, note 58; *Beaudoin c. Fleury*, J.E. 2006-407, EYB 2005-98325 (C.Q.); *Corporation prêts hypothécaires Ace c. Charron*, J.E. 2007-759, EYB 2007-115655 (C.Q.); *Mackay c. Lagacé*, précité, note 56; *Lanoue c. Courville*, précité, note 55. Toutefois, lorsque les informations transmises justifient le notaire d'y donner foi, le notaire ne sera pas déclaré négligent dans le cadre de l'examen des titres, malgré une conclusion erronée. Voir en ce sens, *Gestion Mécatriel c. Lopez*, précité, note 18.

92. *Girard c. Pelletier*, [1998] R.R.A. 770, REJB 1998-07081 (C.S.).

93. *Gravelle c. Monnet*, précité, note 57; *Butzphal c. Laberge*, EYB 2007-124288 (C.S.); *Charron c. Macara*, REJB 2004-70640 (C.A.). Pour une critique de cet arrêt, voir D. BORGIA (2005), *loc. cit.*, note 1.

94. *Careau c. Delage*, précité, note 37.

95. *Gagnon c. Boivin*, C.S. Québec, nº 200-09-000241-783, 5 novembre 1982, dans F. AQUIN, *loc. cit.*, note 1, p. 418 et 419. Nous ne voyons pas là l'imposition d'une obligation de résultat. À notre avis, un notaire raisonnablement prudent et diligent ne peut se contenter de renseignements téléphoniques. Voir, en ce sens, *Caisse populaire St-Philippe de Windsor c. Adam*, [1989] R.R.A. 116 (C.S.).

96. P.-Y. MARQUIS, *loc. cit.*, note 25, p. 31. Voir *Caisse populaire St-Étienne de la Malbaie c. Tremblay*, [1990] R.R.A. 542, EYB 1990-63501 (C.A.); *Caisse populaire Place Desjardins c. Lebel*, [1999] R.R.A. 1012, REJB 1999-14676 (C.Q.). Voir également sur cette question, *Trempe c. Fiducie Desjardins*, précité, note 17. Pour une critique de cette position, voir M. ARIAL, *loc. cit.*, note 1, p. 201 et s.

97. *Caisse populaire St-Félicien c. Gagné*, [1993] R.R.A. 611 (C.S.) (*a contrario*); *Breton c. Fortin*, 2000BE-1344 (C.S.) (*a contrario*); *Matteau c. Québec (Ministère de la Justice)*, précité, note 31 (*a contrario*).

98. *Falardeau c. Gestion Ginmic Inc.*, précité, note 90; *Pash c. Pétrin (Succession de)*, [1996] R.R.A. 1041, EYB 1996-88222 (C.S.); *Constructions S.P. Inc. c. Sauvé*, REJB 2002-32545 (C.S.). Voir, sur cette question, E. BRIÈRE et P. DUCHAINE, *op. cit.*, note 1, 192 et s.

99. *Hébert c. Berthel*, [1997] R.R.A. 1, EYB 1996-65566 (C.A.); *Fiset c. Samson*, J.E. 98-993, REJB 1998-05637 (C.S.); *Beaudoin c. Fleury*, précité, note 91.

100. *Bracken c. Savard*, précité, note 11.

101. Voir *Robinson c. Barbe*, précité, note 56; *Parent c. Bonin*, précité, note 31; *Brummer c. Trottier*, J.E. 2005-1698, EYB 2005-93460 (C.Q.). En revanche, en l'absence d'un certificat de localisation, il est conseillé au notaire d'en informer ses clients : *Dorgebray c. Desbiens*, précité, note 27; *Fabi c. Pilon*, précité, note 69.

102. Voir généralement sur le sujet P.-Y. MARQUIS (1999), *op. cit.*, note 1, p. 413 et s.; A. ROY, *op. cit.*, note 1, p. 38; Julie CHARBONNEAU, « L'utilisation illégale de compte en fidéicommis et le droit disciplinaire », dans Service de la formation permanente, Barreau du Québec, vol. 137, *Développements récents en déontologie – droit professionnel et disciplinaire (2000)*, Cowansville, Les Éditions Yvon Blais Inc., p. 59. Pour des discussions relatives au droit de propriété des sommes confiées en fidéicommis, voir *Plomberie Pierre Lacoste Inc. c. 2756-8708 Québec Inc.*, J.E. 99-688, REJB 1999-11355 (C.S.).

tructions de ses clients[103], ou de leur faire part de suggestions[104] au sujet du dépôt et de la remise de ces sommes. Il importe aussi au notaire, sous réserve des renseignements de l'arrêt *Roberge*[105], de respecter la pratique recommandée par la Chambre des notaires[106] surtout que ces directives confirment souvent des mesures de prudence élémentaire[107].

Le défaut de le faire constitue une faute[108] dont il est redevable[109]. Toutefois, certaines décisions récentes ont jugé qu'un accroc mineur au règlement n'engageait pas automatiquement la responsabilité du notaire[110]. D'autre part, le notaire doit s'abstenir d'agir à titre de caution[111], d'emprunter des sommes de ses clients ou du compte en fidéicommis et, s'il le fait, il doit non seulement rembourser ces sommes, mais il est de plus soumis à un contrôle disciplinaire sévère[112].

5. *Le secret professionnel et les conflits d'intérêts*[113]

L'obligation de confidentialité du notaire trouve sa source dans l'article 9 de la *Charte des droits et libertés de la personne* et dans l'article 14.1 *L.n.* Elle signifie que le notaire ne peut divulguer les faits qu'il apprend ou qui sont portés à sa connaissance dans le cadre de ses fonctions[114]. Le notaire qui outrepasse cette règle pourra être poursuivi devant les tribunaux disciplinaires et civils. Devant l'instance civile, des dommages en réparation du préjudice matériel ou moral et des dommages punitifs pourront être accordés. La jurisprudence ne contient pas d'exemples pertinents, du moins en droit civil[115]. Par ailleurs, il est impératif que le notaire respecte les règles d'impartialité[116]. À défaut, une condamnation pourra être prononcée[117].

B- Le problème de la subsidiarité du recours contre le notaire

Pendant plusieurs années, la jurisprudence avait appliqué la règle selon laquelle la responsabilité civile du notaire n'était que subsidiaire, secondaire, par rapport à celle du débiteur principal. Ainsi, on concluait que l'action contre le notaire était tenue pour prématurée tant que le créancier n'avait pas épuisé ses recours contre le débiteur principal ou ses garants. On considérait qu'il en était ainsi dans les cas de faillite ou d'insolvabilité du débiteur[118].

En 1986, on assiste à une timide remise en cause de ce principe. Ainsi, dans l'affaire *Caisse populaire de Charlesbourg c. Lessard*[119], la cour fut d'avis que la subsidiarité n'avait pas d'assise sérieuse dans notre droit. En fait, pour la cour il y avait confusion entre la preuve d'un

---

103.   *Villeneuve c. Lefebvre*, précité, note 7; *Schiavon c. Pierre Marcotte et Ass. Inc.*, [1996] R.R.A. 937, EYB 1996-65456 (C.A.); *Habitations Jean-Louis Côté Inc. c. Lebel*, REJB 2000-21840 (C.S.); *Langlois c. Morissette*, REJB 2002-37466 (C.S.); *Caisse populaire Desjardins des Plateaux de Sherbrooke c. Fonds d'assurance responsabilité professionnelle de la Chambre des notaires du Québec*, précité, note 22; *157758 Canada Inc. c. Pridham*, [2006] R.R.A. 344, EYB 2006-100394 (C.S.); P.-Y. MARQUIS (1999), *op. cit.*, note 1, p. 421. Sur les devoirs du notaire à l'égard des tiers dans ce contexte, voir *Poulin c. Babin*, 2007BE-1015, EYB 2007-115786 (C.S.).
104.   *Banque Toronto Dominion c. Dhillon*, précité, note 51.
105.   *Roberge c. Bolduc*, précité, note 3.
106.   *Habitations Rebecca Inc. c. Chiara*, J.E. 94-1390, EYB 1994-73824 (C.S.). Voir les commentaires de F. AQUIN, *loc. cit.*, note 1, p. 421, qui se réfère à la publication suivante « Retenue des fonds à l'occasion d'une vente d'immeuble », (1985) 8 *Les Cahiers* 159.
107.   *Joliette c. Emery*, précité, note 17.
108.   À noter que plusieurs décisions récentes considèrent qu'il s'agit, pour le notaire, d'une obligation de résultat.
109.   *Saratoga Developments Co. c. Harben Investments Co.*, [1969] C.S. 266; *Blais c. Barbeau*, [1989] R.J.Q. 955, EYB 1989-77135 (C.S.); *Plante c. Lafleur*, précité, note 11; voir aussi *Archambault c. Boulay*, [1996] R.R.A. 803, EYB 1996-83219 (C.S.); *Schiavon c. Pierre Marcotte et Ass.*, précité, note 103; *2864-8350 Québec Inc. c. Société générale (Canada)*, [1998] R.R.A. 45 (C.A.); *Tremblay c. Côté*, [2000] R.R.A. 16, EYB 1999-15586 (C.A.); *Robitaille c. Caron*, REJB 2002-32112 (C.Q.); *Russel Metals Inc. c. Rosdev Development Inc.*, REJB 2001-27924 (C.S.), conf. par REJB 2003-51129 (C.A.) et REJB 2003-51130 (C.A.); *Langlois c. Morissette*, précité, note 103; *Lizotte c. Hardy*, 2003BE-874, EYB 2003-39788 (C.Q.); *Gingras c. Pharand*, précité, note 17.
110.   *Villeneuve c. Lefebvre*, précité, note 7; *Vachon & Lessard Construction Inc. c. Beaumier*, précité, note 46.
111.   *Léveillé c. Fonds d'assurance-responsabilité professionnelle de la Chambre des notaires du Québec*, [1996] R.J.Q. 1956, EYB 1996-88009 (C.S.).
112.   À titre d'illustration récente, voir *Chambre des notaires du Québec c. Rocheville*, J.E. 2008-1039, EYB 2008-131957 (C.S.).
113.   M. CLOUTIER, *loc. cit.*, note 1, p. 489. Voir P.-Y. MARQUIS (1999), *op. cit.*, note 1, p. 189 et s.; A. ROY, *op. cit.*, note 1, p. 26 et s.; P. PÉPIN et S. KELCI, « Spicilège de préoccupations déontologiques (Guide pratique de survie d'un notaire) », précité, note 1, p. 124 et s.
114.   P.-Y. MARQUIS (1977), *op. cit.*, note 1, p. 98.
115.   Pour un exemple où le tribunal a considéré que le notaire n'avait commis aucune faute car l'information divulguée était publique, voir *Gestion Roger Pitl Inc. c. Arcand*, [2007] R.R.A. 1129, EYB 2007-124832 (C.S.).
116.   Voir généralement sur le sujet : A. ROY (2004), *op. cit.*, note 1, p. 8 et s.
117.   Voir, sur cette question en jurisprudence, *2862-1225 Québec Inc. c. Placements Synvesco Inc.*, [1998] R.J.Q. 1135, REJB 1998-04838 (C.S.); *Giguère c. Chambre des notaires*, précité, note 58; *Bernard c. Trottier*, REJB 2003-52029 (C.A.), conf. REJB 2003-40638 (C.S.); *Rémillard c. Bélisle*, [2005] R.R.A. 972, EYB 2005-89608 (C.Q.); *Henri-Paul Boulianne Inc. c. Boisvert*, précité, note 69; *Lanoue c. Courville*, précité, note 55. Pour une illustration, même si en l'espèce, le notaire ne semble pas avoir été poursuivi, voir *Banque Laurentienne du Canada c. Lafontaine*, REJB 1999-15011 (C.S.), conf. par REJB 2002-31929 (C.A.) et REJB 2002-31930 (C.A.).
118.   Paul-Yvan MARQUIS, « La subsidiarité de la responsabilité notariale », (1991) 93 *R. du N.* 363, 366.
119.   [1986] R.J.Q. 2615, EYB 1986-79037 (C.S.).

préjudice et le droit d'action[120]. Quelques années plus tard, la Cour d'appel opéra le changement de cap définitif. Dans l'arrêt *Bourque c. Hétu*, on peut lire :

> « [...] le notaire n'échappe pas à un recours direct basé sur les règles générales de la responsabilité contractuelle ou délictuelle. Dès lors que les conditions de leur application sont rencontrées, il doit être tenu à payer le montant de la réparation sans qu'il soit nécessaire, pour son client, d'exercer auparavant un autre recours et de faire, la démonstration de l'insolvabilité du débiteur principal. »[121]

On peut donc conclure que dès l'instant où les trois conditions (faute, préjudice, lien causal) sont remplies, le client peut poursuivre le notaire sans préalablement avoir poursuivi son cocontractant en réparation du préjudice[122]. Il convient toutefois de souligner qu'un créancier qui, dans le dossier principal, opte pour une prise en paiement, risque d'éteindre sa créance contre le notaire[123].

Finalement, soulignons que, dans un litige ayant pour objet un vice de titre (en raison d'une description erronée du lot), une décision a rejeté le recours entrepris contre le notaire au motif qu'une mise en demeure n'avait pas été préalablement envoyée[124].

4- Les fautes du notaire à l'égard des tiers

Le notaire, officier public[125], peut exceptionnellement[126] engager sa responsabilité à l'égard des tiers[127]. Il en sera ainsi lorsque le non-respect de certaines formalités relatives à l'authenticité d'un acte entraîne, quelques années plus tard, certains effets à l'égard des tiers et leur cause un préjudice.

Par exemple, l'acte de vente qui comporte une erreur peut s'avérer préjudiciable à un acheteur subséquent. Évidemment, le recours que possède ce dernier est un recours extracontractuel, aucune convention ne liant les parties. En revanche, ce type de situation ne se rencontre pas fréquemment, puisque les tiers (acheteurs subséquents) ont souvent recours à leur propre conseiller juridique, qui pourra, le cas échéant, découvrir le vice avant que la transaction soit complétée.

Également, un notaire peut engager sa responsabilité extracontractuelle si, par ses conseils à un client, ce dernier a posé un acte illégal causant un préjudice à un tiers[128].

---

120. Voir P.-Y. MARQUIS, *loc. cit.*, note 118, p. 366.
121. *Bourque c. Hétu*, précité, note 79, p. 964. Cette décision a été suivie fréquemment, voir, entre autres, *Tamper Co. c. Johnson and Higgins Willis Faber Ltd.*, [1993] R.R.A. 739, EYB 1993-59027 (C.A.); *Société d'hypothèque C.I.B.C. c. Ouimet*, [1998] R.R.A. 795, REJB 1998-07737 (C.S.); *Auger c. Foucault*, précité, note 90; *Bracken c. Savard*, précité, note 12; *Sous-ministre du Revenu du Québec c. Plante*, J.E. 2009-35, EYB 2008-151041 (C.A.) et les autres décisions citées dans Paul-Yvan MARQUIS, « La subsidiarité de la responsabilité notariale : suite et fin », (1994) 96 *R. du N.* 265; P.-Y. MARQUIS (1999), *op. cit.*, note 1, p. 48 et s.
122. Sur le sujet, voir D. GARDNER et F. LÉVESQUE, *loc. cit.*, note 1.
123. *Fonds d'assurance-responsabilité professionnelle de la Chambre des notaires du Québec c. Banque nationale du Canada*, REJB 2003-39880 (C.A.).
124. *Daigle c. Bélanger*, [1996] R.R.A. 880 (C.Q.). Voir aussi *Caisse populaire Place Desjardins c. Lebel*, précité, note 96. Voir toutefois *Bracken c. Savard*, précité, note 12. Voir généralement sur le sujet de la mise en demeure dans le contexte de la responsabilité notariale, P.-Y. MARQUIS (1999), *op. cit.*, note 1, p. 36.
125. Cela a pour effet d'intensifier ses devoirs. Pour une illustration, voir *Véronneau c. Montreuil*, précité, note 21.
126. Il n'y a toutefois pas de devoir de conseil à l'égard des parties non contractantes. *Vachon & Lessard Construction Inc. c. Beaumier*, précité, note 46; *Théoret c. Robert*, REJB 2000-17923 (C.S.). Voir aussi *Poulin c. Babin*, précité, note 103.
127. *Caisse populaire de St-Hubert c. Ménard*, [1994] R.R.A. 569 (C.S.); *Dostie c. Sabourin*, REJB 2000-17136 (C.A.).
128. *Dostie c. Sabourin*, précité, note 127. (La Cour d'appel est toutefois d'avis qu'on doit faire la preuve de mauvaise foi ou de négligence grossière.)

Chapitre IV

Me **Patrice Deslauriers***

La responsabilité médicale et hospitalière[1]

La responsabilité médicale a connu, ces dernières années, une évolution importante. Si on remarque effectivement que, statistiquement, les recours contre les médecins ont augmenté à une certaine époque[2], il semble que

---

* Professeur à l'Université de Montréal et avocat. L'auteur remercie Mme Christina Parent-Roberts de son aide dans le repérage des décisions.

1. Pour des informations supplémentaires, nous renvoyons le lecteur aux ouvrages suivants : Paul-André CRÉPEAU, *La responsabilité civile du médecin et de l'établissement hospitalier*, Montréal, Wilson & Lafleur, 1956; Alain BERNARDOT et Robert KOURI, *La responsabilité médicale*, Sherbrooke, Éditions Revue de droit, 1980; Andrée LAJOIE, Patrick MOLINARI et Jean-Marie AUBRY, *Traité de droit de la santé et des services sociaux*, Montréal, P.U.M., 1981; Gérard MÉMETEAU, *La responsabilité civile médicale en droit français et québécois*, Cowansville, Les Éditions Yvon Blais Inc., 1990 (ci-après : « G. MÉMETEAU (1990) »); Jean-Pierre MÉNARD et Denise MARTIN, *La responsabilité médicale pour la faute d'autrui*, Cowansville, Les Éditions Yvon Blais Inc., 1992; Pauline LESAGE-JARJOURA, Suzanne PHILIPS-NOOTENS et Robert P. KOURI, *Éléments de responsabilité civile médicale – Le droit dans le quotidien de la médecine*, 3e éd., Cowansville, Les Éditions Yvon Blais Inc., 2007; Jean-Louis BAUDOUIN et Patrice DESLAURIERS, *La responsabilité civile*, 7e éd., vol. 2 – Responsabilité professionnelle, Cowansville, Les Éditions Yvon Blais Inc., 2007, p. 27 à 118, EYB2007RES35; Paul-André CRÉPEAU, « La responsabilité civile de l'établissement hospitalier », (1981) 26 *McGill L.J.* 673; Pierre DESCHAMPS, « L'obligation de moyens en matière de responsabilité médicale », (1990-91) 58 *Ass.* 575; Daniel JUTRAS, « Réflexions sur la réforme de la responsabilité médicale au Québec », (1990) 31 *C. de D.* 821; Chantale GIROUX, *Fondements de la responsabilité hospitalière pour le fait des médecins et des résidents*, Montréal, Mémoire de maîtrise, 1992; François TÔTH, « Contrat hospitalier moderne et ressources limitées : conséquences sur la responsabilité civile », (1990) 20 *R.D.U.S.* 313; Pierre NICOL, « Faute médicale : preuve par présomptions de fait et exonération », (1996-97) 27 *R.D.U.S.* 139; Rosalia PAVARELLO et Nancy WAGNER, « Les moyens d'exonération pour la responsabilité professionnelle des médecins », (1997) 11 *R.J.E.L.* 227; Cosmina CASLARIO, « La responsabilité civile des sages-femmes au Québec », (1998) 12 *R.J.E.L.* 85; Julie VEILLEUX, « Qui, du patron ou de l'hôpital répond de la faute du résident? », dans Service de la formation permanente, Barreau du Québec, *Développements récents en responsabilité médicale et hospitalière (1999)*, Cowansville, Les Éditions Yvon Blais Inc., p. 35; Catherine MANDEVILLE, « Comment savoir si…? ou l'accès aux renseignements de nature médicale », dans Service de la formation permanente, Barreau du Québec, *Développements récents en responsabilité médicale et hospitalière (1999)*, Cowansville, Les Éditions Yvon Blais Inc., p. 59; Mylène BEAUPRÉ, « La dentisterie esthétique et la responsabilité civile du dentiste : perspectives pratiques », dans Service de la formation permanente, Barreau du Québec, *Développements récents en responsabilité médicale et hospitalière (1999)*, Cowansville, Les Éditions Yvon Blais Inc., p. 85; Jean-Pierre MÉNARD, « Virage ambulatoire et responsabilité médicale et hospitalière », dans Service de la formation permanente, Barreau du Québec, *Développements récents en responsabilité médicale et hospitalière (1999)*, Cowansville, Les Éditions Yvon Blais Inc., p. 109 (ci-après : « J.-P. MÉNARD (1999) »); Marc BOULANGER, « Les tribunaux et la responsabilité médicale : assisterait-on à une ère moins conservatrice en matière de procédure, preuve, prescription et quantum », dans Service de la formation permanente, Barreau du Québec, *Développements récents en responsabilité médicale et hospitalière (1999)*, Cowansville, Les Éditions Yvon Blais Inc., p. 137, EYB1999DEV840 (ci-après : « M. BOULANGER (1999) »); Mathieu GAGNÉ, *Le droit des médicaments*, Cowansville, Les Éditions Yvon Blais Inc., 2005; Robert P. KOURI et Suzanne PHILIPS-NOOTENS, *L'intégrité de la personne et le consentement aux soins*, Cowansville, Les Éditions Yvon Blais Inc., 2005; Gérard MÉMETEAU, « Chroniques. Une lecture française d'un arrêt québécois », (2001) 61 *R. du B.* 557 (ci-après : « G. MÉMETEAU (2001) »); Caroline SIMARD, « La responsabilité civile pour la faute de la sage-femme : des projets-pilotes à la législation », (2001) 32 *R.D.U.S.* 59; Jacques NOLS, « Responsabilité des médecins-patrons, des centres universitaires et des résidents en médecine », dans Service de la formation permanente, Barreau du Québec, *Le devoir de sécurité et la responsabilité des établissements de santé (2002)*, Cowansville, Les Éditions Yvon Blais Inc., p. 31, EYB2002DEV589; Annette LEFEBVRE, « Delays in Health Care Institutions : What are the Consequences and what are the Recourses for Patients? », dans Service de la formation permanente, Barreau du Québec, *Le devoir de sécurité et la responsabilité des établissements de santé (2002)*, Cowansville, Les Éditions Yvon Blais Inc., p. 61, EYB2002DEV590; Marc BOULANGER, « La réduction des risques en soins de santé : perspectives macroscopique et microscopique du patient », dans Service de la formation permanente, Barreau du Québec, *Le devoir de sécurité et la responsabilité des établissements de santé (2002)*, Cowansville, Les Éditions Yvon Blais Inc., p. 103, EYB2002DEV592 (ci-après : « M. BOULANGER (2002) »); Jean-Pierre MÉNARD, « La responsabilité hospitalière pour la faute médicale après la décision de la Cour d'appel dans l'affaire *Camden-Bourgault* : plus de questions que de réponses », dans Service de la formation permanente, Barreau du Québec, *Le devoir de sécurité et la responsabilité des établissements de santé (2002)*, Cowansville, Les Éditions Yvon Blais Inc., p. 139, EYB2002DEV593 (ci-après : « J.-P. MÉNARD (2002) »); Catherine RÉGIS et Jean POITRAS, « Aspects psychologiques et juridiques des excuses en médiation médicale », (2003) 1(3) *R.P.R.D.* 51; Marc BOULANGER, « La responsabilité médicale : une Cour suprême quelquefois courageuse, quelquefois frileuse », dans Service de la formation permanente, Barreau du Québec, *Développements récents en responsabilité médicale et hospitalière (2005)*, Cowansville, Les Éditions Yvon Blais Inc., p. 89; L. KHOURY, *Uncertain Causation in Medical Liability*, Cowansville, Les Éditions Yvon Blais Inc., 2006; Pierre FORCIER et Michel LACERTE, *Traité d'expertise médico-légale*, Cowansville, Les Éditions Yvon Blais Inc., 2006; F. TÔTH, « L'évolution du régime de responsabilité médicale au Québec », dans T. BOURGNOIGNIE (dir.), *Accidents thérapeutiques et protection du consommateur*, Cowansville, Les Éditions Yvon Blais Inc., 2006, p. 15; S. AMZIANE, J. COUILLARD, L. DE LA SABLONNIÈRE et S. LELIÈVRE, « L'instance locale (CSSS) : rôles et responsabilité civile », dans Service de la formation permanente, Barreau du Québec, vol. 260, *Après le projet de Loi 83 : un nouveau réseau de la santé*, Cowansville, Les Éditions Yvon Blais Inc., 2006, p. 39.

2. Selon les statistiques fournies par l'Association canadienne de protection médicale reproduites dans P. LESAGE-JARJOURA, S. PHILIPS-NOOTENS et R.P. KOURI, *op. cit.*, note 1, p. 3, note 4, les poursuites judiciaires intentées au Canada contre les médecins membres de l'Association sont passées de 516 en 1982 à 904 en 2005. Il faut tenir compte du fait que le nombre de médecins a augmenté. Pour d'autres analyses statistiques, voir Marc BOULANGER, « La victime des soins médicaux et hospitaliers déficients : perspectives en matière de recours et de compensation de dommages », dans Service de la formation

l'on ait « atteint un plateau depuis dix ans »[3]. Il est toutefois quelque peu alarmiste de qualifier la situation de
« crise »[4]. Néanmoins, la jurisprudence se voulant le
miroir de notre société, certains comportements médicaux
sont effectivement inappropriés, voire douteux. Il reste
que la médecine n'est pas, par définition, une science
exacte et que certains remèdes, de même que divers
risques sont encore inconnus.

Dans les pages suivantes, nous analyserons les
principaux éléments de la responsabilité médicale, les
problèmes rencontrés et nous ferons état des solutions
envisageables.

1- La nature de l'obligation médicale et l'intensité des rapports

A- La nature

La nature contractuelle ou extracontractuelle de la
relation patient-médecin ou patient-hôpital a fait
l'objet, ces dernières années, d'une controverse importante opposant principalement deux courants doctrinaux.
Tous s'entendent pour qualifier de nécessairement extracontractuelle la situation où le patient arrive à l'hôpital (ou
chez le médecin) inconscient ou s'il est incapable de fournir, sans assistance, un consentement valable[5]. Toutefois,
on ne s'accorde pas sur la nature de l'obligation régissant
la relation entre un patient apte et le médecin ou
l'institution.

La pertinence du débat doctrinal sur cette qualification a perdu, il est vrai, quelque peu d'intérêt, étant donné
l'aplanissement des différences entre les deux régimes
de responsabilité depuis l'adoption du nouveau Code
civil[6]. Néanmoins, certaines divergences existent toujours : qu'on pense notamment à l'étendue des dommages
et surtout, en matière médicale, à la responsabilité pour
autrui.

Pendant longtemps, les médecins et les hôpitaux ont
été poursuivis en vertu du régime extracontractuel. Sans
véritable discussion, les tribunaux se contentaient d'appliquer l'article 1053 C.c.B.-C.[7] (maintenant l'article 1457
C.c.Q.). Puis, influencée par la doctrine[8], la jurisprudence
s'est finalement laissée séduire par l'option contractuelle.

Dans le célèbre arrêt *X c. Mellen*, la Cour du Banc de
la Reine précise que :

> « Dès que le patient pénètre dans le cabinet du méde-
> cin, prend naissance entre celui-ci et le malade, par
> lui-même ou pour lui-même un contrat de soins pro-
> fessionnels. »[9]

Cette thèse contractuelle, entérinée par certains
auteurs[10], fut avalisée par plusieurs arrêts[11]. Au soutien de
cette qualification contractuelle, on argumentait que la
rencontre des volontés des deux parties faisait naître une
convention innommée tout à fait valable, sous réserve évidemment de respecter les exigences de l'article 1385
C.c.Q. qui prévoit les quatre composantes d'une obligation, à savoir le consentement, la capacité, une cause et un
objet.

À l'opposé, d'autres auteurs[12], dont certains avec
véhémence[13], ont combattu cette position. Pour ces derniers, il résulte que la responsabilité est maintenant légale

permanente, Barreau du Québec, *Développements récents en droit de la santé (1994)*, Cowansville, Les Éditions Yvon Blais Inc., p. 97 et s., EYB1994DEV12; voir aussi M. BOULANGER (1999), *loc. cit.*, note 1; M. BOULANGER (2002), *loc. cit.*, note 1, p. 111 et s.

3.   F. TÔTH, *loc. cit.*, note 1, p. 45.
4.   D. JUTRAS, *loc. cit.*, note 1. Au Québec, entre 1971 et 1984, le nombre de poursuites intentées annuellement en Cour supérieure contre des médecins a triplé, alors que pendant cette même période, le nombre de médecins au Québec a presque doublé. Ce qui fait dire à l'auteur que « la situation n'est donc pas alarmante, mais elle est préoccupante » (p. 825).
5.   Voir J.-L. BAUDOUIN et P. DESLAURIERS, *op. cit.*, note 1, p. 30 et 31.
6.   Claude MASSE, « La responsabilité civile », dans *La réforme du Code civil*, Québec, Presses de l'Université Laval, 1994, p. 235, à la p. 281.
7.   Voir A. BERNARDOT et R. KOURI, *op. cit.*, note 1, p. 99 et s.
8.   P.-A. Crépeau y a consacré un aspect important de sa thèse de 1956, p. 53 et s.; P.-A. CRÉPEAU, *op. cit.*, note 1. Il faut mentionner toutefois que, déjà en 1900, la Cour d'appel avait reconnu le caractère contractuel du lien médecin-patient. *Griffith c. Harwood*, (1900) 9 B.R. 299.
9.   *X c. Mellen*, [1957] B.R. 389, 408.
10. Voir Raymond BOUCHER et al., « La responsabilité hospitalière », (1974) 15 *C. de D.* 219; Louis PERRET, « Analyse critique de la jurisprudence récente en matière de responsabilité médicale et hospitalière », (1972) 3 *R.G.D.* 58; A. BERNARDOT et R. KOURI, *op. cit.*, note 1, p. 103 et s.; P. LESAGE-JARJOURA, S. PHILIPS-NOOTENS et R.P. KOURI, *op. cit.*, note 1, p. 11 et s. Pour une discussion en France sur l'aspect contractuel du rapport entre le médecin et son patient, voir Christian BYK, « Médecine et droit : le devoir de conscience », (1996) 27 *R.D.G.* 323, 328 et s.
11. Voir entre autres : *Bernard c. Cloutier*, [1982] C.A. 289; *Houde c. Côté*, [1987] R.J.Q. 723, EYB 1987-62674 (C.A.); *Martin-Turpin c. Paras*, [1990] R.R.A. 803 (C.S.) (en appel).
12. Andrée LAJOIE, Patrick A. MOLINARI et Jean-Louis BAUDOUIN, « Le droit aux services de santé : légal ou contractuel? », (1983) 43 *R. du B.* 675.
13. Pierre LEGRAND jr., « Pistes et thèmes d'épistémologie juridique : le cas de la thèse du contrat hospitalier », dans *Mélanges Germain Brière*, Montréal, Wilson & Lafleur, 1993, p. 439 à 464, qui s'applique méticuleusement à détruire les fondements de la thèse contractuelle, égratignant au passage certains arguments du professeur Crépeau qu'il considère politisés et non juridiques.

et non contractuelle. À l'appui de cette prétention, ils invoquent l'argument selon lequel en matière de droit de la santé, les relations avec les médecins et les hôpitaux sont tellement réglementées que les établissements ne donnent pas un véritable consentement, mais que celui-ci est plutôt imposé. Un élément essentiel manquant à la création d'un contrat, soit la rencontre des volontés, les relations patient-hôpital échappent ainsi à la sphère contractuelle[14].

En jurisprudence, cette question a suscité nombre de discussions. Ainsi dans l'affaire *Lapointe c. Hôpital Le Gardeur*, les juges du plus haut tribunal québécois décidèrent que la relation régissant l'hôpital avec son patient était de nature contractuelle[15]. Cet arrêt fut soumis à la Cour suprême pour révision. Tous attendaient avec impatience le résultat et la conclusion de la cour sur ce sujet.

Malheureusement, la Cour suprême, jugeant qu'aucune responsabilité ne pouvait être imputée au médecin, fut d'avis de ne pas traiter du point litigieux que représentait la nature de la relation patient-hôpital. Refusant donc de rendre une opinion qui n'aurait par contre eu que la force persuasive d'un *obiter*, la cour n'a malheureusement pas mis fin à la controverse[16].

Un arrêt de la Cour d'appel a toutefois relancé le débat. Dans l'affaire *Camden-Bourgault*[17], la Cour d'appel énonce trois principes.

D'abord, renversant une position antérieure, la cour statue que le régime de responsabilité civile applicable à un centre hospitalier pour la faute commise par un médecin dans l'exercice de sa profession n'est pas de nature contractuelle, mais bien légale. Le juge Rochon écrit, au nom de la cour : « J'écarte définitivement la thèse du régime contractuel. De son application résulterait un bien étrange contrat, conclu par une partie, l'hôpital, qui n'est pas libre de consentir. Il porterait sur une matière réservée exclusivement, sous peine de nullité, à la profession médicale. Pour l'hôpital, ce contrat serait au surplus sans considération aucune. » (par. 55).

Ensuite, la cour, reprenant une position adoptée par une certaine jurisprudence, en vient à la conclusion qu'il n'existe aucun lien de préposition entre l'hôpital et le médecin lors de l'exécution d'un acte médical. Pour le juge Rochon, parlant au nom de la cour, « l'institution hospitalière ne saurait répondre d'un acte médical sur lequel elle ne peut exercer aucun contrôle, et dont la loi confie la prestation exclusive à un médecin » (par. 77).

Finalement, la cour estime qu'en l'absence de textes législatifs précis, il ne saurait y avoir de responsabilité sans faute d'un centre hospitalier. Comme, en l'espèce, aucun reproche n'avait été fait à l'hôpital relativement à sa structure, à son plan d'organisation, à l'octroi ou au renouvellement de privilège de médecin, l'action a été rejetée contre l'hôpital.

Cet arrêt, qui a été suivi[18], appelle les commentaires suivants.

Premièrement, si les commentaires du juge Rochon relatifs à l'absence d'un quelconque lien de préposition entre l'hôpital et le médecin semblent non équivoques dans le contexte de l'urgence, la question demeure toutefois ouverte dans d'autres situations. En effet, dans l'arrêt *Hôpital de Chicoutimi c. Battikha*[19], la cour, après avoir souligné l'importance de la nécessité d'une analyse concrète de l'organisation hospitalière et de l'encadrement de la pratique médicale, exprime l'avis « qu'un médecin peut parfois devenir préposé de l'hôpital ». La cour renvoyait alors à l'arrêt *Martel c. Hôtel-Dieu St-Vallier*[20], où il était question de la responsabilité d'un anesthésiste. La question ne semble donc pas totalement résolue, du moins dans certains contextes.

Deuxièmement, un centre hospitalier pourrait continuer de répondre des fautes des autres acteurs du domaine hospitalier, notamment des infirmières, des résidents et des étudiants à condition que la preuve d'un contrôle soit établi. Également, l'hôpital continuerait de répondre pour ses fautes dites « personnelles », par exemple celles touchant l'organisation des soins et le bon fonctionnement de l'équipement.

14. A. LAJOIE, P. MOLINARI et J.-L. BAUDOUIN, *loc. cit.*, note 12, p. 704 et s.
15. « Il est incontestable que l'Hôpital Le Gardeur a assumé un contrat de soins », *Lapointe c. Hôpital Le Gardeur No 1*, [1989] R.J.Q. 2619, 2624, EYB 1989-59049 (C.A.), inf. quant à la responsabilité du médecin par [1992] 1 R.C.S. 351, EYB 1992-67847. Voir également les commentaires concernant la nature du lien entre l'hôpital et le patient aux pages 2640 et s. (j. LeBel). Voir aussi *Mainville c. Cité de la Santé de Laval*, [1998] R.J.Q. 2082, REJB 1998-07986 (C.S.).
16. *Lapointe c. Hôpital Le Gardeur No 2*, [1992] 1 R.C.S. 351, 383 et 384, EYB 1992-67847.
17. *Hôpital de l'Enfant-Jésus c. Camden-Bourgault*, REJB 2001-23496 (C.A.). Cet arrêt a fait l'objet de plusieurs commentaires doctrinaux. Voir notamment : J. NOLS, *loc. cit.*, note 1, p. 38 et s.; G. MÉMETEAU (2001), *loc. cit.*, note 1; J.-P. MÉNARD (2002), *loc. cit.*, note 1; Robert P. KOURI, « Commentaire. L'arrêt *Hôpital de l'Enfant-Jésus c. Camden-Bourgault* et le contrat hospitalier occulté : aventurisme ou évolution? », (2004-2005) 35 *R.D.U.S.* 307.
18. *Goupil c. Centre hospitalier universitaire de Québec*, REJB 2001-25337 (C.S.); *Canty c. Hôpital St-Luc*, REJB 2002-29977 (C.S.), inf. par REJB 2002-32242 (C.A.); *Kastner c. Royal Victoria Hospital*, REJB 2002-30041 (C.A.); *A.Q. c. Hôpital Fleury*, J.E. 2008-630, EYB 2008-129804 (C.S.).
19. REJB 1997-02087 (C.A.).
20. [1969] R.C.S. 705.

Troisièmement, il convient de souligner que la question de l'existence d'un contrat hospitalier n'est pas totalement réglée. Ainsi, dans certaines situations envisagées, notamment dans les cas de prestation déficiente de soins infirmiers, de soins hôteliers, de bris d'équipement ou de problèmes liés à la sécurité, il n'est pas déraisonnable de penser qu'eu égard au contexte, un contrat pourrait se former entre le patient et l'hôpital[21]. En d'autres termes, la mise au rancart d'un contrat hospitalier est loin d'être acquise.

Comme on peut le constater, existeraient alors entre les mêmes parties à la fois des rapports contractuels et extracontractuels. Il reviendrait alors au juge le soin de démêler cet inextricable écheveau pour découvrir le régime applicable à la situation concrète. Cette difficulté, dont nous espérons que les victimes ne feront pas les frais, n'est toutefois pas propre au domaine hospitalier puisqu'elle peut se présenter dans les différentes manifestations contractuelles. C'est aussi une conséquence de l'adoption de l'article 1458 C.c.Q.

Quatrièmement, le principe est-il applicable dans le contexte d'une clinique? Nous ne le croyons pas même si une décision a considéré que les règles qui gouvernent une clinique privée sont semblables à celles qui régissent les hôpitaux[22].

Cinquièmement, le changement de cap concernant la nature de la relation patient-hôpital laisse présager un autre débat, soit celui portant sur la nature du rapport entre le patient et le médecin. Certains voudront prendre appui sur l'arrêt *Hôpital Notre-Dame de l'Espérance c. Laurent*[23] et y voir une relation purement contractuelle[24]. Nous émettons, quant à nous, de sérieuses réserves. D'une part, l'arrêt *Laurent* a été rendu à une époque antérieure à l'établissement du régime étatique d'assurance-maladie. D'autre part, peut-on vraiment imputer un consentement au patient qui ne choisit aucunement le médecin qui le prend en charge? D'ailleurs, si on poursuit le raisonnement devrait-on conclure que des contrats successifs sont conclus avec chacun des intervenants rencontrés à l'urgence?

Soulignons qu'à l'opposé on ne peut prendre appui sur l'affaire *Goupil c. Centre hospitalier universitaire de Québec*[25], pour soutenir que la relation entre le patient et le médecin est de nature purement légale. Dans cette affaire, la victime d'une intervention chirurgicale inutile avait poursuivi le pathologiste en raison de la confusion entre deux dossiers. Analysant la nature de la relation entre ce dernier et la patiente, le juge conclut « la responsabilité visée ci-dessus est une responsabilité extracontractuelle. Il est clair en effet que le docteur Gagné n'a jamais conclu de contrat avec Francine Goupil [...] qu'il ne connaissait pas et à qui il n'a jamais parlé » (par. 40). Cette conclusion nous paraît inattaquable mais doit être cantonnée au rapport patient-pathologiste, situation où aucune rencontre des volontés n'est établie[26].

Par ailleurs, on peut s'interroger si cette opinion laisserait sous-entendre qu'*a contrario* il y aurait une relation contractuelle avec chacun des médecins avec lequel le patient aurait discuté avant l'opération. Cela paraît peu probable. Quoi qu'il en soit, on remarque que la nature du rapport médecin-patient dans le contexte hospitalier est loin d'être réglée.

Sixièmement, la redécouverte de la nature extracontractuelle de la relation patient-hôpital fait ressurgir le problème lié au concept du préposé (commettant) momentané.

En effet, si généralement l'hôpital répond de ses employés (résidents, infirmiers, etc.) au sens de l'article 1463 C.c.Q., il peut arriver qu'une analyse précise de la situation démontre qu'une autre personne a pris le contrôle effectif du préposé. À ce moment, le lien de préposition migre et c'est cette autre personne, généralement le médecin, qui répondra des fautes du préposé.

On trouve des exemples de cette migration en jurisprudence, notamment dans l'arrêt *Labrecque c. Hôpital St-Sacrement*[27] et plus récemment dans l'affaire *Goupil c. Centre hospitalier universitaire de Québec*[28]. Une question demeure : si on en vient à la conclusion que le recours est extracontractuel par rapport à l'hôpital mais contractuel face au médecin, peut-on véritablement parler de transfert de lien de préposition, l'article 1463 C.c.Q. ne s'appliquant pas au régime contractuel?

À notre avis, il faudra alors vérifier si lors de l'acte fautif, le préposé accomplissait un acte relatif au devoir hospitalier ou au contrat médical. Dans la première hypothèse, il engendre la responsabilité de l'hôpital par

21. Voir, en ce sens, *Harrar c. Hôpital du Sacré-Cœur*, 2005BE-337, EYB 2004-81624 (C.Q.); *A.Q. c. Hôpital Fleury*, précité, note 18.
22. *Pilon c. Centre Lapointe Inc.*, EYB 2005-88308 (C.S.).
23. [1978] R.C.S. 605.
24. Évidemment si le patient voit son médecin dans un contexte autre qu'à l'urgence, la relation peut s'avérer contractuelle, *Doré c. Gosselin*, J.E. 2004-1835, REJB 2004-68421 (C.S.); *L.P. c. Giguère*, 2008BE-490 (C.Q.p.c.). Voir toutefois *Pilon c. Centre Lapointe Inc.*, précité, note 22.
25. Précitée, note 18.
26. Voir, pour une conclusion similaire dans le cas de radiologistes, *Bourdon c. Durocher*, J.E. 2005-1266, EYB 2005-90708 (C.Q.).
27. [1997] R.J.Q. 69, EYB 1996-65658 (C.A.).
28. Précitée, note 18.

l'application de l'article 1463 C.c.Q. Dans la deuxième, le médecin répond alors contractuellement de la faute d'autrui. Un autre écheveau en perspective...

Bien qu'à première vue la Cour d'appel semble avoir mis fin à une controverse, il ressort de l'analyse qu'elle vient plutôt d'en créer de nouvelles[29]. En fait, on remarque combien il est difficile d'énoncer une théorie générale sur la matière, tant les faits ont une importance capitale. À cet égard, il ne paraît donc pas inutile de réactualiser les propos du juge Monet, qui suggérait dans l'arrêt *Houle c. Côté*[30] : « [...] je crois qu'il serait imprudent en cette matière comme en bien d'autres de négliger la situation de fait et de se précipiter vers la théorie des obligations ».

Compte tenu que le sujet est controversé, nous aborderons ce sujet en fonction des deux thèses afin de présenter les différences que cette qualification peut entraîner.

B- L'intensité de l'obligation

Ni le médecin ni l'hôpital ne sont engagés, selon la loi, à produire obligatoirement le résultat escompté, soit la guérison. Le Code de déontologie des médecins[31] impose d'ailleurs au médecin l'obligation de « s'abstenir de garantir, expressément ou implicitement, [...] la guérison d'une maladie » (art. 83). En revanche, les médecins doivent prendre tous les moyens possibles et raisonnables pour parvenir à ce but. C'est pourquoi il est généralement reconnu en jurisprudence que le médecin est tenu à une obligation de moyens[32].

À cet égard, il est intéressant de signaler qu'à l'instar du droit commun de la responsabilité civile, le médecin ne sera pas jugé selon sa conduite normalement adoptée. En d'autre termes il ne s'agira pas de prouver qu'il a transgressé ses normes. Au contraire de cette analyse concrète, il s'agira d'évaluer si l'auteur du préjudice s'est comporté selon le critère du médecin raisonnablement prudent, diligent et compétent. Comme l'explique Pierre Deschamps : « [...] le critère du médecin normalement « prudent et diligent » est [...] devenu le barème d'évaluation privilégié par la doctrine et la jurisprudence pour apprécier la conduite d'un médecin. [...] Aussi pour déterminer si un médecin fut fautif, la norme usuelle de référence sera non pas la conduite « normalement » adoptée par le médecin poursuivi en pareilles circonstances, mais la conduite standard qu'aurait adoptée alors un médecin « raisonnablement prudent, diligent et compétent ». »[33] Il s'agira de comparer les faits et gestes du médecin avec les règles de l'art reconnues. Comme le signale un auteur, le médecin doit prendre « *tous* les moyens usuels [...] indiqués et appropriés »[34].

Il sera important de relativiser quelque peu ce critère abstrait, puisqu'on tiendra compte des connaissances de l'époque[35], des circonstances (situation d'urgence)[36] et également de la spécialisation particulière du médecin[37]. Ainsi, un cardiologue sera évalué en fonction du standard du cardiologue prudent et diligent placé dans les mêmes circonstances. Une décision a même tenu compte du fait que le défendeur était un grand spécialiste et qu'il travaillait dans un hôpital universitaire de pointe pour lui imputer une obligation « renforcée »[38].

29. Par exemple, la doctrine ne s'entend pas sur la question de savoir si les principes de l'arrêt *Camden-Bourgault* ont transcendé la réforme de 1991 de la *Loi sur la santé publique*. Pour une réponse positive, voir J. NOLS, *loc. cit.*, note 1, p. 41. Pour une réponse négative, voir J.-P. MÉNARD (2002), *loc. cit.*, note 1, p. 150.
30. [1987] R.J.Q. 823, EYB 1987-62674 (C.A.).
31. R.R.Q., c. M-9, r. 4.1.
32. *Lapointe c. Hôpital Le Gardeur No 1*, précité, note 15, p. 362. Voir aussi *Tremblay c. Claveau*, [1990] R.R.A. 268, EYB 1990-57024 (C.A.); *Cloutier c. Le Centre hospitalier de l'Université Laval (C.H.U.L.)*, [1990] R.J.Q. 717, EYB 1990-95805 (C.A.); *Lamontagne c. Lefrançois*, [1994] R.R.A. 26, EYB 1994-55645 (C.A.); *Bernier c. Décarie*, [1997] R.R.A. 729, REJB 1997-00951 (C.S.), conf. par [2001] R.R.A. 567, REJB 2001-24643 (C.A.); *Hôpital de Chicoutimi c. Battikha*, précité, note 19; *Bureau c. Dupuis*, [1997] R.R.A. 459, REJB 1997-03112 (C.S.); *St-Jean c. Mercier*, [2002] 1 R.C.S. 491; *Walker c. Dubuc*, 2002BE-746, REJB 1999-16112 (C.S.); *Gralewicz c. Thirlwell*, REJB 2004-66496 (C.S.); *Baum c. Mohr*, J.E. 2006-1520, EYB 2006-105409 (C.S.), conf. par EYB 2008-132239 (C.A.); *Leduc c. Soccio*, [2007] R.R.A. 46 (C.A.) (requête pour autorisation de pourvoi à la Cour suprême rejetée); *Hébert c. Roy*, J.E. 2007-85, EYB 2007-110792 (C.S.); *Holz c. Greentree*, J.E. 2007-523, EYB 2006-114101 (C.S.); *A.Q. c. Hôpital Fleury*, précité, note 18. Voir aussi *Kastner c. Royal Victoria Hospital*, REJB 2000-17478 (C.S.), conf. par REJB 2002-30041 (C.A). Dans cette dernière affaire, la Cour supérieure nous semble toutefois alourdir le fardeau de la partie demanderesse en requérant une preuve « *abundant and clear* ». Compte tenu des faits très particuliers de cette affaire, il s'agit, à notre avis, d'un simple cas d'espèce.
33. P. DESCHAMPS, *loc. cit.*, note 1, p. 577. Voir aussi Paul-André CRÉPEAU, *L'intensité de l'obligation juridique ou des obligations de diligence, de résultat et de garantie*, Cowansville, Les Éditions Yvon Blais Inc., 1989, p. 51.
34. P. DESCHAMPS, *loc. cit.*, note 1, p. 583 et 584 (en italique dans l'original).
35. *Kastner c. Royal Victoria Hospital*, précité, note 32; *Viger c. Gauthier*, 2002BE-747 (C.S.).
36. *Béliveau c. Ciricillio*, [1997] R.R.A. 884, REJB 1997-01542 (C.Q. p.c.); *A.M. c. Glass*, [2008] R.R.A. 428, EYB 2008-132524 (C.S.).
37. *Ter Neuzen c. Korn*, [1995] 3 R.C.S. 674, EYB 1995-67069; *Dubois c. Gaul*, [1989] R.J.Q. 1260, 1266, EYB 1989-95794 (C.S.); *Lefebvre c. Madore*, [1996] R.R.A. 25, EYB 1995-57613 (C.A.); *Gordon c. Weiswall*, [1998] R.R.A. 31 (C.A.); *Chouinard c. Robbins*, [1999] R.R.A. 65, REJB 1998-09399 (C.S.), inf. par REJB 2001-27398 (C.A.) (la Cour d'appel ne traite pas de ce point); *St-Jean c. Mercier*, précité, note 32; *St-Cyr c. Fisch*, REJB 2003-41029 (C.A.), J.E. 2005-1464 et [2005] R.J.Q. 1944, EYB 2005-93221 (C.A.); *Di Paolo c. Benoit*, REJB 2003-52089 (C.Q.); *Farrese c. Fichman*, J.E. 2005-914, EYB 2005-87205 (C.S.); *Duguay c. Desjardins*, 2005BE-978, EYB 2005-91663 (C.S.).
38. *Harewood-Greene c. Spanier*, [1995] R.R.A. 147 (C.S.), conf. par [2000] R.R.A. 864, REJB 2000-20839 (C.A.) (la Cour d'appel ne traite pas de ce point). Voir aussi *Brochu c. Camden-Bourgault*, REJB 2001-23497 (C.A.).

En revanche, comme le signalent certains auteurs, il importe néanmoins au généraliste de ne pas sortir de son champ de compétence, puisqu'il sera évalué comme un spécialiste[39].

On dénote certaines situations particulières où le médecin est tenu à une obligation de résultat[40]. Par exemple, dans les cas où le médecin prend à sa charge directement la réalisation certaine du résultat[41], il transforme de ce fait, conventionnellement, son obligation de façon tout à fait légitime, l'ordre public n'ayant rien à dire sur le sujet. Il en est de même si la loi fixe un délai strict[42]. Par ailleurs, le décompte des compresses, qui est normalement du ressort du personnel infirmier, est une obligation de résultat[43].

Les organismes de santé qui transfusent du sang contaminé violent ainsi une obligation, qu'on a qualifiée en France d'obligation de résultat[44]. Pour le reste de ses fonctions, le médecin doit avoir justifié l'emploi des moyens raisonnables.

C- De certaines présomptions[45]

Il résulte de circonstances propres au domaine médical que la preuve directe de la faute du médecin est généralement difficile à établir[46]. Afin de mieux compenser les victimes, les tribunaux ont fait appel à certains mécanismes, soit la présomption de faute et la présomption de lien causal.

Premièrement, en ce qui a trait à la présomption de faute, les tribunaux se sont autorisés du principe édicté à l'article 2849 C.c.Q. pour renverser en certaines circonstances le fardeau de la preuve et forcer alors le médecin à démontrer qu'il n'avait pas commis de faute[47].

L'application des présomptions a suscité certains débats dans la doctrine[48]. Il en ressort néanmoins que la présomption pourra être mise en œuvre à deux conditions. En premier lieu, il est indispensable d'établir *prima facie* que le préjudice résulte d'une intervention médicale[49]. En fait, il s'agit d'un « impératif primaire de causalité au sens large du terme »[50].

En second lieu, il incombe à la victime d'établir, selon la balance des probabilités, que dans le cours normal des circonstances, un événement anormal s'est produit. Puisque cette éventualité anormale ne devait pas arriver, on déduit que c'est en raison du comportement fautif du médecin. Comme l'expliquent certains auteurs : « Il faut que survienne un événement qui, dans le cours normal des choses, n'aurait pas dû se produire; l'origine véritable du dommage reste inexpliquée par les moyens habituels; la cause la plus probable est une faute du défendeur. »[51]

---

39. P. LESAGE-JARJOURA, S. PHILIPS-NOOTENS et R.P. KOURI, *op. cit.*, note 1, p. 52-53.
40. L. KHOURY, « La responsabilité sans égard à la faute en matière médicale : impact sur la causalité », dans T. BOURGNOIGNIE (dir.), *Accidents thérapeutiques et protection du consommateur*, Cowansville, Les Éditions Yvon Blais Inc., 2006, p. 283, à la p. 287. Pour une illustration dans le cas d'un matériel inadéquat, voir *Rizk c. Hôpital du Sacré-Cœur de Montréal*, [1999] R.R.A. 197, REJB 1998-09902 (C.Q.). Voir toutefois *Bolduc c. Stumpf*, EYB 2004-70734 (C.S.) (À noter que les circonstances particulières de cette affaire (biens appartenant à un tiers) en font probablement un cas d'espèce.) Sur les appareils de contention, voir Denise BOULET, « Contentions : quand la protection devient un piège, à qui la faute? », dans Service de la formation permanente, Barreau du Québec, *Responsabilité et mécanisme de protection*, Cowansville, Les Éditions Yvon Blais Inc., p. 127, EYB2004DEV373.
41. P. DESCHAMPS, *loc. cit.*, note 1, p. 576, qui se réfère à *Fiset c. St-Hilaire*, [1976] C.S. 994.
42. *Deslande Union-vie (L'), compagnie mutuelle d'assurances*, EYB 2005-97724 (C.Q.).
43. *Hôpital de Chicoutimi c. Battikha*, précité, note 19. Pour d'autres exemples d'obligation de résultat, voir P.-A. CRÉPEAU, *op. cit.*, note 1.
44. Jean PENNEAU, *La responsabilité civile du médecin*, Paris, Dalloz, 1992, p. 10. Toutefois, dans des décisions de common law, la Cour suprême semble plutôt y voir une obligation de moyens. Voir *Ter Neuzen c. Korn*, précité, note 37; *Walker (Succession) c. York Finch General Hospital*, [2001] 1 R.C.S. 647, REJB 2001-23584. Au Québec, un recours entrepris par des hémophiles, à la suite d'une transfusion de sang contaminé, a été rejeté préliminairement parce qu'il était prescrit. Voir *Godin c. Société canadienne de la Croix-Rouge*, J.E. 93-1126, EYB 1993-64266 (C.A.).
45. Voir, à ce sujet, les analyses intéressantes faites par Pierre NICOL, *loc. cit.*, note 1 et M. BOULANGER (1999), *loc. cit.*, note 1, p. 183 et s.; Robert P. KOURI, « From Presumptions of Fact to Presumptions of Causation : Reflections on the Perils of Judge-Made Rules in Quebec Medical Malpractice Law », (2001) 32 *R.D.U.S.* 213.
46. *Hôpital général de la région de l'Amiante Inc. c. Perron*, [1979] C.A. 567; *Boucher c. Lemieux*, [1995] R.R.A. 797 (C.Q.); *Walker c. Dubuc*, précité, note 32.
47. J.-L. BAUDOUIN et P. DESLAURIERS, *op. cit.*, note 1, p. 92-94.
48. Voir R. BOUCHER, « Les présomptions de fait en responsabilité médicale », (1976) 17 *C. de D.* 317.
49. *Id.*, p. 335. *Walker c. Dubuc*, précité, note 32.
50. J.-L. BAUDOUIN et P. DESLAURIERS, *op. cit.*, note 1, p. 91. Pour une illustration, voir *Cagiotti Girolamini c. Antoniou*, [1997] R.R.A. 343, REJB 1997-00142 (C.S.).
51. P. LESAGE-JARJOURA, S. PHILIPS-NOOTENS et R.P. KOURI, *op. cit.*, note 1, p. 60. Dans *Parent c. Lapointe*, [1952] 1 R.C.S. 376, la Cour suprême précisait : « Quand, dans le cours normal des choses, un événement ne doit pas se produire, mais arrive tout de même, et cause un dommage à autrui, et quand il est évident qu'il ne serait pas arrivé s'il n'y avait pas eu de négligence, alors c'est à l'auteur de ce fait de démontrer qu'il a une cause étrangère, dont il ne peut être tenu responsable et qui est la source de ce dommage. » (p. 381). Voir pour des discussions sur cette présomption : *Talbot c. Pouliot*, J.E. 96-886, EYB 1996-72050 (C.A.); *Johnson c. Forcier*, [1998] R.R.A. 1, REJB 1997-03578 (C.A.); *Claveau c. Guimond*, J.E. 98-1143, REJB 1998-05695 (C.S.); *Bécotte c. Durocher*, REJB 2002-28421 (C.S.); *Jobin c. Du Tremblay*, 2004BE-752, EYB 2004-65061 (C.S.); *Lacombe c. Hôpital Maisonneuve-Rosemont*, REJB 2004-53274 (C.S.); *Aubin c. Moumdjian*, REJB 2004-60842 (C.S.), [2006] R.R.A. 827, EYB 2006-110126 (C.A.); *Gralewicz c. Thirlwell*, précité, note 32; *Murgoci c. Laurian*, REJB 2004-55079 (C.S.); *Roy c. Ouellette*, [2005] R.R.A. 111 (C.S.); *Meloche c. Bernier*, [2005] R.R.A. 172 (C.S.); *Roy c. La chaîne (Clinique chiropratique Terrebonne)*, [2005] R.R.A. 509, EYB 2005-82697 (C.S.); *Beauchesne c. Ladouceur*, J.E. 2005-1830, EYB 2005-04398 (C.S.); *Farkas c. Réseau santé Richelieu-Yamaska*, J.E. 2007-1922, EYB 2007-124274 (C.S.).

Comme il a été dit précédemment, le médecin est alors, par une fiction de la loi, présumé fautif. Une question fort importante se pose par conséquent : dans l'éventualité où le juge présume de cette faute du médecin, comment ce dernier peut-il dégager sa responsabilité?[52]

En théorie, le médecin, tenu à une simple obligation de moyens, devrait pouvoir se dégager de sa responsabilité en prouvant qu'il a agi comme l'aurait fait un médecin normalement prudent et diligent dans les mêmes circonstances[53]. Certains sont cependant plus sévères et commandent au médecin d'établir la cause exacte de l'accident, à défaut de quoi, le médecin est responsable[54].

À notre avis, cette dernière façon de voir est critiquable. En effet, il convient de ne pas perdre de vue que le médecin n'est astreint qu'à une obligation de moyens. Ainsi, s'il peut être satisfaisant moralement pour lui de se disculper en démontrant les raisons de l'accident, il n'en demeure pas moins qu'il n'y est pas contraint. Un défendeur, qui démontre avoir agi en conformité avec le critère du médecin raisonnable, devrait donc être dégagé de sa responsabilité[55].

Deuxièmement, en ce qui a trait au lien de causalité, il doit être établi selon la prépondérance des probabilités[56]. Le recours aux présomptions est également possible[57]. Ainsi certaines décisions estiment que, si une faute comportait un danger et que ce danger s'est matérialisé, un lien causal peut être inféré[58] entre cette faute et le préjudice[59]. D'ailleurs, cette présomption s'applique même lorsqu'il y a constatation d'une faute d'omission[60].

Il convient de souligner en terminant le point de vue d'un auteur selon lequel l'application des présomptions en matière médicale doit être faite avec circonspection. Le professeur Jutras constate, en effet, que les présomptions de fait sont, en droit, basées sur la prémisse de l'anormalité d'une situation, alors que, par opposition, la médecine tire la conclusion qu'il s'agit plutôt de risques inhérents[61].

2- La responsabilité du médecin

Le médecin peut encourir deux types de responsabilité. Tout d'abord, il peut être poursuivi pour les fautes professionnelles qu'il a commises dans l'exercice de sa profession. Ensuite, il peut être tenu responsable des fautes d'autrui, principalement des personnes qui travaillent sous son autorité.

A- La responsabilité personnelle du médecin à l'égard de son patient[62]

Les devoirs du médecin s'articulent autour de quatre pôles. Le médecin doit tout d'abord établir un diagnostic. Ensuite, il doit informer le patient sur la nature, les risques et le déroulement du traitement. De même, le médecin doit-il prodiguer un traitement approprié auquel il doit apporter un suivi consciencieux. Finalement, le médecin est tenu au secret professionnel. Analysons maintenant brièvement ces quatre obligations.

1. L'obligation d'établir un diagnostic[63]

Le diagnostic est défini comme « la détermination de la nature d'une maladie, d'après les renseignements donnés par le malade, l'étude de ses signes et symptômes,

---

52. Voir les discussions sur ce sujet dans P. LESAGE-JARJOURA, S. PHILIPS-NOOTENS et R.P. KOURI, *op. cit.*, note 1, p. 62.

53. Il s'agit donc de prouver l'absence de faute. P.-A. CRÉPEAU, *op. cit.*, note 1, p. 233. Voir *Bureau c. Sakkal*, [1994] R.R.A. 893, EYB 1994-73529 (C.S.); *Chabot c. Roy*, [1997] R.R.A. 920, REJB 1997-02353 (C.A.); *Gariepy-Plouffe c. Blais*, REJB 2003-44698 (C.S.); *Gralewicz c. Thirlwell*, précité, note 32; *Roy c. La chaîne (Clinique chiropratique Terrebonne)*, précité, note 51; *Lépine c. Payette*, EYB 2006-111815 (C.S.).

54. A. BERNARDOT et R. KOURI, *op. cit.*, note 1, p. 47. Voir également P. LESAGE-JARJOURA, S. PHILIPS-NOOTENS et R.P. KOURI, *op. cit.*, note 1, p. 61 et 62; P. NICOL, *loc. cit.*, note 1.

55. *Contra* : P. NICOL, *loc. cit.*, note 1. Ce dernier estime que la preuve de prudence et de diligence, si elle est « pertinente à l'étape de *l'établissement* de la preuve, [...] ne constitue pas un motif d'exonération lorsqu'il est admis que les présomptions ont joué » (p. 163) (en italique dans l'original).

56. *St-Jean c. Mercier*, précité, note 32; *Zanchettin c. Demontigny*, REJB 2000-18486 (C.A.); *Labonté c. Tanguay*, REJB 2003-42896 (C.A.), conf. REJB 2001-30030 (C.S.).

57. L. KHOURY, *Uncertain Causation in Medical Liability*, Cowansville, Les Éditions Yvon Blais Inc., 2006.

58. Voir, sur cette question, R.P. KOURI, *loc. cit.*, note 45.

59. *Laferrière c. Lawson*, [1991] 1 R.C.S. 541, EYB 1991-67747; *Prat c. Poulin*, [1997] R.J.Q. 2669, REJB 1997-02598 (C.A.), conf. [1995] R.J.Q. 2923, EYB 1995-72507 (C.S.); *Stefanik c. Hôpital Hôtel-Dieu de Lévis*, [1997] R.J.Q. 1332, REJB 1997-03096 (C.S.); *Mainville c. Cité de la Santé de Laval*, précité, note 15; *Lacombe c. Hôpital Maisonneuve-Rosemont*, précité, note 51. Il convient toutefois de souligner que la Cour suprême semble avoir atténué l'impact de ce principe dans un arrêt postérieur. Voir *St-Jean c. Mercier*, précité, note 32. Pour d'autres critiques, voir R.P. KOURI, *loc. cit.*, note 45, p. 216 et s. Pour une présomption de fait dans le contexte du devoir de renseignement, voir *Marcoux c. Bouchard*, [1999] R.R.A. 447, REJB 1999-14085 (C.A.), conf. par [2001] 2 R.C.S. 726, REJB 2001-25654 (la Cour suprême ne traite pas de ce point).

60. *Prat c. Poulin*, précité, note 59; *Stefanik c. Hôpital Hôtel-Dieu de Lévis*, précité, note 59.

61. D. JUTRAS, *loc. cit.*, note 1, p. 834. De plus, précise l'auteur, l'analyse statistique diffère dans les deux domaines.

62. Il a été décidé qu'un médecin mandaté par un tiers pour effectuer une expertise n'est pas tenu à une obligation de prodiguer des soins à l'égard de la personne expertisée. Voir *Therrien c. Launay*, [2005] R.R.A. 349, EYB 2005-86093 (appel rejeté sur requête J.E. 2005-1345 (C.A.), EYB 2005-92515) (requête pour autorisation de pourvoi à la Cour suprême rejetée). Voir aussi *Duchesneau c. Roy*, 2007BE-608 (C.S.). Pour une inconduite de nature sexuelle, voir *Hamel c. J.C.*, [2008] R.R.A. 866, EYB 2008-148636 (C.A.).

63. Jean-Pierre MÉNARD, « L'erreur de diagnostic : fautive ou non fautive », dans Service de la formation permanente, Barreau du Québec, *Développements récents en responsabilité médicale et hospitalière (2005)*, Cowansville, Les Éditions Yvon Blais Inc., p. 247. Il convient de souligner que certains auteurs

les résultats des épreuves de laboratoire »[64]. Le diagnostic étant essentiellement une opinion, il peut s'avérer inexact[65]. Dans quelle mesure pourra-t-on blâmer le professionnel?[66]

Lorsqu'il porte son jugement, le médecin doit prendre les précautions raisonnables et nécessaires et utiliser les techniques adéquates afin de déterminer de manière consciencieuse quelles sont les affections du patient[67]. À cet égard, l'absence de consultation du dossier[68] de cueillette de données préliminaires[69], d'examen préalable au diagnostic[70], un examen incomplet[71] et le défaut de procéder à des investigations plus approfondies[72] (par exemple, par une radiographie)[73] constituent des fautes dont le médecin est responsable. Il en serait de même d'un rapport d'expertise complaisant. Dans le doute, le professionnel doit aussi se renseigner ou diriger le patient vers un médecin spécialisé[74]. En revanche, il a été jugé raisonnable d'attendre d'avoir les résultats d'analyses préliminaires avant de communiquer avec un spécialiste[75].

Il convient de signaler que si des tests plus poussés, permettant d'obtenir un diagnostic plus juste, n'en étaient qu'à un stade expérimental, aucun reproche ne pourra être fait au médecin de ne pas les avoir conduits. Il importe, nous enseigne la jurisprudence, de faire une nette distinction entre le test qui a franchi toutes les étapes et celui qui n'en est qu'au stade de la prospection scientifique[76]. On a ainsi jugé qu'un test qui n'avait pas un caractère exceptionnel devait être fait même si, à l'époque du diagnostic, ce test n'était pas encore utilisé de façon routinière[77].

Par ailleurs, le juge, profane en la matière, doit refuser d'intervenir dans les chicanes corporatistes internes. Même si d'autres membres de l'ordre considèrent le raisonnement du médecin-défendeur erroné[78], si le diagnostic est celui d'un médecin normalement prudent et diligent, aucune faute ne peut être reprochée[79]. Les professeurs Bernardot et Kouri expriment le tout en mentionnant : « il n'appartient pas au juriste de reprocher à un médecin son échec sous le prétexte qu'il a employé une

---

traitent de cet élément comme une sous-section de l'obligation de soigner. Voir P. LESAGE-JARJOURA, S. PHILIPS-NOOTENS et R.P. KOURI, *op. cit.*, note 1, p. 273 et s.

64. L. MANUILA, A. MANUILA et M. NICOULIN, *Dictionnaire médical*, 5e éd., Paris, Masson, 1992, p. 121. Sur l'examen génétique diagnostique, voir Emmanuelle LÉVESQUE, Bartha M. KNOPPERS et Denise AVARD, « La génétique et le cadre juridique applicable au secteur de la santé : examens génétiques, recherche en génétique et soins innovateurs », (2004) *R. du B.* 57, 63 et s.

65. J.-L. BAUDOUIN et P. DESLAURIERS, *op. cit.*, note 1, p. 65; *Hamel c. Haché*, [1994] R.R.A. 724 (C.S.), conf. en partie par [1999] R.R.A. 12, REJB 1999-10335 (C.A.); *Harewood-Greene c. Spanier*, précité, note 38; *Bernier c. Décarie*, précité, note 32; *Labrie c. Paradis*, REJB 2004-60049 (C.S.); *G.D. c. Hôpital Ste-Justine*, J.E. 2007-1558, EYB 2007-122081 (C.S.); *D.B. c. Villeneuve*, J.E. 2008-141, EYB 2007-127081 (C.S.).

66. J.-P. MÉNARD, précité, note 63.

67. *Desjardins c. Lambert*, [1977] R.L. 538 (C.S.); *Tremblay c. Barrette*, [1990] R.R.A. 319 (C.S.); *Arseneault c. Ryback*, [1991] R.R.A. 685, EYB 1991-57512 (C.A.); *Massinon c. Ghys*, [1996] R.J.Q. 2258, EYB 1996-30352 (C.S.); F. TÔTH, « Commentaires – Responsabilité du médecin pour un diagnostic erroné : commentaire de l'affaire *Massinon c. Ghys* », (1996-97) *R.D.U.S.* 309; *Baker c. Silver*, [1996] R.R.A. 819 (C.S.), conf. par [1998] R.R.A. 321, REJB 1998-05400 (C.A.); *Bec c. Côté*, [1996] R.R.A. 499, EYB 1996-83197 (C.S.); *Brassard c. Rainville*, 2002BE-715 (C.S.); *Painchaud-Cleary c. Pap*, REJB 2002-30881 (C.S.); *Chalifoux c. Ricard*, REJB 2002-30074 (C.S.); *Lauzon c. Ranger*, REJB 2002-35918 (C.S.); *Leduc c. Germain*, REJB 2003-36799 (C.Q.); *St-Cyr c. Fisch*, précité, note 37; *Paquet c. Tardif*, EYB 2008-146312 (C.S.).

68. *Stunell c. Pelletier*, [1999] R.J.Q. 2863, REJB 1999-15091 (C.S.). Voir aussi, pour une lecture du dossier jugée trop rapide, *Goupil c. Centre hospitalier universitaire de Québec*, précité, note 18.

69. P. LESAGE-JARJOURA, S. PHILIPS-NOOTENS et R.P. KOURI, *op. cit.*, note 1, p. 274; J.-P. MÉNARD, précité, note 63, p. 270 et s. Ces auteurs donnent l'exemple de l'affaire *Lauzon c. Taillefer*, [1991] R.R.A. 62 (C.S.). Voir aussi *Drolet c. Parenteau*, [1991] R.J.Q. 2956, EYB 1991-76040 (C.S.), conf. par [1994] R.J.Q. 689, EYB 1994-64513 (C.A.).

70. *Baker c. Silver*, précité, note 67. J. PENNEAU, *op. cit.*, note 44, p. 24.

71. *Massinon c. Ghys*, précité, note 67; F. TÔTH, *loc. cit.*, note 37; *Chouinard c. Robbins*, précité, note 37; *Goupil c. Centre hospitalier universitaire de Québec*, précité, note 18; *St-Jean c. Mercier*, précité, note 32.

72. *Ibid.*; *Stefanik c. Hôpital Hôtel-Dieu de Lévis*, précité, note 59; *Bouchard c. D'Amours*, [1999] R.R.A. 107, REJB 1998-09908 (C.S.), conf. par REJB 2001-23794 (C.A.); *Côté c. Larouche*, REJB 2001-22320 (C.S.); *Chouinard c. Robbins*, précité, note 37; *Martineau c. Lebel*, REJB 2003-50766 (C.S.); *Farrese c. Fichman*, précité, note 37; *Côté c. Dallaire*, J.E. 2006-536, EYB 2005-99376 (C.S.); *Cloutier-Cabana c. Rousseau*, [2008] R.R.A. 713, EYB 2008-142785 (C.S.) (en appel). Toutefois, dans certaines circonstances, des investigations ne sont pas recommandées. Voir les exemples mentionnés dans P. LESAGE-JARJOURA, S. PHILIPS-NOOTENS et R.P. KOURI, *op. cit.*, note 1, p. 275 et 276.

73. Voir *Hôpital Notre-Dame de L'Espérance c. Laurent*, [1974] C.A. 543, [1978] 1 R.C.S. 605; *Garcia c. Soucy*, [1990] R.R.A. 243, EYB 1990-76550 (C.S.); *Gburek c. Cohen*, [1988] R.J.Q. 2424, EYB 1988-63095 (C.A.). Voir toutefois la jurisprudence colligée par P. LESAGE-JARJOURA, S. PHILIPS-NOOTENS et R.P. KOURI, *op. cit.*, note 1, p. 278 et 279, qui ne retient aucune responsabilité du médecin pour ne pas avoir procédé à des analyses plus approfondies.

74. *Vail c. MacDonald*, [1976] 2 R.C.S. 825; *Baker c. Silver*, précité, note 67; *Chouinard c. Robbins*, précité, note 37; *Cloutier-Cabana c. Rousseau*, précité, note 72. D'ailleurs, l'article 42 du Code de déontologie des médecins, précité, note 31, précise : « Le médecin doit, dans l'exercice de sa profession, tenir compte de ses capacités, de ses limites ainsi que des moyens dont il dispose. Il doit, si l'intérêt du patient l'exige, consulter un confrère, un autre professionnel ou toute personne compétente ou le diriger vers l'une de ces personnes. » Voir généralement sur le sujet, P. LESAGE-JARJOURA, S. PHILIPS-NOOTENS et R.P. KOURI, *op. cit.*, note 1, p. 283 et s. Pour un reproche de cette nature adressé au personnel infirmier, voir *Bérubé c. Cloutier*, REJB 2000-19070 (C.S.), conf. par REJB 2003-39566 (C.A.).

75. *Bureau c. Dupuis*, précité, note 32.

76. *Bérard-Guillette c. Maheux*, [1989] R.J.Q. 1758, EYB 1989-63300 (C.A.).

77. Voir *Stefanik c. Hôpital Hôtel-Dieu de Lévis*, précité, note 59.

78. *Ashby c. Gauthier*, [1963] C.S. 178.

79. *Tremblay c. Claveau*, précité, note 32; *Bérard-Guillette c. Maheux*, précité, note 76; *Morrow c. Hôpital Royal Victoria*, [1990] R.R.A. 41, EYB 1989-63419 (C.A.); *Poirier c. Soucy*, [1992] R.R.A. 3, EYB 1991-63783 (C.A.); *Labbé c. Trempe*, 2004BE-669, EYB 2004-60879 (C.S.); *S.T. c. Dubois*, J.E. 2008-1038, EYB 2008-132265 (C.S.).

méthode condamnée par une partie du corps médical, mais défendue par l'autre. En d'autres termes, chaque fois que l'erreur de diagnostic découle d'un différend scientifique ou d'une controverse médicale, les tribunaux, enclins à la sagesse, sont d'une extrême prudence et exonèrent de toute responsabilité civile le médecin »[80].

Dans l'examen de toute faute, il est évidemment indispensable de se replacer à l'époque pertinente[81], de tenir compte des circonstances particulières de l'espèce[82], notamment des informations transmises par le patient[83]. On pardonnera plus facilement un diagnostic erroné lorsqu'il a été fait dans une situation d'urgence ou lorsque la maladie est très rare[84]. De même, il sera essentiel de comparer le comportement du défendeur en tenant compte de son degré de spécialité. C'est ainsi que la Cour supérieure n'a pas retenu la responsabilité d'un médecin qui avait diagnostiqué une entorse au lieu d'une rupture du tendon. La cour précise qu'un médecin spécialiste (orthopédiste) aurait probablement fait le bon constat, mais que, eu égard à la difficulté du cas, le défendeur, médecin clinique, avait procédé correctement[85]. L'essentiel est donc que le médecin « ait usé de tous les moyens raisonnables mis à sa disposition afin de trouver la vérité »[86].

Soulignons que le fait pour un médecin de consigner des notes imprécises[87] au dossier[88] ou de ne pas communiquer son diagnostic au patient constitue une faute[89]. Il en est de même lorsqu'une erreur de diagnostic est cachée[90].

2. *L'obligation de renseignement*[91]

L'obligation d'information du médecin a connu au cours des dernières années des développements très riches en enseignements. Le médecin est débiteur envers son patient d'une obligation de lui fournir les informations qui lui permettront de donner un consentement éclairé. Ce devoir se veut le corollaire du « principe de l'inviolabilité de la personne » et « [instaure] un processus décisionnel qui tienne compte des choix des patients »[92]. Une des composantes du consentement étant son caractère éclairé[93], il importe au médecin de transmettre les informations adéquates.

La Cour suprême a eu l'occasion de rendre, en 1980, deux arrêts de principe, à la suite de pourvois provenant des provinces de common law. Dans un premier arrêt issu de l'Alberta, *Hopp c. Lepp*[94], la cour définit les paramètres du devoir d'information du médecin. Le juge Laskin exprime l'avis, au nom de la cour, que le professionnel doit répondre aux questions du patient sur les risques connus et l'informer de son propre chef de la nature de l'opération.

---

80. A. BERNARDOT et R. KOURI, *op. cit.*, note 1, p. 199.
81. *Gralewicz c. Thirlwell*, précité, note 32.
82. Voir *Bouchard c. Bergeron*, [1994] R.R.A. 967, EYB 1994-73554 (C.S.); *Therrien c. Launay*, précité, note 62; *A.M. c. Glass*, précité, note 36. En revanche, certains auteurs relèvent des circonstances qui ne devraient pas être exonératoires : « Un horaire serré, un calendrier opératoire peu flexible, une consultation de dernière minute, une urgence à régler entre deux cas [...] obligent souvent à travailler sous pression. Dans ces circonstances, s'il est compréhensible que le médecin se sente bousculé, le diagnostic n'en est pas moins répréhensible », P. LESAGE-JARJOURA, S. PHILIPS-NOOTENS et R.P. KOURI, *op. cit.*, note 1, p. 282.
83. *Sirois c. Baillargeon*, J.E. 97-179, EYB 1996-105373 (C.A.). Voir également *Bureau c. Dupuis*, précité, note 32; *St-Cyr c. Fisch*, précité, note 37; *Labrie c. Paradis*, précité, note 65; *Gralewicz c. Thirlwell*, précité, note 32; *Boucher c. Couture*, J.E. 2008-1787, EYB 2008-135284 (C.S.) (en appel); *Sherry c. Waldron*, EYB 2008-142041 (C.S.).
84. *Bureau c. Dupuis*, précité, note 32; *Murgoci c. Laurian*, précité, note 51; *D.B. c. Villeneuve*, J.E. 2008-141 (C.S.); *Leblanc c. Grégoire*, EYB 2008-150240 (C.S.).
85. *Lévesque c. Hôpital Notre-Dame-de-Ste-Croix*, [1993] R.R.A. 93, 102 (C.S.). Voir aussi *Dubois c. Gaul*, précité, note 37; *Gendron c. Leduc*, [1989] R.R.A. 245, EYB 1989-58421 (C.A.); *Kastner c. Royal Victoria Hospital*, précité, note 32.
86. P. LESAGE-JARJOURA, S. PHILIPS-NOOTENS et R.P. KOURI, *op. cit.*, note 1, p. 280.
87. Il importe toutefois, dans l'analyse de la précision des notes, de vérifier qui était le destinataire du rapport puisque, s'il s'agit d'un spécialiste, on conclura plus facilement que ce dernier était en mesure de lire entre les lignes. Voir *Stefanik c. Hôpital Hôtel-Dieu de Lévis*, précité, note 59.
88. *Massinon c. Ghys*, précité, note 67; *Beck c. Deschênes*, 2004BE-100, EYB 2003-49012 (C.S.). Voir toutefois l'affaire *Stefanik c. Hôpital Hôtel-Dieu de Lévis*, précitée, note 59, où l'on n'a pas sanctionné le fait pour un médecin d'avoir tenu un dossier en contravention aux directives de l'Ordre des médecins. Voir, sur cette question, M. BOULANGER (1999), *loc. cit.*, note 1, p. 211 et s.
89. *Laferrière c. Lawson*, précité, note 59.
90. *Kiley-Nikkel c. Danais*, [1992] R.J.Q. 2820, EYB 1992-83995 (C.S.). Le Code de déontologie des médecins, précité, note 31, oblige d'ailleurs les médecins à une plus grande transparence (art. 56).
91. Cette obligation est également envisageable sous l'angle de l'obtention d'un consentement éclairé. Dans le présent exposé, nous concentrons notre propos sur le devoir de renseignement et renvoyons le lecteur, quant à l'aspect consentement, au volume 3 de la Collection de droit, titre I, chapitre IV, section B, « Le droit à l'intégrité ». Voir aussi l'analyse fouillée faite par les professeurs R.P. KOURI et S. PHILIPS-NOOTENS, *op. cit.*, note 1, p. 237 et s. Voir aussi E. ACEM, « Consentir ou ne pas consentir à une réforme de la responsabilité médicale? », dans T. BOURGNOIGNIE (dir.), *Accidents thérapeutiques et protection du consommateur*, Cowansville, Les Éditions Yvon Blais Inc., 2006, p. 65.
92. D. JUTRAS, *loc. cit.*, note 1, p. 832; A. BERNARDOT et R. KOURI, *op. cit.*, note 1, p. 113 et s.; P. LESAGE-JARJOURA, S. PHILIPS-NOOTENS et R.P. KOURI, *op. cit.*, note 1, p. 141.
93. *Turmel c. Loisel*, REJB 2002-31014 (C.S.). Voir aussi *Godin c. Quintal*, REJB 2002-32391 (C.A.), conf. REJB 2000-16830 (C.S.), appel principal rejeté quant à la responsabilité du médecin; *Béliveau c. Rusnov*, REJB 2002-35958 (C.S.); *Cantin-Cloutier c. Gagnon*, REJB 2000-21212 (C.S.); *Meloche c. Bernier*, précité, note 51; *Daigle c. Lafond*, J.E. 2006-2105, EYB 2006-110324 (C.S.). Voir, à ce sujet, R.P. KOURI et S. PHILIPS-NOOTENS, *op. cit.*, note 1, p. 237 et s.
94. [1980] 2 R.C.S. 192, EYB 1980-148829.

De même, le professionnel doit faire connaître tous les risques importants, particuliers ou inhabituels, mais non les simples risques possibles[95]. Pour départager les risques triviaux de ceux plus importants, le plus haut tribunal propose d'analyser la situation en fonction « d'une personne raisonnable, dans l'état du patient que connaît ou devrait connaître le médecin »[96].

Quelques mois plus tard, le juge Laskin poursuivit son raisonnement dans l'arrêt *Reibl c. Hughes*[97]. Appelée à fixer la norme relative au lien de causalité entre le préjudice et la violation du devoir d'information, la cour refusa le critère concret du patient directement concerné pour préférer une norme abstraite[98]. En d'autres termes, il s'agissait de se demander si une personne raisonnable, placée dans la situation du patient, aurait accepté ou refusé le traitement si elle avait connu tous les risques.

Plus récemment, la Cour suprême[99] fut appelée à traiter de nouveau du critère approprié de causalité. On remarque d'ailleurs certaines divergences sur cette question au sein du plus haut tribunal. Ainsi, pour la majorité, il n'est pas approprié de remettre en cause le critère énoncé dans l'arrêt *Reibl c. Hughes*[100]. La majorité exprime donc l'avis que l'on doit adopter le critère « objectif modifié »[101] qui comprend une combinaison de facteurs objectifs et subjectifs[102].

À l'opposé, les juges dissidents optent pour un critère plus subjectif, en l'occurrence « ce que [la demanderesse] aurait fait si elle avait été informée adéquatement des risques »[103]. Comme on peut le constater, la question débattue dans ce pourvoi à 6-3 est loin d'être réglée.

Une question fort intéressante se pose : celle de savoir quelles sont les conséquences de ces arrêts sur des litiges de droit civil. La doctrine québécoise est divisée. D'une part, certains auteurs se sont montrés favorables à l'intégration pure et simple des paramètres posés par la Cour suprême. Ainsi, la professeure Louise Potvin commentant l'affaire *Hamelin-Hankins c. Papillon*[104], qui avait appliqué les principes suggérés par la Cour suprême, approuve en ces mots :

« Il s'agissait de trouver une solution à un problème humain aux dimensions universelles, celui de la normalisation de l'étendue de l'obligation de renseignement. C'est pourquoi, nous croyons que cet emprunt au common law canadien est justifié en droit québécois. »[105]

D'autre part, certains auteurs ont condamné ces emprunts. Par exemple, le professeur Kouri était d'avis de mettre de côté les enseignements de la Cour suprême, tant en ce qui concernait les paramètres de l'obligation de renseignement[106] que les questions relatives au lien de causalité[107].

La jurisprudence est également divisée. Plusieurs décisions ont repris les critères énoncés par la Cour suprême[108]. D'autres, au contraire, ont rejeté l'introduction pure et simple dans le droit civil, des principes directeurs qu'elle a énoncés[109].

Il semble néanmoins ressortir que les critères les plus conformes à la tradition civiliste sont les suivants. Tout d'abord, en ce qui a trait au contenu de l'obligation, le pro-

95.   *Id.*, p. 210.
96.   *Id.*, p. 200. Voir aussi *Reibl c. Hughes*, [1980] 2 R.C.S. 880, EYB 1980-148523; *Ciarlariello c. Schacter*, [1993] 2 R.C.S. 119, 133, EYB 1993-68611.
97.   Précité, note 96.
98.   *Id.*, p. 899.
99.   *Arndt c. Smith*, [1997] 2 R.C.S. 539, REJB 1997-01532.
100.   Précité, note 96.
101.   *Arndt c. Smith*, précité, note 99, p. 546. Cette qualification nuance, à notre avis, celle établie dans l'arrêt *Reibl*.
102.   *Id.*, p. 555. « Le critère énoncé comprend une combinaison de facteurs objectifs et subjectifs qui permettent de déterminer si l'omission de divulguer a vraiment causé le préjudice dont se plaint le demandeur. Il commande que le tribunal évalue ce que le patient raisonnable placé dans la même situation que le demandeur aurait fait s'il avait eu à choisir. » *id.*, p. 547 (souligné dans l'original).
103.   À noter que madame la juge McLachlin adopte également ce critère. Toutefois, contrairement à ses collègues dissidents, elle fut d'avis que ce critère fut, de fait, utilisé par le juge de première instance.
104.   [1980] C.S. 879.
105.   Louise POTVIN, *L'obligation de renseignement du médecin*, Cowansville, Les Éditions Yvon Blais Inc., 1984, p. 48 et 49. Voir aussi Bartha M. KNOPPERS, « Vérité et information de la personne », (1987) 18 *R.G.D.* 819, 837.
106.   Robert KOURI, « L'influence de la Cour suprême sur l'obligation de renseigner en droit médical québécois », (1984) 44 *R. du B.* 851, 868.
107.   Robert KOURI, « La causalité et l'obligation de renseigner en droit médical québécois », (1987) 17 *R.D.U.S.* 493; G. MÉMETEAU (1990), *op. cit.*, note 1, p. 113.
108.   *O'Shea c. McGovern*, [1989] R.R.A. 341 (C.S.), conf. pour d'autres motifs par J.E. 94-1419, EYB 1994-55817 (C.A.); *Weiss c. Solomon*, [1989] R.J.Q. 731, EYB 1989-95790 (C.S.); *Gburek c. Cohen*, précité, note 73; *Chaussé c. Desjardins*, [1986] R.J.Q. 358 (C.S.); *Dunant c. Chong*, J.E. 86-73, EYB 1985-143941 (C.A.).
109.   *Pelletier c. Roberge*, [1991] R.R.A. 726, EYB 1991-6357 (C.A.) 5 (analyse de la jurisprudence); *Dodds c. Schierz*, [1986] R.J.Q. 2623, EYB 1986-95755 (C.A.); *Murray-Vaillancourt c. Clairoux*, [1989] R.R.A. 762, EYB 1989-77228 (C.S.); *Chouinard c. Landry*, [1987] R.J.Q. 1954 (C.A.) (j. Lebel), EYB 1987-62641; *Cahill c. Cohen*, REJB 2000-19846 (C.S.).
110.   Le fait pour un dentiste de déléguer cette tâche à une assistante est constitutive de faute. Voir *Meloche c. Bernier*, précité, note 51.

fessionnel[110] doit renseigner le patient sur tous les risques que tout médecin raisonnablement prudent et diligent aurait lui-même communiqués[111]. À cet égard, l'analyse est faite en fonction du comportement du débiteur de l'obligation d'information et non en fonction des attentes du créancier.

Toutefois, il importe de tenir compte des circonstances propres à l'espèce, notamment de l'urgence, et « [d]es caractéristiques individuelles propres à chaque patient »[112]. Il s'agit en fait de relativiser le devoir en fonction des données particulières inhérentes à cette relation *intuitu personæ*.

Si le tribunal en vient à la conclusion que le médecin a rempli adéquatement son obligation de renseignement, il y a absence de faute. À ce titre, il n'est alors pas nécessaire de vérifier la présence ou non d'un lien causal selon les différents tests développés[113].

Par contre, si la faute est prouvée, le lien de causalité entre celle-ci et le préjudice doit être établi. Pour ce faire, nous adoptons la thèse mixte (objective et subjective) telle qu'elle est proposée par certains auteurs[114]. Il s'agira de déterminer quelle aurait été la décision propre du patient concerné s'il avait été en mesure de connaître toutes les conséquences (risques) de l'intervention. Toutefois, afin d'éviter « de bâtir un scénario totalement basé sur des hypothèses »[115], il convient de compléter cette approche par une analyse objective et de se demander si la réaction du patient est en accord avec des critères de caractère raisonnable[116]. La Cour d'appel exprimait ainsi l'avis suivant : « Il faut alors appliquer un [...] test subjectif et [qui] consiste à évaluer si la patiente [...] aurait accepté l'in-tervention quand même si elle avait été convenablement informée. [...] [D']autres facteurs doivent être considérés. [...] Les tribunaux se posent aussi la question de savoir ce qu'une personne normalement prudente et diligente aurait décidé en l'espèce. [...] Ce test objectif ne se substitue pas au test subjectif. Il ne fait que le compléter. » Certaines décisions s'appuient sur des éléments extrinsèques afin de rechercher une corroboration aux dires de la partie demanderesse[117]. D'autres prennent appui sur un sondage[118]. Ce dernier type de preuve commande deux remarques.

D'abord, il nous semble que le recours au sondage ne doit pas devenir une pratique généralisée, ne serait-ce qu'en raison des coûts engendrés.

En d'autres termes, l'absence d'un tel sondage ne devrait pas constituer une fin de non-recevoir.

Ensuite, on peut se demander si cette preuve est vraiment nécessaire. Il existe, en effet, plusieurs situations où le juge est confronté à juger de la raisonnabilité d'un comportement[119]. Or, dans ces instances, il n'est généralement pas nécessaire, de mettre en preuve, par le biais des témoignages de personnes ordinaires, quel aurait été, selon elles, un comportement raisonnable, le juge pouvant en effet se fier à son propre jugement.

En résumé, s'il est mis en preuve que le patient, en présence d'informations pertinentes suffisantes, aurait néanmoins accepté l'intervention, il n'existe pas de lien causal entre le défaut d'information et la réalisation du risque[120]. Au contraire, si le patient, mis au courant, aurait refusé l'intervention, le médecin serait tenu du préjudice résultant du risque qui n'a pas été communiqué, même en

111.   D. JUTRAS, *loc. cit.*, note 1, p. 831. Voir la réitération de ce principe dans l'affaire *Bouchard c. Villeneuve*, [1996] R.J.Q. 1920, EYB 1996-30184 (C.S.); *Kimmis-Paterson c. Rubinovich*, [1996] R.R.A. 1123 (C.S.), inf. par [2000] R.R.A. 26, REJB 1999-15658 (C.A.) (la Cour d'appel ne traite toutefois pas de cet aspect); *Lambert c. Lefebvre*, [1997] R.R.A. 699, REJB 1997-07370 (C.S.), conf. par C.A.M., n° 500-09-005083-977, 20 septembre 2000; *Duhamel c. Sutton*, REJB 2003-45778 (C.S.); *Lavoie c. Gauthier*, [2003] R.R.A. 192, EYB 2002-35987 (C.S.); *Meloche c. Bernier*, précité, note 51; *Soltani c. Desnoyers*, J.E. 2008-1221, EYB 2008-132951 (C.S.) (en appel). Voir toutefois *Chalifoux c. Telmosse*, [1999] R.R.A. 362, 368, REJB 1999-12195 (C.S.), où le tribunal exprime l'avis qu'il n'appartient pas au médecin d'apprécier le risque à la place du patient.
112.   J.-L. BAUDOUIN et P. DESLAURIERS, *op. cit.*, note 1, p. 47. Notamment l'âge de la patiente, voir *Jimenez c. Pehr*, REJB 2002-32698 (C.S.). Voir aussi *Godin c. Quintal*, précité, note 93.
113.   *Johnson c. Forcier*, précité, note 51; *Béliveau c. Rusnov*, REJB 2002-35958 (C.S.).
114.   P. LESAGE-JARJOURA, S. PHILIPS-NOOTENS et R.P. KOURI, *op. cit.*, note 1, p. 243. Toutefois, il convient de souligner qu'elle ne fait aucunement l'unanimité, certains lui préférant l'approche subjective. Voir Robert P. KOURI, « L'obligation de renseignement en matière de responsabilité médicale et la « subjectivité rationnelle » : mariage de convenance ou mésalliance? », (1994) 24 *R.D.U.S.* 345; E. ACEM, dans T. BOURGNOIGNIE (dir.), *Accidents thérapeutiques et protection du consommateur*, Cowansville, Les Éditions Yvon Blais Inc., 2006, p. 65, à la p. 73. Voir aussi *Pelletier c. Roberge*, précité, note 109.
115.   *Johnson c. Harris*, [1990] R.R.A. 832, 840 (C.S.).
116.   *Parenteau c. Drolet*, précité, note 69, p. 707 (seul le juge Baudouin se prononce sur cet aspect); *Lacasse c. Lefrançois*, [2007] R.R.A. 524, EYB 2007-122339 (C.A.). Pour une critique de l'application d'un critère hybride, voir R.P. KOURI, *loc. cit.*, note 114. L'auteur propose d'appliquer plutôt le critère du lien de causalité *in concreto*.
117.   *Chabot c. Roy*, précité, note 53; *Dupont c. Corbin*, [1998] R.R.A. 26, REJB 1997-03516 (C.A.).
118.   *Daigle c. Lafond*, précité, note 93.
119.   Par exemple, pour déterminer si le défendeur a agi comme une personne prudente et diligente (art. 1457 C.c.Q.) ou un assuré comme un « assuré normalement prévoyant » (art. 2409 C.c.Q.).
120.   *Pelletier c. Roberge*, précité, note 109, p. 740; *Lessard c. Bolduc*, [1993] R.R.A. 291, EYB 1993-58942 (C.A.) (application du test objectif); *Lefebvre c. Madore*, précité, note 37; *Lamarre c. Hôpital du Sacré-Coeur*, [1996] R.R.A. 496, EYB 1996-86833 (C.S.); *Bergeron c. Faubert*, [1996] R.R.A. 820, EYB 1996-84918 (C.S.), conf. par C.A. Montréal, n° 500-09-002871-960, 2 mars 2000, EYB 2000-24690; *Chabot c. Roy*, précité, note 53; *Cahill c. Cohen*, précité, note 109; *Langlois c. Fournier*, REJB 2000-21339 (C.S.); *Marcoux c. Bouchard*, précité, note 59; *Lavoie c. Gauthier*, [2003] R.R.A. 192, EYB

l'absence de négligence dans l'acte médical, la faute consistant dans l'absence d'information jugée adéquate[121].

Par ailleurs, soulignons que, pour la Cour d'appel, une présomption de fait existe, en certaines circonstances, voulant que le patient aurait refusé d'être opéré et qu'il importe alors au médecin de faire la preuve contraire. Pour la cour, « [la] constatation du défaut d'information jointe aux conséquences prouvées désastreuses de l'intervention, est susceptible, selon les circonstances, de créer une présomption de fait opérant un renversement du fardeau de la preuve et imposant alors l'obligation au chirurgien d'établir que le patient, valablement et suffisamment informé, aurait néanmoins consenti à l'intervention chirurgicale. »[122]

Il convient toutefois de souligner que la Cour suprême[123] n'a pas cru bon de se prononcer sur cette question, qui demeure donc en suspens.

Quant au contenu de cette obligation de renseignement[124], on considère généralement que le médecin doit, en certaines circonstances, s'informer auprès du patient pour l'informer adéquatement[125]. Il doit, de plus, faire part à son patient d'éléments objectifs et concis. Il doit alors mentionner l'utilité de l'intervention, sa nature[126], et selon certains auteurs « la possibilité de se faire soigner plus rapidement dans une autre institution »[127]. De même il doit faire part des principales conséquences qui se rattachent à l'intervention. Relativement à ce dernier point, le professionnel doit faire part au patient des risques normalement prévisibles[128] qu'ils soient opératoires ou postopératoires[129]. Il convient de signaler qu'un autre paramètre doit être pris en compte. Ainsi, plus les risques sont sérieux (paralysie, décès), plus le devoir de communiquer s'accentue[130]. Les risques exceptionnels[131] et les risques inhérents à toute intervention n'ont pas à être dévoilés[132]. S'il s'agit d'une intervention qui ne présente pas de véritable caractère thérapeutique[133] (la chirurgie esthétique, par exemple) ou à caractère mixte, le devoir d'information

2002-35987 (C.S.); *Duhamel c. Sutton*, REJB 2003-45778 (C.S.); *Jobin c. Du Tremblay*, précité, note 51; *Labbé c. Trempe*, précité, note 79; *Lirette c. Dupont*, REJB 2004-55250 (C.S.); *Brousseau c. Allary*, [2005] R.R.A. 57, EYB 2005-80999 (C.S.); *Meloche c. Bernier*, précité, note 51; *Baum c. Mohr*, précité, note 32; *Hussul c. Mitmaker*, J.E. 2006-1116, EYB 2006-102617 (C.S.); *Ferland c. Ghosn*, J.E. 2006-1908, EYB 2006-109254 (C.S.), EYB 2008-132239 (C.A.) (requête pour autorisation de pourvoi à la Cour suprême rejetée); *Dear c. Matthews*, 2006BE-1075, EYB 2006-105627 (C.S.); *Lacasse c. Lefrançois*, précité, note 116; *J.G. c. Taguchi*, J.E. 2008-532, EYB 2008-129573 (C.S.); *Claveau c. Boivin*, EYB 2008-152683 (C.Q.).

121. *Parenteau c. Drolet*, précité, note 69 (seul le juge Baudouin se prononce sur cet aspect); *Dupont c. Corbin*, précité, note 117; *F.(L.) c. Villeneuve*, [1999] R.R.A. 854, REJB 1999-14079 (C.S.), conf. par REJB 2002-30304 (C.A.); *Quintal c. Godin*, REJB 2000-16830 (C.S.), conf. en partie par REJB 2002-32391 (C.A.); *Dibai c. St-Pierre*, REJB 2001-24878 (C.S.); *Walker c. Dubuc*, précité, note 32; *Francoeur c. Dubois*, REJB 2003-45052 (C.S.); *Cyr c. Brière*, J.E. 2005-1928, EYB 2005-94707 (C.S.), conf. par J.E. 2007-1747, EYB 2007-123926 (C.A.); *Dagenais c. Payette*, [2006] R.R.A. 807, EYB 2006-107744 (C.Q.).

122. *Marcoux c. Bouchard*, précité, note 59.

123. *Ibid.*

124. Voir le chapitre complet consacré à ce sujet dans P. LESAGE-JARJOURA, S. PHILIPS-NOOTENS et R.P. KOURI, *op. cit.*, note 1, p. 139 et s. R.P. KOURI et S. PHILIPS-NOOTENS, *op. cit.*, note 1, p. 266 et s. Voir aussi M. GAGNÉ, *op. cit.*, note 1, p. 145 et s.; Denis BORGIA, « L'impact du Code civil du Québec sur la responsabilité professionnelle : une réforme peut en cacher une autre », (2003) 105 *R. du N.* 643, 646 et s.

125. *Lépine c. Payette*, précité, note 53.

126. *Béliveau c. Rusnov*, REJB 2002-35958 (C.S.). Selon un arrêt de la Cour d'appel, il n'est pas nécessaire que le médecin dévoile le nombre de fois qu'il a pratiqué cette opération : *Chabot c. Roy*, précité, note 53; *Jimenez c. Pehr*, précité, note 112.

127. R.P. KOURI et S. PHILIPS-NOOTENS, *op. cit.*, note 1, p. 271.

128. La jurisprudence semble considérer que les risques inférieurs à 1 % n'ont pas à être communiqués par le médecin. Voir la jurisprudence citée dans P. LESAGE-JARJOURA, S. PHILIPS-NOOTENS et R.P. KOURI, *op. cit.*, note 1, p. 154, à la note 82, et L. POTVIN, *op. cit.*, note 105, p. 28 et s.; voir aussi *Galarneau c. Beaudouin*, 2001BE-786 (C.S.); *Bécotte c. Durocher*, précité, note 51; *Ferland c. Ghosn*, précité, note 120; *Dear c. Matthews*, précité, note 120.

129. *Kimmis-Paterson c. Rubinovich*, précité, note 111; *Brochu c. Camden-Bourgault*, précité, note 38; *Turmel c. Loisel*, précité, note 93. Voir, sur le sujet, Daniel W. PAYETTE, « Congé éclairé : le difficile équilibre entre les responsabilités respectives du médecin et du patient », dans Service de la formation permanente, Barreau du Québec, *Développements récents en responsabilité médicale et hospitalière (2005)*, Cowansville, Les Éditions Yvon Blais Inc., p. 1.

130. *Parenteau c. Drolet*, précité, note 69, on réitérait ces deux éléments (p. 706). Voir aussi *Currie c. Blondell*, [1992] R.J.Q. 764, EYB 1992-83994 (C.S.); *Pelletier c. Roberge*, précité, note 109; *Lefebvre c. Madore*, précité, note 37; *Prat c. Poulin*, précité, note 59; *Suite c. Cooke*, [1993] R.J.Q. 514, EYB 1993-86781 (C.S.), conf. par [1995] R.J.Q. 2765, EYB 1995-59148 (C.A.); *Grimard c. Gervais*, [1996] R.J.Q. 2553, EYB 1996-84955 (C.S.); *Garceau c. Lalande*, [1998] R.J.Q. 1279, REJB 1998-06064 (C.Q.); *Kimmis-Paterson c. Rubinovich*, précité, note 109; *Quintal c. Godin*, précité, note 121; *Deslauriers c. Éthier*, REJB 2001-24153 (C.S.); *Dumont c. Cloutâre*, 2004BE-101, EYB 2003-50767 (C.S.); *Lépine c. Payette*, précité, note 53; voir toutefois *Lirette c. Dupont*, précité, note 120. Voir, à ce sujet, R.P. KOURI et S. PHILIPS-NOOTENS, *op. cit.*, note 1, p. 288 et s.

131. *Chouinard c. Landry*, précité, note 109; *Bergeron c. Faubert*, précité, note 120; *Bécotte c. Durocher*, précité, note 51; *Lavoie c. Gauthier*, [2003] R.R.A. 192, EYB 2002-35987 (C.S.); *Jobin c. Du Tremblay*, précité, note 51; *Murgoci c. Laurian*, précité, note 51; *Brousseau c. Allary*, précité, note 120. Voir aussi *Gravel c. Lopez-Vallé*, 2005BE-823, EYB 2005-90341 (C.S.); *Baum c. Mohr*, précité, note 32; *S.L. c. Larouche*, J.E. 2008-1393, EYB 2008-134190 (C.S.). Voir aussi D. JUTRAS, *loc. cit.*, note 1, p. 831.

132. *Hamelin-Hankins c. Papillon*, précité, note 104 (il s'agissait d'un cas de chirurgie esthétique).

133. Voir généralement sur le sujet M. BEAUPRÉ, *loc. cit.*, note 1. Angela CAMPBELL et Kathleen CRANLEY GLASS, « The Legal Status of Clinical and Ethics Policies, Codes, and Guidelines in Medical Practice and Research », (2000-2001) 46 *R.D. McGill* 473. Sur les problèmes liés au devoir de renseignement dans le contexte de la recherche en génétique, voir E. LÉVESQUE, B.M. KNOPPERS et D. AVARD, précité, note 64, p. 78 et s.

s'intensifie et s'étend alors même aux inconvénients plus rares[134].

Par ailleurs, une certaine controverse est apparue en jurisprudence relativement à la question de savoir si le médecin doit faire part au patient de l'identité de l'exécutant de l'intervention[135]. Ainsi, le principe veut que, si une partie majeure de l'intervention doit être confiée à un assistant, cette information doive être communiquée au patient[136].

Toutefois, ce principe souffre d'une importante exception, surtout dans le contexte actuel. Ainsi, on a considéré, avec raison, qu'en acceptant d'être traité dans un hôpital à vocation universitaire, un patient acceptait implicitement la présence d'autres intervenants dans la mesure où les actes médicaux étaient toujours exécutés sous la supervision du médecin traitant[137].

Soulignons toutefois qu'une affaire semble avoir relancé le débat. En effet, dans l'arrêt *Marcoux c. Bouchard*[138], la Cour d'appel exprime l'avis que : « Puisque, malgré une certaine dépersonnalisation de la relation à l'époque moderne, d'une part le droit de choisir son médecin et, d'autre part, le lien de confiance indispensable à la relation existe néanmoins, l'identité du médecin qui décide et assume la responsabilité de l'intervention constitue un élément fondamental et indispensable de l'expression d'un consentement valable. Consentir donc à être opéré par l'un, et l'être par l'autre, en l'absence du premier, fausserait la validité de ce consentement. » Appel a alors été interjeté à la Cour suprême du Canada[139]. Cette dernière est d'avis que si au nom de la nature *intuitu personae* du contrat médical, le patient « a le droit de connaître l'identité des acteurs principaux de l'intervention »[140] cela ne va pas jusqu'à faire part de l'identité des « auxiliaires coutumiers en chirurgie, tels que les anesthésistes, les infirmières, ou les médecins en cours de formation, comme les résidents ou internes ».

Le raisonnement de la cour doit-il se comprendre comme permettant au médecin de taire l'identité de ces intervenants (notamment les résidents) même s'ils exécutent une portion majeure de l'intervention?

Comme on peut le constater, la question demeure ouverte.

Le médecin est également tenu de répondre aux questions formulées par le patient[141] et de lui faire part, s'ils existent et sont valables[142], des choix thérapeutiques[143].

L'information communiquée[144] doit d'ailleurs être dans tous les cas intelligible[145] pour le patient en tenant compte notamment de son degré d'instruction et de ses connaissances du milieu médical[146]. À cet égard, il est important que le médecin utilise des termes simples (même s'ils peuvent présenter un caractère approximatif)[147] puisqu'il « n'a pas à donner un cours de médecine »[148].

---

134. *Weiss c. Solomon*, précité, note 108; *Johnson c. Harris*, précité, note 115; *Drolet c. Parenteau*, précité, note 69; *Roy-Fortier c. Michaud*, J.E. 97-1095, REJB 1997-03018 (C.S.). Dans cette dernière affaire, il ressort des faits que le médecin fut extrêmement négligent en administrant un traitement de rajeunissement facial controversé, sans avoir préalablement suivi de formation spécialisée. Voir aussi *Dupont c. Corbin*, précité, note 117; *Alarie c. Morielli*, [1999] R.R.A. 153, REJB 1999-10503 (C.S.); *Jimenez c. Pehr*, précité, note 112; *Francoeur c. Dubois*, REJB 2003-45052 (C.S.); *Roy c. Ouellette*, précité, note 51; *G.B. c. Ngo*, J.E. 2007-2340 (C.S.) (*a contrario*), EYB 2007-126295.
135. Voir, sur cette question, J. NOLS, *loc. cit.*, note 1, p. 42 et s.
136. *Currie c. Blondell*, précité, note 130. Voir aussi *Lamarre c. Hôpital du Sacré-Cœur*, précité, note 120.
137. *Murray-Vaillancourt c. Clairoux*, précité, note 109; *Labrecque c. Hôpital du St-Sacrement*, [1997] R.J.Q. 69, EYB 1996-65658 (C.A.), conf. [1995] R.R.A. 510 (C.S.).
138. Précité, note 59.
139. *Marcoux c. Bouchard*, précité, note 59.
140. *Id.*, par. 31.
141. P. LESAGE-JARJOURA, S. PHILIPS-NOOTENS et R.P. KOURI, *op. cit.*, note 1, p. 162 à 164. Voir *Brunet-Anglehart c. Donohue*, [1995] R.R.A. 859, EYB 1995-75638 (C.S.); *Chabot c. Roy*, précité, note 53.
142. *Chartier c. Sauvé*, [1997] R.R.A. 213 (C.S.); *Malette c. Bourdon*, REJB 2000-16997 (C.S.), conf. par REJB 2002-35896 (C.A.); *Nolin c. Laroche*, 2005BE-687 (C.Q.). Voir aussi *Gravel c. Lopez-Vallé*, précité, note 131; *Soltani c. Desnoyers*, précité, note 111.
143. Voir P. LESAGE-JARJOURA, S. PHILIPS-NOOTENS et R.P. KOURI, *op. cit.*, note 1, p. 155-158. Pour des illustrations récentes, voir *Simoneau c. Déry*, 98BE-607 (C.Q.); *Labrie c. Gagnon*, REJB 2002-30737 (C.S.), conf. par REJB 2003-40959 (C.A.); F. TÔTH, *loc. cit.*, note 37. Mais voir l'affaire *Pelletier c. Coulombe*, [1996] R.J.Q. 2314, EYB 1996-30377 (C.S.), où le juge écrit : « son devoir d'information n'allait pas jusqu'à l'obliger à communiquer tous les modes de traitements possibles » (p. 2324). Voir aussi *Baum c. Mohr*, précité, note 32.
144. Sur la question des modalités de l'information, voir R.P. KOURI et S. PHILIPS-NOOTENS, *op. cit.*, note 1, p. 258 et s.
145. En d'autres termes, l'information doit avoir été donnée mais surtout reçue. Voir *Malette c. Bourdon*, précité, note 142.
146. *Morrow c. Hôpital Royal Victoria*, J.E. 78-824, EYB 1978-155830 (C.S.), conf. par *Morrow c. Hôpital Royal Victoria*, précité, note 79; *Bouchard c. Villeneuve*, précité, note 111; *Labrie c. Gagnon*, précité, note 143; *Duhamel c. Sutton*, REJB 2003-45778 (C.S.); *P.L. c. Benchetrit*, J.E. 2008-341, EYB 2007-127992 (C.Q.) (en appel) (en l'espèce la patiente avait pris connaissance d'informations sur Internet). Pour un problème de communication lié à la langue, voir *Lemieux c. Lévesque*, REJB 2000-19748 (C.S.), (le tribunal a toutefois refusé d'y voir une quelconque responsabilité médicale).
147. A. BERNARDOT et R. KOURI, *op. cit.*, note 1, p. 118; *Leroux c. Sternthal*, [1999] R.R.A. 939, REJB 1999-15293 (C.S.), conf. en partie par REJB 2002-29951 (C.A.).
148. P. LESAGE-JARJOURA, S. PHILIPS-NOOTENS et R.P. KOURI, *op. cit.*, note 1, p. 147.

Une question intéressante se pose alors. S'il s'avère que, pendant l'intervention, des circonstances non envisagées surviennent, le médecin doit-il obtenir un nouveau consentement de son patient au risque de retarder le traitement? La réponse est affirmative puisque « la nécessité d'informer le patient et d'obtenir son consentement sont des obligations continues. Il n'existe donc pas un seul consentement mais des consentements »[149]. Si des risques non prévus surviennent en cours d'intervention, le médecin doit obtenir de son patient un nouveau consentement. C'est d'ailleurs en vertu de la même règle que le médecin doit arrêter le traitement si le patient retire son consentement[150]. Par contre, si le fait de remettre à plus tard l'intervention crée des dangers plus grands, par exemple lorsqu'il y a une situation d'urgence (art. 13 C.c.Q.)[151], le médecin est autorisé à poursuivre son intervention et à passer outre à l'obtention d'un nouveau consentement.

Quant à la preuve du consentement, on peut légitimement se demander quel devrait être l'impact de la signature d'un formulaire de consentement. Si, à l'instar des professeurs Kouri et Philips-Nootens, on peut considérer que « [ce] document est [...] utile en tant que manifestation d'un consentement valable jusqu'à preuve du contraire »[152], la jurisprudence semble très méfiante et préfère pousser l'analyse factuelle[153], surtout lorsque le formulaire a été rempli et signé avant les explications données par le professionnel[154].

Mentionnons en terminant que, dans certaines circonstances, il est permis au médecin de taire certaines informations, notamment lorsque le patient refuse d'être informé[155] ou lorsque le médecin considère qu'il a juste cause[156] de ne pas communiquer l'information[157].

3. *L'obligation de traitement*

Le médecin est tenu, dans l'administration d'un traitement à son patient[158], de respecter les règles de l'art et d'offrir des soins consciencieux, attentifs[159] et dans des délais raisonnables[160]. Il doit être particulièrement à l'écoute des réactions de son patient[161] et, selon une décision qui relève du cas d'espèce, ne pas accepter le diagnostic d'un confrère sans le questionner[162]. Il sera ainsi à l'abri des poursuites s'il a utilisé un traitement reconnu à l'époque et d'utilisation courante[163]. Il faut évidemment, même s'il existe probablement une présomption en ce sens, que cette pratique courante soit en elle-même raisonnable[164]. Il doit aussi tenir ses connaissances à jour[165]. Il ne peut recourir à une méthode inusitée à moins d'avoir renseigné adéquatement le patient sur l'utilité et les risques de ce nouveau traitement[166].

149.   *Id.*, p. 134; *Leroux c. Sternthal*, précité, note 147.
150.   Par exemple, voir *Courtemanche c. Fortin*, [1996] R.R.A. 829, EYB 1996-84947 (C.S.) (*a contrario*). Dans cette affaire, on a jugé que les cris du demandeur pendant une myélographie étaient des cris de douleur et non un retrait de consentement.
151.   Voir *Rafferty c. Kulczycky*, [1994] R.J.Q. 1792, EYB 1994-58465 (C.A.).
152.   R.P. KOURI et S. PHILIPS-NOOTENS, *op. cit.*, note 1, p. 331 et jurisprudence citée, note 1406. Pour des illustrations, voir *Jimenez c. Pehr*, précité, note 112; *Jacob c. Roy*, 2003BE-482, EYB 2003-38740 (C.S.); *Soltani c. Desnoyers*, précité, note 111.
153.   *Roy c. Walker*, REJB 2000-18273 (C.A.), conf. sur ce point [1997] R.R.A. 976, REJB 1997-07492 (C.S.); *Walker c. Dubuc*, précité, note 32; *Meloche c. Bernier*, précité, note 51.
154.   *Cantin-Cloutier c. Gagnon*, précité, note 93.
155.   P. LESAGE-JARJOURA, S. PHILIPS-NOOTENS et R.P. KOURI, *op. cit.*, note 1, p. 164.
156.   Le Code de déontologie des médecins, précité, note 31, précise : « Le médecin doit informer le patient ou, s'il est incapable d'agir, le représentant légal de celui-ci d'un pronostic grave ou fatal, à moins qu'il n'y ait juste cause. » (art. 57).
157.   C'est ce qu'on appelle en doctrine le « privilège thérapeutique ». Voir, sur le sujet, P. LESAGE-JARJOURA, S. PHILIPS-NOOTENS et R.P. KOURI, *op. cit.*, note 1, p. 165; *Bécotte c. Durocher*, précité, note 51. Voir toutefois *Chalifoux c. Telmosse*, précité, note 111, p. 368, où la cour a exprimé l'avis suivant : « Il n'appartient pas au médecin d'apprécier le risque à la place du patient, même si sa divulgation peut affecter jusqu'à un certain point sa sérénité ou son état d'anxiété préalable à la chirurgie. »
158.   Il a été décidé qu'un médecin mandaté par un tiers pour effectuer une expertise n'est pas tenu à une obligation de prodiguer des soins à l'égard de la personne expertisée. Voir *Therrien c. Launay*, précité, note 62. Voir aussi *Duchesneau c. Roy*, 2007BE-608, EYB 2007-119072 (C.S.).
159.   P. LESAGE-JARJOURA, S. PHILIPS-NOOTENS et R.P. KOURI, *op. cit.*, note 1, p. 261. Pour des illustrations, voir *Prat c. Poulin*, précité, note 59; *Chabot c. Roy*, précité, note 53; *Baker c. Silver*, précité, note 67; *Hôpital de Chicoutimi c. Battikha*, précité, note 32; *Gautier c. Boucher*, [1998] R.R.A. 1055, REJB 1998-09979 (C.S.), conf. par 2001BE-295, REJB 2001-22749 (C.A.); *Malette c. Bourdon*, précité, note 142; *St-Jean c. Mercier*, précité, note 32; *Dubuc c. Gagnon*, REJB 2004-54033 (C.S.); *Bolduc c. Stumpf*, précité, note 40; *Landry c. Caron*, J.E. 2005-873, EYB 2005-86958 (C.S.); *Beauchesne c. Ladouceur*, J.E. 2005-1830, EYB 2005-04398 (C.S.); *Hussul c. Mitmaker*, précité, note 120; *Paquette (Succession de) c. Dabbagh*, J.E. 2007-246, EYB 2007-112264 (C.S.); *A.Q. c. Hôpital Fleury*, précité, note 18; *Fortier c. Bernier*, 2008BE-1151, EYB 2008-147675 (C.S.).
160.   Pour des discussions sur l'impact des listes d'attente sur la responsabilité, voir *Cilinger c. Centre hospitalier de Chicoutimi*, REJB 2002-55027 (C.S.), [2004] R.J.Q. 2943, EYB 2004-79978 (C.A.) (requête pour autorisation de pourvoi à la Cour suprême rejetée).
161.   *Mainville c. Cité de la Santé de Laval*, précité, note 15 (dans cette affaire, il s'agissait d'une infirmière mais le principe est applicable aux médecins); *Martineau c. Lebel*, précité, note 72; *Turmel c. Loisel*, précité, note 93.
162.   *Cloutier-Cabana c. Rousseau*, précité, note 72.
163.   *Morrow c. Hôpital Royal Victoria*, précité, note 79; *O'Shea c. McGovern*, précité, note 108; *Boisvert c. Gagnon*, 99BE-1207 (C.S.); *Gauvin c. Rivard*, REJB 2001-26966 (C.S.); *Landry c. Langis*, REJB 2003-43988 (C.S.); *Landry c. Caron*, précité, note 159.
164.   *Ter Neuzen c. Korn*, précité, note 37; *Gregus-Gallo c. Fielding*, [1996] R.R.A. 159, EYB 1995-83207 (C.S.).
165.   P. LESAGE-JARJOURA, S. PHILIPS-NOOTENS et R.P. KOURI, *op. cit.*, note 1, p. 265; *Fournier c. Caron*, [1995] R.R.A. 248 (C.Q.); *Prat c. Poulin*, précité, note 59.
166.   *X. c. Mellen*, précité, note 9; *Brunet-Anglehart c. Donohue*, précité, note 141.

D'ailleurs, le professionnel de la santé n'est pas requis de prodiguer des soins en vertu de méthodes plus sophistiquées qui en sont à un stade peu avancé d'expérimentation. Par ailleurs, si le médecin ne se sent pas la compétence requise, il doit diriger son patient vers un autre médecin[167], l'article 42 du Code déontologie des médecins en faisant un devoir spécifique. De même, si le médecin est lui-même un spécialiste qui a des doutes sur certains aspects de la thérapie, il doit consulter d'autres spécialistes[168].

La démonstration que le médecin s'est comporté conformément au modèle du médecin normalement prudent et diligent sera le plus souvent faite à l'aide d'une expertise[169].

Évidemment, le médecin est jugé en fonction de son degré de spécialité[170]. Toutefois, certaines décisions ont haussé les normes de comportement du médecin généraliste dans l'hypothèse suivante. Lorsqu'un omnipraticien décide de prodiguer des traitements qui relèvent d'un spécialiste, alors qu'un spécialiste est disponible, l'acuité des traitements fournis par le défendeur sera analysée, non pas en fonction du comportement d'un généraliste, mais selon celui du spécialiste[171]. Évidemment, cette règle ne saurait s'appliquer si des circonstances particulières (par exemple, l'urgence de la situation) justifiaient une intervention immédiate du médecin généraliste.

Par ailleurs, la médecine ne constituant pas une science exacte, certains choix de traitement peuvent susciter des interrogations et des controverses au sein de la communauté médicale. À cet égard, la Cour d'appel a rappelé, conformément aux enseignements doctrinaux[172], qu'il ne relève pas des tribunaux d'arbitrer ces débats[173]. Par exemple, dans une affaire concernant le suicide d'un patient, deux écoles de pensée s'opposaient quant au traitement psychiatrique approprié pour assurer la sécurité et la surveillance du patient. Certains étaient d'avis que le patient devait être attaché alors que d'autres prônaient une approche plus libérale. La cour considéra qu'en choisissant une approche plutôt qu'une autre, le psychiatre n'avait pas commis de faute, puisque les deux approches étaient reconnues[174].

Autrement dit, si le traitement prodigué paraît raisonnable eu égard aux circonstances, aucune faute ne peut être reprochée même si certaines personnes de la confrérie prétendent qu'un traitement différent aurait donné de meilleurs résultats[175].

Enfin, il est reconnu que le devoir de traiter implique ceux de prescrire la médication adéquate[176], d'informer le patient des risques post-opératoires et d'offrir un suivi raisonnable de sa condition[177]. S'il s'absente, il doit s'assurer du suivi par un autre professionnel compétent[178].

---

167. *St-Hilaire c. S.*, [1966] C.S. 249; *McCormick c. Marcotte*, [1972] R.C.S. 18; *Salehi c. Bahamin*, [1995] R.R.A. 1045, EYB 1995-72518 (C.S.).

168. *Rouiller c. Chesnay*, [1993] R.R.A. 528, EYB 1993-74194 (C.S.); *Roy c. Ouellette*, précité, note 51.

169. *Tremblay c. Claveau*, précité, note 32; *Gregus-Gallo c. Fielding*, précité, note 163; *Chabot c. Roy*, précité, note 53; *Gendron c. Leduc*, précité, note 85; *Morin c. Le May*, [2003] R.J.Q. 968, EYB 2003-42083 (C.S.); *Tremblay c. Mathieu*, REJB 2003-48641 (C.S.); *Jobin c. Du Tremblay*, précité, note 50; *Aubin c. Houmdijan*, précité, note 51; *Ban c. Centre universitaire de santé McGill (CUSM) – Hôpital Royal Victoria*, [2005] R.R.A. 772, EYB 2005-89330 (C.S.); *Reinhart c. Hajj*, J.E. 2005-467, EYB 2005-85596 (C.S.); *Suite c. Cooke*, précité, note 130. Dans cette dernière affaire de stérilisation ratée, le juge de première instance a manifesté beaucoup de scepticisme relativement à la preuve présentée par le défendeur, voulant que les médecins ne consultent pas les rapports de pathologie.

170. P. LESAGE-JARJOURA, S. PHILIPS-NOOTENS et R.P. KOURI, *op. cit.*, note 1, p. 267 et jurisprudence y citée. *Ter Neuzen c. Korn*, précité, note 37; *Baker c. Silver*, précité, note 67; *Villeneuve c. L.F.*, précité, note 121; *Di Paolo c. Benoit*, précité, note 37; *Perreault c. Gingras*, J.E. 2006-1391, EYB 2006-104354 (C.S.).

171. *St-Hilaire c. S.*, précité, note 166; *Cyr c. Brière*, précité, note 121.

172. A. BERNARDOT et R. KOURI, *op. cit.*, note 1, p. 198.

173. *Cloutier c. Hôpital Le Centre Hospitalier de l'Université Laval (C.H.U.L.)*, précité, note 32, p. 724; *Nencioni c. Mailloux*, [1985] R.L. 532, 548 (C.S.). Voir également *Harewood-Greene c. Spanier*, précité, note 38; *Quintal c. Godin*, précité, note 121; *Laforce-Gélinas c. Dumont*, REJB 2000-18573 (C.S.), conf. par REJB 2003-41305 (C.A.); *Trudel c. Latulippe*, 2003BE-689, EYB 2003-40647 (C.S.); *Brousseau c. Allary*, précité, note 120; *Lacasse c. Lefrançois*, REJB 2004-52441 (C.S.), conf. par [2007] R.R.A. 524, EYB 2007-122339 (C.A.); *Perreault c. Gingras*, précité, note 170.

174. *Cloutier c. Hôpital Le Centre Hospitalier de l'Université Laval (C.H.U.L.)*, précité, note 32, p. 724.

175. *Id.*, p. 721; *Lamontagne c. Lefrançois*, précité, note 32, p. 32; *Brousseau c. Allary*, précité, note 120.

176. *Jeannotte c. Couillard*, [1894] B.R. 461; *Bernard c. Cloutier*, J.E. 82-398, EYB 1982-141111, [1982] C.A. 289; *Dodds c. Schierz*, [1986] R.J.Q. 2623, EYB 1986-95755 (C.A.); *Gburek c. Cohen*, [1988] R.J.Q. 2424, EYB 1988-63095 (C.A.); *Tabah c. Liberman*, [1990] R.J.Q. 1230, EYB 1990-57539 (C.A.). Pour des discussions sur le recours à la médication ou l'administration d'une prescription: *Deslauriers c. Ethier*, [2001] R.R.A. 538, EYB 2001-24153 (C.Q.); *Poirier c. Soucy*, [1992] R.R.A. 3 (C.A.); *Chouinard c. Robbins*, [2002] R.J.Q. 60, REJB 2001-27398 (C.A.); *Couture c. Hôtel-Dieu d'Arthabaska*, [2008] R.R.A. 697, EYB 2008-142029 (C.S.); *Hubert c. Fournier*, J.E. 2008-1085, EYB 2008-132664 (C.S.); P. LESAGE-JARJOURA, S. PHILIPS-NOOTENS et R.P. KOURI, *op. cit.*, note 1, p. 295 et 296; M. GAGNÉ, *op. cit.*, note 1, p. 509 et s.

177. P. LESAGE-JARJOURA, S. PHILIPS-NOOTENS et R.P. KOURI, *op. cit.*, note 1, p. 307; Daniel W. PAYETTE, précité, note 129; *Lamontagne c. Lefrançois*, précité, note 32, p. 32; *Blanchette c. Léveillé*, [1998] R.R.A. 385, REJB 1998-06002 (C.A.); *Kirschenbaum-Green c. Surchin*, [1993] R.R.A. 821, EYB 1993-84183 (C.S.), conf. par [1997] R.R.A. 39, REJB 1997-00239 (C.A.); *Suite c. Cooke*, précité, note 130; *Malette c. Bourdon*, précité, note 142; *Brochu c. Camden-Bourgault*, précité, note 38; *Moreau c. Fugère*, REJB 2002-27964 (C.S.); *St-Cyr c. Fisch*, précité, note 37; *Tessier-Biron c. Verrier*, 2004BE-512 (C.S.), J.E. 2006-1092, EYB 2006-105459 (C.A.); *Choquette c. Ratelle*, EYB 2004-81808 (C.A.); *Côté c. Dallaire*, précité, note 72; *Daigle c. Lafond*, précité, note 93; *N.M. c. Solignac*, J.E. 2007-2121, EYB 2007-124415 (C.S.); *Cloutier-Cabana c. Rousseau*, précité, note 72. Sur le congé hospitalier, voir J.-P. MÉNARD (1999), *loc. cit.*, note 1, p. 127 et s.; D. PAYETTE, *loc. cit.*, note 129.

178. Voir *Suite c. Cooke*, précité, note 130; *Harewood-Greene c. Spanier*, précité, note 38; *Bergeron c. Faubert*, précité, note 120; *Kimmis-Paterson c. Rubinovich*, précité, note 111; *Rondeau-Lévis (Succession de) c. Centre hospitalier Le Gardeur*, 2005BE-709, EYB 2005-112004 (C.S.).

En contrepartie, le patient a un devoir de coopéra-tion[179] et doit prendre l'initiative de rappeler le médecin lorsqu'il constate l'anormalité d'une situation[180].

4. L'obligation de confidentialité[181]

Le médecin, à l'instar des autres professionnels, est tenu au secret professionnel. Le Code de déontologie des médecins précise en effet que le médecin « doit gar-der confidentiel ce qui est venu à sa connaissance dans l'exercice de sa profession »[182]. Concrètement, il doit « s'abstenir de tenir ou de participer à des conversations indiscrètes au sujet d'un patient ou des services qui lui sont rendus »[183]. D'ailleurs, ce devoir de confidentialité va jusqu'à imposer au médecin de ne pas révéler qu'une per-sonne déterminée fait appel à ses services.

Le Code de déontologie exige aussi des profession-nels de la santé qu'ils prennent les moyens raisonnables pour que leurs employés respectent également cette confi-dentialité[184], élevée au rang de principe fondamental par la *Charte des droits et libertés de la personne*[185]. On peut toutefois se demander si, en la qualifiant de simple obliga-tion de moyens, le Code de déontologie ne dilue pas l'intensité de l'obligation de confidentialité. Néanmoins, nous croyons que, dans une action en responsabilité civile, il pourrait être plaidé qu'il s'agit d'une obligation de résul-tat. Le médecin serait donc responsable à l'égard de son patient, et ce, en vertu des principes relatifs à la res-ponsabilité contractuelle pour le fait d'autrui, de toutes les indiscrétions de son personnel, à moins de prouver l'existence d'une force majeure (art. 1470 C.c.Q.). Le législateur a d'ailleurs conféré aux juges le mandat de veiller strictement à ce que les témoignages rendus ne contreviennent pas aux règles sur la confidentialité de la relation patient-médecin. Les juges peuvent ainsi pronon-cer d'office la non-recevabilité d'une telle preuve (art. 2858, al. 2 C.c.Q.).

Plusieurs raisons[186] motivent, en général, cette atti-tude vis-à-vis du respect du secret professionnel. Tout d'abord, respecter la confidentialité, c'est respecter la vie privée de l'individu, devoir également haussé au rang de droit fondamental (art. 9 à 12 C.c.Q.). Ensuite, le secret professionnel favorise une confiance accrue entre le médecin et son patient. Enfin, il confère à la profession un caractère de dignité.

Aucune décision ayant pour objet une poursuite en réparation du préjudice contre un médecin en raison du non-respect de son obligation de confidentialité ne semble avoir été rapportée[187]. Les sommes accordées à titre de dommages, essentiellement de nature non pécuniaire, étant peu élevées, les victimes d'une telle transgression préfèrent probablement porter plainte devant les comités de discipline.

Toutefois, une décision qui ne concerne pas un méde-cin mérite d'être commentée, puisque les principes sont transposables. Dans l'affaire *Droit professionnel – 1*[188], une psychologue, mandatée par le père d'un enfant pour procéder à une expertise psychologique dans le contexte d'une action en divorce, a dévoilé le contenu de son rap-port à l'épouse de monsieur. Dans son rapport, elle concluait que le père avait abusé sexuellement de son fils. Elle avait communiqué ces informations sans avoir été préalablement relevée du secret professionnel. Le juge

179. *Mastantuono c. Lefort*, 99BE-196, EYB 1999-10578 (C.S.); *St-Cyr c. Fisch*, précité, note 37; *Beck c. Deschênes*, précité, note 88; *Batoukaeva c. Fugère*, J.E. 2006-1115, EYB 2006-103772 (C.S.), inf. par J.E. 2008-340, EYB 2008-128681 (C.A.) (la Cour d'appel conclut à la seule responsabilité de la patiente); *Scott c. Riendeau*, EYB 2006-104771 (C.Q.); *Soltani c. Desnoyers*, précité, note 111; Robert KOURI, « The Patient's Duty To Cooperate », (1972) 3 *R.D.U.S.* 43.

180. *Hôpital Notre-Dame de L'Espérance c. Laurent*, précité, note 73; *Tremblay c. Mathieu*, précité, note 169; *Dumont c. Clouâtre*, précité, note 130. Voir, sur le sujet, Daniel W. PAYETTE, précité, note 129, p. 32 et s. Pour la réitération de ce principe dans un autre contexte, voir *Therrien c. Launay*, précité, note 62.

181. P. LESAGE-JARJOURA, S. PHILIPS-NOOTENS et R.P. KOURI, *op. cit.*, note 1, p. 349 et s.; Catherine MANDEVILLE, « « Mais où est le secret? » – L'accès aux dossiers médicaux et psychologiques de la partie demanderesse à la lumière de l'arrêt Glegg », dans Service de la formation permanente, Barreau du Québec, *Développements récents en responsabilité médicale et hospitalière (2005)*, Cowansville, Les Éditions Yvon Blais Inc., p. 151.

182. Code de déontologie des médecins, précité, note 31, art. 20 (1). Ce règlement a été adopté pour compléter la *Loi médicale*, L.R.Q., c. M-9, qui par son article 42 édicte « [qu']un médecin ne peut être contraint de déclarer ce qui lui a été révélé à raison de son caractère professionnel ». Comme on le constate, cette règle ne traite pas vraiment du secret professionnel en tant que tel, mais vise l'incontraignabilité du médecin à témoigner. Selon certains auteurs, commentant la décision *Descarreaux c. Jacques*, [1969] B.R. 1109, cette règle serait une incontraignabilité absolue privant le patient de pouvoir décider si le médecin peut témoigner. Yves Marie MORISSETTE et Daniel W. SHUMAN, « Le secret professionnel au Québec : une hydre à trente-neuf têtes rôde dans le droit de la preuve », (1984) 25 *C. de D.* 510, 525.

183. Code de déontologie des médecins, précité, note 31, art. 20 (2).

184. *Id.*, art. 20 (3). Des auteurs donnent les exemples suivants : « [Le médecin] doit veiller à ce que les conversations téléphoniques au bureau (prise de rendez-vous, communication de résultat d'examen ou de laboratoire, etc.) soient faites de façon discrète. Il en est de même de l'appel des patients à la salle d'attente [...] », P. LESAGE-JARJOURA, S. PHILIPS-NOOTENS et R.P. KOURI, *op. cit.*, note 1, p. 353.

185. L.R.Q., c. C-12. L'article 9 de la charte énonce que : « Chacun a droit au respect du secret professionnel. Toute personne tenue par la loi au secret professionnel [...] [ne peut] divulguer les renseignements confidentiels [...] révélés en raison de leur état ou profession. »

186. Ces justifications ont été énoncées dans le texte de Y. MORISSETTE et D. SHUMAN, *loc. cit.*, note 182, p. 511 et s.

187. Voir P. LESAGE-JARJOURA, S. PHILIPS-NOOTENS et R.P. KOURI, *op. cit.*, note 1, p. 377.

188. [1992] R.R.A. 11 (C.S.).

Jasmin en vint à la conclusion que, en révélant le contenu de son rapport, la psychologue avait commis une faute, car au moment de dévoiler les renseignements en question[189] elle n'avait été autorisée à le faire ni par le tribunal ni par le demandeur. Le tribunal condamna la psychologue à payer 10 000 $ en réparation du préjudice moral, 5 000 $ à titre de dommages exemplaires et la moitié des frais judiciaires et d'expertise.

Par ailleurs, certaines situations libèrent le médecin de son obligation de confidentialité. Ainsi, le Code de déontologie énonce de façon laconique que le médecin « peut divulguer les faits [...] lorsque le patient ou la loi l'y autorise [...] »[190].

Plus spécifiquement, certaines lois autorisent le médecin à outrepasser son devoir de confidentialité. Par exemple, le médecin doit signaler « au ministre ou au directeur de la santé publique [...] les cas de maladie à déclaration obligatoire ou de maladie vénérienne »[191]. Également, le médecin ou un établissement qui peut fournir des soins à un mineur âgé de 14 ans et plus sans nécessité d'obtenir le consentement du titulaire de l'autorité parentale ou du tuteur, doit les avertir en cas d'hébergement pendant plus de 12 heures (art. 14 C.c.Q.)[192].

Également, le Code de déontologie autorise le médecin à ne pas respecter son devoir « lorsqu'il y a une raison impérative et juste ayant trait à la santé ou la sécurité du patient ou de son entourage »[193]. Cette disposition permet au médecin de passer outre à son devoir de confidentialité si l'intérêt du patient[194] ou de son entourage[195] le requiert[196].

Le patient peut également renoncer au secret professionnel et dégager de ce fait le médecin de son obligation à la confidentialité[197]. Cette renonciation peut être expresse ou tacite. Les renonciations expresses[198] se trouvent souvent[199] dans les litiges d'assurance, et la jurisprudence a toujours reconnu le droit aux assureurs de consulter les dossiers médicaux pour l'évaluation du risque ou l'analyse du sinistre[200].

Quant aux renonciations tacites, la jurisprudence admet, avec raison, que le patient qui poursuit pour faute professionnelle un médecin ou un établissement hospitalier consent implicitement à ce que soient dévoilés les renseignements pertinents contenus dans son dossier[201], afin d'assurer une défense pleine et entière au défendeur. La Cour suprême a de plus étendu ce principe de la renonciation implicite au cas où une personne souscrit une assurance. Sous la plume de la juge L'Heureux-Dubé, la cour en vient à la conclusion que :

« Le problème de la nature personnelle du droit à la confidentialité dans les affaires d'assurance-vie peut être résolu si la renonciation est réputée faite au moment de la formation du contrat, peut-être comme dans les obligations implicites de celui-ci. »[202]

---

189. *Id.*, p. 15. Le juge considère non pertinent le fait qu'ultérieurement la psychologue avait été relevée de son obligation.

190. Code de déontologie des médecins, précité, note 31, art. 20 (5). L'article 9 de la *Charte des droits et libertés de la personne*, précitée, note 185, le précise également.

191. Art. 83 et s. de la *Loi sur la santé publique*, L.R.Q., c. S-2.2.

192. Mentionnons finalement que la *Loi sur la protection de la jeunesse*, L.R.Q., c. P-34.1, ordonne au médecin de signaler au directeur de la protection de la jeunesse les cas où le développement d'un enfant est compromis (art. 39). Pour d'autres exemples, voir P. LESAGE-JARJOURA, S. PHILIPS-NOOTENS et R.P. KOURI, *op. cit.*, note 1, p. 364 et s.

193. Code de déontologie des médecins, précité, note 31, art. 20 (5).

194. Les auteurs P. LESAGE-JARJOURA, S. PHILIPS-NOOTENS et R.P. KOURI, *op. cit.*, note 1, p. 372, donnent l'exemple de la possibilité d'un état dépressif prononcé à la suite d'un diagnostic de maladie grave.

195. Qu'on pense par exemple au virus du SIDA ou à une maladie génétique. Voir, sur ces sujets, l'analyse fouillée de Martin LETENDRE, « Le devoir du médecin de prévenir les membres de la famille d'un patient atteint d'une maladie génétique », (2004) 49 *R.D. McGill* 555. Voir aussi Pierre LARRIVÉE, « L'obligation, pour un professionnel ou pour un travailleur de la santé, de divulguer sa séropositivité à l'établissement et au patient », dans Service de la formation permanente, Barreau du Québec, vol. 219, *Famille et protection (2005)*, Cowansville, Les Éditions Yvon Blais Inc., p. 233; E. LÉVESQUE, B.M. KNOPPERS et D. AVARD, précité, note 64.

196. Voir sur l'ensemble de cette question P. LESAGE-JARJOURA, S. PHILIPS-NOOTENS et R.P. KOURI, *op. cit.*, note 1, p. 371 et s.

197. Pour une analyse jurisprudentielle, voir C. MANDEVILLE, *loc. cit.*, note 1. Voir aussi *Bédard c. Robert*, REJB 2003-39609 (C.S.).

198. Voir *Frenette c. La Métropolitaine, Compagnie d'assurance-vie*, [1990] R.J.Q. 62, EYB 1989-63413 (C.A.), [1992] 1 R.C.S. 647, 664, EYB 1992-68617.

199. Il peut également s'agir du cas où le patient décide de consulter un autre médecin que son médecin traitant et autorise ce dernier à transmettre les informations pertinentes au premier. Voir P. LESAGE-JARJOURA, S. PHILIPS-NOOTENS et R.P. KOURI, *op. cit.*, note 1, p. 356 et 357.

200. *Frenette c. La Métropolitaine Compagnie d'assurance-vie*, précité, note 198; *L'Impériale Cie d'assurance-vie c. Roy*, [1990] R.J.Q. 2468, EYB 1990-56812 (C.A.); *Taxis Newman-Lafleur c. Co. d'assurances Provinces-Unies*, [1991] R.R.A. 411, EYB 1991-75844 (C.S.), conf. par J.E. 93-177, EYB 1992-58046 (C.A.); *Bédard c. Robert*, précité, note 197.

201. *Morrow c. Hôpital Royal Victoria*, précité, note 79; *Société d'assurance des Caisses populaires c. Association des Hôpitaux de la Province de Québec*, [1975] C.S. 158; *Laprise c. Bonneau*, [1985] C.A. 9; *Lussier c. Goulet*, [1989] R.J.Q. 2085, EYB 1989-63376 (C.A.); *Bédard c. Robert*, 98BE-790, REJB 1998-06519 (C.S.); *T.D. c. Bureau*, [2004] R.J.Q. 959, REJB 2004-54967 (C.S.); *Fortin c. Bureau*, J.E. 2005-759, EYB 2005-86225 (C.S.); *Audet c. Houle*, J.E. 2005-1043, EYB 2005-88526 (C.S.). La jurisprudence permet également la production du dossier psychiatrique, lorsque l'état psychologique de la patiente d'un médecin est en jeu, notamment dans l'évaluation de son préjudice moral. Voir *Glegg c. Smith & Nephew Inc.*, [2005] 1 R.C.S. 724, EYB 2005-90619. Elle adopte une solution identique lorsqu'un médecin est poursuivi par un tiers mais que l'état de santé (mentale) de son patient est en jeu. *Société d'habitation du Québec c. Hébert*, REJB 2004-60142 (C.S.).

202. *Frenette c. La Métropolitaine, compagnie d'assurance-vie*, précité, note 198.

Cette façon de voir ne manque pas de nous étonner, et il est à espérer que les tribunaux sauront néanmoins freiner les « expéditions de pêche » des défendeurs (assureurs ou autres)[203].

B- La responsabilité du médecin pour le fait personnel d'autrui[204]

La science médicale a connu de nombreux développements au cours des dernières décennies, ce qui a entraîné plusieurs réaménagements sur le plan juridique. La spécialisation sans cesse croissante, la formation d'équipes médicales, la complexité des rapports sociaux et la cadence des activités médicales ont entraîné comme conséquence principale un accroissement corrélatif des intervenants qui gravitent autour du patient. Comme le signale un auteur :

> « La fantastique expansion de la science médicale a entraîné son morcellement en de multiples spécialités. La spécialisation a produit des médecins plus savants, c'est indubitable, mais elle a provoqué des situations [...] nouvelles : d'abord le malade traité par plusieurs médecins et le médecin qui ne traite qu'une partie du malade;
>
> [...] ensuite, le médecin entouré d'une foule d'auxiliaires dont les fonctions sont essentielles au diagnostic et au traitement. [...] En fait, le médecin n'est plus un, il est plusieurs. »[205]

À la lumière de cette évolution, la question principale qui se pose, est la suivante : le comportement fautif des auxiliaires peut-il engager la responsabilité du médecin traitant[206]? De même, le médecin remplacé provisoirement par un autre médecin, encourt-il une responsabilité pour les fautes commises par son remplaçant? Pour répondre adéquatement à ces questions, il importe d'envisager le problème selon les deux régimes de responsabilité (contractuel et extracontractuel), certaines divergences devant être signalées.

1. Le régime extracontractuel

En prenant pour hypothèse que le lien qui unit le médecin et son patient est de nature légale, la responsabilité du médecin peut être engagée pour l'acte illicite de son employé, lorsque les trois conditions classiques sont remplies. La première condition est la présence d'un lien de préposition entre le commettant et son employé. De plus, ce dernier doit avoir commis une faute alors qu'il se trouvait dans l'exercice de ses fonctions (art. 1463 C.c.Q.). Analysons ces conditions dans le contexte médical.

On considère généralement le lien de préposition comme le lien unissant une personne qui a un « pouvoir de contrôle, de surveillance et de direction »[207] sur une autre. Ce lien de subordination suppose un contrôle spécifique plutôt que général[208]. C'est ainsi que les infirmières, les étudiants et les résidents sont traditionnellement considérés comme des préposés[209].

Toutefois, il convient de signaler qu'il n'est pas toujours aisé de déterminer qui représente leur commettant. En effet, l'hôpital s'avère souvent être le commettant mais, eu égard à la preuve, il peut arriver que ces auxiliaires tombent sous la surveillance et le contrôle spécifique du médecin, qui devient alors, pour certains actes, leur commettant momentané[210]. L'analyse ponctuelle de la situation permettra de déterminer qui assurait la véritable direction au moment précis de l'acte illicite. Par ailleurs, toujours relativement au lien de subordination, il est reconnu qu'un médecin, surtout s'il s'agit d'un spécialiste, ne peut être considéré comme le préposé d'un autre médecin, l'absence de pouvoir de contrôle lui déniant cette qualité[211].

203. Sur la modération dont doivent faire preuve les parties défenderesses, voir *Glegg c. Smith & Nephew Inc.*, précité, note 201, commenté par C. MANDEVILLE, précité, note 181; *Audet c. Houle*, précité, note 201.
204. J. VEILLEUX, *loc. cit.*, note 1; Alain BESTAWROS, « La responsabilité civile des résidents en médecine et de leurs commettants », (2004) 64 *R. du B.* 1.
205. Gérard BLAIS, « Problèmes actuels de responsabilité médico-hospitalière », dans *Le droit dans la vie économico-sociale, livre du centenaire du Code civil*, t. II, P.U.M., 1970, p. 207.
206. Une récente décision considère que le fait pour un médecin d'accepter de travailler avec un employé de l'hôpital, compétent mais indiscipliné, ne constitue pas une faute. Voir *Laforce-Gélinas c. Dumont*, précité, note 173. Pour le tribunal, le fait que le médecin ne soit pas maître du personnel implique « [qu']il serait difficile de le tenir responsable pour une situation qui ne relève pas de lui ». À notre avis, un médecin prudent et diligent doit refuser de travailler avec une personne irresponsable.
207. J.-L. BAUDOUIN et P. DESLAURIERS, *La responsabilité civile*, t. 1, « Principes généraux », Cowansville, Les Éditions Yvon Blais Inc., 2007, p. 714 et 715 et jurisprudence y citée.
208. *Id.*, p. 716.
209. J.-L. BAUDOUIN et P. DESLAURIERS, *op. cit.*, note 1, p. 75. Voir également A. BERNARDOT et R. KOURI, *op. cit.*, note 1, p. 247; J. NOLS, *loc. cit.*, note 1, p. 37 et s.
210. Voir C. GIROUX, *op. cit.*, note 1, p. 88 et s.; J. NOLS, *loc. cit.*, note 1, p. 52 et s.; *Labrecque c. Hôpital du St-Sacrement*, précité, note 137; *Lamarre c. Hôpital du Sacré-Coeur*, précité, note 120; *Goupil c. Centre hospitalier universitaire de Québec*, précité, note 18; Suzanne NOOTENS, « La responsabilité du médecin anesthésiste (2e partie) », (1989) 19 *R.D.U.S.* 317, émet certaines réserves, étant d'avis, du moins dans le cas de l'anesthésiste, qu'il « n'est responsable que pour la faute de sa part » (p. 385).
211. J.-L. BAUDOUIN et P. DESLAURIERS, *op. cit.*, note 1, p. 1036. Voir aussi *Brox c. Cyr*, REJB 2004-61991 (C.S.), EYB 2006-103530 (C.A.).

Comme deuxième condition, il importe que le préposé ait commis une faute. Celle-ci devra être prouvée selon les prescriptions de l'article 1457 C.c.Q.

Finalement, le préposé doit avoir commis cette faute alors qu'il était dans l'exercice de ses fonctions. La doctrine et la jurisprudence envisagent cet aspect en examinant quelle personne retirait un quelconque bénéfice au moment où les actes posés ont entraîné le préjudice. Dès qu'il est mis en preuve que le commettant y trouvait un certain bénéfice[212], même concomitant à celui du préposé, ce dernier est considéré comme ayant commis son acte alors qu'il était dans l'exercice de ses fonctions, et le commettant est alors responsable (art. 1463 C.c.Q.). Au contraire, lorsque les fonctions n'ont été que l'occasion du préjudice, le commettant n'est pas responsable.

Ce régime, qui s'inscrit dans une politique sociale visant à offrir à la victime de meilleures chances d'être indemnisée, permet à cette dernière de poursuivre les deux « responsables », préposé et commettant. D'ailleurs, le commettant conserve une action récursoire contre son préposé dans l'éventualité où il serait condamné (art. 1463 C.c.Q.). Ce recours en garantie contre le préposé pourrait cependant être nié au commettant dans l'éventualité où une clause le stipulerait. À notre avis, toutefois, cette clause ne serait pas valide dans les cas de faute lourde ou intentionnelle du préposé.

2. La responsabilité contractuelle du fait d'autrui

En prenant maintenant l'hypothèse d'une qualification contractuelle de la relation entre le patient et le médecin, analysons la responsabilité du professionnel pour la faute d'autrui dans ce contexte. La responsabilité contractuelle du fait d'autrui est reconnue dans notre droit et elle fait en sorte que « le débiteur qui confie l'exécution de son obligation à quelqu'un d'autre [...] n'en reste pas

moins responsable vis-à-vis de son créancier. Il demeure responsable de la faute de ceux qu'il se substitue »[213]. D'ailleurs, cette responsabilité est engagée « sans que le contractant n'ait lui-même commis de faute »[214].

Ce qui distingue principalement ce régime de responsabilité contractuelle est le fait que le « patron » est responsable de toutes les personnes qui, à sa place, exécutent une partie ou la totalité de ses obligations, sans qu'il soit nécessaire pour autant de les qualifier au préalable de « préposé ». Comme l'explique la doctrine, « [l]a victime n'a pas à se soucier, et c'est là un des avantages marquants du recours contractuel, du type de relation juridique qui unit son débiteur et la personne qu'il se substitue ou qui l'assiste »[215]. La simple substitution par une partie contractante suffit pour que la faute du tiers substitué entraîne la responsabilité de la partie qui lui a délégué le soin d'exécuter à sa place. Évidemment, si le tiers s'immisce de sa propre initiative, le cocontractant n'en est pas responsable et peut se dégager de sa responsabilité en plaidant la force majeure (art. 1470 C.c.Q.). Il convient de noter que ce régime de responsabilité permet de condamner le médecin pour les fautes[216] de ses auxiliaires (infirmiers, étudiants, etc.) survenues dans son cabinet privé. Toutefois, lorsque les fautes sont commises dans le contexte hospitalier, il conviendra alors de déterminer si les actes commis faisaient partie du champ contractuel médical[217] ou hospitalier[218]. Dans le premier cas, le médecin sera responsable, dans le dernier cas, ce sera l'hôpital[219]. À cet égard, il faut se rappeler que c'est à titre ponctuel que le médecin sera généralement tenu responsable[220].

Le découpage ne se fait pas sans heurt dans la jurisprudence. À cet égard, certains auteurs constatent : « que la répartition des tâches dans l'institution joue un rôle majeur dans la décision des tribunaux à l'égard de certaines « zones grises », et que les juges déduisent de la qualification de l'acte le transfert, ou le non-transfert, du lien de préposition de l'hôpital au médecin »[221].

---

212. J.-P. MÉNARD et D. MARTIN, op. cit., note 1, p. 6.
213. Cinepix c. J.K. Walkden Ltd., [1980] C.A. 283, 286. Comme l'explique le professeur Mémeteau, « le principe d'une responsabilité d'autrui [oblige] celui qui introduit un tiers dans l'exécution de tout ou partie de ses obligations à répondre de ses défaillances devant son créancier », G. MÉMETEAU (1999), op. cit., note 1, p. 115.
214. J.-P. MÉNARD et D. MARTIN, op. cit., note 1, p. 13.
215. P. LESAGE-JARJOURA, S. PHILIPS-NOOTENS et R.P. KOURI, op. cit., note 1, p. 97.
216. Painchaud c. Hôpital Charles-Lemoyne, [1998] R.R.A. 426, REJB 1998-05990 (C.S.).
217. Les auteurs P. LESAGE-JARJOURA, S. PHILIPS-NOOTENS et R.P. KOURI, op. cit., note 1, expriment l'avis, citant l'article 31 de la Loi médicale, précitée, note 182, qu'il s'agirait de « tous les actes destinés à diagnostiquer ou à traiter « toute déficience de la santé d'un être humain » (p. 110). Ils ajoutent les interventions directement préventives, comme les vaccinations.
218. On délimite les services de l'hôpital comme « englob[ant] traditionnellement tous les soins courants aux malades, observation des signes vitaux, administration des médicaments prescrits, confort, hygiène, soins préopératoires et postopératoires, assistance en salle d'opération, participation à différentes techniques, activités de rééducation ». Id., p. 110.
219. Infra.
220. Hôpital de Chicoutimi c. Battikha, précité, note 19.
221. P. LESAGE-JARJOURA, S. PHILIPS-NOOTENS et R.P. KOURI, op. cit., note 1, p. 111. Voir également pour l'analyse de la jurisprudence, p. 104 et s.

En ce qui a trait à la responsabilité d'un médecin pour un autre médecin, si on ne peut jamais devenir le préposé d'un autre médecin au sens de l'article 1463 C.c.Q. et, de ce fait, engager sa responsabilité extracontractuelle, cette affirmation doit cependant être nuancée si on se place sur le terrain de la responsabilité contractuelle pour autrui.

Ainsi, certains médecins n'ayant commis aucune faute peuvent néanmoins être tenus, en certaines occasions, d'indemniser des patients en raison de la faute d'un autre médecin. Deux situations présentent, à cet égard, un intérêt. Premièrement, lorsque le médecin doit s'absenter, il est tenu de confier à un autre médecin le soin d'effectuer les traitements requis[222]. Il est reconnu que « [...] le remplacement ne met [...] pas fin au contrat conclu entre le médecin et le patient »[223].

Se superposent alors deux contrats médicaux[224]. Comme l'explique la doctrine, « [...] la fonction d'un second contrat de soins entre le patient et le remplaçant ne met pas fin au premier contrat du patient et du remplacé »[225]. Évidemment, le médecin appelé à être remplacé doit avertir le patient et choisir un médecin raisonnablement compétent, sinon il peut répondre d'une faute personnelle[226].

La jurisprudence ne fournit pas d'exemple précis relatif à cette question, mais les faits de certaines décisions peuvent illustrer ce principe. Dans l'affaire *Bergstrom c. G.*[227], une patiente éprouvait des douleurs chroniques à un pied. Elle consulte un spécialiste, qui lui pose un plâtre. Ce spécialiste dut s'absenter pendant le week-end et prit des arrangements pour être remplacé par un confrère.

Malheureusement, pendant cette période, la patiente ressentit de violentes douleurs. Elle tenta alors, mais en vain, de prendre contact avec les deux médecins. Ce n'est que le mardi suivant que le médecin traitant la rappela et il

crut bon la rencontrer seulement quelques jours plus tard. On constata alors que le pied était gangrené, une amputation devenait nécessaire. Le juge du procès fut d'avis, avec raison, que le comportement du médecin traitant avait été fautif, et sa responsabilité personnelle fut engagée pour ne pas s'être inquiété davantage de l'état de sa patiente. À notre avis, la responsabilité du médecin remplacé aurait pu être engagée même s'il n'avait pas commis ces fautes personnelles. Le fait pour son remplaçant d'avoir commis une faute était alors suffisant pour engager sa responsabilité pour autrui[228].

Mentionnons, en terminant, que si le patient s'adresse directement au remplaçant, la responsabilité du médecin traitant n'est pas envisageable[229].

La deuxième situation repose toutefois sur un fondement jurisprudentiel ténu et très controversé. On a ainsi jugé que dans le cadre d'un exercice collectif de la médecine en équipe médicale, le médecin « en chef » (la plupart du temps le chirurgien) pourrait être comptable des fautes des autres médecins. Par exemple, dans l'affaire *Kritikos c. Laskaris et al.*[230], la demanderesse, hospitalisée pour un accouchement, était sous la surveillance du défendeur, son médecin traitant. Pendant l'accouchement, elle perdit une quantité importante de sang et se retrouva avec un handicap visuel sérieux. La cour fut d'avis que le médecin traitant était responsable de la faute de l'anesthésiste.

« En tant que chef de l'équipe médicale lors de l'accouchement de la demanderesse, il ne pouvait se désintéresser des actes posés par ses collègues. [...] Il appartient au Dr Laskaris [le défendeur] de voir à ce que l'anesthésiste s'acquitte de ses tâches en regard du remplacement sanguin. »[231]

Cette vision est avec raison remise en question[232] au nom d'une « conception égalitaire de l'équipe médicale »[233]. Ainsi, dans l'affaire *Crawford c. Centre*

222. Le Code de déontologie des médecins, précité, note 31, lui impose d'ailleurs cette obligation lorsqu'il s'absente ou ne peut pratiquer (art. 35).
223. J.-P. MÉNARD et D. MARTIN, *op. cit.*, note 1, p. 25.
224. Janine AMBIALET, *Responsabilité du fait d'autrui en droit médical*, Paris, LGDJ, 1964, p. 28. Certains auteurs sont toutefois d'avis que le premier contrat est simplement suspendu. S. NOOTENS, *loc. cit.*, note 210, p. 378, à la note 162. Voir également P. LESAGE-JARJOURA, S. PHILIPS-NOOTENS et R.P. KOURI, *op. cit.*, note 1, p. 321.
225. A. BERNARDOT et R. KOURI, *op. cit.*, note 1, p. 186. Ces auteurs poursuivent : « À moins d'une résiliation du contrat liant le remplacé au malade, le deuxième contrat de soins entre le remplaçant et le patient se greffe au contrat original. La responsabilité du débiteur primitif envers le patient demeure entière. » (p. 187).
226. *Id.*, p. 183; J.-P. MÉNARD et D. MARTIN, *op. cit.*, note 1, p. 26.
227. [1967] C.S. 513.
228. Paul-André CRÉPEAU, *La responsabilité civile médicale et hospitalière : évolution récente en droit québécois*, 2e éd., Montréal, Futura-Santé, 1968, p. 14. À noter que les professeurs BERNARDOT et KOURI, *op. cit.*, note 1, p. 187, sont d'avis que la responsabilité d'autrui n'a pu être engagée dans cette affaire.
229. A. BERNARDOT et R.P. KOURI, *op. cit.*, note 1, p. 185.
230. C.S. Montréal, no 908-0732, 3 mai 1974, j. Bisson.
231. *Id.*, p. 79, tiré de J.-P. MÉNARD et D. MARTIN, *op. cit.*, note 1, p. 50.
232. J.-P. MÉNARD et D. MARTIN, *op. cit.*, note 1, p. 51; A. BERNARDOT et R. KOURI, *op. cit.*, note 1, p. 332.
233. C. GIROUX, *op. cit.*, note 1, p. 45.

hospitalier de l'Université de Sherbrooke[234], on trouve l'opinion suivante : « [...] même si le chirurgien est le chef d'équipe dans la salle d'opération, il est en droit de pouvoir se fier à la compétence et à la diligence de l'anesthésiste [...] ». Dans un autre contexte, la Cour d'appel a d'ailleurs énoncé certaines critiques sur la qualification du chirurgien « d'empereur du bloc opératoire »[235]. La responsabilité contractuelle du médecin pour le fait d'autrui, dans ce contexte, s'est donc résorbée.

3- La responsabilité de l'hôpital

A- La responsabilité institutionnelle directe[236]

Il importe de vérifier ici les situations où l'hôpital peut être poursuivi, non pas en raison des fautes d'autrui, mais en raison de ses propres décisions. Évidemment, l'hôpital ne peut agir que par des gestionnaires. Ce sont les conséquences directes de certaines décisions administratives de l'hôpital qui peuvent constituer des fautes à l'endroit des patients. L'hôpital est débiteur à l'endroit des patients qui y séjournent de plusieurs obligations qui sont accessoires à des services médicaux ou afférentes à des services non médicaux. En ce qui a trait aux services non médicaux, l'hôpital est principalement tenu envers son patient de l'héberger en toute sécurité. L'hébergement hospitalier, que certains assimilent par analogie à l'hébergement hôtelier, comprend la fourniture de locaux appropriés, de même que des équipements[237] ou des services accessoires adéquats.

Il importe également d'assurer la sécurité des patients dans les lieux[238]. Certaines décisions ont établi quelques paramètres. Ainsi, dans l'affaire *Bacon c. Hôpital du St-Sacrement*[239], un patient était tombé d'une fenêtre au troisième étage de l'hôpital alors qu'il prenait l'air. La responsabilité de l'hôpital ne fut pas retenue dans ce contexte, car l'hôpital avait pris les mesures que commandait la prudence ordinaire[240]. La responsabilité institutionnelle pourrait également être engagée si l'hôpital laisse une situation dangereuse perdurer[241], à l'occasion d'un empoisonnement alimentaire dans la mesure où, évidemment, la faute de l'établissement est prouvée, ou encore dans le cadre d'un dépôt des biens du patient[242].

En ce qui a trait à la responsabilité de l'hôpital pour les services médicaux, l'établissement est tenu aux mêmes obligations que le médecin. Il doit offrir des soins attentifs et consciencieux[243]. À cet égard, un certain contentieux gravite surtout autour des problèmes de manque de personnel compétent. Par exemple, dans l'affaire *Côté c. Hôpital l'Hôtel-Dieu de Québec*, le demandeur avait subi une thrombose de l'artère spinale pendant une opération où il était sous anesthésie épidurale. Il s'ensuivit une paralysie permanente des membres inférieurs. Il avait été mis

234. J.E. 80-967, EYB 1980-137716 (C.A.), p. 9, conf. par C.A. Montréal, nᵒˢ 500-09-001330-802, 500-09-001884-804, 25 et 28 mai 1982. Voir les commentaires de P.-A. CRÉPEAU, *loc. cit.*, note 1, p. 722.
235. Voir *Hôpital de Chicoutimi c. Battikha*, précité, note 19, la cour y favorise une analyse plus concrète de l'organisation hospitalière.
236. Pour des discussions sur la responsabilité de l'hôpital à l'égard de médecins, voir *Montambault c. Hôpital Maisonneuve-Rosemont*, REJB 2001-23081 (C.A.) (suspension des privilèges). Voir aussi *Maziade c. Parent*, REJB 2004-69743 (C.S.), conf. par EYB 2007-121442 (C.A.); *Brox c. Cyr*, précité, note 211 (absence de responsabilité de l'hôpital quant à la baisse de revenus subis par un de ses médecins du fait de la décision de l'hôpital de recruter un spécialiste supplémentaire). Sur la responsabilité étatique pour une infrastructure inadéquate, voir *Caron c. Centre hospitalier universitaire de Québec (CHUQ)*, [2006] R.R.A. 675, EYB 2006-106721 (C.S.) (mauvaise gestion des ressources); *Neumann c. Hôpital général du Lakeshore*, J.E. 2006-445, EYB 2006-99737 (C.S.), conf. sur ce point par EYB 2008-131608 (C.A.) (non-application de directives); voir aussi A. LEFEBVRE, *loc. cit.*, note 1, p. 71 et s.
237. *Landry c. Hôpital St-François d'Assise*, J.E. 96-370, EYB 1995-84800 (C.S.); *Rizk c. Hôpital du Sacré-Cœur de Montréal*, précité, note 40. Voir aussi *Bolduc c. Stumpf*, précité, note 40, où ce reproche fut adressé à une clinique qui ne fut toutefois pas poursuivie. Pour des discussions sur les appareils de contention voir D. BOULET, *loc. cit.*, note 40. En revanche, on ne peut reprocher à un centre hospitalier de ne pas avoir eu un équipement très sophistiqué : *Bureau c. Dupuis*, précité, note 32. Cette cause soulève le problème de l'interaction entre l'allocation des ressources et la notion de faute, question qui dépasse toutefois le cadre de la présente analyse. Voir généralement sur cette question, F. TOTH, *loc. cit.*, note 1; A. LEFEBVRE, *loc. cit.*, note 1. Voir aussi *Cilinger c. Centre hospitalier de Chicoutimi*, précité, note 160; *Caron c. Centre hospitalier universitaire de Québec (CHUQ)*, précité, note 236; *Noël-Voizard c. Centre de santé et de services sociaux de Lasalle et du Vieux-Lachine*, 2007BE-782 (C.Q.p.c.).
238. *Ostiguy c. Hôpital Hôtel-Dieu de Montréal*, J.E. 99-11, REJB 1998-09472 (C.S.); *Laviolette c. Centre hospitalier Hôtel-Dieu de Saint-Jérôme*, REJB 2003-43040 (C.S.); *Harrar c. Hôpital du Sacré-Cœur*, précité, note 21; *P.R. c. Centre hospitalier régional de Rimouski*, EYB 2004-81087 (C.S.), EYB 2006-100469 (C.A.); *Lacombe c. Hôpital Maisonneuve-Rosemont*, précité, note 51; *Painchaud c. Hôpital Charles-Lemoyne*, précité, note 216; *Bordeleau c. Hôpital St-Luc*, REJB 2000-16569 (C.S.), conf. par REJB 2003-38005 (C.A.); *Beaucage c. Institut de réadaptation en déficience physique de Québec*, [2005] R.R.A. 165, EYB 2005-86242 (C.S.); *A.Q. c. Hôpital Fleury*, précité, note 18. Christine BAUDOUIN, « Les obligations et responsabilités des professionnels et des établissements de santé face à des patients agressifs ou violents », dans Service de la formation permanente, Barreau du Québec, *Développements récents en responsabilité médicale et hospitalière (2005)*, Cowansville, Les Éditions Yvon Blais Inc., p. 37. Sur les infections nosocomiales, Luc DE LA SABLONNIÈRE et Marie-Nancy PAQUET, « La responsabilité civile découlant des infections nosocomiales », dans Service de la formation permanente, Barreau du Québec, *Développements récents en responsabilité médicale et hospitalière (2005)*, Cowansville, Les Éditions Yvon Blais Inc., p. 37.
239. (1935) 41 R.L. n.s. 497 (C.S.). Voir aussi *Hôtel-Dieu de Montréal c. Couloume*, [1975] 2 R.C.S. 115; *Gregus-Gallo c. Fielding*, précité, note 164.
240. Voir J.-L. BAUDOUIN et P. DESLAURIERS, *op. cit.*, note 1, p. 78.
241. *Richard c. Hôtel-Dieu de Québec*, [1975] C.S. 223.
242. *Von Feuersenger c. Centre hospitalier St. Mary's*, REJB 2002-35999 (C.Q.p.c.).
243. *Bourassa-Lacombe c. Centre universitaire de santé de l'Estrie*, J.E. 2007-522, EYB 2007-114629 (C.S.); *Bibeau c. Hôpital Ste-Justine*, J.E. 2008-936, EYB 2008-131727 (C.S.).

en preuve qu'au moment de la thrombose, l'anesthésiste était absent de la salle, étant de garde dans trois salles en même temps. La cour, après avoir retenu la responsabilité de l'anesthésiste, a retenu aussi celle du centre hospitalier parce qu'il avait imposé à l'anesthésiste une charge de travail trop lourde et que le personnel était insuffisant pour surveiller adéquatement les patients[244].

L'appréciation de cette faute devra se faire en fonction de plusieurs circonstances, telles que la vocation de l'établissement et l'urgence de la situation[245]. L'obligation de fournir des soins emporte également celle d'un certain suivi, même si des traitements doivent être prodigués à l'extérieur des murs de l'établissement. Par exemple, une patiente qui séjournait dans un établissement pour convalescents afin de se remettre des suites d'un accident à la hanche fut envoyée en taxi à l'hôpital. En descendant du taxi, elle tomba et se fractura la hanche une seconde fois. Le tribunal en vint à la conclusion que l'établissement avait commis une faute en ne s'assurant pas que la demanderesse serait attendue à son arrivée par un aide-infirmier[246].

L'établissement hospitalier est finalement débiteur d'une obligation de renseignements[247], de confidentialité[248] et de diagnostic, au même titre que les médecins[249].

B- La responsabilité de l'hôpital pour le fait d'autrui[250]

Par rapport au contexte juridique actuel et à la controverse qui règne autour de la nature de la relation patient-hôpital, il importe maintenant d'étudier la responsabilité institutionnelle selon les deux régimes de responsabilité.

1. La responsabilité extracontractuelle de l'hôpital

L'hôpital pourra être tenu responsable des fautes de ses préposés dans l'exercice de leurs fonctions (art. 1463 C.c.Q.). Tous s'accordent, évidemment, pour qualifier le personnel auxiliaire, les étudiants et les résidents de préposés au sens de l'article 1463 C.c.Q.[251]. Toutefois, la difficulté, et elle est réelle pour la victime, est d'établir avec certitude qui était le commettant au moment de l'acte illicite commis par le préposé[252].

En effet, si en général ils peuvent être considérés les préposés de l'hôpital[253], une analyse factuelle poussée[254] pourra révéler la présence d'un commettant « momentané », en l'occurrence le médecin. Ainsi, dans l'affaire *Hôpital général de la région de l'Amiante Inc. c. Perron*[255], la Cour d'appel exprimait l'avis qu' « [e]n règle générale, les infirmiers et les infirmières sont les préposés de l'hôpital [...] et l'exécution normale de leurs fonctions est celle de donner les soins et traitements que prescrit le médecin ou que l'hôpital doit fournir. [...] La faute commise dans l'exécution de ces fonctions engage la responsabilité de l'hôpital, non celle de l'anesthésiste, à moins que la faute ne soit commise en agissant sous la direction et le contrôle immédiat du médecin. » Il s'agira alors pour la victime d'établir, selon la prépondérance de preuve, qui avait le contrôle du préposé au moment de l'acte illicite. Pour pallier la difficulté de faire cette

244. *Côté c. Hôpital l'Hôtel-Dieu de Québec*, [1982] C.S. 906, conf. en appel [1987] R.J.Q. 723, EYB 1987-62674 (C.A.); *Gravel c. Hôtel-Dieu d'Amos*, [1984] C.S. 792, [1989] R.J.Q. 64, EYB 1988-62936 (C.A.); *Caron c. Centre hospitalier universitaire de Québec (CHUQ)*, [2006] R.R.A. 675, EYB 2006-106721 (C.S.); voir aussi F. TÔTH, *loc. cit.*, note 1.

245. J.-L. BAUDOUIN et P. DESLAURIERS, *op. cit.*, note 1, p. 80. Sur les règles applicables en matière de triage des patients à l'urgence, voir Marie-Nancy PAQUET, « Au-delà de la chaise et de la civière... Triage et responsabilité civile à l'urgence », dans Service de la formation continue du Barreau du Québec, *Tendances en droit de la santé (2008)*, Cowansville, Les Éditions Yvon Blais Inc., 2008, p. 129.

246. *Phillips c. Julius Richardson Convalescent Hospital Inc.*, [1977] C.S. 283; *Collins c. Centre hospitalier de Sept-Îles*, REJB 2000-20110 (C.Q.). Voir toutefois *Dompière c. Complexe hospitalier de la Sagamie*, REJB 2004-53037 (C.Q.).

247. *Murgoci c. Laurian*, précité, note 51. Un courant jurisprudentiel estime toutefois que la responsabilité de renseigner n'incombe pas au centre hospitalier, mais bien au médecin : *Lamarre c. Hôpital du Sacré-Coeur*, précité, note 120. Toutefois, toujours selon ces décisions, le centre hospitalier pourrait être tenu responsable si, à la faveur d'une action positive, il contrecarre ou nuit de façon importante à une prise de décision éclairée du patient. Voir, à ce sujet, R.P. KOURI et S. PHILIPS-NOOTENS, *op. cit.*, note 1, p. 260.

248. C. LEPAGE, « La protection de l'information confidentielle dans le contexte de la « réingénierie » », dans Service de la formation permanente, Barreau du Québec, vol. 260, *Après le projet de Loi 83 : un nouveau réseau de la santé*, Cowansville, Les Éditions Yvon Blais Inc., p. 205; P. TRUDEL, « Aperçu du cadre juridique des services d'hébergement de données de santé », *id.*, p. 1.

249. Voir J.-L. BAUDOUIN et P. DESLAURIERS, *op. cit.*, note 1, p. 79 et 80.

250. J. VEILLEUX, *loc. cit.*, note 1; A. BESTAWROS, précité, note 204; F. TÔTH, *loc. cit.*, note 1, p. 34 et s.

251. C. GIROUX, *op. cit.*, note 1, p. 85 et s.; A. BESTAWROS, précité, note 204. Voir en jurisprudence *Gravel c. Hôtel-Dieu d'Amos*, précité, note 244, p. 74; *Thomassin c. Hôpital de Chicoutimi*, [1990] R.J.Q. 2275, 2291, EYB 1990-76688 (C.S.), conf. par [1997] R.J.Q. 2121, REJB 1997-02087 (C.A.) (à noter que la Cour d'appel ne se prononce pas directement sur ce point); *Tabah c. Liberman*, [1990] R.J.Q. 1230, 1237, EYB 1990-57539 (C.A.); *A.Q. c. Hôpital Fleury*, précité, note 18.

252. Voir A. BERNARDOT et R. KOURI, *op. cit.*, note 1, p. 370 et s.

253. Voir C. GIROUX, *op. cit.*, note 1, p. 88 et s.; S. NOOTENS, *loc. cit.*, note 210, p. 319. Pour une illustration, voir *Tabah c. Liberman*, précité, note 251; *Neumann c. Hôpital général du Lakeshore*, précité, note 236.

254. Dans l'arrêt *Hôpital de Chicoutimi c. Battikha*, précité, note 19, la cour souligne l'importance de la nécessité de procéder à une analyse concrète de l'organisation hospitalière.

255. Précité, note 46. Voir également *Labrecque c. Hôpital du St-Sacrement*, précité, note 137; *Lamarre c. Hôpital du Sacré-Coeur*, précité, note 120; *Laforce-Gélinas c. Dumont*, précité, note 173; *Goupil c. Centre hospitalier universitaire de Québec*, précité, note 18.

preuve, l'imprévisibilité de la conclusion du juge et surtout le résultat fâcheux de la mauvaise qualification (possibilité de se voir refuser le droit de poursuivre le vrai commettant), il est évidemment recommandé d'intenter le recours contre les deux codéfendeurs[256].

Par ailleurs, la responsabilité extracontractuelle de l'hôpital pour les fautes des médecins soulève une controverse. Traditionnellement, la doctrine avait refusé de considérer le médecin comme un préposé de l'hôpital. On arguait principalement l'absence de contrôle effectif et spécifique de l'institution sur les actes du médecin. Selon les auteurs Nadeau :

« Le médecin d'hôpital ne peut engager la responsabilité de l'institution qui l'emploie à raison de sa faute professionnelle. Il traite d'égal à égal avec les autorités hospitalières. [...] Il est en quelque sorte indépendant de par son caractère professionnel. »[257]

Quelques décisions[258] avaient avalisé le principe de l'absence de lien de préposition[259]. Récemment toutefois, certains auteurs ont remis en question la pertinence de ce postulat. Adoptant la thèse inverse, le professeur Tôth est d'avis que les médecins, étant de plus en plus soumis à un processus de nomination, d'évaluation des soins et au respect des exigences de la loi, un certain contrôle s'exercerait. De ce fait, le médecin fautif peut engager, à titre de préposé, la responsabilité de son commettant, l'hôpital[260]. On préconise en fait un élargissement du concept de lien de préposition. Ces préoccupations avaient trouvé écho à la Cour d'appel. En effet, dans un arrêt[261], la cour, sans avaliser entièrement la nouvelle position précédemment exposée, constate toutefois que les

règles sont très nuancées. Il importe, selon elle, de procéder à « une analyse concrète de l'organisation hospitalière et de l'encadrement de la pratique médicale », pour conclure : « un médecin peut parfois devenir préposé de l'hôpital »[262].

Toutefois, la Cour d'appel semble avoir révisé cette position. Dans un arrêt de principe[263], la cour réitère que le médecin n'est pas le préposé de l'hôpital.

Il convient de souligner qu'un auteur[264] est d'avis que cette position serait inapplicable depuis les modifications apportées en 1991 à la *Loi sur la santé et les services sociaux*[265].

Pour cet auteur, les nouveaux textes issus de la réforme démontrent que l'établissement est maintenant tenu à une obligation personnelle de fournir les soins.

En appliquant la maxime « qui agit *per alium*, agit *per se* » au régime extracontractuel, l'hôpital serait donc responsable « sans qu'il soit nécessaire de recourir aux principes de la responsabilité du fait d'autrui »[266].

L'argument mérite réflexion[267]. Il sera intéressant de voir s'il parviendra à ébranler la position adoptée par la Cour d'appel.

2. *La responsabilité contractuelle de l'hôpital*

Si on admet la relation conventionnelle, l'hôpital peut être tenu contractuellement responsable à l'égard des patients des fautes de son personnel (infirmières, étudiants, etc.)[268] et même des médecins. L'avantage d'avoir

256. En faisant toutefois le souhait que les juges feront preuve d'une certaine clémence envers la partie demanderesse relativement aux frais accordés au défendeur ayant réussi à se disculper puisque c'est, en fait, le système qui oblige cette multiplication de recours.
257. André NADEAU et Richard NADEAU, *Traité pratique de la responsabilité civile délictuelle*, Wilson & Lafleur, 1971, p. 387.
258. La jurisprudence n'était toutefois pas unanime. On trouve des décisions qui ont nié ou contourné cette position, particulièrement dans les cas d'anesthésistes. Voir la jurisprudence citée dans J.-L. BAUDOUIN et P. DESLAURIERS, *op. cit.*, note 1, p. 85, notes 279 à 281 et François TÔTH, « La responsabilité civile hospitalière pour la faute médicale : quand l'établissement hospitalier répond-il de la faute médicale? », dans Service de la formation permanente, Barreau du Québec, *Développements récents en droit de la santé (1991)*, Cowansville, Les Éditions Yvon Blais Inc., p. 33, à la note 111.
259. Voir par exemple : *Hôpital Notre-Dame de l'Espérance c. Laurent*, précité, note 73, p. 611 et 612; *Lamarre c. Hôpital du Sacré-Coeur*, précité, note 120.
260. F. TÔTH, *loc. cit.*, note 1, p. 337. Voir aussi D. CHALIFOUX, « Vers une nouvelle relation commettant-préposé », (1984) 44 *R. du B.* 815. R. BOUCHER et al., *loc. cit.*, note 10, p. 329; J.-P. MÉNARD (2002), *loc. cit.*, note 1, p. 162 et s.
261. *Hôpital de Chicoutimi c. Battikha*, précité, note 19.
262. *Id.*, p. 2126.
263. *Hôpital de l'Enfant-Jésus c. Camden-Bourgault*, précité, note 17. Pour des commentaires sur cet arrêt, voir J. NOLS, *loc. cit.*, note 1; G. MÉMETEAU (2001), *loc. cit.*, note 1; J.-P. MÉNARD, *loc. cit.*, note 1; R.P. KOURI, *loc. cit.*, note 17. Voir aussi *A.Q. c. Hôpital Fleury*, précité, note 18. Pour des discussions sur la nature de la relation hôpital-médecin dans d'autres contextes, voir *Michaud c. Gomez*, REJB 2001-27180 (C.A.).
264. J.-P. MÉNARD (2002), *loc. cit.*, note 1, p. 156 et s.
265. L.R.Q., c. S.4-2.
266. J.-P. MÉNARD (2002), *loc. cit.*, note 1, p. 153. Voir également les commentaires de R.P. KOURI, *loc. cit.*, note 17, p. 316 et s.
267. Cela dépasse le cadre du présent exposé. Soulignons néanmoins que nous avons certaines réticences à adhérer à la position voulant qu'il faille faire abstraction, dans le présent contexte, des règles relatives à la responsabilité pour autrui.
268. A. BERNARDOT et R. KOURI, *op. cit.*, note 1, p. 348; Paul-André CRÉPEAU, « La responsabilité médicale et hospitalière dans la jurisprudence québécoise récente », (1960) 20 *R. du B.* 433, 468.

recours à ce régime[269] est indéniable, la victime n'étant pas obligée d'établir l'existence d'un lien de préposition, « [l'hôpital] devient directement responsable à l'égard du patient par le biais des obligations assumées dans le cadre du contrat d'entreprise hospitalière : l'hôpital est contractuellement responsable pour tous les actes dommageables commis dans l'exécution de la convention, que ce soit par des professionnels ou par d'autres »[270].

Il s'agit là de l'application de la maxime *Qui facit per alium facit per se* (celui qui agit par un autre agit par lui-même)[271]. Plusieurs décisions condamnent ainsi l'hôpital en vertu du régime contractuel pour les fautes des étudiants, résidents et infirmières[272] et même pour celles des professionnels.

Ainsi, dans l'arrêt *Lapointe c. Hôpital Le Gardeur*, la Cour d'appel explique : « À l'urgence, l'obligation de l'institution à l'égard de Nancy Lapointe ne s'arrêtait pas à la mise à sa disposition d'un médecin autorisé à exercer. Elle comportait implicitement la fourniture de services de soins compétents dans tous les domaines. Tenu de fournir des services d'urgence compétents en vertu des obligations implicites au contrat hospitalier intervenu, l'hôpital répondait des fautes commises par la Dr Chevrette dans l'exécution des actes médicaux posés à l'urgence. Il n'était pas nécessaire d'établir l'existence d'une relation de préposition au sens de l'article 1054 C.C. Le service fourni était celui auquel s'était engagé l'hôpital. Celui-ci doit alors répondre de la totalité des dommages causés par les fautes du Dr Chevrette. »[273]

L'analyse contractuelle fait cependant ressortir certains problèmes de qualification quant à l'étendue des obligations assumées par l'hôpital, eu égard aux circonstances de l'espèce[274]. En effet, si le patient se présente lui-même à l'hôpital, il y a alors prise en charge complète par l'institution. Le contrat est alors qualifié de « global »[275]. L'hôpital est responsable de tous les aspects du contrat.

Si la visite à l'hôpital est précédée d'une rencontre avec un médecin, on doit alors admettre qu'il y a superposition d'un contrat médical et d'un contrat hospitalier. Comme l'explique un auteur :

« On assiste alors à la formation de deux relations contractuelles. La première lie le patient au médecin. [...] La seconde lie le malade à l'hôpital. Celui-ci s'oblige [...] à fournir les soins et services *complémentaires* à l'acte médical proprement dit. »[276]

On s'aperçoit donc, à partir de cette deuxième hypothèse, qu'il paraît difficile de déterminer l'étendue des obligations respectives du médecin et de l'hôpital à l'égard du patient. Cette dichotomie peut nuire à la victime, qui risque ainsi d'intenter son action contre le mauvais débiteur. L'élargissement proposé du lien de préposition en responsabilité civile extracontractuelle pourrait conduire corrélativement à l'élargissement du contrat hospitalier, qui ferait de l'hôpital un débiteur responsable des médecins qui exercent dans ses murs.

269. Il convient de noter qu'un auteur est d'avis que même en vertu du régime extracontractuel, la victime peut bénéficier de cet avantage. Voir J.-P. MÉNARD, *loc. cit.*, note 1, p. 158.
270. J.-L. BAUDOUIN et P. DESLAURIERS, *op. cit.*, note 207, p. 718 et 719.
271. Voir C. GIROUX, *op. cit.*, note 1, p. 37 et s.
272. *Bernard c. Cloutier*, précité, note 11. Voir également la jurisprudence citée dans P. LESAGE-JARJOURA, S. PHILIPS-NOOTENS et R.P. KOURI, *op. cit.*, note 1, p. 111 et s. Voir finalement *Mainville c. Cité de la Santé de Laval*, précité, note 15. Dans cette dernière affaire, il nous paraît toutefois étonnant qu'en raison de la responsabilité de l'hôpital pour la faute d'une infirmière, cette dernière n'ait pas été jugée personnellement responsable.
273. *Lapointe c. Hôpital Le Gardeur N° 1*, précité, note 15, inf. sur d'autres points par la Cour suprême, précité, note 15. Voir aussi *Mainville c. Cité de la Santé de Laval*, précité, note 15.
274. Voir, à ce sujet, P. LESAGE-JARJOURA, S. PHILIPS-NOOTENS et R.P. KOURI, *op. cit.*, note 1, p. 111 et s.; F. TÔTH, *loc. cit.*, note 258, p. 47.
275. C. GIROUX, *op. cit.*, note 1, p. 38.
276. *Id.*, p. 42 (les italiques sont de nous). Mais voir les commentaires de A. BERNARDOT et R. KOURI, *op. cit.*, note 1, p. 347.

Titre III

Le préjudice

La terminologie

On emploie généralement, dans la langue courante, pour faire état de la même réalité, les mots « dommage » et « préjudice »[1]. Le Code civil du Québec a abandonné la division bipartite (préjudice matériel et moral), développée sous l'égide du Code civil du Bas-Canada[2]. Le législateur a plutôt opté pour une division tripartite composée des préjudices « corporel, moral et matériel ».

Dans le Code civil, les trois types de préjudice se côtoient à quelques reprises. Plusieurs articles font mention des trois types de préjudice (art. 1457, 1458, 1474, 1607 et 2926 C.c.Q.), de deux d'entre eux (art. 454 et 1609 C.c.Q., préjudice corporel et moral) ou d'un seul (art. 1614 à 1616 et 2930 C.c.Q., préjudice corporel). Cette nouvelle terminologie s'avère une source de confusion.

Le préjudice corporel

Le concept de préjudice corporel n'existe pas en lui-même et doit être compris dans le sens d'une atteinte à l'intégrité physique[3]. Cette atteinte peut entraîner un préjudice matériel comme une perte salariale et un préjudice moral comme de la souffrance. Le préjudice corporel constitue donc un concept hybride qui englobe les deux autres.

Subsiste toutefois une interrogation légitime, bien exprimée par la professeure Vézina[4] : la victime médiate d'une atteinte à l'intégrité corporelle subit-elle un préjudice corporel? Dans l'arrêt *Tarquini*[5], la Cour d'appel à la majorité[6] a conclu, dans un contexte de prescription, qu'il s'agissait bel et bien d'un préjudice corporel. Nous avions émis une opinion contraire dans une précédente édition au motif que, s'il était exact de prétendre que le recours des victimes médiates était né à la suite d'une atteinte à l'intégrité physique du défunt, il demeurait que ces personnes n'avaient pas personnellement subi d'atteinte à leur intégrité physique. Pour elles, il s'agissait plutôt d'un préjudice matériel (perte de soutien financier) et d'un préjudice moral (*solatium doloris*). Le résultat pratique de l'arrêt *Tarquini* est qu'il n'oblige pas les victimes par ricochet du décès d'un proche à envoyer un avis aux villes. À cet égard, la position de la Cour d'appel doit être approuvée.

Le préjudice matériel, le préjudice moral

Il est ainsi possible d'envisager la notion de préjudice de deux façons, d'une part en fonction de l'objet de l'atteinte (à un bien ou à un droit moral), d'autre part en

---

1. Léon HENRI, Jean MAZEAUD et François CHABAS, *Leçons de droit civil. Obligations*, t. II, 1er vol., 9e éd., 1998, p. 412.
2. Néanmoins, certains articles (art. 2260 a), 2262 (2) C.c.B.-C.) faisaient état d'une « troisième catégorie ». Voir Nathalie VÉZINA, « Préjudice matériel, corporel et moral : variation sur la classification tripartite du préjudice dans le nouveau droit de la responsabilité », (1993) 24 *R.D.U.S.* 161.
3. *Dictionnaire de droit privé et Lexiques bilingues*, Cowansville, Les Éditions Yvon Blais Inc., 1991, p. 186; Daniel GARDNER, *L'évaluation du préjudice corporel*, 2e éd., Cowansville, Les Éditions Yvon Blais Inc., 2002.
4. N. VÉZINA, *loc. cit.*, note 2, p. 177 et s.
5. *Montréal (Ville de) c. Tarquini*, REJB 2001-23960 (C.A.). Cette décision commentée par la doctrine (voir Jean-Louis BAUDOUIN et Patrice DESLAURIERS, *La responsabilité civile*, 7e éd., vol. 1 – Principes généraux, Cowansville, Les Éditions Yvon Blais Inc., 2007, p. 317 et s., EYB2007RES5; D. GARDNER, *op. cit.*, note 3, p. 24; François JOUBERT, « De *Doré* à *Tarquini*, L'application de la courte prescription en matière de préjudice corporel, moral et matériel », dans Service de la formation permanente, Barreau du Québec, vol. 168, *Développements récents en droit municipal (2002)*, Cowansville, Les Éditions Yvon Blais Inc., p. 151, EYB2002DEV257) a été suivie. Voir *Lepage c. Méthot*, REJB 2003-36902 (C.S.); *Harvey c. Trois-Rivières (Ville de)*, J.E. 2006-1426 (C.S.), EYB 2006-106482. Notons toutefois que les actions pour arrestations illégales ne sont pas assujetties à l'article 2930 C.c.Q. Voir notamment, *Joncas c. Sept-Îles (Ville de)*, REJB 2000-22673 (C.S.); *Montréal (Ville) c. Fils-Aimé*, REJB 2004-71152 (C.A.); *Johnson-Richard c. Montréal (Ville de)*, J.E. 2006-1201 (C.S.), EYB 2006-104234. En revanche, l'article s'applique si la preuve révèle également une atteinte à l'intégrité physique. Voir, sur ce point, *Andrusiak c. Montréal (Ville)*, REJB 2004-71150 (C.A.), inf. REJB 2003-49118 (C.S.); *Montréal (Service de police de la Communauté urbaine de) c. Tremblay*, J.E. 2005-1132 (C.A.), EYB 2005-91232 (la cour statuait sur une requête en irrecevabilité).
6. Le juge Chamberland différait d'opinion sur cet aspect. Voir aussi Jacques CHAMBERLAND, « Le sens des mots dans le *Code civil du Québec* », dans *Mélanges Jean Pineau*, Éditions Thémis, 2003, p. 25. Pour une approbation de sa position, voir F. JOUBERT, *op. cit.*, note 5, p. 185 et s.

fonction de la nature de la conséquence de cette atteinte. En d'autres mots, on peut l'analyser, comme l'explique le professeur Popovici, par rapport à la provenance de l'atteinte ou par rapport à son effet[7].

Un exemple illustrera cette différence de perspective. Le propriétaire d'un animal le laisse en pension chez un vétérinaire en vertu d'un contrat qui contient une clause de non-responsabilité. À la suite du décès de l'animal en raison de la faute du débiteur (le vétérinaire), le créancier-propriétaire peut-il se voir opposer cette clause limitative, au regard de l'article 1474, al. 2 C.c.Q. qui prohibe ce genre de clause en ce qui a trait au préjudice moral?

Deux solutions peuvent être envisagées. Premièrement, si on adopte la position voulant que l'expression « préjudice moral » doive être envisagée en fonction de l'atteinte (à un droit moral), la réponse est négative, puisque l'objet de l'atteinte est un bien matériel. La clause serait donc opposable, sous réserve d'une faute lourde ou intentionnelle (art. 1474, al. 1 C.c.Q.). Deuxièmement, si au contraire on analyse le terme en fonction de la nature du préjudice causé, le propriétaire pourrait se voir opposer la clause pour lui nier le droit de recouvrer le préjudice matériel, c'est-à-dire la valeur pécuniaire de l'animal, mais ne serait pas empêché, du fait de cette clause (invalide au sens de l'article 1474, al. 2 C.c.Q.), d'obtenir une compensation en raison des conséquences psychologiques engendrées par la disparition de l'animal.

À notre avis, on doit préférer la deuxième façon de voir[8]. Ainsi, il convient d'analyser le concept de préjudice en fonction des conséquences de l'atteinte. En d'autres termes, le préjudice matériel se rapporte aux pertes pécuniaires ou patrimoniales, alors que le préjudice moral renvoie aux pertes non pécuniaires ou extrapatrimoniales. Par exemple, une atteinte à la réputation engendre du préjudice matériel (perte de clientèle, de salaire) et du préjudice moral (souffrances, tristesse, etc.).

Avant de faire état des règles qui gouvernent l'indemnisation du préjudice, signalons que le présent exposé ne vise qu'à en esquisser les grands principes. Le lecteur qui voudra approfondir les sujets discutés trouvera avantageux de consulter les ouvrages généraux[9].

7.   Adrian POPOVICI, « Le droit qui s'écrit », (1995) 29 *R.J.T.* 565, 575. Voir aussi D. GARDNER, *op. cit.*, note 3, p. 9 et s.; Louise LANGEVIN, « L'œuvre de Claire L'Heureux-Dubé : une lecture féministe de l'arrêt *Augustus* c. *Gosset* », dans Claire L'Heureux-Dubé à la Cour suprême du Canada 1987-2002. Claire L'Heureux-Dubé at the Supreme Court of Canada 1987-2002, Wilson & Lafleur, 2004, 307, 319-320.
8.   Il convient toutefois de souligner que cette question demeure ouverte d'autant plus que la décision de la Cour d'appel dans l'affaire *Tarquini*, précitée, note 5, qui analyse le concept de « préjudice corporel », pourrait servir d'appui à la première solution.
9.   Jean-Louis BAUDOUIN et Patrice DESLAURIERS, *op. cit.*, note 5, p. 315 et s.; Jean-Louis BAUDOUIN et Pierre-Gabriel JOBIN, *Les obligations*, 6ᵉ éd. par Pierre-Gabriel JOBIN avec la collaboration de Nathalie VÉZINA, Cowansville, Éditions Yvon Blais, 2005, p. 871 et s.

Chapitre I

Mᶜ Patrice Deslauriers*

Le préjudice comme condition de responsabilité

1- Le préjudice

Présentation

La notion de préjudice et les conditions relatives à son admissibilité en droit civil québécois n'ont pas été modifiées pour l'essentiel par le Code civil du Québec. Le travail du législateur a consisté ici à codifier bon nombre de règles déjà connues relativement à l'admissibilité du préjudice et à faire disparaître l'ancien article 1056 C.c.B.-C. qui était source d'une grande confusion et de restrictions jugées inutiles aux réclamations en cas de décès.

Nous examinerons le caractère direct du préjudice, son caractère certain, sa condition de recevabilité, la question de l'annulation des quittances, transactions et déclarations obtenues relativement à un fait dommageable et, enfin, la question de la cession et de la transmission du droit à des dommages-intérêts en vertu du nouveau code.

A- Le caractère direct du préjudice

1. Le caractère général de la notion « d'autrui »

En vertu du Code civil du Québec, « autrui », c'est toute personne qui a subi un préjudice direct et immédiat. Le droit de réclamer des dommages du responsable n'est donc pas limité à la victime immédiate, mais peut s'étendre à toute personne qui subit un préjudice par ricochet, à la condition qu'elle puisse démontrer qu'il s'agit là d'une suite directe et immédiate du premier préjudice causé. C'est la règle adoptée par la majorité de la Cour suprême dans l'arrêt *Regent Taxi*[1], réitérée dans l'arrêt *Laurent*[2] et qui, à quelques exceptions près[3], a été largement suivie jusqu'à maintenant[4]. Il n'y a pas de changement à cet égard dans le nouveau Code civil. On remarque même que l'emploi du mot « autrui » y est beaucoup plus fréquent[5] et n'est pas limité aux situations qui impliquent la seule responsabilité extracontractuelle[6]. En matière contractuelle toutefois, on doit noter que les dommages-

---

* Professeur à l'université de Montréal et avocat.

1. *Congrégation des Petits Frères de Marie c. Regent Taxi and Transport Co. Ltd.*, [1929] R.C.S. 650. Décision renversée par le Conseil privé sur un autre aspect. Il s'agissait de savoir si une communauté religieuse pouvait réclamer en raison des blessures subies par un de ses membres. Par un juste retour des choses, une affaire récente statue qu'un membre d'une communauté religieuse victime d'un accident n'est pas forclos d'exercer un recours personnel qui est distinct de celui de la communauté : *Tardif c. Ouellette*, J.E. 96-2132, REJB 1996-29297 (C.S.), conf. par [2000] R.J.Q. 1386, REJB 2000-18257 (C.A.).

2. *Hôpital Notre-Dame de l'Espérance c. Laurent*, [1978] R.C.S. 605.

3. Par exemple, une décision a, de façon étonnante, refusé d'accorder une indemnité au père pour troubles et inconvénients résultant de blessures subies par sa fille, aux motifs que l'attention et le réconfort apportés à l'enfant « entrent dans le rôle normal du père ». Voir *Rodrigue c. Doyon*, 98BE-1228 (C.S.).

4. *St-Cyr c. Boucherville (Ville de)*, [1995] R.J.Q. 2445, EYB 1995-72459 (C.S.), conf., sur ce point, par C.A. Montréal, nᵒ 500-09-001312-958, 17 décembre 1998; *Stefanik c. Hôpital Hôtel-Dieu de Lévis*, [1997] R.J.Q. 1332, REJB 1997-03096 (C.S.); *Bouchard c. D'Amours*, [1999] R.R.A. 107, REJB 1998-09908 (C.S.), conf. par [2001] R.R.A. 310, REJB 2001-23794 (C.A.); *André c. Procureur général du Québec*, REJB 2003-38269 (C.A.); *Marin c. Tessier*, J.E. 99-582, REJB 1998-11518 (C.S.); *Tu c. Compagnie de chemins de fer nationaux du Canada*, REJB 1999-15618 (C.S.); *Montpetit c. Léger*, REJB 2000-20238 (C.S.); *St-Cyr c. Fisch*, REJB 2003-41029 (C.S.), EYB 2005-93221 (C.A.); *Hébert c. Procureur général*, REJB 2004-52406 (C.S.); *Arsenault c. Ste-Marguerite du Lac Masson (Corporation municipale)*, REJB 2004-69903 (C.S.); *Harvey c. Trois-Rivières (Ville de)*, J.E. 2006-1426, EYB 2006-106482 (C.S.); *Godbout c. Bolduc*, J.E. 2007-564, EYB 2007-115478 (C.S.); *Baillargeon c. Disraeli (Ville de)*, J.E. 2007-1040, EYB 2007-119274 (C.S.); *Bienvenu-Zarbatany c. Stadler*, J.E. 2007-1514, EYB 2007-121142 (C.S.) (en appel); *Imbeault c. Bombardier*, J.E. 2007-1745, EYB 2007-123056 (C.S.) (en appel); *Fortin c. Liberté TM Inc.*, J.E. 2007-2199, EYB 2007-125489 (C.S.) (en appel); *White c. Thompson*, 2007BE-522, EYB 2007-117303 (C.S.); *Castonguay c. 175684 Canada Inc.*, 2007BE-606 (C.S.). Voir aussi, sur cette question, *Magasins à rayons Peoples Inc. (Syndic de) c. Wise*, [2004] 3 R.C.S. 461, REJB 2004-72160.

5. Voir les articles 1457, 1459, 1462, 1484, 1493 et 1526 C.c.Q. Sur la notion du mot « autrui » voir Ann ROBINSON, « Les sens du mot autrui dans l'article 1053 du Code civil et l'affaire Regent Taxi », (1978) 19 *C. de D.* 677; E. CAPARROS et P. SIMARD, « Le mot autrui de l'article 1053 C.c. », (1966) 7 *C. de D.* 73; Denyse FORTIN et Yves CARON, « Le sens et la portée du mot autrui dans l'article 1053 C.c. », (1960) 34 *Thémis* 105.

6. Art. 7 C.c.Q. (abus de droit), 1470 C.c.Q. (possibilité d'exonération pour cause de force majeure) et 1472 C.c.Q. (secret commercial).

intérêts ne peuvent être réclamés de la personne responsable que par les cocontractants (art. 1458 C.c.Q.) et par leurs ayants cause à titre particulier (art. 1442 C.c.Q.).

2. La disparition de l'article 1056 C.c.B.-C. et ses effets

C'est toutefois l'article 1056 C.c.B.-C. qui a constitué jusqu'à maintenant la principale limitation à une approche large de la notion d'autrui. En cas de décès, « autrui » n'était pas toute personne qui souffrait un préjudice direct et immédiat à la suite de la mort de la victime, mais seulement ses ascendants, ses descendants et son conjoint légitime, en fait ceux à qui la victime pouvait être appelée un jour à verser des aliments. Personne d'autre ne pouvait poursuivre à raison de ce décès[7]. Même le conjoint de fait ou le conjoint divorcé qui démontrait que la personne décédée était son principal ou même son seul soutien ne le pouvait pas. Il en était de même pour un parent collatéral (un frère ou une sœur invalide, par exemple) qui était complètement à la charge de la victime au moment de son décès. Cette situation a causé de nombreux problèmes dans la société québécoise où plusieurs couples vivent présentement en union libre et où les liens de solidarité et d'entraide ne suivent plus le modèle de la famille d'autrefois.

Le Code civil s'est donc départi de cette disposition embarrassante. Cette initiative est bienvenue[8]. Aucun article spécifique ne régit désormais les recours des parties lorsque la victime succombe à ses blessures. Il convient donc d'appliquer les principes généraux, en vertu desquels toute personne justifiant d'un préjudice direct et immédiat en raison du décès de la victime doit être indemnisée (art. 1607 C.c.Q.)[9]. Ainsi, le conjoint de fait[10], les frères et sœurs[11], la parenté par alliance[12] et les oncles et tantes du défunt[13] possèdent maintenant un recours.

L'absence de disposition donne en revanche un pouvoir discrétionnaire aux tribunaux, qui seront appelés à déterminer les personnes pouvant justifier une indemnisation. Il est évident que la preuve présentée aura des conséquences sur le dénouement des affaires. Cependant, les juges doivent être conscients qu'ils seront investis d'un pouvoir important et que des choix de société devront être faits, particulièrement en ce qui a trait au préjudice moral.

En effet, plusieurs questions peuvent être soulevées. Peut-on ester en justice si son ex-conjoint est tué? La solution adoptée par nos tribunaux à l'égard de l'ex-conjoint divorcé qui reçoit une pension alimentaire au moment du décès et que l'on trouvait dans l'affaire Marier c. Air Canada[14] devra être revue à la lumière des nouvelles règles, puisque l'on a refusé cette réclamation sur la base de l'ancien article 1056 C.c.B.-C., maintenant disparu. Toutefois, on peut se demander si les tribunaux tiendront compte du fait qu'en vertu du nouveau code la succession de la victime ne sera tenue en faveur de l'ancien conjoint qu'à 12 mois d'aliments après le décès (art. 688 C.c.Q.). La personne jugée responsable du décès sera-t-elle tenue d'assumer les aliments perdus après cette période, et ce, pendant une durée raisonnable? Nous sommes pour notre part d'avis que oui.

Qu'en est-il aussi du conjoint séparé, du meilleur ami, de l'associé ou d'un couple nouvellement uni qui se trouve défait par la mort? Quelle sera la période « charnière » qui déterminera si oui ou non le conjoint, victime par ricochet, peut recouvrer certains dommages non pécuniaires? Six mois, douze mois [...]? Nous espérons que les tribunaux sauront adopter une attitude libérale face à ces questions et adapter leur raisonnement en fonction de l'évolution de la société. À cet égard et selon la preuve présentée, le conjoint homosexuel devrait être couvert.

Certaines dispositions législatives, qu'elles soient ou non dans le Code civil, pourront guider les juges. On

7.   Coulombe c. Montréal (Ville de), J.E. 96-1049, EYB 1996-83194 (C.S.); Mercier c. 149644 Canada Inc., [1998] R.R.A. 439, REJB 1998-06061 (C.S.) (application du Code civil du Bas-Canada).

8.   Certains auteurs s'étaient montrés favorables à la présence d'un texte particulier régissant les conséquences du décès : voir Louis BAUDOUIN, Le droit civil de la Province de Québec, Wilson & Lafleur, 1953, p. 844.

9.   Pour des discussions relatives au recours des parents biologiques à la suite du décès de leur enfant placé dans une famille d'accueil, voir Valiquette c. Lafond, [2007] R.J.Q. 2035, EYB 2007-122290 (C.S.).

10. Gaudreault c. Club Les Neiges Lystania, REJB 2000-20311 (C.S.), REJB 2002-30828 (C.A.); Gravel c. Édifices Gosselin et Fiset enr., EYB 2007-126028 (C.S.).

11. Demers c. Blouin, 2003BE-909, EYB 2003-44754 (C.S.); Ruest c. Boily, REJB 2002-35943 (C.S.); Lacombe c. Hôpital Maisonneuve-Rosemont, REJB 2004-53274 (C.S.); Beaudin c. Procureur général du Québec, EYB 2005-91478 (C.S.), J.E. 2007-192 (C.A.); Cliche c. Baie-James (Commission scolaire), EYB 2005-94192 (C.S.), conf. par J.E. 2007-760 (C.A.); Choquette c. Station touristique La Crapaudière (1990) Inc., J.E. 2006-1858, EYB 2006-109029 (C.S.); Brault c. Farnham (Ville de), J.E. 2006-790, EYB 2006-101139 (C.S.); Chouinard c. Ailes de Gaspé Inc., 2007BE-451, EYB 2006-113063 (C.S.); Gravel c. Édifices Gosselin et Fiset enr., précité, note 10; De Montigny c. Brossard (Succession de), [2006] R.J.Q. 1371 (C.S.), EYB 2006-103175, conf. sur ce point par [2008] R.J.Q. 2015 (C.A.), EYB 2008-146240 (requête pour autorisation de pourvoi à la Cour suprême accueillie).

12. Gravel c. Édifices Gosselin et Fiset enr., précité, note 10.

13. De Montigny c. Brossard (Succession de), précité, note 11.

14. [1971] C.S. 142, [1976] C.S. 847 et [1980] C.A. 40.

peut penser par exemple aux règles régissant l'intérêt d'assurance (art. 2419 C.c.Q.). Les personnes justifiant de cet intérêt doivent être présumées victimes par ricochet du fait du décès[15].

De même, certaines dispositions de la *Loi sur l'assurance automobile*[16] pourront être des guides précieux. À cet égard, cette loi prévoit que, dans l'éventualité d'un décès consécutif à un accident d'automobile, le conjoint non marié peut réclamer une indemnité à la Société de l'assurance automobile, à la condition d'avoir cohabité avec la victime pendant trois ans. Ce délai est réduit à un an lorsqu'un enfant est né de cette union[17].

Des enseignements intéressants et fort utiles pourront également être tirés du droit étranger, en particulier du droit français. La France a connu, à cet égard, plusieurs transformations. Après certaines hésitations, la jurisprudence a finalement adopté une tendance plus libérale autorisant l'indemnisation des victimes par ricochet dans le cas d'atteinte à un intérêt légitime. On reconnaît ainsi le recours aux proches, par exemple le conjoint, les enfants, mais aussi « descendants, ascendants, [...] frères et sœurs, neveux et nièces, [...] à condition, bien entendu qu'ils apportent la preuve de ces préjudices »[18]. De plus, les fiancés, les concubins même adultérins possèdent en France un recours[19].

Certaines personnes entretenant des relations économiques avec le défunt peuvent, bien que les tribunaux français démontrent une certaine réserve, présenter une réclamation[20]. La jurisprudence québécoise aurait, à notre avis, intérêt à réagir aussi libéralement.

Signalons finalement que l'abolition de l'article 1056 C.c.B.-C. entraîne d'autres effets :

– possibilité de poursuivre pour les victimes par ricochet, même si la victime immédiate a obtenu compensation pour ses propres dommages de la part du responsable avant son décès;

– délai de prescription de trois ans dans tous les cas;

– délai calculé à partir du moment où le préjudice s'est manifesté pour la première fois. Dans la plupart des cas[21], il s'agit du jour où la personne décédée a été atteinte dans son intégrité corporelle pour la première fois (art. 2926 C.c.Q.);

– il n'est plus nécessaire de joindre toutes les poursuites relatives au décès dans une même action.

3. *Le préjudice direct et immédiat*[22]

L'article 1607 C.c.Q. reprend, en les fusionnant, les articles 1065 et 1075 C.c.B.-C. L'article 1607 C.c.Q. réitère la règle voulant que le créancier de l'obligation n'a droit qu'à ce qui constitue une suite immédiate et directe[23]

---

15. Sur la question d'intérêt d'assurance, Didier LLUELLES, *Précis des assurances terrestres*, 4e éd., Montréal, Éditions Thémis, 2005, p. 164 et s.
16. L.R.Q., c. A-25.
17. *Id.*, art. 2.
18. Geneviève VINEY et Patrice JOURDAIN, *Les conditions de la responsabilité*, 3e éd., L.G.D.J., 2006, nos 309 et s., p. 158 et s.
19. François CHABAS, *Leçons de droit civil*, t. II, vol. I, 8e éd., Montchrestien, 1998, p. 702. En pratique, devant les tribunaux on retrouve alors deux parties demanderesses, le conjoint « légitime » et le concubin.
20. *Id.*, p. 701; G. VINEY et P. JOURDAIN, *op. cit.*, note 18, no 312, p. 162.
21. Le point de départ de la prescription peut en certaines circonstances ne pas être le même, selon que la partie demanderesse agit à titre d'héritier ou à titre personnel. Voir, à titre d'illustration, *Morrisson c. Fournier*, J.E. 99-794, REJB 1999-11579 (C.S.). Le juge n'a toutefois pas statué directement sur cette question. Refusant de prononcer une irrecevabilité partielle, il a préféré renvoyer la question au juge du fond.
22. La question de savoir si une partie peut réclamer les honoraires extrajudiciaires à titre de dommage direct dépasse le cadre du présent ouvrage. Voir à ce sujet, Adrian POPOVICI, « Le sort des honoraires extrajudiciaires », (2002) 62 *R. du B.* 53, EYB2002RDB62; Jean-Louis BAUDOUIN et Patrice DESLAURIERS, *La responsabilité civile*, 7e éd., vol. 1 – Principes généraux, Cowansville, Les Éditions Yvon Blais Inc., 2007, p. 344 et s., EYB2007RES5; Robert P. CHARLTON, « Les honoraires extrajudiciaires : où en sommes-nous et où devrions-nous être? », dans Service de la formation permanente, Barreau du Québec, vol. 231, *Développements récents sur les abus de droit (2005)*, Cowansville, Les Éditions Yvon Blais Inc., p. 1, EYB2005DEV1072; Chantal PERREAULT et François BEAUDRY, « Récents développements en matière d'abus de droit : où en sommes-nous? », dans Service de la formation permanente, Barreau du Québec, vol. 231, *Développements récents sur les abus de droit (2005)*, Cowansville, Les Éditions Yvon Blais Inc., 289, 434 et s.; C.M. TREMBLAY, « L'abus de procédures : quand la limite est franchie, qui sera responsable? », dans Service de la formation permanente, Barreau du Québec, vol. 231, *Développements récents sur les abus de droit*, Cowansville, Les Éditions Yvon Blais Inc., 2005, p. 453; V. KARIM, « La réclamation des honoraires extrajudiciaires : évolution ou régression? », dans A. RIENDEAU (dir.), *Dire le droit : pour qui et à quel prix?*, Montréal, Wilson & Lafleur, 2005, p. 161; R.P. CHARLTON, « Le pouvoir constitutionnel de la Cour supérieure du Québec d'accorder des honoraires extrajudiciaires à titre de dépens », dans Service de la formation permanente, Barreau du Québec, vol. 255, *Les dommages en matière civile et commerciale*, Cowansville, Les Éditions Yvon Blais Inc., 2006, p. 481.
23. *Bouthillette c. Supermarché l'Annonciation*, J.E. 96-2049 (C.S.); *Mabaie Inc. c. Pétro-Canada Inc.*, REJB 2000-21195 (C.S.), inf. pour d'autres motifs par REJB 2003-37412 (C.A.); *Ciment Québec Inc. c. Stellaire Construction Inc.*, REJB 2002-32054 (C.A.); *110319 Canada ltée c. Equipement J.Y.L. Inc.*, 2003BE-337 (C.S.), conf. par J.E. 2004-854, EYB 2004-60094 (C.A.); *Benakezouh c. Immeubles Henry Ho*, REJB 2003-37963 (C.A.); *Sigma-RH Solutions Inc. c. Cognicase Sherbrooke Inc.*, EYB 2005-95021 (C.S.); *Gervais Harding et Associés Design Inc. c. Placements St-Mathieu Inc.*, J.E. 2005-1484, EYB 2005-93203 (C.S.) (appel accueilli pour d'autres motifs); J.E. 2006-955, EYB 2006-104247 (C.A.); *Syndicat des professeures et professeurs de l'Université du Québec à Trois-Rivières c. Université du Québec à Trois-Rivières*, J.E. 2006-1208, EYB 2006-105877 (C.A.); *Banque de développement du Canada c. Experts Enviroconseil Inc. (Enviroconseil)*, J.E. 2006-2180, EYB 2006-110793 (C.S.); *Club de tir L'Acadie c. Brossard (Ville de)*, J.E. 2007-1868, EYB 2007-124152 (C.S.); *Entretien de voies ferrées Roméco Inc. c. Stella-Jones Inc.*, J.E. 2007-1640, EYB 2007-123193 (C.A.); *Enfouissement Champlain Inc.*

du défaut du débiteur[24]. La compensation du « préjudice par ricochet » et ses limites constituera donc encore une préoccupation pour nos tribunaux lors de l'application du nouveau Code civil. Le problème n'est plus de savoir si le responsable doit compensation à la seule victime immédiate[25], puisque le nouveau code reprend une conception large de la notion d'autrui, mais de savoir où doit s'arrêter cette compensation. Un préjudice immédiat peut, en effet, entraîner une foule de conséquences pour une multitude de personnes. Il s'agit de savoir quel préjudice est une suite directe et immédiate de la faute du débiteur.

Le nouveau code codifie également la règle appliquée depuis fort longtemps et qui oblige le créancier de l'obligation à minimiser son préjudice. L'article 1479 C.c.Q. énonce : « La personne qui est tenue de réparer un préjudice ne répond pas de l'aggravation de ce préjudice que la victime pouvait éviter. » Signalons que cette obligation de réduire le préjudice n'est qu'une obligation de moyens et non de résultat[26].

Tout ce qui peut permettre au tribunal de croire que l'accident n'a été que l'occasion de la manifestation des dommages-intérêts réclamés et non sa cause immédiate et directe permettra d'écarter la réclamation. Cette question du caractère direct et immédiat du préjudice est très délicate et a été traitée jusqu'à maintenant avec beaucoup de prudence par nos tribunaux. Une décision de 1992 de la Cour suprême du Canada dans l'affaire *Cie des Chemins de fer Nationaux du Canada c. Norsk Pacific Steamship Co.*[27] permet de le confirmer encore une fois. La Cour suprême devait y répondre à la question de savoir si une perte économique résultant de l'impossibilité de se prévaloir des bénéfices d'un contrat (de location d'un pont dans ce cas) pouvait constituer un dommage direct en vertu de la common law. Tout laisse croire que les faits particuliers de cette affaire auraient contribué à rendre cette question problématique pour le droit civil québécois lui-même[28]. Le nouveau code règle également, en ce qui concerne le caractère direct du préjudice, la question des prestations reçues par la victime et versées par des tiers.

4. L'effet de la prestation reçue d'un tiers[29]

Le nouvel article 1608 C.c.Q. permettra de régler simplement le problème de la double compensation qui se

---

c. Champlain (Municipalité de), [2008] R.D.I. 728, EYB 2008-147636 (C.S.) (en appel); *Dubois c. Robert*, J.E. 2008-1128, EYB 2008-132279 (C.S.) (en appel); *Pavillet c. Ronis*, J.E. 2008-1675, EYB 2008-138201 (C.S.) (en appel); *Lizotte c. Maison Simons Inc.*, 2009BE-325, EYB 2008-155795 (C.S.) (en appel). Voir également Jean-Louis BAUDOUIN et Pierre-Gabriel JOBIN, *Les obligations*, 6e éd. par Pierre-Gabriel JOBIN avec la collaboration de Nathalie VÉZINA, Cowansville, Les Éditions Yvon Blais Inc., 2005, p. 886, 902 et s. (ci-après : J.-L. BAUDOUIN, P.-G. JOBIN et N. VÉZINA).

24. Les précisions à l'article 1612 C.c.Q. relativement aux dommages-intérêts qui peuvent être réclamés en matière de secret commercial ne sont, à cet égard, qu'une des nombreuses applications de cette règle.

25. Voir la jurisprudence citée à la note 4.

26. Voir généralement sur la minimisation, *Reliance Insurance Co. c. Ultramar Canada Inc.*, [1994] R.R.A. 665, EYB 1994-55814 (C.A.); *Laflamme c. Prudential-Bache Commodities Canada Ltd.*, [2000] 1 R.C.S. 638, REJB 2000-17996; *Boissonneault c. Vachon*, REJB 2000-21363 (C.S.); *Quintal c. Godin*, [2000] R.J.Q. 851, REJB 2000-16830 (C.S.), [2002] R.J.Q. 2925, EYB 2002-32391 (C.A.); *2152-1216 Québec Inc. c. Shoghikian*, J.E. 2000-2222, EYB 2000-21708 (C.S.), conf. par J.E. 2003-553, REJB 2003-39015 (C.A.); *Habrich c. Lecavalier*, J.E. 2001-712, REJB 2000-24102 (C.S.), EYB 2003-40157 (C.A.); *Hôtel de l'Aéroport de Mirabel Inc. c. Aéroports de Montréal*, [2002] R.J.Q. 1721, REJB 2002-32590 (C.S.), [2003] R.J.Q. 2479, EYB 2003-46080 (C.A.); *Groupe Cliffton Inc. c. Solutions réseau d'affaires Meta-4 Inc.*, J.E. 2003-1954, REJB 2003-48291 (C.A.); *Emballages Knowlton Inc. c. Corporation d'emballage international Weber (Duopac international Inc.)*, J.E. 2006-204, EYB 2005-98438 (C.S.); *Consoltex Inc. c. 155891 Canada Inc.*, J.E. 2006-2077, EYB 2006-110420 (C.A.); *Groupe DMR Inc. c. Benoît*, J.E. 2006-2166, EYB 2006-110561 (C.A.); *Club de tir L'Acadie c. Brossard (Ville de)*, [2007] R.R.A. 960 (C.S.); *Investissements Casitran c. 9133-0787 Québec Inc.*, [2007] R.D.I. 64 (C.Q.); *Pilon c. Atlas Telecom mobile Inc.*, [2007] R.J.D.T. 950 (C.S.); *Livingston c. Acier CMC, division de Crawford Metal Corporation*, J.E. 2007-438, EYB 2007-113619 (C.S.); *Fortin c. Liberté TM Inc.*, précité, note 4; *Bilbul c. 4292006 Canada Inc.*, J.E. 2007-2207, EYB 2007-124539 (C.Q.); *Dubois c. Dubois*, 2007BE-605, EYB 2007-119275 (C.Q.); *Dussault c. Lévesque, Beaubien, Geoffrion Inc.*, J.E. 2008-727, EYB 2008-128489 (C.S.) (en appel); *Godin c. Structures métropolitaines (SMI) Inc.*, J.E. 2008-660, EYB 2008-130399 (C.S.) (en appel); *BMO Nesbitt Burns Ltée c. Dolmen (1994) Inc.*, J.E. 2008-1103, EYB 2008-135649 (C.A.); *Immeuble Palamaro c. Groupe-conseil Cogismaq Inc.*, J.E. 2008-1894, EYB 2008-147985 (C.S.). La Cour d'appel a rappelé qu'en matière de minimisation du préjudice corporel, il faut toujours tenir compte des principes de l'inviolabilité de la personne. En l'espèce, la cour a, avec raison, décidé qu'en cas de poursuite à la suite d'une naissance non désirée, on ne pouvait obliger la mère à se faire avorter ou à donner son enfant à l'adoption, ni lui tenir rigueur de son refus de ce faire : *Cooke c. Suite*, [1995] R.J.Q. 2765, EYB 1995-59148 (C.A.). Louise LANGEVIN, « L'affaire *Cooke c. Suite* : la reconnaissance de la « grossesse préjudice » mais à quel prix ? », (1996) 56 *R. du B.* 125, EYB1996RDB33; Marie-Ève ARBOUR, « L'incidence du refus de traitement sur le droit à l'indemnisation de la victime d'un préjudice corporel : pour une interprétation conforme au respect des libertés de conscience et de religion », (2000) 41 *C. de D.* 627.

27. [1992] 1 R.C.S. 1021, EYB 1992-67217.

28. Un chaland appartenant à la défenderesse avait endommagé lourdement un pont qui n'appartenait pas à la demanderesse mais qui était loué par elle, et il s'agissait de savoir si tous les dommages causés par le détournement du trafic ferroviaire étaient admissibles. Cette question fut décidée en faveur de la demanderesse par quatre juges contre trois. Pour le droit civil : Daniel JUTRAS, « Civil Law and Pure Economic Loss : What Are We Missing? », (1986-87) 12 *Can. Bus. L.J.* 295. Voir également *C.S.L. Group c. St-Lawrence Seaway Authority*, J.E. 97-139 (C.A.); *L'administration de la voie maritime du St-Laurent c. Canron Inc.*, J.E. 97-140, EYB 1996-85471 (C.A.).

29. Voir sur la question, Odette JOBIN-LABERGE, « Quelques problèmes d'application du nouveau Code civil du Québec en matière d'obligation », dans Service de la formation permanente, Barreau du Québec, *Congrès annuel du Barreau (1994)*, Montréal, p. 785 et s.; Isabelle HUDON, « Le cumul des indemnités (art.1608 C.c.Q.) : un accroc au principe de la réparation intégrale? », dans Service de la formation permanente, Barreau du Québec, vol. 196, *L'évaluation du préjudice (2003)*, Cowansville, Les Éditions Yvon Blais Inc., p. 1, EYB2003DEV365; Daniel GARDNER et Sylvain DÉRY, « Les recours subrogatoires exercés par la Régie de l'assurance-maladie du Québec contre qui, comment et pourquoi », dans Service de la formation permanente, Barreau du Québec, *L'évaluation du préjudice corporel (2004)*, Cowansville, Les Éditions Yvon Blais Inc., p. 135, EYB2004DEV454. Pour une perspective de droit comparé, voir : Daniel GARDNER, « L'indemnisation du préjudice corporel dans les juridictions de tradition civiliste », (2005) 39 *R.J.T.* 395, 406.

pose encore lorsqu'un tiers, par exemple l'assureur ou l'employeur, compense une partie ou la totalité du préjudice éprouvé par la victime lorsqu'elle poursuit par ailleurs le responsable pour les mêmes dommages. Il se lit comme suit :

> « L'obligation du débiteur de payer des dommages-intérêts au créancier n'est ni atténuée ni modifiée par le fait que le créancier reçoive une prestation d'un tiers, par suite du préjudice qu'il a subi, sauf dans la mesure où le tiers est subrogé aux droits du créancier. »

Le législateur confirme ici que le seul cas où l'on doit tenir compte de la compensation, totale ou partielle, versée par un tiers est celui où il y a subrogation en faveur de ce dernier. On doit remarquer qu'il peut s'agir d'une subrogation légale ou conventionnelle. Parmi les nombreux régimes publics de compensation du préjudice corporel[30], seul le régime de rentes du Québec[31] ne prévoit pas de subrogation légale en faveur de cette caisse de compensation. Pour les autres régimes, le cumul n'est donc pas permis[32].

En ce qui a trait à l'assurance, l'article 2494 C.c.B.-C. était déjà venu régler le problème dans le sens de la solution adoptée par le nouvel article 1608 C.c.Q. En pratique, il y a, dans la plupart des cas d'assurance, subrogation en faveur de l'assureur[33], sauf dans le cas de l'assurance de personne où, jusqu'à maintenant, la jurisprudence permet le cumul[34]. Il en serait de même lorsque l'assureur renonce à la subrogation[35]. Il reste à voir en assurance de personne si, à défaut de subrogation légale, la pratique développera une subrogation conventionnelle. À cet égard, le droit n'est pas encore fixé. En vertu du Code civil du Bas-Canada, il semblait interdit que l'assureur soit subrogé. Il semble toutefois que la question demeure ouverte en vertu du Code civil du Québec, l'article 1608 n'étant pas d'ordre public[36].

Par ailleurs, c'est en matière d'indemnités versées par l'employeur que le nouvel article 1608 C.c.Q. engendre les modifications les plus importantes. Si l'employeur s'est obligé par contrat à continuer de payer le salaire de son employé, sans être subrogé aux recours de ce dernier, la double compensation sera possible[37]. En outre, si l'employé perd, par le fait du responsable, des journées de maladies accumulées, il pourra poursuivre ce dernier en

30. La question ne se pose même pas dans le cas de certains de ces régimes qui abolissent purement et simplement les recours de droit commun (accidents d'automobile), mais reste entière dans le cas où certains recours civils subsistent (accidents du travail). Voir *Éloquin c. Zedco Inc.*, [1995] R.R.A. 1147, EYB 1995-72473 (C.S.).

31. *Loi sur la Régie des rentes du Québec*, L.R.Q., c. R-9. Le cumul est donc permis, *Lemieux c. Théorêt*, [1999] R.J.Q. 1706, REJB 1999-13370 (C.S.), conf. par REJB 2001-24343 (C.A.); *Fortier c. Municipalité de Sainte-Séraphine*, REJB 2003-51584 (C.S.), conf par. EYB 2005-86169 (C.A.); *St-Maurice c. Montréal (Ville de) (Société du parc des îles)*, EYB 2005-88330 (C.S.).

32. *Loi sur l'indemnisation des victimes d'actes criminels*, L.R.Q., c. I-6 : voir *Dubreuil c. Trépanier*, 99BE-1293 (C.S.); *Vadeboncœur c. Laflamme*, REJB 2001-25267 (C.S.); *Hamel c. J.C.*, [2008] R.R.A. 866, EYB 2008-148636 (C.A.); *C.P. c. Delisle*, 2008BE-1125, EYB 2008-148375 (C.S.); *Loi sur les accidents du travail et les maladies professionnelles*, L.R.Q., c. A-3.001 : voir *Desrochers c. Damours*, REJB 2001-27228 (C.S.); *Mouzakiotis c. Goodyear Tire & Rubber Company of Canada Ltd.*, REJB 2001-27248 (C.S.); *Blackburn c. Boivin*, REJB 2003-41860 (C.A.); *Beauchesne c. Ladouceur*, [2005] R.R.A. 1245, EYB 2005-94398 (C.S.); *Paillé c. Nadeau*, 2005BE-768, EYB 2005-91493 (C.S.); *Turco c. Pâtisserie Yiangello*, J.E. 2006-590, EYB 2005-99834 (C.S.). En matière d'assurance-emploi, *Boissonneault c. Vachon*, précité, note 26; *Fortin c. Dallaire*, 2005BE-1060, EYB 2005-93913 (C.S.); *Lamontagne c. Larouche*, 2006BE-577, EYB 2006-101130 (C.S.); *Tremblay c. Kyzen Inc.*, J.E. 2006-2104, EYB 2006-106593 (C.S.); *Imbeault c. Collège d'enseignement général et professionnel de Maisonneuve*, [2007] R.J.Q. 86, EYB 2007-111766 (C.S.), conf. sur ce point par J.E. 2008-1267, EYB 2008-134421 (C.A.); *contra : Spreitzer c. Industries James McLaren Inc. (Division forestière)*, REJB 1998-08601 (C.S.), REJB 2002-27812 (C.A.); *Deslauriers c. Éthier*, REJB 2001-24153 (C.Q.); *Villeneuve c. Roy*, REJB 2001-29796 (C.S.); *Laflamme c. Fabrique de la Paroisse St-Mathieu*, 2002BE-840 (C.S.); *Loi sur l'assurance maladie*, L.R.Q., c. A-29 : voir *Libenstein c. Lombard General Insurance Company of Canada*, EYB 2004-70852 (C.S.); J.E. 2006-1076, EYB 2006-104964 (C.A.). Voir aussi D. GARDNER et S. DÉRY, précité, note 29.

33. Cela ne présente aucun problème en assurance de dommages, puisque l'assureur est légalement subrogé (art. 2474 C.c.Q.). Le cumul est alors impossible. Voir *Mercier c. Gagné*, [1998] R.R.A. 147 (C.S.), conf. par [1998] R.R.A. 701, REJB 1998-07067 (C.A.); *Bird c. Deauville (Municipalité de)*, [1998] R.R.A. 735, REJB 1998-05533 (C.S.); *9074-9508 Québec Inc. c. Société de gestion Place Laurier inc*, J.E. 2007-1459, EYB 2007-121943 (C.S.), conf. par EYB 2008-151128 (C.A.).

34. *Poitras c. Bendo*, [1997] R.R.A. 453, REJB 1997-02978 (C.S.); *Laîné c. Viking Helicopters*, [1999] R.J.Q. 1472, REJB 1999-12303 (C.S.), [2000] R.J.Q. 2817, REJB 2000-20963 (C.A.); *Lafond c. Provigo Distribution Inc.*, REJB 2000-17448 (C.Q.); *Morissette c. Allard*, REJB 2001-23618 (C.S.); *Vaillancourt c. Compagnie d'assurance Missisquoi*, REJB 2002-31830 (C.S.); *Fortier c. Municipalité de Sainte-Séraphine*, précité, note 31; *Sirois c. Peinture Micca Inc.*, REJB 2004-60855 (C.S.); *Caron c. Université du Québec en Outaouais*, J.E. 2006-1804, EYB 2006-108226 (C.Q.); *Macura c. 4050177 Canada Inc. (Time Supper Club)*, 2007BE-584, EYB 2007-119157 (C.Q.); *V.D. c. G.De.*, J.E. 2008-1703, EYB 2008-145797 (C.S.) (en appel); *contra : Archambault c. Sandoval Morales*, REJB 2000-17059 (C.S.); *Libenstein c. Lombard General Insurance Company of Canada*, précité, note 32.

35. Il en est de même lorsque le tiers a renoncé à la subrogation. Voir en ce sens *Hélicoptères Viking Ltd. c. Laîné*, REJB 2000-20963 (C.A.). Comme le souligne une auteure, il importe que la renonciation soit non équivoque . Voir I. HUDON, « Le cumul des indemnités (art.1608 C.c.Q.) : un accroc au principe de la réparation intégrale? », *loc. cit.*, note 29, p. 1 et 16.

36. Voir O. JOBIN-LABERGE, *loc. cit.*, note 29, p. 804 et I. HUDON, « Le cumul des indemnités (art.1608 C.c.Q.) : un accroc au principe de la réparation intégrale? », *loc. cit.*, note 29, p. 1 et 19, qui sont d'avis que la subrogation est maintenant possible. Comme le souligne toutefois Me Hudon (p. 20), ce type de clause pourrait être jugée abusive.

37. *Leclerc c. Morin*, J.E. 99-2010, REJB 1999-14354 (C.S.).

raison de la perte de cet actif[38], à condition d'en faire la preuve[39]. Il en est de même pour les dons et les cadeaux reçus par la victime à l'occasion de l'accident, quelle qu'en soit la source[40]. Le seul critère applicable sera donc celui de l'existence ou non d'une subrogation, qu'elle soit légale ou conventionnelle[41]. Il s'agit d'une nette clarification du droit existant.

Soulignons finalement qu'une décision, faisant une référence indirecte à l'article 1608 C.c.Q., a refusé de tenir compte de la succession dévolue à la demanderesse dans le calcul de son préjudice matériel[42].

B- Le caractère certain du préjudice

1. Le type de certitude exigée

L'alinéa premier de l'article 1611 C.c.Q. reprend le contenu de l'article 1073 C.c.B.-C., qui permettait au créancier de l'obligation de réclamer la perte qu'il subissait et le gain dont il était privé. Le deuxième alinéa est nouveau et concerne le préjudice futur. Le nouveau code exige, pour que le préjudice futur soit compensé par le débiteur de l'obligation, que le préjudice soit certain et qu'il soit possible de l'évaluer[43]. Le législateur entend ici distinguer le préjudice certain du préjudice hypothétique[44] ou simplement possible qui ne doit pas être compensé. La formulation particulière de ce deuxième alinéa peut toutefois faire problème. Le droit actuel n'est pas modifié à cet égard. Le législateur n'exige pas ici une certitude absolue, mais une probabilité sérieuse que le préjudice apparaîtra selon l'évolution normale des choses ou d'une vie[45].

La deuxième condition exigée par la disposition précisant que le préjudice futur doit pouvoir être évalué au moment du jugement n'est pas, elle non plus, de droit nouveau[46]. La règle actuelle veut que le préjudice futur soit apprécié de façon exacte au moment où le tribunal doit le liquider. Lorsqu'il ne peut pas procéder à cette évaluation, il est possible pour le tribunal à la suite d'une demande spécifique faite par la victime[47] de réserver les recours de la victime[48] d'un préjudice corporel pour le futur (art. 1615 C.c.Q.)[49].

---

38. *Germain c. Restaurant McDonald*, [1996] R.R.A. 184, EYB 1996-84697 (C.S.); *Mainville c. Cité de la Santé de Laval*, [1998] R.J.Q. 2082, REJB 1998-07986 (C.S.); *Turgeon c. Paiement*, [1998] R.R.A. 889, REJB 1998-07867 (C.Q.).

39. *Leroux c. Sternthal*, REJB 1999-15293 (C.S.), REJB 2002-29951 (C.A.)

40. Max SIGLER, « Gratuities Received by Victim of Accident and the Award of Damages », (1958) 18 *R. du B.* 208; I. HUDON, « Le cumul des indemnités (art.1608 C.c.Q.) : un accroc au principe de la réparation intégrale? », *loc. cit.*, note 29, p. 1 et 22 et s.; *Regroupement des CHSLD Christ-Roy (Centre hospitalier, soins longue durée) c. Comité provincial des malades*, [2007] R.J.Q. 1753 (C.A.). Voir en common law, *M.B. c. Colombie-Britannique*, [2003] 2 R.C.S. 477, REJB 2003-48044.

41. *Société d'habitation du Québec c. Leduc*, J.E. 2008-2144, EYB 2008-149859 (C.A.).

42. *Lemieux c. Théorêt*, précité, note 31.

43. Pour des illustrations, voir *Bourassa c. Germain*, [1997] R.R.A. 679, REJB 1997-01074 (C.A.); *Société du parc industriel et portuaire de Bécancour c. Soterm Inc.*, REJB 2001-25037 (C.A.); *Uni-sélect Inc. c. Acktion Corp.*, REJB 2002-33889 (C.A.); *Laoun c. Malo*, REJB 2003-36925 (C.A.); *Aéroports de Montréal c. Hôtel de l'Aéroport de Mirabel Inc.*, précité, note 26; *SMBD Jewish General Hospital c. Kummermann*, REJB 2004-65086 (C.S.), conf. par EYB 2007-117226 (C.A.); *Construction Gesmonde ltée c. 2908557 Canada Inc.*, EYB 2005-90653 (C.A.); *Jlassi c. 154888 Canada Inc.*, EYB 2005-92204 (C.S.); *Construction DJL Inc. c. Procureur général du Québec*, J.E. 2006-2290, EYB 2006-110902 (C.S.); *Imbeault c. Collège d'enseignement général et professionnel de Maisonneuve*, précité, note 32; *Dagneau c. Apothico Gest Inc.*, 2007BE-678, EYB 2007-113384 (C.S.); *Kysen Inc. c. Boucher*, [2008] R.R.A. 306, EYB 2008-132306 (C.A.). Voir également J.-L. BAUDOUIN, P.-G. JOBIN et N. VÉZINA, *op. cit.*, note 23, p. 892, 904 et s.

44. *Bélanger c. Geoffrion, Leclerc Inc.*, [1997] R.J.Q. 797, REJB 1997-00336 (C.A.); *Uni-sélect Inc. c. Acktion Corp.*, précité, note 43; *Guénette c. Nurun Inc.*, REJB 2002-30126 (C.S.); *Silencieux Gaetan Nadeau Inc. c. Pelchat*, REJB 2004-60600 (C.S.); *2947-0325 Québec Inc. c. Gestions Pierre Gaul Inc.*, EYB 2005-94899 (C.S.); *Paquin c. Villeneuve*, 2005BE-923 (C.S.); *Groupe Bio-Services Inc. c. GDG Environnement Ltée*, [2008] R.J.Q. 721, EYB 2008-129945 (C.S.) (en appel); *Systèmes Techno-pompes Inc. c. Réfrigération Noël Inc.*, J.E. 2008-800, EYB 2008-131880 (C.S.).

45. *Lévesque c. Malinosky*, [1956] B.R. 351; *Pantel c. Air Canada*, [1972] C.A. 25, [1975] 1 R.C.S. 472. Nos tribunaux exigent donc plus que la preuve d'une simple possibilité. Dans l'affaire *Proulx c. Procureur général du Québec*, [1997] R.J.Q. 2516, REJB 1997-08438 (C.S.), conf. par REJB 2001-26159 (C.S.C.), le tribunal considère qu'une victime de diffamation âgée de 50 ans aura, selon toute évidence, de la difficulté à se retrouver un emploi et que sa perte de capacité de gains est totale. Voir aussi *Laroche c. Jamieson*, REJB 2000-22454 (C.S.); *Uni-sélect Inc. c. Acktion Corp.*, précité, note 43; *Croussette c. Banque Royale du Canada*, REJB 2002-32482 (C.S.), REJB 2003-42517 (C.A.); *Construction Gesmonde Ltée c. 2908557 Canada Inc.*, EYB 2005-90653 (C.A.); *Brunet c. Désilets*, J.E. 2007-1401, EYB 2007-120006 (C.S.); *Imbeault c. Bombardier*, précité, note 4; *Ferme Gérald Huot Inc. c. Production Péjobel Inc.*, J.E. 2007-1746, EYB 2007-119222 (C.Q.); *Cloutier-Cabana c. Rousseau* , [2008] R.R.A. 713, EYB 2008-142785 (C.S.) (en appel).

46. *Jacobs-Asbesto Mining Co. c. Lessard*, (1925) 38 B.R. 183.

47. *Lavoie c. Gonzalez*, 2007BE-1072, EYB 2007-124807 (C.A.).

48. Les victimes par ricochet ne bénéficient toutefois pas de cette réserve. Voir *St-Cyr c. Fisch*, précité, note 4.

49. Voir, sur cette question, Marc BOULANGER, « *Restitutio in integrum* et la réserve de recours pour dommages-intérêts additionnels : de Pandore à Icare », *Congrès annuel du Barreau du Québec (1995)*, Montréal, Service de la formation permanente, Barreau du Québec, p. 693 et s.; Isabelle HUDON, « La révision de l'indemnité pour dommages corporels (art. 1615 du Code civil du Québec) », (1994) 62 *Ass.* 81. On a refusé la réserve dans les affaires suivantes : *Poulin c. Prat*, [1995] R.J.Q. 2923, EYB 1995-72507 (C.S.), [1997] R.J.Q. 2669, REJB 1997-02598 (C.A.); *Gaudet c. Lagacé*, [1994] R.R.A. 532 (C.S.), [1998] R.J.Q. 1035 (C.A.); *Massinon c. Ghys*, [1996] R.J.Q. 2258, EYB 1996-30352 (C.S.); *B. (E.) c. B. (M.)*, REJB 2003-48889 (C.A.); *Perreault-Côté c. Constantineau*, 2004BE-95, EYB 2004-50671 (C.S.). Voir aussi *Sauvageau c. Lussier*, [1996] R.J.Q. 1281, REJB 1996-29218 (C.S.); *Veilleux c. Dumont*, J.E. 2005-1691, EYB 2005-93482 (C.S.); *Tremblay c. Bilodeau*, EYB 2006-106897 (C.Q.); *Simard c. Lavoie*, J.E. 2006-446, EYB 2005-99564 (C.S.); *Richard c. Dubois*, 2006BE-393, EYB 2005-98775 (C.S.); *Paquette c. Turcotte*, 2006BE-161 (C.S.); *Nolet c. Boisclair*, [2007] R.R.A. 1017, EYB 2007-124392 (C.S.) (en appel); *Chantal c. 9022-1672 Québec Inc.*, J.E. 2007-1530, EYB 2007-121544 (C.Q.) (en appel); *Dubois c. Dubois*, 2007BE-605 (C.Q.); *Morel c. Tremblay*, J.E. 2008-1969, EYB 2008-147713 (C.S.) (en appel); *Rousseau c. Rousseau*, EYB 2008-133869 (C.S.); *Scanlan c. Montréal (Ville de)*, EYB 2008-150666 (C.S.). Pour une réserve accordée, voir : *Briand c. Duguay*, [1996] R.R.A. 800, EYB 1996-84888 (C.S.); *Pelletier c. Bossé*,

Mais la principale préoccupation contemporaine en ce qui concerne le caractère certain du préjudice vient de la notion de « perte de chance » qui a fait de très nettes percées dans la jurisprudence québécoise des dernières années, jusqu'à la décision de la Cour suprême du Canada dans l'affaire *Lawson c. Laferrière*[50]. Il n'est pas certain que cette décision de la Cour suprême refuse *a priori* de compenser la perte de chance. Elle exige toutefois, contrairement à plusieurs décisions du droit civil français et belge, que la preuve de ce préjudice soit faite par prépondérance[51]. La Cour suprême y déclare qu'il faut refuser de compenser la perte de chance chaque fois que la chance d'éviter une perte ou de faire un gain était, selon la preuve, inférieure à 51 %. On risquerait autrement, en matière médicale comme dans les autres domaines de l'activité humaine, de compenser des dommages à l'égard desquels la preuve du lien de causalité, qui doit être prépondérante comme on le sait, n'a pas été ou ne peut pas être faite[52]. La jurisprudence subséquente a suivi les enseignements de la Cour suprême en matière médicale[53] ou autre[54] même s'il faut reconnaître une certaine confusion en la matière.

C- Les sortes de préjudices et les conditions de recevabilité

Les deux régimes de responsabilité, la responsabilité extracontractuelle et la responsabilité contractuelle, peuvent donner lieu à une compensation du préjudice corporel[55], moral ou matériel (art. 1457 et 1458 C.c.Q.)[56]. Le législateur a heureusement abandonné son projet de confier au seul régime de la responsabilité extracontractuelle la compensation du préjudice corporel[57]. On trouve dans le nouveau code de nombreux cas où la responsabilité contractuelle peut s'étendre à la sécurité des cocontractants et, dans certains cas, à la compensation du préjudice corporel.

C'est ainsi, par exemple, que le débiteur de l'obligation de garantir la qualité du bien vendu à l'égard des vices cachés peut être tenu de tous les dommages-intérêts, y compris les dommages résultant d'un préjudice corporel, soufferts par l'acheteur (art. 1728 C.c.Q.), que le

---

J.E. 98-1221, REJB 1998-06920 (C.S.); *Boissonneault c. Vachon*, précité, note 26; *Boucher-Graham c. Centres d'achats Beauward Ltée*, REJB 2001-22885 (C.S.), REJB 2002-31051 (C.A.); *St-Cyr c. Fisch*, précité, note 4; *Morin c. Girard*, EYB 2004-85547 (C.S.); *Longpré c. Personnelle (La)*, 2004BE-984, EYB 2004-69960 (C.S.); *G.C. c. L.H.*, [2005] R.R.A. 569, EYB 2005-88310 (C.S.); *Marcoux c. Meloche*, 2005BE-686, EYB 2005-87296 (C.Q.); *N.T. c. 9107-3932 Québec inc*, [2008] R.R.A. 420, EYB 2008-132261 (C.S.); *C.P. c. Delisle*, 2008BE-1125, EYB 2008-148375 (C.S.); *A.F. c. E.D.*, J.E. 2008-586, EYB 2008-128995 (C.S.); *Lebel c. Rosemère (Ville de)*, 2008BE-304, EYB 2007-128233 (C.S.) (en appel). Pour une perspective de droit comparé, voir D. GARDNER, « L'indemnisation du préjudice corporel dans les juridictions de tradition civiliste », *loc. cit.*, note 29, p. 410.

50. [1991] 1 R.C.S. 541, EYB 1991-67747. On confond souvent, à tort, la notion de « perte de chance » avec la notion de dommage futur. Il peut s'agir d'une perte passée. Cette notion met en cause la certitude du dommage. Voir, sur cette question, Suzanne NOOTENS, « La perte de chance », dans Service de la formation permanente, Barreau du Québec, *Congrès annuel du Barreau du Québec (1990)*, Montréal, p. 195; Serge GAUDET, « La perte de chances : un miroir aux alouettes? », dans *Mélanges Jean Pineau*, Montréal, Éditions Thémis, 2003, p. 269.

51. On est toutefois en droit de se demander s'il s'agit d'une véritable perte de chance.

52. Il nous semble seulement que l'on doive regretter, avec cette décision de la Cour suprême dans *Lawson c. Laferrière*, que les compensations accordées pour les dommages-intérêts prouvés par prépondérance de preuve (angoisses de la victime et perte de qualité de vie durant les trois années précédant son décès pour cause de cancer) aient été si désespérément faibles. Le fait qu'il s'agissait d'un affrontement « symbolique », la victime étant décédée depuis de nombreuses années au moment du jugement, est sans aucun doute un facteur qui a joué dans l'appréciation du tribunal. Il convient toutefois de souligner qu'une décision récente a haussé ce genre d'indemnité à un niveau qui nous paraît plus raisonnable. En effet, dans l'affaire *Massinon c. Ghys*, précitée, note 49, on a condamné un médecin à payer 60 000 $ à sa patiente pour « réparer » les souffrances psychologiques endurées par cette dernière en raison du délai (fautif) dans le diagnostic de son cancer et, de ce fait, du délai dans le traitement de la maladie. Comme le souligne le juge : « Ces faits ont engendré une frustration, une colère et un désespoir atteignant [...] le stade d'une dépression situationnelle excédant la réaction habituelle des patients cancéreux et donc un préjudice psychologique. Ce préjudice est indemnisable. » (p. 2280). Voir en ce sens François TÔTH, « Commentaires – Responsabilité du médecin pour un diagnostic erroné : commentaire de l'affaire Massinon c. Ghys », (1996-97) 27 *R.D.U.S.* 307. Voir aussi, dans un autre contexte, *Gauthier c. Beaumont*, [1998] 2 R.C.S. 3, REJB 1998-07106.

53. *Lacroix c. Léonard*, [1992] R.R.A. 799, EYB 1992-75056 (C.S.); *Kirschenbaum-Green c. Surchin*, [1993] R.R.A. 821, EYB 1993-84183 (C.S.), conf. par [1997] R.R.A. 39, REJB 1997-00239 (C.A.); *Mastantuono c. Lefort*, 99BE-196 (C.S.); *Labonté c. Tanguay*, REJB 2001-30030 (C.S.), REJB 2003-42896 (C.A.); *St-Jean c. Mercier*, [2002] 1 R.C.S. 491; *Chouinard c. Robbins*, REJB 2001-27398 (C.A.); *St-Cyr c. Fisch*, précité, note 4.

54. *Industries Dettson Inc. c. Courchesne*, REJB 2000-21454 (C.S.); *Turmel c. Loisel*, REJB 2002-31014 (C.S.); *Morrow c. Lefrançois*, REJB 2001-24875 (C.S.), REJB 2003-36929 (C.A.); *Benakezouh c. Immeubles Henry Ho*, précité, note 23; *Laoun c. Malo*, précité, note 43; *2908557 Canada Inc. c. Construction Gesmonde ltée*, REJB 2004-53089 (C.S.), EYB 2005-90653 (C.A.); *Commission scolaire des Navigateurs c. Fortin*, [2007] R.R.A. 674, EYB 2007-122205 (C.S.); *Société du parc industriel et portuaire de Bécancour c. Soterm Inc.*, précité, note 43; *Commission des droits de la personne et des droits de la jeunesse c. Procureur général du Québec*, EYB 2005-87481 (T.D.P.); *Ferme Bergelait (1987) Inc. c. Ferme Comestar, s.e.n.c.*, J.E. 2007-1973, EYB 2007-124421 (C.S.); *R. c. Io.O.*, J.E. 2007-2064, EYB 2007-124344 (C.S.); *Dupuis c. Syndicat canadien des communications, de l'énergie et du papier, section locale 130*, [2008] R.J.Q. 1278, EYB 2008-132685 (C.A.) (requête pour autorisation de pourvoi à la Cour suprême rejetée); *Commission des droits de la personne et des droits de la jeunesse c. Gaz métropolitain Inc.*, J.E. 2008-1800, EYB 2008-147117 (T.D.P.Q.) (en appel); *Dorion c. Larochelle*, J.E. 2008-2002, EYB 2008-147082 (C.S.). Voir également en common law : *Young c. Bella*, [2006] 1 R.C.S. 108, EYB 2006-100404.

55. Daniel GARDNER, *L'évaluation du préjudice corporel*, 2e éd., Cowansville, Les Éditions Yvon Blais Inc., 2002.

56. Nathalie VÉZINA, « Préjudice matériel, corporel et moral : variations sur la classification tripartite du préjudice dans le nouveau droit de la responsabilité », (1993) 24 *R.D.U.S.* 161; J.-L. BAUDOUIN, P.-G. JOBIN et N. VÉZINA, *op. cit.*, note 23.

57. Avant-projet de loi sur la *Loi portant réforme au Code civil du Québec du droit des obligations*, 1987, art. 1516, al. 2; Projet de loi 125, *Code civil du Québec*, 1990, art. 1454, al. 3. Les problèmes d'application de ce principe en apparence simple auraient été redoutables et nombreux : Claude MASSE, « Le nouveau code et la réforme de la responsabilité civile (à la recherche du sens) », dans Service de la formation permanente, Barreau du Québec, *Congrès annuel du Barreau du Québec (1991)*, Montréal, p. 40 et s.

donateur « est tenu de réparer le préjudice causé au dona-
taire en raison d'un vice qui porte atteinte à son intégrité
physique, s'il connaissait ce vice et ne l'a pas révélé lors de
la donation » (art. 1828, al. 2 C.c.Q.), que le locateur ne
peut offrir en location ni délivrer un logement impropre à
l'habitation et qu'est impropre à l'habitation « le logement
dont l'état constitue une menace sérieuse pour la santé ou
la sécurité des occupants ou du public » (art. 1913 C.c.Q.),
que le transporteur « est tenu de mener le passager, sain
et sauf, à destination » (art. 2037, al. 1 C.c.Q.), que
l'employeur lié par un contrat de travail « doit prendre les
mesures appropriées à la nature du travail, en vue de protéger la santé, la sécurité et la dignité du salarié » (art. 2087
C.c.Q.), et, enfin, que l'entrepreneur et le prestataire de
services « sont tenus d'agir au mieux des intérêts de
leur client, avec prudence et diligence » (art. 2100, al. 1
C.c.Q.). L'obligation contractuelle s'étend donc plus que
jamais à la compensation du préjudice corporel.

D- L'annulation des quittances, des transactions et des déclarations obtenues dans les 30 jours du fait dommageable

L'article 1056 b), al. 4 C.c.B.-C., qui permettait
depuis les années 30 d'annuler toutes quittances, règlements ou déclarations écrits obtenus de la victime dans
les 15 jours de la date du délit ou du quasi-délit, si elle en
souffrait lésion, a constitué dans notre droit la première
exception importante, depuis la codification de 1866, au
principe de l'absence de lésion entre majeurs décrété par
l'article 1012 C.c.B.-C.[58]. Cette possibilité d'attaquer le
caractère lésionnaire de ces quittances, règlements ou
déclarations écrites a toutefois été fort limitée par le caractère très restrictif de cette disposition et l'interprétation
qui en a été donnée. Le nouvel article 1609 C.c.Q. élargit
de façon importante l'application de ce droit :

– le nouvel article étend le droit de rendre sans effet
les déclarations, les quittances et les transactions
aux cas où celles-ci sont verbales et pas seulement
écrites comme auparavant;

– on peut attaquer ces quittances, transactions et
règlements, non seulement dans le cas où le préjudice a été le résultat d'une faute extracontractuelle,

mais également dans le cas des dommages-intérêts
contractuels;

– la mise en œuvre de ce droit n'est plus limitée aux
cas de préjudice corporel, mais s'étend également
au préjudice moral;

– on passe d'un délai de 15 à 30 jours, et ce délai est
calculé à partir du fait dommageable;

– le nouvel article 1609 C.c.Q. n'utilise plus le
concept de « lésion », même au sens du nouvel
article 1406 C.c.Q., mais le concept plus large de
« préjudice », qui est certes plus adapté à la situation où ce sont les déclarations du créancier qui
sont attaquées.

Il y a donc tout lieu de croire que le nouvel article 1609
C.c.Q. connaîtra une application pratique beaucoup plus
importante[59] que celle qui était donnée à l'article 1056 b),
al. 4 C.c.B.-C. Il faut, en outre, tenir compte du fait que ces
déclarations, quittances et transactions pourront, plus facilement qu'autrefois, être attaquées pour cause de vices de
consentement au sens des nouveaux articles 1398 à 1408
et 2634 C.c.Q.

E- La cession et la transmission du droit à des dommages-intérêts

L'article 1610 C.c.Q. est de droit nouveau, mais il
vient codifier une règle établie par notre jurisprudence
voulant que tout droit à des dommages-intérêts soit ces-
sible et transmissible, dès que ce droit est né et actuel dans
le patrimoine de la victime[60]. La précision concernant
les dommages punitifs est utile, puisque cette possibilité
d'accorder des dommages punitifs est nouvelle et que la
transmissibilité de ce droit n'était pas clairement établie.
Seule la violation d'un droit de la personnalité, comme le
droit à la vie, à l'inviolabilité et à l'intégrité de sa personne, au respect de son nom, de sa réputation et de sa vie
privée, est déclaré incessible (art. 3 et 625 C.c.Q.). Ce
droit d'être compensé pour la violation d'un droit de la
personnalité peut toutefois être transmis aux héritiers de
la victime[61].

58. François HÉLEINE, « Du régime juridique des quittances, règlements et déclarations obtenues de la victime dans les 15 jours d'un accident dans le droit actuel et dans le droit de l'avenir », (1977) 37 *R. du B.* 487.
59. *Valois c. Commission scolaire de l'Estuaire*, J.E. 2000-182, REJB 1999-16329 (C.S.).
60. *Driver c. Coca Cola Ltd.*, [1961] R.C.S. 201.
61. *Commission des droits de la personne du Québec c. Brzozowski*, [1994] R.J.Q. 1447, EYB 1994-105333 (T.D.P.Q.); *De Montigny c. Brossard (Succession de)*, [2006] R.J.Q. 1371, EYB 2006-103175 (C.S.), EYB 2008-146240 (C.A.). Si les héritiers ont renoncé à la succession, ils ne peuvent évidemment pas réclamer les droits qu'aurait eus la victime. Voir *Granata-Rossi c. Urgence-santé Inc.*, [2006] R.R.A. 989, EYB 2006-110128 (C.S.).

Cette disposition est beaucoup plus importante qu'il n'y paraît à première vue. Elle confirme, par exemple, le droit des héritiers d'une personne décédée de poursuivre pour les atteintes à la réputation et le manque de respect envers son nom survenus avant le décès. Elle vient régler une controverse inutile fondée sur la distinction entre droits patrimoniaux et droits extrapatrimoniaux. Il pourrait aussi être argué qu'elle écarte implicitement le droit de poursuite lorsque l'atteinte à la réputation ou au nom a lieu après le décès de la personne, puisque ce droit ne passe dans le patrimoine de la personne décédée qu'au moment de son décès au sens des articles 625 et 1610 C.c.Q. Cette dernière situation doit toutefois être distinguée des cas où le fait de diffamer une personne entraîne un préjudice direct et personnel pour les autres membres de la famille qui ont dans ce cas un intérêt à poursuivre[62].

---

62.   *Chiniguy c. Bégin*, (1915) 24 B.R. 294.

Chapitre II

Me Patrice Deslauriers*

L'indemnisation résultant d'une atteinte à un bien

Dans le présent chapitre, nous traiterons des règles d'indemnisation résultant d'une atteinte à un bien. De façon générale, les règles relatives à l'indemnisation sont similaires dans les deux régimes, sous réserve que, en matière contractuelle, en l'absence de faute lourde ou intentionnelle, seul le préjudice prévisible est indemnisé (art. 1613 C.c.Q.). Évidemment, cette prévisibilité ne peut exister dans le domaine de la responsabilité extracontractuelle, les deux parties étant le plus souvent victimes du hasard, sans attache conventionnelle. Il s'agit alors de compenser le préjudice qui s'avère une conséquence immédiate et directe de la faute (art. 1607 C.c.Q.). Nous limiterons notre développement à deux aspects, soit, d'une part, le préjudice matériel et, d'autre part, le préjudice moral.

1- Le préjudice matériel

La destruction d'un bien, tant meuble qu'immeuble, de même que toute atteinte à un intérêt financier peut entraîner à l'égard de son propriétaire un préjudice matériel qu'il importe de réparer[1].

En l'occurrence, il s'agit, d'une part, d'évaluer le coût de remplacement ou de remise en état du bien détruit ou endommagé et, d'autre part, d'indemniser la victime pour la perte (temporaire ou permanente) résultant de l'impossibilité pour le propriétaire d'utiliser le bien ou de récolter les fruits qu'il générait ou la perte de profit.

A- Le coût de remplacement ou de remise en état du bien

Lorsqu'une victime perd un bien, le calcul des dommages-intérêts se révèle, en théorie du moins, assez aisé[2]. Il s'agira d'établir la valeur intrinsèque du bien.

Un élément extrêmement important et inhérent au concept de la *restitutio in integrum* est que le créancier ne peut jamais s'enrichir au moyen de dommages-intérêts. C'est pourquoi, lorsqu'il s'agit d'un bien qui n'était pas destiné à la revente ou à la spéculation, le créancier aura le droit de réclamer, en cas de perte totale, le montant suivant : le coût de remplacement du bien neuf duquel on soustrait la dépréciation[3]. Par exemple, le propriétaire

---

* Professeur à l'Université de Montréal et avocat.

1. Geneviève VINEY et Patrice JOURDAIN, *Les effets de la responsabilité civile*, 2e éd., L.G.D.J., 2001, à la p. 183. Jean-Louis BAUDOUIN et Patrice DESLAURIERS, *La responsabilité civile*, 7e éd., volume 1 – Principes généraux, Cowansville, Les Éditions Yvon Blais Inc., 2007, p. 434 et s. Le respect de cette règle impose d'ailleurs à l'auteur du préjudice de rembourser les frais d'expertise encourus par la victime afin de faire la preuve, notamment, de l'étendue du préjudice causé à ses biens. *Norbert c. Lavoie*, [1999] R.R.A. 1, REJB 1998-09285 (C.A.).

2. Il convient toutefois de signaler que les méthodes utilisées pour calculer la perte d'arbres engendrée par des coupes non autorisées semblent être à l'origine de plusieurs litiges. Voir, à titre d'exemples, *Drouin c. Laurin*, 99BE-1031 (C.S.); *Tremblay c. Hydro-Québec*, REJB 2000-19944 (C.S.); *Landry c. Gestion Montcalm Ouellet Inc.*, REJB 2003-45985 (C.S.) (requête en rétractation de jugement accueillie en partie); *Breton c. Paquette*, REJB 2004-53645 (C.Q.); *Séminaire de Québec c. Laplante*, REJB 2004-69062 (C.S.), conf. par J.E. 2005-2212, EYB 2005-98003 (C.A.); *Charest (Succession de) c. Hervé Bernier*, [2005] R.D.I. 91, EYB 2004-80705 (C.S.); *Drolet c. Louisiana-Pacific Canada Ltée*, J.E. 2005-1428, EYB 2005-92084 (C.S.) ; *Brousseau c. Giasson*, 2005BE-528, EYB 2005-86296 (C.Q.); *Bastien c. Productions Ranger (1988) Inc.*, 2005BE-493, EYB 2005-86606 (C.Q.); *Ledoux c. Poissant*, 2005BE-725, EYB 2005-91184 (C.Q.); *Paquin c. Villeneuve*, 2005BE-923, EYB 2005-90257 (C.S.); *Dionne c. Caisse populaire Desjardins de St-Pascal de Kamouraska*, 2006BE-757, EYB 2006-102912 (C.Q.); *Luengas c. Commission scolaire des Affluents*, J.E. 2006-743, EYB 2006-101140 (C.S.) (en appel); *Investissements Kars (Canada) Inc. c. Entreprises Daigle international Inc.*, EYB 2006-111297 (C.S.) (en appel); *Thibodeau c. Leduc*, EYB 2006-110904 (C.Q.); *Ferme Fritsch Inc. c. Archambault*, EYB 2007-127546 (C.Q.); *Filion c. Tardif*, 2007BE-677 (C.Q.); *Lapierre c. Aménagements forestiers Écoforêts Inc.*, J.E. 2007-614, EYB 2006-115545 (C.S.); *Leroux c. Deschênes*, 2007BE-1080 (C.Q. p.c.); *Schecter c. Hazarabedian*, J.E. 2007-243, EYB 2006-111764 (C.S.); *St-Amant c. Leduc*, J.E. 2008-1557, EYB 2008-136947 (C.Q.).

3. *Bankers & Traders Ins. Co. c. Gravel*, [1979] C.A. 13; *Éloi Bernier Inc. c. Côté*, [1991] R.R.A. 841, EYB 1991-63710 (C.A.); *St-Paul Fire & Marine Insurance Co. c. Parsons & Misiurak Construction Ltd.*, [1996] R.J.Q. 2925, REJB 1996-29283 (C.S.); *Gamma Inc. c. Sidbec Normines Inc.*, J.E. 97-623, REJB 1997-02898 (C.S.); *Gagnon c. Roger Bisson Inc.*, REJB 2004-54512 (C.S.); *Multi-Bois c. Groupe Commerce (Le), compagnie d'assurance*, 99BE-1143 (C.Q.); *Berthelot c. Tremblay*, 98BE-1184 (C.S.). *Racicot c. 2864-0928 Québec Inc.*, EYB 2005-92559 (C.S.); *Karam c. Garfield Container Transport Inc.*, J.E. 2005-1051, EYB 2005-89980 (C.S.) ; *ABB Inc. c. Domtar Inc.*, [2005] R.J.Q. 2267, EYB 2005-94020 (C.A.), J.E 2007-2243, EYB 2007-126361 (C.S.C.); *Smith c. Desjardins*, [2005] R.R.A. 1071, EYB 2005-97247 (C.A.); *Consoltex Inc. c. 155891 Canada Inc.*, J.E. 2006-2077, EYB 2006-110420 (C.A.); *Loyer c. Groupe Commerce (Le), compagnie d'assurance*, 2006BE-312, EYB 2006-101365 (C.A.); *Boulay-Leduc c. Dupuis*, 2007BE-157 (C.Q.p.c.); *Promutuel*

d'un bateau, qui possède celui-ci depuis déjà quelques années et qui voudra récupérer des dommages-intérêts de la personne qui y a mis le feu, pourra prétendre recouvrer 14 000 $ (prix de reconstruction) – 25 % (dépréciation).

La règle paraît évidente. Si le propriétaire se voyait remettre un bateau neuf alors que le sien comptait déjà trois années d'usage, il y aurait enrichissement de sa part[4]. C'est pourquoi la dépréciation doit absolument être prise en compte.

En revanche, il a été jugé que si le remplacement du bien n'apporte strictement rien à son propriétaire, en l'espèce aucun avantage économique futur, aucune dépréciation ne sera calculée[5].

Si le bien n'a été que partiellement endommagé, encore là, une somme sera allouée pour sa remise en état[6] à condition que la preuve en soit faite[7]. Toutefois, sera soustraite la portion représentant la plus-value du bien remis à neuf[8]. Si le coût de la réparation est plus élevé que la valeur intrinsèque du bien, la jurisprudence majoritaire considère plus juste de n'attribuer au créancier que la valeur du bien, à moins de circonstances spéciales qui doivent être prouvées par le créancier[9].

Par ailleurs, certains biens acquièrent de la valeur par le passage du temps, plutôt que de se déprécier. Il en va ainsi, notamment, des biens de collection. Dans cette hypothèse, c'est la valeur appréciée du bien qui sert de base de calcul à l'indemnisation[10].

B- La perte de profit résultant de la privation du bien

Le propriétaire du bien détruit ou détérioré peut obtenir, outre le coût de remplacement ou de remise en état du bien, une indemnité pour réparer le préjudice qu'a pu lui causer l'absence ou l'immobilisation du bien[11] pendant sa remise en état[12].

En effet, lorsque le bien était utilisé à des fins lucratives, le propriétaire peut recouvrer les sommes repré-sentant les profits d'exploitation dont il a été privé[13]. La jurisprudence a reconnu ce chef de préjudice à maintes reprises dans le contexte de la destruction partielle ou

Beauce c. Industrielle Alliance, compagnie d'assurances générales, [2007] R.R.A. 891, EYB 2007-125028 (C.A.); *Promutuel l'Islet S.M.A.G. c. Transport S.R.S. Inc.*, EYB 2007-124679 (C.Q.); *Rubino c. Montréal (Ville de)*, 2007BE-482 (C.Q.). En certaines circonstances, notamment lorsque la victime a fourni un apport dans la reconstruction d'un bien, le tribunal peut refuser de déprécier. *Milette c. Constructions J et G Provencher Inc.*, REJB 2000-21124 (C.S.); *Champagne c. Lauzon*, 2005BE-723, EYB 2005-90294 (C.Q.).

4.   En certaines circonstances, lorsqu'il s'agit d'immeubles, les tribunaux basent leur calcul sur le coût de reconstruction sans nécessairement tenir compte de la plus-value. Voir *Coulombe c. Montréal (Ville de)*, J.E. 96-1049, EYB 1996-83194 (C.S.); *Marché Gilbert c. Hénault et Gosselin Inc.*, J.E. 97-534, REJB 1997-02929 (C.Q.). Voir toutefois *Lupien (Succession de) c. Chelsea (Municipalité de)*, [2008] R.J.Q. 438, EYB 2008-128496 (C.S.) (en appel).

5.   *Bell Canada c. Janacek*, [1998] R.J.Q. 1625, REJB 1998-06107 (C.Q.), conf. par REJB 2001-23149 (C.A.); *Bell Canada c. Pavage A.T.G.*, REJB 2004-68140 (C.S.).

6.   *Malenfant c. Rivière-du-Loup (Ville de)*, 99BE-741 (C.S.); *Alain c. 2809630 Canada Inc.*, REJB 2002-35705 (C.S.); *Lacroix c. Richard*, REJB 2003-51902 (C.Q.); *Prévost c. Edwards*, REJB 2004-54588 (C.S.); *Tremblay c. Perrone (Succession de)*, J.E. 2006-1624, EYB 2006-106283 (C.S.), conf. par EYB 2007-126266 (C.A.); *Immeubles de l'Estuaire phase III Inc. c. Syndicat des copropriétaires de l'Estuaire Condo phase III*, EYB 2006-106372 (C.A.); *Consoltex Inc. c. 155891 Canada Inc.*, précité, note 3; *Domaine de la jeunesse (1996) Inc. c. Procureur général du Canada*, EYB 2006-114091 (C.S.); *2622-6241 Québec Inc. c. Héneault et Gosselin Inc.*, EYB 2006-111298 (C.S.); *Gagné c. Desgagné*, J.E. 2008-2156, EYB 2008-132781 (C.S.).

7.   *Construction Val d'Or Ltée c. Gestion L.R.O. (1997) Inc.*, J.E. 2006-209, EYB 2006-99819 (C.A.).

8.   *Raymond c. Constant*, [1964] B.R. 906; *A Janin Company Ltd c. J.D. Stirling Company Ltd*, [1966] B.R. 85; *Beaudouin c. Valma Construction Inc.*, [1968] C.S. 56; *Laurentide Motels Inc. c. Ville de Beauport*, (1980) 9 M.P.L.R. 184, [1986] R.J.Q. 981, EYB 1986-62456 (C.A.), [1989] 1 R.C.S. 705, EYB 1989-67763 (C.S.); *Groupe Commerce (Le), compagnie d'assurances c. Wawanesa, compagnie d'assurances*, [1995] R.R.A. 1001, EYB 1995-72503 (C.S.); *Binet c. Montréal (Ville de)*, REJB 2001-25650 (C.S.); *Vallée c. Groupe Commerce*, REJB 2002-36596 (C.S.); *Tremblay c. Tremblay*, [2005] R.R.A. 650, EYB 2005-86937 (C.Q.); *Léger c. Général Accident, compagnie d'assurances*, J.E. 2006-648, EYB 2006-102501 (C.A.). Voir toutefois *Gagné c. Desgagné*, précité, note 6, où la preuve ne révélant pas de plus-value, aucune dépréciation n'a été appliquée.

9.   *Empire Milling Co. Ltd. c. Rouleau Ltd.*, [1970] C.A. 633; *Légaré Inc. c. Morin-Giroux*, [1973] C.A. 272; *Royal Insurance Co. Ltd. c. Rourke*, [1973] C.A. 1046.

10.   *Vaillancourt c. Carbone 14*, [1999] R.J.Q. 490, REJB 1998-09955 (C.S.); *Lafontaine c. 3088-3060 Québec Inc.*, REJB 2001-24628 (C.S.); *Sherief c. Commission scolaire de la Pointe-de-l'Île*, REJB 2001-28275 (C.S.).

11.   *Coulombe c. Montréal (Ville de)*, précité, note 4; *Sports 755 Inc. c. Philips Électronique Ltée*, REJB 2001-26946 (C.S.).

12.   Quoique accessoires, ces dommages-intérêts sont loin d'être négligeables. G. VINEY et P. JOURDAIN, *op. cit.*, note 1, p. 196 à 198. Voir aussi *Moody Industries Inc. c. Boiler Inspection and Insurance Co. of Canada*, 2004BE-958 (C.S.), [2006] R.R.A. 556, EYB 2006-107158 (C.A.).

13.   *Marcotte c. Refrigeration Climat Technic Inc.*, 99BE-418 (C.S.); *Bonin c. Semico Inc.*, REJB 2000-19660 (C.S.); *Milette c. Constructions J et G Provencher Inc.*, précité, note 3; *Landry c. Gestion Montcalm Ouellet Inc.*, précité, note 2; *Gagnon c. Roger Bisson Inc.*, précité, note 3; *Lafaille & Fils (1975) Ltée c. Habitations d'Angoulême*, 2002BE-714 (C.S.), EYB 2005-98507 (C.A.); *Smith c. Desjardins*, précité, note 5; *COOP des Cantons c. Ferme Brogali Inc.*, 2006BE-217 (C.Q.); *Moody Industries Inc. c. Boiler Inspection and Insurance Co. of Canada*, précité, note 12; *Club de tir L'Acadie c. Brossard (Ville de)*, [2007] R.R.A. 960, EYB 2007-124152 (C.S.); *Ferme Gérald Huot Inc. c. Production Péjobel Inc.*, J.E. 2007-1746, EYB 2007-119222 (C.Q.); *Moutinho c. Montréal (Ville de)*, EYB 2007-118421 (C.Q.); *Procureur général du Québec c. Cloutier*, J.E. 2007-1628, EYB 2007-121908 (C.Q.).

complète de plusieurs biens, tel de l'engrais[14], un hélicoptère[15], un autorail[16], un hôtel[17], un avion[18], un immeuble commercial ou son contenu[19], etc.[20]

On compensera également les frais de déplacement raisonnables engagés pour récupérer le bien[21] et les travaux de nettoyage[22].

Évidemment, le propriétaire ne doit pas indûment prolonger les délais de remise en état. S'il le fait, on lui reprochera de ne pas avoir minimisé son préjudice et d'y avoir contribué en partie (art. 1479 C.c.Q.)[23].

Par ailleurs, si la victime prouve que le bien détruit était destiné à la revente et avait une valeur supérieure en raison du prix du marché ou de l'intérêt d'un tiers dans son acquisition, cette perte de profit potentiel doit être indemnisée. Par exemple, dans une affaire de saisie pratiquée sur des denrées périssables (le huissier avait placé les poissons saisis dans un camion non réfrigéré), la Cour supérieure, après avoir constaté l'agissement fautif du huissier, le condamne à indemniser le demandeur pour la perte de valeur des biens au moment de la saisie ainsi que pour la perte de profits qui auraient pu être réalisés lors de la vente de ces denrées[24].

Il s'agit simplement de l'application particularisée de l'article 1611 C.c.Q., qui édicte que les dommages-intérêts dus au créancier comprennent à la fois la perte qu'il a subie et le gain dont il est privé.

2- Le préjudice moral

La perte d'un bien, outre l'aspect matériel que comporte sa réparation, peut entraîner pour la victime un préjudice moral se traduisant par des pertes non pécuniaires. Par exemple, la perte d'un animal peut s'avérer source d'ennui, d'embarras, de tristesse, qu'il convient de réparer[25] (modestement).

Également, des dommages-intérêts sont souvent réclamés pour compenser les inconvénients et la perte de jouissance liés aux conséquences de la destruction complète ou partielle d'un bien[26].

14. *Filteau (succession de) c. Rodrigue*, [1994] R.R.A. 195 (C.Q.).
15. *Trans-Quebec Helicopters Ltd. c. Heirs of the Estate of the Late David Lee*, [1980] C.A. 596. Dans cette affaire pour le moins inusitée, la compagnie d'hélicoptères a obtenu des dommages-intérêts à la suite d'un préjudice matériel causé à un hélicoptère lors d'un accident au cours duquel le *de cujus* imprudent fut tué par l'hélice de l'engin.
16. *Canadien Pacifique Ltée c. Jean-Marc Henri Inc.*, [1977] C.S. 890.
17. *Laurentide Motels Inc. c. Ville de Beauport*, précité, note 8.
18. *The Eagle Star Insurance Co. c. Hydro-Québec*, [1988] R.R.A. 249 (C.P.).
19. *Côté c. Éloi Bernier Inc.*, [1989] R.R.A. 100 (C.S.), conf. par [1991] R.R.A. 841, EYB 1991-63710 (C.A.); *Gatehouse Lasalle Inc. c. Trans-Canada Freezers*, [1992] R.R.A. 113, EYB 1992-57219 (C.A.); *Christopoulos c. Restaurant Mazurca Inc.*, [1998] R.R.A. 334, REJB 1998-05385 (C.A.); *Sports 755 Inc. c. Philips Electronique Ltée*, précité, note 11; *9021-2648 Québec Inc. c. Bourbeau-Gauthier*, REJB 2002-35743 (C.S.); *Gagné c. Desgagné*, précité, note 6.
20. *Ethier c. Bouchette (Municipalité de)*, J.E. 99-1806, REJB 1999-14727 (C.S.) (arbres); *Archambault c. Duval*, REJB 2001-26116 (C.S.) (arbres); *Pavillon Des Jardins Inc. c. Metallurgie Syca Inc.*, REJB 2001-25057 (C.Q.) (moules industriels); *Osadchuk c. Lussier*, [2006] R.D.I. 347, EYB 2006-101720 (C.Q.) (plans); *Renaud c. Hôpital vétérinaire de Hudson Inc.*, J.E. 2006-1539, EYB 2006-107754 (C.Q.) (semences animales); *Hodge c. Mongrain*, 2008BE-1088, EYB 2008-133024 (C.Q.) (taures); *Richard c. Lacroix*, 2008BE-636, EYB 2008-131039 (C.Q.) (renards).
21. Voir avec les adaptations nécessaires, *Pearl c. Investissements Contempra Ltée*, [1995] R.R.A. 1151, EYB 1995-78288 (C.S.); *Coulombe c. Montréal (Ville de)*, précité, note 4.
22. *Mercier c. Gagné*, [1998] R.R.A. 147, REJB 1997-06634 (C.S.), conf. par [1998] R.R.A. 701, REJB 1998-07067 (C.A.); *Pièces d'auto Montréal-Nord Inc. c. Montréal-Nord (Ville de)*, [1999] R.R.A. 321, REJB 1999-12041 (C.S.).
23. Voir *Bois c. Prudentielle (La), Compagnie d'assurances Ltée*, J.E. 97-1675, REJB 1997-03297 (C.S.); *2842-1733 Québec Inc. c. Allstate du Canada, compagnie d'assurances*, J.E. 98-678, REJB 1998-04516 (C.S.); *Ethier c. Bouchette (Municipalité de)*, précité, note 20; *9135-5404 Québec Inc. c. ING Insurance Company of Canada*, J.E. 2007-294, EYB 2006-112668 (C.S.); *Moutinho c. Montréal (Ville de)*, précité, note 13.
24. *Poissonnerie Bleau et Côté Inc. (in re) c. Walker*, [1986] R.R.A. 386, EYB 1986-78936 (C.S.). Voir aussi *Reliance Co. c. Ultramar Canada Inc.*, [1994] R.R.A. 665, EYB 1994-55814 (C.A.); *Plaza Rock Forest Inc. c. Girardin-Gauthier*, J.E. 96-479 (C.A.) (vol de bijoux ayant entraîné une perte de profits considérant que le tout s'était déroulé pendant la période précédant Noël); *Bélair c. Clairmont*, REJB 2004-60574 (C.S.); *Gauthier c. Côté*, 2005BE-753, EYB 2005-89700 (C.S.); *Équipements Robert Charest Inc. c. Drapeau*, [2006] R.D.I. 269, EYB 2006-101423 (C.S.).
25. *Régnier c. Gosselin*, [1978] C.P. 222; *Wilson c. 104428 Canada Inc.*, REJB 2002-33515 (C.S.); *Chalifoux c. Major*, J.E. 2006-2213, EYB 2006-107970 (C.Q.); *Bujold c. Gauthier*, 2007BE-257 (C.Q.); *Boulay-Leduc c. Dupuis*, précité, note 3. Voir également la jurisprudence colligée par Nathalie VÉZINA, « Préjudice matériel, corporel et moral : variations sur la classification tripartite du préjudice dans le nouveau droit de la responsabilité », (1993) 24 *R.D.U.S.* 161, 167; *contra* : *De Belleval c. 137888 Canada Inc.*, J.E. 99-2196, REJB 1999-15411 (C.Q.); voir aussi, dans un autre contexte, Alain ROY, « Papa, maman, bébé et ... Fido. L'animal de compagnie en droit civil ou l'émergence d'un nouveau sujet de droit », (2003) 82 *R. du B. can.* 791.
26. *St-Paul Fire & Marine Insurance Co. c. Parsons & Misiurak Construction Ltd.*, précité, note 3; *Coulombe c. Montréal (Ville de)*, précité, note 4; *Bourassa c. Germain*, [1997] R.R.A. 679, REJB 1997-01074 (C.A.); *Bird c. Deauville (Municipalité de)*, [1998] R.R.A. 735, REJB 1998-05533 (C.S.); *Larouche c. Hervé Pomerleau Inc.*, [1998] R.J.Q. 2853, REJB 1998-09114 (C.Q.); *Cinéma Astre Inc. c. Placement Domenico Inc.*, 99BE-916 (C.S.); *Milette c. Constructions J et G Provencher Inc.*, précité, note 3; *Bonin c. Semico*, précité, note 13; *Propane Frigon Inc. c. Québec (Régie de l'électricité et du gaz)*, REJB 2001-27646 (C.S.), REJB 2003-49821 (C.A.); *Prévost c. Edwards*, précité, note 6; *Drolet c. Louisiana-Pacific Canada Ltée*, précité, note 2; *Rousseau c. Tremblay*, REJB 2003-50623 (C.S.); *Ferme Fritsch Inc. c. Archambault*, précité, note 2; *Moutinho c. Montréal (Ville de)*, précité, note 13; *Schecter c. Hazarabedian*, précité, note 2. Voir aussi *Marchessault c. Bijouterie Armand Trottier*, EYB 2006-110910 (C.Q.); *Lupien (Succession de) c. Chelsea (Municipalité de)*, précité, note 4; *Rail c. Ouellette*, 2008BE-341, EYB 2008-128670 (C.Q.); *Duquette c. Aimez*, EYB 2008-137396 (C.S.).

Chapitre III

Me Patrice Deslauriers*

L'indemnisation résultant d'une atteinte à un droit de la personnalité

Les comportements répréhensibles portant atteinte aux droits de la personnalité[1] ont été analysés dans le texte de Me France Allard et nous vous y renvoyons[2]. Nous limiterons notre propos à l'évaluation du préjudice de ce qui constitue la source de la partie la plus importante du contentieux, soit l'atteinte à la réputation. Cette dernière peut être à l'origine d'un préjudice matériel et d'un préjudice moral.

1- Le préjudice matériel

En matière de diffamation, l'essentiel de la réclamation est le plus souvent constitué d'un préjudice moral[3]. Toutefois, les tribunaux n'hésitent pas, si la preuve le soutient[4], à compenser la victime pour le préjudice matériel[5].

Dans l'évaluation du préjudice matériel, aucun plafond n'est reconnu, puisque l'indemnisation doit respecter le principe fondamental de la réparation intégrale. En d'autres mots, il importe de remettre la victime dans l'état patrimonial antérieur n'eût été de la diffamation. Ainsi, l'atteinte à la réputation peut causer un manque à gagner, une perte de salaire ou de clientèle[6] qu'il conviendra de compenser. De plus, c'est en matière de diffamation que les tribunaux se montraient souvent le plus généreux pour accorder le remboursement des frais d'avocat[7] avant que la Cour d'appel ne vienne limiter les situations y donnant ouverture[8], y compris en matière d'atteinte à la répu-

---

* Professeur à l'Université de Montréal et avocat.

1. Le droit à l'intégrité physique fait également partie intégrante de cette panoplie, mais il fera l'objet d'une analyse particulière au chapitre IV du présent volume.
2. Collection de droit, volume 3, titre I, chapitre IV, « Les droits de la personnalité ».
3. Jean-Louis BAUDOUIN et Patrice DESLAURIERS, *La responsabilité civile*, 7e éd., volume 1 – Principes généraux, Cowansville, Les Éditions Yvon Blais Inc., 2007, p. 553-554.
4. *Delfosse c. Paquette*, REJB 1997-02985 (C.S.); *Voltec Ltée c. CJMF FM Ltée*, REJB 2002-34227 (C.A.); *Commission scolaire des Navigateurs c. Fortin*, [2007] R.R.A. 674, EYB 2007-122205 (C.S.); *Perreault c. Shain*, 2007BE-519, EYB 2007-116919 (C.S.).
5. Si la preuve est faite de l'existence d'une atteinte illicite et intentionnelle, le tribunal peut, en outre, condamner le défendeur à payer des dommages punitifs (art. 4 et 49 de la *Charte des droits et libertés de la personne*, L.R.Q., c. C-12). Voir à ce sujet, J.-L. BAUDOUIN et P. DESLAURIERS, *op. cit.*, note 3, p. 380 et s.
6. *Samuelli c. Jouhannet*, [1994] R.J.Q. 152, REJB 1993-75731 (C.S.), conf. par [1996] R.R.A. 571, REJB 1997-00940 (C.A.); *Dorion c. Entreprises Télé-Capitale Ltée*, Division CHRC, [1995] R.J.Q. 1230, EYB 1995-72702 (C.S.); *Botiuk c. Toronto Free Press Publications Ltd.*, [1995] 3 R.C.S. 3, EYB 1995-67440; *Cassivi-Lefebvre c. Piquemal*, [1992] R.R.A. 612, EYB 1992-75020 (C.S.); *Proulx c. Procureur général du Québec*, [2001] 3 R.C.S. 9, REJB 2001-26159, conf. [1997] R.J.Q. 2516, REJB 1997-08462 (C.S.); *Publisystème Inc. c. Procureur général du Québec*, REJB 1999-11356 (C.S.), conf. REJB 2002-27911 (C.A.); *André c. Procureur général du Québec*, REJB 1999-14394 (C.S.), REJB 2003-38269 (C.A.); *Boivin c. Cadrin et Fleury Pharmaciens*, 2001BE-998 (C.S.); *9078-0669 Québec Inc. c. Gravel*, REJB 2001-27221 (C.S.); *Gilles E. Néron Communication Marketing Inc. c. Chambre des notaires du Québec*, REJB 2000-18450 (C.S.); REJB 2002-34710 (C.A.), [2004] 3 R.C.S. 95; *Guitouni c. Société Radio-Canada*, REJB 2000-20329 (C.S.), REJB 2002-34713 (C.A.); *Corriveau c. Vachon*, REJB 2001-22047 (C.S.), conf. en partie par REJB 2003-38380 (C.A.); *2865-9944 Québec Inc. c. Papadopoulos*, REJB 2002-34992 (C.S.); *Buchwald c. 2640-7999 Québec Inc.*, REJB 2003-47803 (C.S.); *Fondation québécoise du cancer c. Patenaude*, J.E. 2004-944, REJB 2004-60183 (C.S.); J.E. 2007-38, EYB 2006-111467 (C.A.); *Taillefer c. Air Transat AT Inc.*, J.E. 2005-669, EYB 2005-86252 (C.S.); J.E. 2006-249, EYB 2006-99818 (C.A.); *Club de tir L'Acadie c. Brossard (Ville de)*, EYB 2007-124152 (C.S.); *Dorais c. Couture*, J.E. 2008-882, EYB 2008-131089 (C.S.); *Dubois c. Robert*, J.E. 2008-1128, EYB 2008-132279 (C.S.) (en appel).
7. *Lebeuf c. Association des propriétaires du Lac Doré*, REJB 1997-01597 (C.S.); *Montréal Gazette Ltd. (The) c. Snyder*, [1983] C.A. 604, 617 et s., inf. pour d'autres motifs [1988] 1 R.C.S. 494, EYB 1988-67848; *Barou c. Micro-boutique éducative Inc.*, [1999] R.J.Q. 2659, REJB 1999-14369 (C.S.); *Darke c. Moullas*, REJB 1999-13436 (C.S.), conf. par 2007 QCCA 1752 (C.A.); *Bélisle-Heurtel c. Tardif*, REJB 2000-20086 (C.S.); *9078-0669 Québec Inc. c. Gravel*, précité, note 6; *Lecompte c. Allard*, REJB 2001-24601 (C.S.); *2865-9944 Québec Inc. c. Papadopoulos*, précité, note 6; *Graf c. Duhaime*, REJB 2003-44146 (C.S.); *C. (C.-A.) c. Breton*, REJB 2003-38966 (C.S.); *Michaud c. Gauthier*, J.E. 2006-1073, EYB 2006-103405 (C.S.).
8. *Viel c. Entreprises immobilières du terroir Ltée*, REJB 2002-31662 (C.A.); *Lecours c. Desjardins*, REJB 2002-31982 (C.A.), inf. sur ce point REJB 1999-14172 (C.S.); *Société Radio-Canada c. Gilles E. Néron Communication Marketing Inc.*, REJB 2002-34710 (C.A.), inf. sur ce point REJB 2000-18450 (C.S.); [2004] 3 R.C.S. 95 (la Cour suprême ne se prononce pas sur ce point); *Société Radio-Canada c. Guitouni*, REJB 2002-34713 (C.A.), inf. sur ce point REJB 2000-20329 (C.S.). Voir à ce sujet, J.-L. BAUDOUIN et P. DESLAURIERS, *op. cit.*, note 3, p. 345 et s.; Adrian POPOVICI, « Le sort des honoraires extrajudiciaires », (2002) 62 *R. du B.* 53, EYB2002RDB62. Voir aussi : Robert P. CHARLTON, « Les honoraires extrajudiciaires : où en sommes-nous et où devrions-nous être ? », dans *Développements récents sur les abus de droit*, Service de la formation permanente du Barreau du Québec, 2005, volume 231, 1 et Chantal PERREAULT et François BEAUDRY, « Récents développements en matière d'abus de droit : où en sommes-nous », dans *Développements récents sur les abus de droit*, Service de la formation permanente du Barreau du Québec, 2005, volume 231, 289, 434 et s.; C.M. TREMBLAY, « L'abus de procédures : quand la limite est franchie, qui sera responsable ? », dans Service de la formation permanente, Barreau du Québec, vol. 231, *Développements*

tation[9]. Les coûts de certains soins, notamment de psycho-thérapie, seront également compensés[10].

2- Le préjudice moral

L'analyse du préjudice moral résultant d'une atteinte à la réputation présente certaines difficultés inhérentes[11]. Il s'agit en fait de « réparer l'irréparable ». Les tribunaux, conscients de la complexité de la question et désireux de ne pas monnayer la souffrance, ont réagi de façon très conservatrice en octroyant aux victimes des sommes souvent minimes. Peu à peu toutefois, on remarque une augmentation significative des sommes accordées[12].

Lorsque la trilogie a établi le plafond dans les situations de pertes non pécuniaires résultant d'un préjudice corporel[13], la question s'est posée en common law de savoir si ce plafond était applicable dans l'hypothèse d'une atteinte à la réputation. Certains estimaient que l'analogie était possible[14]; en revanche, d'autres s'y opposaient[15].

En droit civil, une dissidence avait consacré l'existence d'un plafond[16]. Toutefois, deux arrêts issus de pourvois de common law allaient relancer le débat.

Dans les affaires Hill[17] et Botiuk[18], il était question de savoir s'il convenait d'instaurer un plafond pour la réparation des pertes non pécuniaires dans le contexte d'une atteinte à la réputation. Nous traiterons ici de l'arrêt Hill,

puisque l'affaire Botiuk constitue surtout[19] la réitération des mêmes principes.

Les faits sont les suivants. M. Hill, procureur de la Couronne, était chargé d'un dossier pénal impliquant l'Église de scientologie. Cette dernière l'accusa avec acharnement[20] de ne pas avoir respecté sa parole, de l'avoir trompée, d'inconduite professionnelle et d'outrage au tribunal.

Une poursuite fut alors intentée au terme de laquelle un jury ontarien condamna l'Église de scientologie à payer à M. Hill les sommes suivantes : 300 000 $ en guise de compensation pour le préjudice moral, 500 000 $ à titre de dommages aggravés et 800 000 $ comme dommages exemplaires. Ce jugement fut confirmé par le juge et par la Cour d'appel. Il y eut alors un pourvoi à la Cour suprême pour déterminer si les sommes accordées étaient déraisonnables et, de façon incidente, si un plafond devait être appliqué en matière d'atteinte à la réputation.

Dans un arrêt unanime, la cour rejette catégoriquement la fixation d'un plafond en matière d'atteinte à la réputation :

« On ne devrait imposer aucun maximum aux dommages-intérêts accordés en matière de diffamation. Premièrement, le tort subi par un demandeur du fait de déclarations fausses et injurieuses est complètement différent des dommages non pécuniaires subis par le demandeur dans une affaire de blessures corporelles.

---

récents sur les abus de droit, Cowansville, Les Éditions Yvon Blais Inc., 2005, p. 453; V. KARIM, « La réclamation des honoraires extrajudiciaires : évolution ou régression? », dans A. RIENDEAU (dir.), Dire le droit : pour qui et à quel prix?, Montréal, Wilson & Lafleur, 2005, p. 161; R.P. CHARLTON, « Le pouvoir constitutionnel de la Cour supérieure du Québec d'accorder des honoraires extrajudiciaires à titre de dépens », dans Service de la formation permanente, Barreau du Québec, vol. 255, Les dommages en matière civile et commerciale, Cowansville, Les Éditions Yvon Blais Inc., 2006, p. 481.

9. Hrtschan c. Montréal (Ville de), REJB 2004-55545 (C.A.); Fernandez c. Marineau, J.E. 2005-1612, EYB 2005-93157 (C.S.); Métromédia CMR Montréal Inc. c. Johnson, J.E. 2006-396, EYB 2006-100768 (C.A.); Larose c. Fleury, J.E. 2006-1677, EYB 2006-108961 (C.A.); Fondation québécoise du cancer c. Patenaude, précité, note 6; Fillion c. Chiasson, EYB 2007-118706 (C.A.); Deschênes c. Desjardins, J.E. 2007-1349, EYB 2007-121042 (C.A.). Il pourrait toutefois être argué qu'en matière de diffamation, les honoraires extrajudiciaires ayant pour effet de minimiser l'impact des effets néfastes de l'atteinte à la réputation, ils ont donc un lien direct. Voir à cet égard la dissidence très intéressante du juge Beauregard dans Hrtschan c. Montréal (Ville de), REJB 2004-55545 (C.A.). Pour des illustrations d'abus d'ester en justice dans un contexte de diffamation, voir Elomari c. Agence spatiale canadienne, REJB 2004-71556 (C.S.); Leblond c. Régie de l'assurance maladie du Québec, J.E. 2006-183, EYB 2005-98103 (C.S.); Lac Bouchette (Municipalité) c. Boulianne, REJB 2004-80044 (C.S.).
10. Publisystème Inc. c. Procureur général du Québec, précité, note 6.
11. Dans le contexte des pertes non pécuniaires consécutives à une atteinte corporelle, un auteur parle de leur évaluation comme d'une « mission impossible » : Daniel GARDNER, L'évaluation du préjudice corporel, Cowansville, Les Éditions Yvon Blais Inc., 2002, p. 230, EYB2002EPC11.
12. Ainsi, le premier jugement accordant une somme plus élevée fut l'arrêt Fabien c. Dimanche-Matin Ltée, [1979] C.S. 928, J.E. 83-971 (C.A.). L'arrêt Snyder c. Montreal Gazette, [1988] 1 R.C.S. 494, EYB 1988-67848, fut également révélateur d'un changement d'attitude. D'ailleurs, au Québec à ce jour et en valeur absolue, c'est dans l'affaire Snyder que la plus haute condamnation a été octroyée.
13. Voir infra, chapitre IV – L'indemnisation du préjudice corporel.
14. Munro c. Toronto Sun Publishing Corp., (1983) 39 O.R. (2d) 100 (H.C.).
15. J.R. MORSE, « The Application of Personal Injury Damage Principles to Libel and Slander Cases – Case Comment on Munro v. The Toronto Sun », (1983) 23 C.C.L.T. 52.
16. Snyder c. Montreal Gazette, précité, note 12. Le juge Lamer le fixe à 50 000 $, soit une somme équivalant à la moitié du plafond reconnu pour les blessures corporelles (à la p. 510). Cette dissidence fut approuvée par certains auteurs. Voir Jean-Louis BAUDOUIN, « Chronique de droit civil québécois : session 1987-88 », (1989) 11 S.C.L.R. 233, 236; Rosalie JUKIER, « Non-Pecuniary Damages in Defamation Cases », (1989) 49 R. du B. 3, 16.
17. Hill c. Église de scientologie, [1995] 2 R.C.S. 1130, EYB 1995-68609.
18. Botiuk c. Toronto Free Press Publications Ltd., précité, note 6.
19. Id. Dans cet arrêt, on traite aussi des dommages économiques spéciaux qu'il convient évidemment de réparer intégralement.
20. L'Église maintenait ses accusations, même après avoir été condamnée en première instance : Hill c. Église de scientologie, précité, note 17, p. 1150 et 1151.

Dans ce dernier cas, le demandeur reçoit une compensation pour chaque aspect de la blessure subie : la perte de revenu passée et future, le coût des soins médicaux passés et futurs, de même que des dommages-intérêts non pécuniaires. Deuxièmement, à l'époque où le plafond a été fixé à l'égard des dommages-intérêts non pécuniaires, leur évaluation était devenu (sic) un problème aigu pour les tribunaux et la société en général. [...] L'ampleur et la disparité des évaluations avaient un impact sur les primes d'assurance et, par le fait même, sur le coût d'opération des véhicules à moteur et, en fait, sur des entreprises de toutes sortes partout au pays. Dans ces circonstances, pour ce seul aspect du recouvrement, il convenait de fixer un plafond. [...]

Il existe une énorme différence dans la nature du préjudice causé par la diffamation et celui causé par la négligence. La diffamation est la publication intentionnelle d'une déclaration fausse et injurieuse. [...] En revanche, les blessures corporelles résultent d'une négligence qui ne provient ordinairement pas du désir de blesser le demandeur. Par conséquent, si l'auteur de la diffamation connaissait à l'avance le montant des dommages-intérêts qu'il sera tenu de payer (comme dans le contexte des blessures corporelles), il pourrait considérer cette somme comme le prix maximal à payer pour être autorisé à diffamer. Un plafond aurait pour effet de modifier la nature et la fonction entières du droit de la diffamation. Il entraînerait un changement radical dans la politique et la direction des tribunaux. »[21]

Le verdict était tombé, soit le refus d'un plafond en matière de diffamation[22].

Considérons les arguments à l'appui de la décision de la Cour suprême.

Premièrement, la cour s'appuie sur l'argument selon lequel le préjudice moral est souvent la seule composante de la réparation dans les cas de diffamation, alors qu'elles ne sont souvent qu'un des aspects de la réparation dans les situations d'atteinte à l'intégrité physique. Or, à notre avis, il s'agit tout simplement d'une des conséquences du principe sacro-saint de la « restitution intégrale ».

Deuxièmement, la cour exprime sa crainte que l'imposition d'un plafond puisse se traduire par un « permis de diffamer », l'auteur de l'atteinte sachant d'avance l'importance de sa condamnation. À notre avis, il n'en est rien, puisqu'un permis de diffamer impliquerait nécessairement une atteinte intentionnelle qui se traduirait probablement, en droit civil et en common law, par l'octroi de dommages exemplaires. En raison de cette condamnation possible à des dommages exemplaires, il nous paraît hautement improbable de considérer que la fixation d'un plafond en matière de diffamation se traduirait par la fixation d'un prix pour diffamer.

Troisièmement, la cour indique qu'il n'est pas nécessaire de fixer de plafond, puisque les décisions recensées en matière de diffamation ne font pas état d'un problème particulier de surindemnisation (l'indemnité moyenne octroyée par les tribunaux était à l'époque du jugement, selon la cour, de 25 000 $), comme c'était le cas en 1978 en matière de préjudice corporel.

Avec respect pour la Cour suprême, nous estimons que, s'il n'y avait pas de problème de cet ordre à l'époque, en raison de l'importance des sommes obtenues par M. Hill, cette surenchère de la valeur d'une réputation risque d'occasionner une augmentation substantielle du nombre de poursuites et surtout des sommes réclamées.

Finalement, on peut se demander comment on peut décider que des souffrances causées par une atteinte à la réputation équivalent à celles consécutives à une atteinte à l'intégrité physique.

Quant à nous, il nous semble que plusieurs facteurs militent en faveur d'une cohérence plus grande, à savoir qu'on opte pour le principe de l'application d'un plafond qui vaille autant pour l'atteinte à la réputation que pour l'atteinte à l'intégrité physique, ou de son rejet dans les deux cas. Ce qui importe, c'est qu'il y ait une cohérence dans le traitement réservé aux différentes conséquences non pécuniaires des deux atteintes. À cet égard, nous croyons que le plafond lié aux blessures devrait être plus élevé que celui établi pour l'atteinte à la réputation[23], pour les raisons suivantes[24].

---

21. *Id.*, p. 1197 à 1199 (soulignés dans le texte).

22. Certains auteurs sont d'avis que les principes établis par la Cour suprême seraient également applicables aux poursuites pour violence sexuelle et conjugale : Nathalie DES ROSIERS et Louise LANGEVIN, *L'indemnisation des victimes de violence sexuelle et conjugale*, Cowansville, Les Éditions Yvon Blais Inc., 1998, p. 168.

23. Voir en ce sens, R. JUKIER, *loc. cit.*, note 16, p. 16.

24. *Id.*, p. 10 et s., pour une analyse de ces arguments. Voir aussi sur la question : Gérald R. TREMBLAY, « Combien vaut votre réputation? », dans *Développements récents sur les abus de droit*, Service de la formation permanente du Barreau du Québec, 2005, volume 231, p. 171.

Premièrement, le caractère temporaire du préjudice moral dans les cas de diffamation. Même s'il est exact de prétendre qu'une atteinte à la réputation entraîne des conséquences importantes, il convient de souligner que, dans l'hypothèse de blessures corporelles, elles sont tout aussi indélébiles.

Deuxièmement, le jugement rendu a un effet réparateur sur la personne diffamée[25], surtout s'il est publié[26]. Évidemment, cet aspect est de moindre importance pour les grands blessés.

Troisièmement, la diffamation met en opposition le droit à la réputation et des valeurs démocratiques importantes, telles la liberté de presse et la liberté d'expression[27].

Il faut aussi signaler qu'un des arguments soulevés par la cour est inapplicable dans un contexte de droit civil.

En effet, la Cour suprême précise qu'en common law « la diffamation est la publication intentionnelle d'une déclaration fausse et injurieuse », ce qui n'est pas le cas en droit civil, puisque la publication, même jugée négligente, peut entraîner la responsabilité de son auteur[28].

Soulignons finalement qu'une décision entérine le principe édicté dans l'arrêt *Hill* et conclut à l'inexistence d'un plafond au Québec[29].

De toute façon, les juges civilistes ont généralement fait preuve de retenue, sauf, évidemment, dans l'affaire *Snyder*[30]. Même si les sommes réclamées dans les poursuites sont substantielles, les jugements dépassent rarement les dizaines de milliers de dollars[31].

L'influence de l'arrêt *Hill* s'est néanmoins fait sentir et a engendré une hausse des indemnisations[32]. Cela n'est

---

25. *Payette c. Beaulieu*, [1994] R.R.A. 267, EYB 1994-73311 (C.S.); *Fontaine c. Syndicat des employés d'Hydro-Québec (Section locale 1560)*, EYB 2004-71383 (C.S.); *Alta Mura Construction Inc. c. Tyco International du Canada Ltée*, EYB 2008-134111 (C.S.). Dans une décision, le tribunal « suggère » fortement de faire circuler la décision dans le milieu de travail afin de rétablir la réputation du demandeur. Voir *Williams c. Arthur*, J.E. 98-2351 (C.S.), REJB 2002-34225, REJB 2002-34226 (C.A.). Voir toutefois *Elomari c. Agence spatiale canadienne*, précité, note 9.

26. Cette condamnation est d'ailleurs utilisée par les tribunaux et constitue une façon de tendre vers la réparation la plus intégrale possible. *Snyder c. Montreal Gazette*, précité, note 12. Voir aussi *Fleury c. Larose*, J.E. 2003-1545, REJB 2003-45471 (C.S.); *Larose c. Fleury*, précité, note 9.

27. Voir, à ce sujet, les commentaires du juge Lamer (dissident) dans *Snyder c. Montreal Gazette*, précité, note 12, p. 510. Voir aussi *Ouellet c. Matane (Ville de)*, REJB 2002-35708 (C.S.); *Radiomutuel Inc. c. Savard*, REJB 2002-36079 (C.A.); *Johnson c. Arcand*, précité, note 7; *Prud'homme c. Prud'homme*, [2002] 4 R.C.S. 663, REJB 2002-36356; *Lafferty, Harwood & Partners c. Parizeau*, REJB 2003-48921 (C.A.); *Duhaime c. Mulcair*, J.E. 2005-872, EYB 2005-86973 (C.S.); *Frappier c. Contant*, J.E. 2005-1689, EYB 2005-94625 (C.A.); *Confédération des syndicats nationaux c. Jetté*, J.E. 2006-129, EYB 2005-99095 (C.A.); *Hôpital général juif – Sir Mortimer B. Davis c. Hazan*, J.E. 2006-984, EYB 2006-102687 (C.S.).

28. J.-L. BAUDOUIN et P. DESLAURIERS, *op. cit.*, note 3, p. 262 à 271. Pour une analyse sur la distinction entre le régime civiliste et celui de la common law en matière de diffamation, voir Jean-Denis ARCHAMBAULT, *Le droit (et sa répression judiciaire) de diffamer au Québec*, Cowansville, Les Éditions Yvon Blais Inc., 2008; voir aussi *Prud'homme c. Prud'homme*, précité, note 27; *Lafferty, Harwood & Partners c. Parizeau*, précité, note 27.

29. *Proulx c. Procureur général du Québec*, précité, note 6.

30. Après avoir reçu 135 000 $ du journal *The Gazette*, M. Snyder obtint la condamnation d'autres codéfendeurs. Avec les intérêts, il a reçu, en réparation de son préjudice moral, une somme avoisinant les 500 000 $.

31. Soulignons, qu'en l'absence de preuve d'un préjudice réel causé par les propos diffamatoires, certains juges ont octroyé, à titre de préjudice moral, une somme symbolique au demandeur. Voir *Lavoie c. Distraction Formats 2000 Inc.*, REJB 2003-45140 (C.S.), (1 $); *Durand c. Hydro-Québec*, REJB 2002-29633 (C.S.), (200 $); *Société de Gestion Robert Trudel Inc. c. Banque Nationale du Canada*, REJB 2003-40602 (C.S.), *Frappier c. Contant*, J.E. 2005-1689 (C.A.) (1 000 $); *Millette c. Therrien*, J.E. 2005-1226, EYB 2005-91784 (C.A.) (1 500 $); *Landry c. Samson*, J.E. 2005-2140, EYB 2005-96155 (C.S.) (5 000 $); *Boivin c. Tremblay*, J.E. 2006-1717, EYB 2006-107963 (C.S.) (1 000 $); *Largy c. Murray*, J.E. 2007-191, EYB 2006-111878 (C.S.) (5 000 $); *9047-0634 Québec Inc. c. Corporation Sun Media*, [2007] R.R.A. 935, EYB 2007-123885 (C.S.) (en appel) (10 000 $); *Club de tir L'Acadie c. Brossard (Ville de)*, précité, note 5 (5 000 $); *Immobilier AGP, société en commandite c. 3139808 Canada Inc.*, EYB 2006-111955 (C.S.) (1 000 $); *Ladouceur c. Gérard*, [2007] R.R.A. 376, EYB 2007-117451 (C.S.) (1 000 $); *Mahé c. Martel*, [2007] R.D.F. 504, EYB 2007-118762 (C.S.) (5 000 $); *Martin c. Vignaud*, J.E. 2008-44, EYB 2007-125094 (C.S.) (9 000 $); *Vary c. Vary*, J.E. 2007-1557, EYB 2007-122374 (C.S.) (7 000 $); *Pakdel c. Garneau*, 2008BE-1119, EYB 2008-145589 (C.Q.); *Beaudoin c. Deschamps*, EYB 2008-150603 (C.S.) (200 $). En matière d'atteinte à la réputation d'une personne morale, on a récemment jugé que « Les dédommagements accordés par les tribunaux en réparation de l'atteinte à la réputation d'une personne morale sont sensiblement moins élevés que ceux qu'ils accordent à une personne physique. En effet, contrairement à une personne physique, une personne morale ne peut éprouver son préjudice d'une manière subjective. Elle ne possède ni fierté, ni sentiments. Elle ne peut être humiliée, ni autrement blessée ou froissée. » : *Club de tir L'Acadie c. Brossard (Ville de)*, précité, note 5.

32. Voir *Samuelli c. Jouhannet*, précité, note 6; *Rizzuto c. Rocheleau*, [1996] R.R.A. 448, EYB 1996-84880 (C.S.); *Proulx c. Procureur général du Québec*, précité, note 6; *Williams c. Arthur*, précité, note 25; *Barrière c. Filion*, REJB 1999-11451 (C.S.); *Lizotte c. RBC Dominion Valeurs mobilières Inc.*, [1999] R.J.Q. 2877, REJB 1999-15128 (C.S.); *Publisystème Inc. c. Procureur général du Québec*, précité, note 6; *André c. Procureur général du Québec*, précité, note 6; *Emery c. Richer*, REJB 1999-12321 (C.S.), REJB 2003-46177 (C.A.); *Roy c. Desrosiers*, 2000BE-325, REJB 2000-16435 (C.S.); *Gilles E. Néron Communication Marketing Inc. c. Chambre des Notaires du Québec*, précité, note 6; *Guitouni c. Société Radio-Canada*, précité, note 6; *Perron c. Procureur général du Québec*, REJB 2000-20290 (C.S.); *Leblanc c. Turpin*, REJB 2001-25792 (C.S.); *Campbell c. Hrtschan*, REJB 2001-23198 (C.S.), REJB 2004-55545 (C.A.); *Lafferty, Harwood & Partners c. Parizeau*, précité, note 27; *Croix brisée du Québec c. Réseau de télévision TVA*, REJB 2004-54361 (C.S.); *Leblond c. Régie de l'assurance maladie du Québec*, précité, note 9; *Chiasson c. Fillion*, EYB 2005-88662, EYB 2007-118706 (C.S.) (C.A.); *Duhaime c. Mulcair*, EYB 2005-86973 (C.S.); *Taillefer c. Air Transat AT Inc.*, précité, note 6; *Association québécoise de l'industrie du disque, du spectacle et de la vidéo c. Genex Communications Inc.*, J.E. 2007-1511 (C.S.) (en appel) (150 000 $); *Commission scolaire des Navigateurs c. Fortin*, précité, note 4 (50 000 $); *Jobin c. Fillion*, J.E. 2008-390, EYB 2007-128948 (C.S.) (100 000 $); *Pelletier c. Procureur général du Canada*, EYB 2007-126472 (C.S.) (en appel) (100 000 $); *Abou-Khalil c. Diop*, J.E. 2008-1266, EYB 2008-133386 (C.S.) (en appel) (100 000 $). Toutefois, dans l'arrêt *Gazette (The), Division Southam Inc. c. Valiquette*, [1997] R.J.Q. 30, EYB 1996-65651 (C.A.), conf. [1991] R.J.Q. 1025 (C.S.), la Cour d'appel confirme l'octroi d'une indemnité de 30 000 $ même si elle la juge modeste, compte tenu des arrêts de la Cour suprême.

pas mauvais en soi, à la condition, selon nous, que l'on ne s'écarte pas des paramètres proposés par le juge Lamer[33].

Terminons sur cet aspect en soulignant certains facteurs qui influent sur l'évaluation de l'indemnité[34].

Il s'agit, notamment de la réputation préalable du demandeur[35], de la contribution de la victime par sa conduite[36], de la gravité des propos diffamants[37], de l'ampleur de la diffusion[38] du fait que le cercle s'avère ciblé[39] et de la permanence des effets[40]. Finalement, une rétractation, même

---

33. *Snyder c. Montreal Gazette*, précité, note 12, p. 510.

34. Voir sur cette question J.-L. BAUDOUIN et P. DESLAURIERS, *op. cit.*, note 3, p. 262 et s., et 551 et s.; R. JUKIER, *loc. cit.*, note 16; Christine BISSONNETTE, *La diffamation civile en droit québécois*, mémoire de maîtrise, Université de Montréal, 1983 et G. R. TREMBLAY, « Combien vaut votre réputation? », précité, note 24, 171, 184 et s. Pour des décisions résumant les conditions relatives à l'octroi de dommages, voir les décisions *Fabien c. Dimanche-Matin*, précité, note 12 et *Graf c. Duhaime*, précité, note 7.

35. *Corriveau c. Speer*, REJB 1998-09597 (C.S.), conf. par REJB 2001-25352 (C.A.); *Guitouni c. Société Radio-Canada*, précité, note 6; *Samuelli c. Jouhannet*, précité, note 6; *Rizzuto c. Rocheleau*, précité, note 32; *André c. Procureur général du Québec*, précité, note 6; *Descôteaux c. La Presse*, REJB 2002-32701 (C.S.), REJB 2004-66412 (C.A.); *Voltec Ltée c. CJMF FM Ltée*, précité, note 4; *Johnson c. Arcand*, précité, note 7; *Radiomutuel c. Savard*, précité, note 27; *Bertrand c. Proulx*, REJB 2002-32150 (C.S.); *Caron c. Rassemblement des employés techniciens ambulanciers du Québec (R.E.T.A.Q.)*, REJB 2003-40008 (C.S.), conf. sur ce point par REJB 2004-61201 (C.A.); *Fleury c. Larose*, précité, note 7; *Robidas c. Parent*, REJB 2003-47862 (C.A.); *Bélisle-Heurtel c. Tardif*, REJB 2000-20086 (C.S.); *Jobin c. Fillion*, précité, note 32; *Morin c. St-Martin*, précité, note 31; *Pelletier c. Procureur général du Canada*, précité, note 32; *Perreault c. Shain*, précité, note 4; *Sofio c. Messier*, J.E. 2008-480, EYB 2008-128591 (C.S.); *Abou-Khalil c. Diop*, précité, note 32.

36. *Fernandez c. Marineau*, EYB 2005-93157 (C.S.).

37. *Centre de psychologie préventive et de développement humain G.S.M. Inc. c. L'imprimerie populaire Ltée*, [1997] R.R.A. 376, REJB 1997-00095 (C.S.), conf. par [1999] R.R.A. 17, REJB 1999-10604 (C.A.); *Delfosse c. Paquette*, précité, note 4; *Publisystème Inc. c. Procureur général du Québec*, précité, note 6; *André c. Procureur général du Québec*, précité, note 6; *Guitouni c. Société Radio-Canada*, précité, note 6; *Perron c. Procureur général du Québec*, précité, note 32; *Paquet c. Rousseau*, [1996] R.R.A. 1156, EYB 1996-85087 (C.S.); *Corriveau c. Vachon*, précité, note 6; *Lecours c. Desjardins*, précité, note 8; *Bertrand c. Proulx*, REJB 2002-32150 (C.S.); *D.F. c. A.S.*, 2002BE-195 (C.S.); *Radiomutuel Inc. c. Savard*, précité, note 27; *Johnson c. Arcand*, précité, note 7; *Descôteaux c. La Presse*, précité, note 35; *Bureau c. Bouchard*, C.A. Montréal, n° 500-09-007335-987, 14 février 2002; *Lafferty, Harwood & Partners c. Parizeau*, précité, note 27; *Association des médecins traitant l'obésité c. Breton*, REJB 2003-43147 (C.S.); *Bélisle-Heurtel c. Tardif*, REJB 2000-20086 (C.S.); *Chiasson c. Fillion*, précité, note 32; *Taillefer c. Air Transat AT Inc.*, précité, note 6; *Duhaime c. Mulcair*, précité, note 27; *Turbide c. Hardy*, 2005BE-1077, EYB 2005-94796 (C.S.); *Voyages SPS Travel Inc. c. Markakis*, EYB 2005-96695 (C.S.); *Larose c. Fleury*, précité, note 9; *Doucet c. Normandeau*, J.E. 2006-1164, EYB 2006-103958 (C.S.); *Lacroix c. Dicaire*, J.E. 2006-128, EYB 2005-97592 (C.S.); *Michaud c. Gauthier*, précité, note 7; *Saada c. Publications Leonardo Ltée*, J.E. 2006-1855, EYB 2006-108561 (C.S.); *Association québécoise de l'industrie du disque, du spectacle et de la vidéo c. Genex Communications Inc.*, précité, note 32; *Abou-Khalil c. Diop*, précité, note 32.

38. *Radiomutuel Inc. c. Carpentier*, [1995] R.R.A. 315, EYB 1995-56090 (C.A.); *Rizzuto c. Rocheleau*, précité, note 32; *Proulx c. Procureur général du Québec*, précité, note 6; *Centre de psychologie préventive et de développement humain G.S.M. Inc. c. L'imprimerie populaire Ltée*, précité, note 37; *André c. Procureur général du Québec*, précité, note 6; *Bélanger c. Champagne*, REJB 1999-15666 (C.S.); *Guitouni c. Société Radio-Canada*, précité, note 6; *Olivier c. Association des ophtalmologistes du Québec*, REJB 2000-17335 (C.S.); *Lafferty, Harwood & Partners Ltd. c. Parizeau*, précité, note 27; *Augustin c. Nation de l'Islam du Canada*, REJB 2000-20278 (C.S.); *Perron c. Procureur général du Québec*, précité, note 32; *Gervais c. Bouffard*, REJB 2001-23322 (C.Q.); *Daigle c. Burniaux*, REJB 2001-26841 (C.S.); *Allard c. Biron*, REJB 1997-00493 (C.S.), REJB 1999-14273 (C.A.) et dossier connexe, inf. quant à la responsabilité pour le procureur général par REJB 1999-14275 (C.A.); *Beaulieu-Marquis c. Journal de Québec*, REJB 2000-16416 (C.Q.), inf. quant à la responsabilité par REJB 2002-33702 (C.A.); *Voltec Ltée c. CJMF FM Ltée*, précité, note 4; *Johnson c. Arcand*, précité, note 7; *Descôteaux c. La Presse*, précité, note 35; *Bertrand c. Proulx*, REJB 2002-32150 (C.S.); *Caron c. Rassemblement des employés techniciens ambulanciers du Québec (R.E.T.A.Q.)*, précité, note 35; *Graf c. Duhaime*, précité, note 7 et *Desjardins c. Deschênes*, J.E. 2005-1924, EYB 2005-94427 (C.S.), conf. sur ce point par J.E. 2007-1349 (C.A.) EYB 2007-121042 (C.A.); *Chiasson c. Fillion*, id.; *Duhaime c. Mulcair*, précité, note 27; *Gagné c. Matane (Ville de)*, J.E. 2005-1983; EYB 2005-95075 (C.S.); *Association régionale des trappeurs Chaudière-Appalaches c. Fédération des trappeurs gestionnaires du Québec*, J.E. 2006-1319, EYB 2006-104908 (C.S.); *Doucet c. Normandeau*, précité, note 37; *Leblond c. Régie de l'assurance maladie du Québec*, précité, note 9; *Michaud c. Gauthier*, précité, note 7; *Saada c. Publications Leonardo Ltée*, précité, note 37; *Association québécoise de l'industrie du disque, du spectacle et de la vidéo c. Genex Communications Inc.*, précité, note 32; *Ladouceur c. Gérard*, précité, note 31; *Fournier c. Clément*, [2008] R.J.Q. 2428, EYB 2008-149893 (C.S.); *Girault c. Tricots Main Inc.*, J.E. 2008-935, EYB 2008-133095 (C.S.); *Song v. Li*, EYB 2008-153521 (C.Q.). L'utilisation d'un moyen de communication puissant, comme l'internet, peut constituer un facteur aggravant : *Lacroix c. Dicaire*, EYB 2005-97592 (C.S.). Voir aussi, en matière de diffamation sur Internet : Bernard BRUN, « Le blogue : un équilibre délicat entre communication et responsabilité », dans Association du jeune barreau de Montréal, *Legal TI droit et technologies de l'information : devenir aujourd'hui, l'avocat de demain!*, Cowansville, Les Éditions Yvon Blais Inc., 2007, p. 73. Voir aussi *Abou-Khalil c. Diop*, précité, note 32.

39. *Allard c. Biron*, précité, note 38; *Des Rosiers c. Nelson*, REJB 1997-00650 (C.S.); *Barrière c. Filion*, précité, note 32; *Bélanger c. Champagne*, précité, note 38; *Bélisle-Heurtel c. Tardif*, REJB 2000-20086 (C.S.); *Parizeau c. Lafferty, Harwood & Partners Ltd.*, précité, note 27; *Mallette c. Richard*, 2001BE-999 (C.Q.); *D.F. c. A.S.*, précité, note 37; *Radiomutuel Inc. c. Savard*, précité, note 27; *Largy c. Murray*, REJB 2002-36156 (C.S.); *Gauthier c. Gauthier*, REJB 2002-31127 (C.S.); *Association québécoise de l'industrie du disque, du spectacle et de la vidéo c. Genex Communications Inc.*, précité, note 32; *Jolin c. Taxi 3000 Inc.*, J.E. 2008-1785, EYB 2008-146610 (C.S.); *Lalancette c. Beaulieu*, EYB 2008-142796 (C.Q.).

40. *Desmarais c. La Presse Ltée*, [1975] C.S. 869, [1977] C.A. 224; *Snyder c. Montreal Gazette*, précité, note 12; *Fabien c. Dimanche-Matin Ltée*, précité, note 12; *Conseil de la Nation huronne Wendat c. Picard*, [1997] R.R.A. 91, EYB 1996-85419 (C.S.), conf. par J.E. 2000-367, REJB 2000-16362 (C.A.); *Allard c. Biron*, précité, note 38; *Proulx c. Procureur général du Québec*, précité, note 6; *Gazette (The), Division Southam Inc. c. Valiquette*, précité, note 32; *Barrière c. Filion*, précité, note 32; *André c. Procureur général du Québec*, précité, note 6; *Gilles E. Néron Communication Marketing Inc. c. Chambre des Notaires du Québec*, précité, note 6; *Beaulieu-Marquis c. Journal de Québec (Le)*, précité, note 38; *Parizeau c. Lafferty, Harwood & Partners Ltd.*, précité, note 27; *Physio E.R.P. Ltée c. Delteil*, REJB 2000-21631 (C.S.). Voir aussi, *a contrario*, *Paquet c. Rousseau*, précité, note 37; *9078-0669 Québec Inc. c. Gravel*, précité, note 6; *Blanchette c. Bury*, REJB 2001-26864 (C.S.); *Leblanc c. Turpin*, précité, note 30; *Corriveau c. Vachon*, précité, note 6; *Gagnon c. Pelletier*, REJB 2002-31915 (C.S.); *Beausoleil c. Poelman*, REJB 2003-48759 (C.A.); *Chiasson c. Fillion*, précité, note 32; *Association québécoise de l'industrie du disque, du spectacle et de la vidéo c. Genex Communications Inc.*, précité, note 32; *Immobilier AGP, société en commandite c. 3139808 Canada Inc.*, précité, note 31; *Ladouceur c. Gérard*, précité, note 31; *Pelletier c. Procureur général du Canada*, précité, note 32; *Perreault c. Shain*, précité, note 4; *P.Q. c. A.L.*, [2007] R.R.A. 709 (C.S.).

faite en dehors du contexte de la *Loi sur la presse*[41], peut
avoir pour effet de diminuer les dommages-intérêts[42].

---

41. L.R.Q., c. P-19. Pour un exemple de l'impact que peut avoir une rétractation, voir *Robidas c. Parent*, précité, note 35.

42. *Lépine c. Proulx*, [1996] R.R.A. 718, EYB 1996-83224 (C.S.), conf. sur ce point par C.A. Montréal, n° 500-09-002638-963; *Collège d'enseignement général et professionnel François-Xavier Garneau c. Logiciels Danos Ltée*, [1996] R.R.A. 370, EYB 1996-84836 (C.S.); *Conseil de la Nation huronne Wendat c. Picard*, précité, note 40; *Desrosiers c. Nelson*, REJB 1997-00650 (C.S.); *Bélisle-Heurtel c. Tardif*, précité, note 39; *Falcon c. Cournoyer*, REJB 2000-15974 (C.S.); *Turbide c. Hardy*, précité, note 37; *Association régionale des trappeurs Chaudière-Appalaches c. Fédération des trappeurs gestionnaires du Québec*, précité, note 38. Il convient toutefois de noter qu'une rétractation faite hors délai ne constitue pas un moyen de défense. *Blanchette c. Bury*, précité, note 40. De plus, la rétractation doit apparaître sincère : *Association québécoise de l'industrie du disque, du spectacle et de la vidéo c. Genex Communications Inc.*, précité, note 32.

Chapitre IV

Me Patrice Deslauriers*

L'indemnisation du préjudice corporel

En matière de préjudice corporel, une constatation s'impose. Il s'agit d'évaluer quelque chose qui en fait est extrêmement difficile à mesurer. L'argent est un bien piètre substitut de la santé[1], mais on n'a pas trouvé jusqu'à maintenant de réparation plus adéquate.

Le juge devra évidemment se référer à des statistiques pour établir plusieurs éléments de son analyse : expectative de vie, salaire moyen (dans le cas d'une victime mineure). Si les statistiques sont un apport essentiel, il ne faut pas oublier qu'on peut souvent leur faire dire ce qu'on veut. Pour reprendre l'exemple donné dans une décision, si je me mets la tête dans le réfrigérateur et les pieds dans le four, la température moyenne de mon corps devrait être confortable[2], ce qui est évidemment contraire à la réalité.

Depuis la célèbre trilogie de la Cour suprême[3] qui traçait certains paramètres en matière d'indemnisation du préjudice corporel[4], il est fortement recommandé aux tribunaux, sous peine de se voir censurer en appel, de ventiler le préjudice en trois chefs distincts : le coût des soins, la perte de revenus et les pertes non pécuniaires.

Avant d'analyser ces trois composantes, nous tracerons un bref historique et nous traiterons de certains concepts importants.

1- L'évolution jurisprudentielle

Le droit commun de la responsabilité civile a toujours été la source d'un contentieux judiciaire important. Le législateur, avare de dispositions au sein du Code civil du Bas-Canada, avait ainsi accordé aux tribunaux un large pouvoir discrétionnaire, les juges ayant été investis de la charge de poser certains paramètres dans ce domaine.

Le nouveau code, même s'il codifie plusieurs principes dégagés antérieurement par la jurisprudence, laisse encore beaucoup de latitude aux tribunaux qui, en général, depuis une vingtaine d'années, s'acquittent bien de cette tâche. Mais il n'en fut pas toujours ainsi.

On peut dégager deux époques dans la jurisprudence. Avant la trilogie et après celle-ci.

Le juriste appelé à lire des décisions rendues avant 1978 pourra constater leur manque d'uniformité. À cette époque, aucune méthode rigoureuse ou scientifique n'était appliquée. De plus, la plupart des juges ne s'embarrassaient aucunement de détailler les chefs de dommages, y allant d'une estimation juste et raisonnable compte tenu des circonstances, à laquelle était soustrait de façon aléatoire un pourcentage pour tenir compte des aléas de la vie[5]. Une autre méthode consistait en une analyse fondée sur les points d'incapacité (par exemple : 1 000 $ par point d'incapacité).

Ces techniques d'analyse comportaient une part importante d'arbitraire, rendant inefficace tout contrôle par les cours d'appel, et s'avéraient souvent trop peu généreuses à l'égard des victimes.

C'est alors que fut rendue, en 1978, la célèbre trilogie de la Cour suprême[6]. Dans les trois affaires, il s'agissait de

* Professeur à l'Université de Montréal et avocat. L'auteur remercie Me Marie-Hélène Beaudoin pour son aide.
1. *Andrews c. Grand and Toy Alberta Ltd.*, [1978] 2 R.C.S. 229, 241, EYB 1978-147395.
2. Citant les constatations d'un actuaire, le juge Letarte expliquait : « D'une autre façon, monsieur Gagnon, lui, s'inquiétera du danger d'appliquer des « moyennes », rappelant que « les pieds dans le poêle, la tête dans le frigidaire en moyenne [...] on est bien », *Gravel c. Hôtel-Dieu d'Amos*, [1984] C.S. 792, 825, conf. par [1989] R.J.Q. 64, EYB 1988-62936 (C.A.).
3. *Andrews c. Grand and Toy Alberta Ltd.*, précité, note 1; *Thornton c. Board of School Trustees of School District No. 57*, [1978] 2 R.C.S. 267; *Arnold c. Teno*, [1978] 2 R.C.S. 287, EYB 1978-147387. Ces décisions furent complétées par trois arrêts subséquents : *Keizer c. Honna*, [1978] 2 R.C.S. 342, EYB 1978-147389; *Lewis c. Todd*, [1980] 2 R.C.S. 694, EYB 1980-148173; *Lindal c. Lindal*, [1981] 2 R.C.S. 629, EYB 1981-148587, et plus récemment par *Watkins c. Olafson*, [1989] 2 R.C.S. 750, EYB 1989-67171; *Engel c. Salyn*, [1993] 1 R.C.S. 306, EYB 1993-67949.
4. Ces arrêts furent rendus à la suite de pourvois provenant des juridictions de common law, mais les principes dégagés (sous réserve du problème particulier des pertes non pécuniaires) par la Cour suprême ont été jugés transposables en droit civil.
5. Voir la jurisprudence colligée dans Jean-Louis BAUDOUIN, *La responsabilité civile délictuelle*, Presse de l'Université de Montréal, 1973, p. 99.
6. *Andrews c. Grand and Toy Alberta Ltd.*, précité, note 1; *Thornton c. Board of School Trustees of School District No. 57*, précité, note 3; *Arnold c. Teno*, précité, note 3.

blessés graves[7]. La Cour suprême a vu la nécessité d'établir des paramètres importants qui serviront de base à tout jugement au fond, relatif à l'évaluation du préjudice corporel. Les décisions qui s'en écartent pourront faire l'objet d'une censure en appel.

Le plus haut tribunal du pays mentionne ainsi certaines règles très importantes. Signalons seulement quelques points, puisque ces règles seront analysées plus loin. Tout d'abord, il est très important de départager les sommes relativement au préjudice matériel et au préjudice moral. D'ailleurs, en ce qui concerne le préjudice matériel, il convient, précise la cour[8], de distinguer entre la perte de salaire et le coût des soins. On doit ajouter, qu'eu égard au libellé de l'article 1614 C.c.Q. qui ordonne au juge d'utiliser des taux d'actualisation pour les pertes futures, il est également essentiel de distinguer entre les pertes passées et les pertes futures[9].

Ensuite, on favorise largement l'utilisation d'une méthode actuarielle d'évaluation[10].

Également, au nom du principe de la réparation intégrale, les tribunaux doivent prévoir des sommes destinées à permettre à la victime de retourner vivre chez elle si elle le désire. À cet égard, même si le placement en institution peut s'avérer une initiative plus économique pour l'auteur du préjudice, dans la mesure du possible les victimes doivent réintégrer leur milieu de vie. Cette réinsertion, rappelle la cour, constitue souvent une façon plus adéquate de réhabiliter les grands blessés.

Finalement, en ce qui a trait au préjudice moral, la Cour suprême fixe un plafond de 100 000 $. De crainte de voir la flambée inflationniste américaine se propager au Canada et prétextant qu'il est difficile d'évaluer le préjudice moral, la cour décide qu'il s'agit là d'un plafond acceptable.

Il convient de préciser que seuls les blessés graves atteindront vraisemblablement ce plafond. Pour les blessures moins importantes, il faudra procéder un peu aléatoirement, il faut l'avouer, et fixer une somme, en compensation du préjudice moral, proportionnelle et acceptable eu égard aux circonstances.

Ces arrêts provenant de la common law furent très bien accueillis en droit civil par plusieurs décisions très importantes qui, d'ailleurs, ont poussé plus loin l'analyse. Entre autres, une autre trilogie non moins célèbre, la trilogie Letarte[11], fut l'occasion pour les tribunaux québécois de discuter complètement de l'évaluation des dommages-intérêts.

En général, la doctrine[12] s'est montrée également très réceptive à l'égard des principes édictés par la Cour suprême, sous réserve d'un élément, soit l'approche fonctionnelle dans l'évaluation des pertes non pécuniaires, qui sera analysé plus loin.

En terminant, signalons que les recommandations de la Cour suprême ne furent pas entendues partout, puisqu'on dénombre certaines décisions rendues postérieurement qui préfèrent encore la méthode dite des points d'incapacité[13].

2- De la définition de certains concepts

A- La notion d'incapacité

Après un accident, le médecin est appelé à déterminer les conséquences des blessures sur le fonctionnement général de la victime. On parle généralement alors d'incapacité fonctionnelle ou médicale. Cette incapacité sera représentée par un pourcentage, par exemple la perte d'un membre représente une incapacité de 20 %, la perte d'un

---

7.   Dans les arrêts *Andrews*, précité, note 1 et *Thornton*, précité, note 3, les victimes étaient devenues tétraplégiques; dans l'affaire *Arnold*, précité, note 3, la victime n'était pas paralysée, mais était physiquement amoindrie et ses facultés mentales avaient été atteintes.

8.   *Andrews c. Grand and Toy Alberta Ltd.*, précité, note 1.

9.   Daniel GARDNER, *L'évaluation du préjudice corporel*, 2e éd., Cowansville, Les Éditions Yvon Blais Inc., 2002, p. 481, EYB2002EPC24.

10.   *Andrews c. Grand and Toy Alberta Ltd.*, précité, note 1. Sur le recours à la preuve actuarielle postérieurement à cet arrêt, voir les commentaires de D. GARDNER, *id.*, p. 164 et s. Sur l'utilité et les limites de l'actuariat – Luc RIVEST, « L'actuaire, un pont entre les mathématiques et le droit : Son rôle et ses limites dans un procès », dans Service de la formation permanente, Barreau du Québec, vol. 196, *L'évaluation du préjudice*, Cowansville, Les Éditions Yvon Blais Inc., 2003, p. 101, EYB2003DEV368.

11.   Du nom du juge qui rendit les trois décisions suivantes : *Bouliane c. Commission scolaire de Charlesbourg*, [1984] C.S. 323, conf. par [1987] R.J.Q. 1490 (C.A.); *Lebrun c. Québec Téléphone*, [1984] C.S. 605, conf. par [1986] R.J.Q. 3073, EYB 1986-62457 (C.A.); *Gravel c. Hôtel-Dieu d'Amos*, précité, note 2. Voir aussi *Procureur général de la province de Québec c. Dugal*, J.E. 82-1169, EYB 1982-139743 (C.A.); *Jim Russel International Racing Drivers School Ltd. c. Hite*, [1986] R.J.Q. 1610, EYB 1986-62449 (C.A.); *Juneau c. Rivard (Succession de)*, [1990] R.J.Q. 1607, EYB 1990-76632 (C.S.), conf. par J.E. 92-793, EYB 1992-64036 (C.A.); *Poulin c. Prat*, [1995] R.J.Q. 2923, EYB 1995-72507 (C.S.), conf. en partie par [1997] R.J.Q. 2669, REJB 1997-02598 (C.A.); *Stefanik c. Hôpital Hôtel-Dieu de Lévis*, [1997] R.J.Q. 1332, REJB 1997-02967, REJB 1999-15618 (C.S.); *Tu c. Compagnie de chemins de fer nationaux du Canada*, REJB 1999-15618 (C.S.); *Corbey c. Port-Cartier (Ville de)*, REJB 2001-23552 (C.S.); *Talon c. Roy*, REJB 2002-35781 (C.S.); *Lacombe c. April (Succession d')*, REJB 2002-33475 (C.S.); *Fortier c. Municipalité de Sainte-Séraphine*, REJB 2003-51584 (C.S.), EYB 2005-86169 (C.A.); *Arsenault c. Ste-Marguerite du Lac Masson (Corporation municipale)*, REJB 2004-69903 (C.S.); *Fortin c. Liberté TM Inc.*, J.E. 2007-2199, EYB 2007-125489 (C.S.) (en appel).

12.   Jean-Louis BAUDOUIN, *La responsabilité civile*, 4e éd., Cowansville, Les Éditions Yvon Blais Inc., 1994, p. 173; D. GARDNER, *op. cit.*, note 9, p. 6 et 7.

13.   Voir *infra*.

œil 15 %, etc. Afin de déterminer cette incapacité, les tribunaux font bon usage de barèmes publiés par certains organismes, notamment la Société de l'assurance automobile, la CSST et l'American Medical Association[14].

En revanche, certaines décisions refusent de s'y référer aux motifs que ces barèmes ont été conçus à d'autres fins[15].

Dans le calcul de la perte de salaire, on peut être tenté de procéder de façon purement mathématique en utilisant cette incapacité fonctionnelle comme facteur multiplicatif pour obtenir ce que représente la perte de capacité de gains.

Il faut cependant se méfier de cette corrélation. La perte d'un membre, si elle représente, du point de vue strictement médical, une incapacité fonctionnelle équivalente pour tous, peut néanmoins se traduire différemment en ce qui concerne l'incapacité à gagner des revenus.

Pour reprendre l'exemple devenu classique : un petit doigt atrophié constitue une incapacité fonctionnelle identique pour chacun d'entre nous, mais il représente une perte de gains beaucoup plus importante pour un pianiste que pour un avocat ou un étudiant.

À cet égard, la conversion de l'incapacité fonctionnelle en incapacité à gagner des revenus n'est pas symétrique et on devra tenir compte des particularités de chacun avant de déterminer l'élément de la perte de capacité de revenus[16]. À titre d'exemple, dans l'affaire *Bouliane*, il avait été prouvé que la jeune Asselin avait subi des traumatismes se traduisant par une incapacité fonctionnelle de 12 %. Le juge Letarte utilisa ce facteur multiplicatif pour comptabiliser la perte de salaire (future) de la victime[17]. Cette portion de la décision fut censurée en appel[18], la Cour d'appel étant d'avis qu'il ne fallait pas tenir compte du pourcentage, puisqu'il n'avait pas été prouvé que l'incapacité fonctionnelle d'Asselin entraînait nécessairement une perte de capacité de gains[19].

En fait, même si les tribunaux ont adopté cette pratique, notamment lorsque l'incapacité est de moindre importance, il faut cesser de considérer l'incapacité partielle permanente (I.P.P.) comme un chef de dommage « autonome »[20]. À cet égard, signalons l'affaire *Shehata c.*

14. Voir à ce sujet, Jean-Louis BAUDOUIN et Patrice DESLAURIERS, *La responsabilité civile*, 7ᵉ éd., vol. 1 – Principes généraux, Cowansville, Les Éditions Yvon Blais Inc., 2007, p. 450 et jurisprudence citée. Voir également *Bussières c. Carrier*, REJB 2002-36118 (C.S.); *Francœur c. Dubois*, REJB 2003-45052 (C.S.); *C. (J.-G.) c. M. (J.)*, REJB 2004-53394 (C.S.); *Simard c. Proulx*, REJB 2004-59869 (C.S.); *Giampensa c. Dr.*, EYB 2004-61175 (C.S.); *Tardif c. Raichic Inc.*, EYB 2004-81284 (C.S.); *Cyr c. Brière*, J.E. 2005-1928, EYB 2005-94707 (C.S.), conf. par J.E. 2007-1747, EYB 2007-123926 (C.A.); *Beauchesne c. Ladouceur*, J.E. 2005-1830 (C.S.); *Jlassi c. 154888 Canada Inc.*, J.E. 2005-1427, EYB 2005-92204 (C.S.); *Vivier c. Marquette*, 2005BE-822, EYB 2005-90349 (C.S.); *St-Maurice c. Montréal (Ville de) (Société du parc des îles)*, J.E. 2005-1061 (C.S.); *Gauthier c. Harnois*, 2005BE-116 (C.Q.); *Richard c. Dubois*, 2006BE-393 (C.S.); *Lamontagne c. Larouche*, 2006BE-577, EYB 2006-101130 (C.S.); *Fortin c. Liberté TM Inc.*, précité, note 11.

15. Voir, à ce sujet, D. GARDNER, *op. cit.*, note 9, p. 288. *Sirois c. Dionne*, J.E. 98-1005, REJB 1998-06573 (C.S.); voir également *Racicot c. 150175 Canada Inc.*, REJB 2000-19540 (C.S.); *Cantin-Cloutier c. Gagnon*, REJB 2000-21212 (C.S.) où le tribunal considère que le barème de la CSST constitue un guide « conservateur ».

16. J.-L. BAUDOUIN et P. DESLAURIERS, *op. cit.*, note 14, p. 451; D. GARDNER, *op. cit.*, note 9, p. 290. Voir sur cette question en jurisprudence, *Lessard c. Morrow*, REJB 2003-36929 (C.A.); *Beaulieu c. Bourgouin*, précité, note 11.

17. *Bouliane c. Commission scolaire de Charlesbourg*, précité, note 11, p. 359 et 360.

18. *Drouin c. Bouliane*, [1987] R.J.Q. 1490, 1505, EYB 1987-62757 (C.A.). Voir également, sur l'absence de corrélation, *Gauthier c. Rochon*, [1995] R.R.A. 131, EYB 1995-75625 (C.S.); *Bouchard c. D'Amours*, [1999] R.R.A. 107, REJB 1998-09908 (C.S.), REJB 2001-23794 (C.A.); *Ouellette c. Tardif*, REJB 2000-18257 (C.A.); *Brasseur c. Desrosiers*, REJB 2000-21576 (C.S.); *Talon c. Roy*, précité, note 11; *Bussières c. Carrier*, précité, note 14; *Lacombe c. April (Succession d')*, précité, note 11; *Villeneuve c. F. (L.)*, REJB 2002-30304 (C.A.); *Godin c. Quintal*, REJB 2002-32391 (C.A.); *Fortin c. Liberté TM Inc.*, précité, note 11; *M.A. c. Stations de la Vallée de St-Sauveur Inc.*, J.E. 2008-533, EYB 2008-129070 (C.S.) (en appel) commentaires Goeffroy GUILBAULT dans *Repères*, avril 2008.

19. À cet égard, certaines décisions nous paraissent discutables. En effet, dans l'affaire *Van Rossum c. Adamson*, [1997] R.J.Q. 2544, REJB 1997-02179 (C.S.), le tribunal fixe l'I.P.P. (sous-entendant la perte future de salaire) à 213 312 $ en multipliant les points d'incapacité médicale par 6 666 $ par point. Cette technique, même si elle est utilisée à outrance par les tribunaux, nous paraît contredire les enseignements clairs de la Cour d'appel dans l'arrêt *Bouliane*. Voir aussi *Gauthier c. Boucher*, J.E. 98-2407, REJB 1998-09979 (C.S.), conf. par 2001BE-295, REJB 2001-22749 (C.A.); *Marin c. Tessier*, J.E. 99-582, EYB 1998-11518 (C.S.); *Villeneuve c. Roy*, REJB 2001-29796 (C.S.); *Jeanson c. Sports Estrie-Mont Inc.*, REJB 2002-36335 (C.S.); *Dubé c. Corporation Mont-Bénilde*, REJB 2002-30885 (C.S.); *Bélisle c. Lavoie*, 2002BE-658 (C.S.); *Desmarais c. Commission scolaire du Val-des-Cerfs*, REJB 2003-39962 (C.S.); *Gaulin c. Roy*, REJB 2003-48620 (C.S.); *Boutin c. Desjardins*, 2003BE-387 (C.S.); *Pintal c. Placements Claude Neault*, 2003BE-492 (C.S.); *Massy c. St-Laurent (Ville de)*, REJB 2003-42063 (C.S.); *Di Paolo c. Benoit*, REJB 2003-52089 (C.Q.); *Jetté c. Hyperscon Inc.*, J.E. 2005-1648, EYB 2005-93208 (C.S.); *Jlassi c. 154888 Canada Inc.*, précité, note 14; *Perreault c. Brûlé*, 2005BE-74 (C.S.); *Richard c. Dubois*, précité, note 14; *Gariépy c. 9016-5440 Québec Inc.*, 2006BE-485, EYB 2006-106354 (C.S.); *Turco c. Pâtisserie Yiangello*, J.E. 2006-590, EYB 2005-99834 (C.S.); *Lemieux c. Québec (Ville de)*, 2006BE-1074 (C.S.); *Leblanc c. Commission scolaire des Îles*, 2006BE-1118, EYB 2006-105808 (C.S.); *Bienvenu-Zarbatany c. Stalder*, J.E. 2007-1514, EYB 2007-121142 (C.S.) (en appel).

20. Voir généralement, sur cette question, D. GARDNER, précité, note 9, p. 282 et s.; J.-L. BAUDOUIN et P. DESLAURIERS, précité, note 14, p. 451 et s.; Geoffroy GUILBAULT, « L'indemnité pour incapacité partielle permanente – Citation sur un même thème », dans Service de la formation permanente, Barreau du Québec, *L'évaluation du préjudice corporel*, Cowansville, Les Éditions Yvon Blais Inc., 2004, p. 55, EYB2004DEV451; I. HUDON, « La difficile mise au rancart de la méthode de calcul par point d'incapacité », dans Service de la formation continue du Barreau du Québec, vol. 252, *Le préjudice corporel*, Cowansville, Les Éditions Yvon Blais Inc., 2006, p. 1. Voir, pour des réitérations récentes de ce principe, *Club des Neiges Lystania c. Gaudreault*, REJB 2002-30828 (C.A.); *Villeneuve c. F. (L.)*, précité, note 18; *Entreprises Carjah Inc. c. Goldschleger*, REJB 2004-60086 (C.A.); *Sullivan c. Université Concordia*, REJB 2004-65056 (C.S.); *Beauchesne c. Ladouceur*, précité, note 14; *Vivier c. Marquette*, précité, note 14; *Poulin c. 9065-3049 Québec Inc.*, 2005BE-420, EYB 2005-82665 (C.Q.); *Tremblay c. Loisirs St-Rodrigue*, 2005BE-1058, EYB 2005-97002 (C.Q.); *Brière c. Cyr*, J.E. 2007-1747, EYB 2007-123926 (C.A.).

Montréal (Ville de)[21], où le juge, même s'il semble considérer l'I.P.P. comme un chef de dommage distinct, l'inclut en fait dans les pertes non pécuniaires.

B- La notion d'expectative de vie

Il y aurait deux choses auxquelles on ne peut vraisemblablement pas échapper, a-t-on entendu : les impôts et la mort.

Fort de certaines statistiques, il est néanmoins possible de prédire l'expectative de vie d'une personne, eu égard à certaines caractéristiques[22]. L'expectative se modifie d'ailleurs selon les époques, compte tenu du vieillissement des populations.

Des blessures corporelles graves (lésions au cerveau, paralysie) peuvent entraîner pour la victime une diminution sensible de son expectative de vie. On possède alors deux données, une expectative de vie avant l'accident, une postérieure à celui-ci. Quel élément doit-on alors prendre en compte pour établir les pertes de la victime?

La doctrine s'est depuis longtemps fondée sur un raisonnement double. D'une part, s'agissant de la perte de salaire, il est reconnu que le tribunal doit prendre en ligne de compte l'expectative de vie antérieure à l'accident[23]. Il faut toutefois revoir cette approche puisque, en fait, c'est l'expectative de vie active qui devrait être privilégiée[24].

La règle paraît équitable puisque par son acte, l'auteur du préjudice a privé la victime de gains potentiels, qui selon les statistiques auraient été réalisés tout au long de la vie active. L'âge de la retraite se situant normalement à

65 ans[25], c'est ce moment qui sera considéré, à moins de circonstances particulières[26]. (Par exemple, la victime présentait certaines prédispositions qui laissaient supposer une longévité inférieure à la moyenne et par le fait même une période de vie active également inférieure[27].)

D'autre part, lorsqu'il s'agit de considérer l'expectative de vie dans la détermination du coût des soins, les tribunaux optent pour l'expectative postérieure à l'accident[28]. Encore là, la règle se fonde sur le principe de la restitution intégrale. En effet, l'objectif de la responsabilité civile étant de compenser tout le préjudice, mais rien que le préjudice, il est logique de comptabiliser le coût des soins que la victime encourra jusqu'à la fin de ses jours qui, malheureusement, ont été abrégés.

C- Les aléas de la vie

La question qui se pose ici est de savoir si on doit obligatoirement réduire l'indemnité accordée en fonction des aléas de la vie (mort, blessures, chômage, etc.). Avant 1978, il était courant en jurisprudence de réduire systématiquement les indemnités pour tenir compte de ces aléas[29].

La Cour suprême mit fin à cette pratique jurisprudentielle en faisant ressortir que les aléas « ne sont pas nécessairement défavorables »[30].

La règle est désormais la suivante : si la personne ne présente pas de facteurs ou de caractéristiques qui l'écarte de la moyenne générale, on ne doit pas prendre en considération les aléas. En d'autres mots, les aléas ne seront considérés que dans l'éventualité où ils auraient été prouvés, en justifiant que l'élaboration des calculs démontre

21. [1998] R.R.A. 465, 473 (C.S), REJB 1998-05428. Voir également *Carra c. Lake*, [1995] R.R.A. 326, EYB 1995-57419 (C.A.); *Cantin-Cloutier c. Gagnon*, [2001] R.R.A. 75, REJB 2000-21212 (C.S.); *Bastille c. Sobey's Inc.*, REJB 2002-35797 (C.S.); *Villeneuve c. F. (L.)*, précité, note 18; *Boucher-Graham c. Centres d'achats Beauward Ltée*, REJB 2001-22885 (C.S.); REJB 2002-31051 (C.A.); *Leblanc c. Société de gestion Clifton Inc.*, REJB 2002-31015 (C.S.); *Boisvert c. Montréal (Ville de)*, REJB 2001-32451 (C.S.); *Bissonnette c. Montréal (Ville de)*, REJB 2001-28186 (C.S.); *Ambroise c. Lambert*, REJB 2003-36214 (C.S.); *Houle c. St-Hilaire*, 2003BE-705 (C.Q.); *Francœur c. Dubois*, précité, note 14; *Martineau c. Lebel*, REJB 2003-50766 (C.S.); *Mongrain c. Gestion Vidéo Mauricie Inc.*, REJB 2003-50576 (C.S.); *Tremblay c. Séminaire de Chicoutimi*, REJB 2004-60633 (C.S.); *Sullivan c. Université Concordia*, précité, note 20; *Morin c. Girard*, EYB 2004-85547 (C.S.); *Crevier-Valiquette c. Longueuil (Ville de)*, J.E. 2007-194, EYB 2006-111418 (C.S.).
22. *Denoncourt c. K-Mart Canada Ltée*, [1998] R.J.Q. 894, REJB 1998-05725 (C.S.), conf. par J.E. 2000-2045, REJB 2000-20654 (C.A.); *Rôtisseries de Trois-Rivières ouest Inc. c. Blanchette*, REJB 1999-14289 (C.A.).
23. Voir toutefois *St-Maurice c. Montréal (Ville de) (Société du Parc des îles)*, précité, note 14, où la cour réduit l'espérance de vie du demandeur dans la détermination de la perte de gains futurs.
24. J.-L. BAUDOUIN et P. DESLAURIERS, *La responsabilité civile*, *op. cit.*, note 14, p. 457-458; *Weiner c. Montréal (Ville de)*, [1998] R.R.A. 820, REJB 1998-07426 (C.S.); *Corbey c. Port-Cartier (Ville de)*, précité, note 11; *Painchaud-Cleary c. Pap*, REJB 2002-30881 (C.S.); *Diré c. Société en commandite Pi-Jo-Tal*, 2002BE-818 (C.S.).
25. Pour des exemples récents, voir *Weiner c. Montréal (Ville de)*, précité, note 24; *Sirois c. Dionne*, précité, note 15; *Lacombe c. April (Succession d')*, précité, note 11; *Fortier c. Municipalité de Sainte-Séraphine*, précité, note 11; *Jlassi c. 154888 Canada Inc.*, précité, note 14; *St-Maurice c. Montréal (Ville de) (Société du parc des îles)*, précité, note 14; *Lamontagne c. Larouche*, précité, note 14; *Beaulieu c. Bourgouin*, précité, note 11; *Fortin c. Liberté TM Inc.*, précité, note 11; *Nadeau c. Turgeon*, J.E. 2007-2298, EYB 2007-124695 (C.S.).
26. *Proulx c. Procureur général du Québec*, [1997] R.J.Q. 2516, REJB 1997-00038 (C.S.), conf. par la Cour suprême, REJB 2001-26154 (C.S.C.); *Jourdain c. Ferranti-Packard Inc.*, REJB 2002-31042 (C.S.), entreprise moyenne d'âge de la retraite est de 55 ans; *Beauchesne c. Ladouceur*, précité, note 14.
27. J.-L. BAUDOUIN et P. DESLAURIERS, *op. cit.*, note 14, p. 456 et 457. Voir *infra*.
28. D. GARDNER, *op. cit.*, note 9, p. 220 à 224. Pour une illustration récente, voir *Ouellette c. Tardif*, précité, note 18.
29. Voir, par exemple, *Giroux c. Labrador Mink Ranches Ltd.*, [1958] C.S. 61 (40 % furent alors enlevés).
30. *Andrews c. Grand and Toy Alberta Ltd.*, précité, note 1, p. 253. La Cour suprême a complété sa pensée dans *Lewis c. Todd*, précité, note 3, p. 714.

que, dans les circonstances, la victime s'écarte des statistiques[31].

Depuis cet enseignement dicté par la Cour suprême, les tribunaux accordent l'indemnité globale et refusent de la réduire aux motifs d'aléas[32], à moins de circonstances spéciales, tel un métier à haut risque[33] ou soumis à des périodes de chômage fréquentes[34].

3- De certains aspects économiques et fiscaux

A- Le taux d'actualisation

Sauf exception, le régime de la réparation par une somme globale est consacré dans notre droit (art. 1616, al. 1 C.c.Q.). Toutefois, si les parties en conviennent, l'indemnité peut être versée périodiquement (transaction à paiements différés, art. 1616, al. 1 C.c.Q.). De même, si la victime est mineure et que le préjudice est corporel, le tribunal peut imposer le paiement d'une rente ou d'un versement périodique (art. 1616, al. 2 C.c.Q.)[35]. L'actualisation est un procédé actuariel qui vise à calculer la somme qu'une victime doit recevoir aujourd'hui, afin de pouvoir bénéficier, pour le reste de sa vie, de tous les soins requis par son état de santé et pour compenser la perte de son salaire annuel[36]. Le taux d'actualisation est ainsi défini comme « le pourcentage à partir duquel on pourra calculer la somme qui doit être remise immédiatement à la victime d'un préjudice corporel, pour des dépenses ou des pertes qui ne se matérialiseront que dans le futur »[37].

Le calcul de cette indemnité doit évidemment prendre en compte la fluctuation des taux d'intérêts, l'inflation et l'augmentation des salaires. Comme l'explique le juge Letarte, le taux d'actualisation peut être représenté en gros par l'équation mathématique suivante : la différence entre le taux de rendement sur les placements et le taux d'augmentation des paiements[38].

L'importance d'établir ce taux est telle qu'une différence minime dans les pourcentages pourra modifier de façon substantielle la somme allouée. Par exemple, l'actualisation de pertes salariales annuelles de 20 000 $ pour une période de 30 ans donne un montant de 250 511 $ lorsqu'il y a emploi du taux de 7 %. L'utilisation d'un taux de 2 % prévu par règlement augmente le montant à 450 912 $[39].

En 1978, la Cour suprême avait recommandé l'application d'un taux d'actualisation de 7 %, et ce, en déduisant du taux d'intérêt applicable le taux d'inflation en vigueur alors[40].

Malgré un commentaire laissant entendre une position contraire[41], certains tribunaux furent d'avis que ce taux était mandatoire et refusaient d'en appliquer un autre[42]. La Cour suprême dut intervenir pour préciser ses propos antérieurs.

Dans l'affaire *Lewis c. Todd*, la cour émit l'opinion que le taux de 7 % n'était nullement obligatoire et que les

---

31. *Lewis c. Todd*, précité, note 3, p. 714.
32. Voir *Lignes aériennes Canadien Pacifique Ltée c. Gendron*, [1983] C.A. 596; *Bouliane c. Commission scolaire de Charlesbourg*, précité, note 11; *Gravel c. Hôtel-Dieu d'Amos*, précité, note 2; *Québec Téléphone c. Lebrun*, précité, note 11; *Laîné c. Viking Helicopters*, [1999] R.J.Q. 1472, REJB 1999-12303 (C.S.), conf. par [2000] R.J.Q. 2817, REJB 2000-20963 (C.A.); *Ouellette c. Tardif*, précité, note 18.
33. *Dugal c. Procureur général du Québec*, [1979] C.S. 617, J.E. 82-1169 (C.A.); *Boyd c. Procureur général du Québec*, J.E. 81-828 (C.S.), J.E. 85-256 (C.A.).
34. *Langevin c. Constructions Pagaro Inc.*, [1986] R.J.Q. 1963, EYB 1986-62454 (C.A.). Mais voir *Corriveau c. Unicoop*, [1994] R.R.A. 915, EYB 1994-73539 (C.S.), où le juge retire 30 %, sans motivation explicite; *St-Jacques c. Coopérative d'habitation Les gens heureux*, J.E. 2007-385, EYB 2006-112749 (C.S.) (en appel).
35. Sur le sujet, on peut consulter Daniel GARDNER, « L'évaluation du préjudice corporel : vers une meilleure utilisation de la technique de la transaction à paiements différés », (1987) 47 *R. du B.* 223; D. GARDNER, *op. cit.*, note 9, p. 81 et s.; Odette JOBIN-LABERGE, « Quelques problèmes d'application du nouveau Code civil du Québec en matière d'obligation », dans *Congrès annuel du Barreau du Québec (1994)*, Montréal, Service de la formation permanente, Barreau du Québec, p. 785; Jean-Pierre MÉNARD, « La transaction à paiements différés », *Le préjudice corporel. Évaluation et indemnisation*, Insight Press, 1996, p. 307 et s.; Jean-François DE RICO, « Les avantages du règlement consensuel en matière de réparation du préjudice corporel : le cas particulier de la transaction à paiements différés », (2001) 42 *C. de D.* 91; *Lemieux-Julien c. Pineau*, C.S., nº 100-05-000609-801, 20 août 1986, j. Letarte; *Montpetit c. Léger*, REJB 2000-20238 (C.S.); G. GUILBAULT, « Les avantages et les inconvénients des transactions à paiements différés ou Comment protéger vos clients du syndrome Lavigueur », dans Service de la formation continue du Barreau du Québec, vol. 252, *Le préjudice corporel*, Cowansville, Les Éditions Yvon Blais Inc., 2006, p. 25; Robert-Jean CHENIER, « Les règlements échelonnés », dans Service de la formation continue, Barreau du Québec, vol. 287, *Tendances en droit de la santé (2008)*, Cowansville, Les Éditions Yvon Blais Inc., 2008, p. 25. Pour une perspective de droit comparé, voir Daniel GARDNER, « L'indemnisation du préjudice corporel dans les juridictions de tradition civiliste », (2005) 39 *R.J.T.* 395, 407 et s.
36. D. GARDNER, *op. cit.*, note 9, p. 461.
37. *Id.*, p. 460.
38. *Bouliane c. Commission scolaire de Charlesbourg*, précité, note 11, p. 345. Comme le précise le juge, il convient d'utiliser deux taux, puisque les salaires et l'inflation n'évoluent pas toujours corrélativement. Voir *infra*.
39. Cette illustration provient de l'ouvrage de D. GARDNER, *op. cit.*, note 9, p. 461.
40. *Andrews c. Grand and Toy Alberta Ltd.*, précité, note 1, p. 259.
41. *Ibid.*
42. Voir les commentaires de la Cour suprême dans *Lewis c. Todd*, précité, note 3, p. 709.

parties devaient en faire la preuve[43]. Cet élément qui, rappelons-le, peut avoir une incidence énorme sur le montant réclamé et obtenu, devenait donc le sujet de débats judiciaires, ce qui occasionnait des frais importants pour les parties[44].

La tendance générale était de considérer la question en fonction d'une approche historique[45]. En effet, avait-on fait remarquer, si les taux fluctuent parfois grandement, la plupart du temps, l'écart entre les différents taux reste stable.

Il convient de signaler que les tribunaux, avec beaucoup d'à-propos, considéraient nécessaire l'établissement de deux taux d'actualisation, l'un portant sur le coût des soins médicaux, l'autre sur les salaires (perte de gains de la victime, mais aussi salaires de personnes engagées pour dispenser des soins à la victime)[46].

Le nouveau Code civil vient en aide aux victimes et a l'avantage d'imposer une « standardisation de *tous* les cas d'indemnisation d'un préjudice corporel »[47]. L'article 1614 C.c.Q. énonce que :

« Les dommages-intérêts dus au créancier en réparation du préjudice corporel qu'il subit sont établis, quant aux aspects prospectifs du préjudice, en fonction des taux d'actualisation prescrits par règlement du gouvernement, dès lors que de tels taux sont ainsi fixés. »

Inspirée de certaines lois provinciales canadiennes[48], cette disposition dispense les parties de prouver le taux d'actualisation adéquat, puisqu'elles doivent s'en remettre au règlement[49].

Par ailleurs, l'article 1614 C.c.Q. emploie le pluriel. Ce règlement[50] prévoit deux taux. Pour les pertes résultant tant de la diminution de la capacité de gains que de la progression des revenus, traitements ou salaires, un taux de 2 %; pour les pertes résultant de l'inflation : un taux de 3,25 %. Ces taux d'actualisation font régulièrement l'objet d'applications jurisprudentielles[51].

Une question se pose : ces taux sont-ils de rigueur? Bien qu'il paraisse avantageux de qualifier les taux qui ont été adoptés de simplement « indicatifs », il faut les considérer comme impératifs. Il nous paraîtrait dangereux, et surtout extrêmement coûteux, d'obliger les parties à faire certaines démonstrations quant aux taux les plus appropriés. En accord avec un auteur, il nous semble que « [l]e caractère obligatoire de la disposition [1614 C.c.Q.] ne fait aucun doute, puisque les dommages-intérêts *sont* établis (et ne *peuvent être* établis) »[52].

Nous terminerons cette section en exprimant un souhait.

Comme nous l'avons souligné, le taux d'actualisation constitue la pierre angulaire d'une indemnisation juste et raisonnable. Toute modification du taux peut entraîner des répercussions importantes sur l'indemnité allouée à la victime.

C'est pourquoi nous espérons que le gouvernement sera soucieux de maintenir un taux qui se rapproche de la réalité et d'apporter rapidement les modifications qui s'imposent eu égard au contexte économique. D'ailleurs l'utilisation de la technique du décret devrait être un gage de « rapidité »[53].

---

43. *Id.*, p. 711. Il est étonnant de trouver des décisions où aucune preuve actuarielle n'a été présentée : voir *Québec (Curateur public) c. Cie de chemins de fer nationaux*, [1997] R.R.A. 992, REJB 1997-07543 (C.S.); *Bonin c. Picard*, REJB 2004-65961 (C.S.).
44. Par exemple, dans l'affaire *Bouliane c. Commission scolaire de Charlesbourg*, précitée, note 11, on compte plus de quatre spécialistes qui ont débattu ce point.
45. *Id.*; *Gravel c. Hôtel-Dieu d'Amos*, précité, note 2.
46. *Bouliane c. Commission scolaire de Charlesbourg*, précité, note 11.
47. D. GARDNER, *op. cit.*, note 9, p. 458 (en italique dans le texte).
48. *Id.*, p. 472. Six provinces canadiennes (Ontario, Nouvelle-Écosse, Saskatchewan, Colombie-Britannique, Manitoba et Nouveau-Brunswick) avaient déjà légiféré au moment de l'entrée en vigueur de l'article 1614 C.c.Q.
49. *Règlement d'application de l'article 1614 du Code civil sur l'actualisation des dommages-intérêts en matière de préjudice corporel*, (1996) 129 G.O. II, 1449, publié le 19 mars et entré en vigueur au début du mois d'avril 1997.
50. *Ibid.*
51. Voir *Proulx c. Procureur général du Québec*, précité, note 26; *Sirois c. Dionne*, précité, note 15; *Rôtisseries de Trois-Rivières ouest Inc. c. Blanchette*, précité, note 22; *Talon c. Roy*, précité, note 11; *Lacombe c. April (Succession d')*, précité, note 11; *Godin c. Quintal*, précité, note 18; *Dagneau c. Apothico Gest Inc.*, 2007BE-678, EYB 2007-113384 (C.S.). Voir également *Ouellette c. Tardif*, précité, note 18, où on a tenu compte de ces taux même s'ils ne s'appliquaient pas en raison des règles de droit transitoire; *Jetté c. Hyperscon Inc.*, précité, note 19; *Jlassi c. 154888 Canada Inc.*, précité, note 14.
52. D. GARDNER, *op. cit.*, note 9, p. 458; Nathalie DES ROSIERS et Louise LANGEVIN, *L'indemnisation des victimes de violence sexuelle et conjugale*, Cowansville, Les Éditions Yvon Blais Inc., 1998, p. 157. Voir toutefois *Denoncourt c. K-Mart Canada Ltée*, précité, note 22.
53. Sur les doutes émis par un auteur, voir D. GARDNER, *op. cit.*, note 9, p. 472.

B- Les incidences fiscales[54]

Le capital constitué par les dommages-intérêts versés à la victime n'est pas imposable. Néanmoins, les revenus d'intérêts produits par le capital sont imposés comme tout revenu, sous réserve de la situation suivante. Une politique fiscale visant à favoriser l'indemnisation globale des jeunes blessés prévoit que, pour une victime de moins de 21 ans, les revenus d'intérêts seront imposés seulement à partir de son 21e anniversaire[55].

La question suivante a longuement été débattue par les tribunaux : doit-on tenir compte des effets de l'impôt dans l'allocation de sommes à titre de dommages-intérêts. Nous traiterons ce point en deux temps.

1. Le traitement fiscal de l'indemnisation de la perte de revenus

Depuis l'affaire *Jennings*[56], dans laquelle la Cour suprême avait décidé qu'il ne fallait pas tenir compte de l'impôt, les tribunaux calculent la perte de salaire en fonction du revenu brut. On justifie cette position en expliquant que, par son acte illicite, l'auteur du dommage a privé la victime d'une potentialité de gains[57]. La jurisprudence a suivi cette voie dans l'ensemble[58].

En revanche, du côté de la doctrine, un auteur[59] a critiqué avec véhémence la pertinence de l'affaire *Jennings* dans le contexte actuel, surtout depuis le nouveau code. Analysant en détail les fondements de l'arrêt, il en vient à la conclusion que cet arrêt est devenu obsolète, d'autant plus que l'article 1611 C.c.Q. fait spécifiquement référence à la perte de gains. « Comment soutenir sérieusement que le gain dont est privé la victime, au sens de l'article 1611 C.c.Q. est représenté par son revenu brut? Comment parler

d'une indemnisation se rapprochant du principe de la réparation intégrale, lorsque l'on refuse d'indemniser la victime gravement blessée pour les pertes inévitables qui résulteront de l'imposition de ses revenus d'investissements. »[60]

L'analyse du professeur Gardner est très convaincante, mais, probablement parce qu'elle est trop récente, elle n'a pas encore recueilli beaucoup d'adeptes auprès des juges[61], qui, par ailleurs, ne l'ont pas rejetée non plus. Il sera intéressant de voir comment réagiront les tribunaux[62].

2. Les sommes attribuées pour les soins

À ce titre, la jurisprudence avait toujours suivi le principe posé par la Cour suprême dans l'affaire *Jennings*, même s'il avait été possible de distinguer facilement cette décision. C'est pourquoi la jurisprudence a refusé pendant longtemps de tenir compte des aspects fiscaux. Un revirement s'annonça toutefois, orchestré d'abord par le juge Letarte.

Dans l'affaire *Bouliane*, le juge Letarte émit l'opinion que « l'impôt demeurera une réalité très importante qui, s'il n'en est pas tenu compte, mettra fin prématurément aux possibilités de financer la période anticipée pour les soins futurs. Des experts [...] en font un problème représentant 100 % du capital envisagé pour le fonds médical »[63].

Par contre, eu égard aux faits particuliers de cette affaire (notamment le fait que la victime, mineure, ne paierait aucun impôt sur ses revenus d'intérêt avant d'avoir atteint 21 ans)[64], le juge Letarte fut d'avis de ne pas tenir compte des conséquences de l'imposition sur l'attribution de fonds médicaux. La porte se trouvait ainsi entrebâillée.

---

54. Voir sur cette question, David GARDNER et André LAREAU, « Le difficile arrimage de la Loi sur l'assurance automobile avec les lois fiscales et les régimes de sécurité sociale », (2001) 46 *R.D. McGill* 373. Voir également sur le rôle de l'actuaire en ce domaine, Luc RIVEST, « L'actuaire, un pont entre les mathématiques et le droit : Son rôle et ses limites dans un procès », *loc. cit.*, note 10, p. 101.

55. *Loi de l'impôt sur le revenu*, S.R.C. 1952, c. 148, comme modifiée par la *Loi modifiant la législation concernant l'impôt sur le revenu*, S.C. 1973-1974, c. 14 (devenu l'article 81 (1) g.1); *Loi sur les impôts*, L.R.Q., c. I-3 (art. 494).

56. *R. c. Jennings*, [1966] R.C.S. 532.

57. *Id.*, p. 546.

58. *Andrews c. Grand and Toy Alberta Ltd.*, précité, note 1. Voir également *Barbeau c. Villeneuve*, J.E. 80-350 (C.S.), conf. par C.A. Québec, no 200-09-0000202-801, 20 mai 1982; *Langevin c. Constructions Pagaro Inc.*, précité, note 34; *Weidemann c. Intrawest Resort Corp.*, REJB 2000-17396 (C.S.); *Montpetit c. Léger*, précité, note 35; *Fortier c. Municipalité de Sainte-Séraphine*, précité, note 11; *Beauchesne c. Ladouceur*, précité, note 14; *Daigle c. Lafond*, J.E. 2006-2105, EYB 2006-110324 (C.S.).

59. D. GARDNER, *op. cit.*, note 9, p. 513 et s.

60. *Id.*, p. 376.

61. *Chamard c. Desrochers*, 2005BE-73, EYB 2004-72013 (C.S.).

62. Une décision récente a utilisé comme base de calcul le salaire brut. Voir *Weidemann c. Intrawest Resort Corp.*, précité, note 58.

63. *Bouliane c. Commission scolaire de Charlesbourg*, précité, note 11, p. 356. Voir aussi ses commentaires dans l'affaire *Lebrun c. Québec Téléphone*, précitée, note 11, inf. sur ce point par la Cour d'appel, précité, note 11.

64. Le juge mentionne également d'autres éléments, tels la déductibilité d'une partie des frais, la possibilité d'étaler certains revenus, les aléas relatifs à des déménagements ou à des modifications à la structure de l'impôt. *Bouliane c. Commission scolaire de Charlesbourg*, précité, note 11, p. 356.

Dans cette affaire, la Cour d'appel fut toutefois d'avis de ne pas reconnaître une provision pour impôt[65].

Quelques années plus tard, le juge Letarte revient à la charge. Fort de certaines décisions de la Cour suprême, qui avait elle-même nuancé sa jurisprudence[66], il reconnaît, dans l'affaire *Juneau*[67], que si la preuve est faite que l'impôt sur les intérêts peut avoir des conséquences importantes sur l'attribution du fonds médical, réduisant sensiblement l'allocation de dommages-intérêts, le juge peut majorer l'indemnité d'autant[68]. Le juge s'exprime ainsi :

« La reconnaissance chez nous du principe de la *restitutio in integrum* de même que la constatation, si la preuve le justifie que, à moins de majoration pour fins fiscales, les sommes adjugées pour le coût des soins futurs seront prématurément épuisées, sont autant de facteurs permettant au tribunal de retenir, quant à l'impôt, le lien de causalité. »[69]

Cette approche fut confirmée par la Cour d'appel, qui a renversé sa propre jurisprudence sans d'ailleurs le mentionner[70]. Dans cette affaire, le juge Letarte majore de 116 000 $ le chef « coût des soins » initialement fixé à 246 000 $, ce qui représente une augmentation de près de 45 %[71].

C- Les frais de gestion

Recevoir une forte somme d'argent est une chose, bien la gérer en est une autre. Des statistiques américaines révèlent que 95 % des gens qui reçoivent une somme d'argent appréciable (loto, héritage, dommages-intérêts) la dilapident en entier en moins de cinq ans[72]. Si cela peut paraître amusant lorsqu'il s'agit de loto ou d'héritage, c'est proprement alarmant lorsqu'on est en présence d'une indemnité pour blessures corporelles.

Le développement des rentes et des paiements différés (en vertu d'un jugement ou d'une transaction) n'est pas étranger à cette réflexion, mais, comme la norme demeure encore l'octroi d'une somme globale, il convient de se demander si une victime peut requérir de l'auteur du préjudice qu'il compense les honoraires d'un gestionnaire de portefeuille.

La jurisprudence s'en est véritablement inquiétée dans les affaires formant la trilogie. Dans l'affaire *Teno*, la Cour suprême reconnaît à la victime incapable le droit de se faire assister par des professionnels dans la gestion de son nouveau portefeuille[73] sans pour autant en tirer une quelconque conséquence sur le taux de rendement[74].

Cette solution, qui se concilie pleinement avec le principe sacro-saint de la *restitutio in integrum*[75], a été reprise au Québec sous réserve d'une des conditions suivantes : l'atteinte aux facultés mentales[76] ou la minorité[77].

Évidemment, les parties devront démontrer que cette assistance professionnelle est nécessaire et faire la preuve du coût. Selon un auteur, la Cour d'appel est particulièrement « conservatrice en ce domaine »[78]. À titre d'illustration, en 1984, dans un jugement octroyant 3 000 000 $ en dommages-intérêts, on a accordé des frais de gestion

---

65. *Lebrun c. Québec Téléphone*, précité, note 11, mais voir la dissidence du juge Kaufman, p. 3088; *Drouin c. Bouliane*, précité, note 18, et voir les commentaires du juge Beauregard, p. 1493.

66. *Watkins c. Olafson*, précité, note 3, p. 766. Voir également *Scarff c. Wilson*, [1989] 2 R.C.S. 776, EYB 1989-66990.

67. *Juneau c. Rivard (Succession de)*, précité, note 11.

68. Voir également *Germain c. Montréal (Communauté urbaine de)*, [1992] R.J.Q. 1925, EYB 1992-75010 (C.S.), conf. sur ce point par [1993] R.R.A. 481, EYB 1993-58999 (C.A.).

69. *Juneau c. Rivard (Succession de)*, précité, note 11, p. 1632.

70. *The Coronation Insurance Company et al. c. Juneau*, J.E. 92-793, 30, EYB 1992-64036 (C.A.). Voir la réitération du principe dans *Prat c. Poulin*, [1997] R.J.Q. 2669, REJB 1997-02598 (C.A.), inf. sur ce point [1995] R.J.Q. 2923, EYB 1995-72507 (C.S.); *Corbey c. Port-Cartier (Ville de)*, précité, note 11; *Lacombe c. April (Succession d')*, précité, note 11. Cette provision a toutefois été refusée dans les affaires *Tu c. Compagnie de chemins de fer nationaux du Canada*, précité, note 11; *Montpetit c. Léger*, précité, note 35.

71. Le professeur Gardner constate qu'au Canada les pourcentages varient entre 5 % et 48 % et au Québec entre 37 % et 47 %, et qu'on ne peut conclure à une tendance au Québec en raison du nombre réduit de décisions : D. GARDNER, *op. cit.*, note 9, p. 508.

72. *Lemieux-Julien c. Pineau*, précité, note 35.

73. *Arnold c. Teno*, précité, note 3, p. 328.

74. *Townsend c. Kroppmanns*, [2004] 1 R.C.S. 315, REJB 2004-54077.

75. Il convient de souligner que la Cour suprême énonce dans un arrêt récent que la façon dont la victime dépensera n'est pas pertinente. Voir *Townsend c. Kroppmanns*, id.

76. *Lignes aériennes Canadien Pacifique Ltée c. Gendron*, précité, note 32; *Bouliane c. Commission scolaire de Charlesbourg*, précité, note 11; *Corbey c. Port-Cartier (Ville de)*, précité, note 11. Dans l'arrêt *Lebrun* la Cour d'appel a refusé d'accorder un montant sous ce chef aux motifs que « la victime n'a pas été atteinte dans ses facultés mentales », *Lebrun c. Québec Téléphone*, précité, note 11. Voir aussi, à cet égard, *Lacombe c. April (Succession d')*, précité, note 11.

77. *Gravel c. Hôtel-Dieu d'Amos*, précité, note 2. Le professeur Gardner révèle toutefois l'absence d'autonomie de ce critère, du moins dans la jurisprudence, puisque, « dans tous les cas où des frais de gestion ont été accordés à une victime mineure, ses facultés mentales avaient été affectées par l'accident », D. GARDNER, *op. cit.*, note 9, p. 550.

78. D. GARDNER, *id.*, p. 551.

pour une somme s'élevant à 250 000 $. Cette allocation fut cependant réduite par la suite par la Cour d'appel à 100 000 $[79].

D'ailleurs, même pour une personne qui demeure en possession de sa raison après l'accident, une somme pourrait, à notre avis, être allouée pour permettre à la victime de se familiariser (cours par correspondance, cours privé) avec la gestion de son actif.

4- Les chefs de dommages-intérêts

A- Le coût des soins

La victime peut recouvrer de l'auteur du préjudice tous les coûts reliés aux soins qu'elle a reçus depuis l'accident et qui ne sont pas couverts par le régime de l'assurance-maladie[80]. Cela peut comprendre les frais médicaux, paramédicaux, de médicaments[81], de transport d'ambulance, de taxis, de prothèse, de dentiste[82]. Il convient aussi de noter que, si des soins ont été prodigués par les membres de la famille, on devra en tenir compte pour évaluer à la hausse leur propre préjudice[83]. De même, si une aide domestique s'avère nécessaire[84], elle sera acceptée, puisqu'elle représente un préjudice direct (art. 1607 C.c.Q.).

En ce qui concerne les frais futurs[85], qui sont évidemment beaucoup plus compliqués à évaluer, on retiendra les éléments suivants[86]. Tout d'abord, il est clairement admis que la victime, même lourdement handicapée, n'est pas contrainte d'aller vivre dans un établissement de soins le reste de ses jours sous prétexte de minimiser les dommages-intérêts. Au contraire, les bienfaits de la réintégration sociale sur le développement des personnes handicapées sont reconnus et une victime a le droit de retourner vivre chez elle, même si cela entraîne pour le défendeur des frais supplémentaires pour transformer le logement (couloirs élargis, rampe d'accès, comptoirs abaissés), pour aménager des installations et recevoir des soins médicaux à domicile ou l'embauche d'une aide familiale[87].

Comme le souligne la Cour suprême, cela vise à reconnaître « la révolution qui a transformé la médecine de rééducation et la médecine physique ces dernières années. Le concept actuel veut préserver la dignité de la personne gravement atteinte et l'accepter comme un membre de la race humaine qu'il faut aider par tous les moyens à se réintégrer dans la société »[88].

La capacité de payer du défendeur ne constitue pas un élément à considérer[89] (quoique en pratique cela puisse avoir des conséquences sur la somme finalement récoltée). L'accent est plutôt mis sur le respect de la vie humaine et la réhabilitation des personnes gravement

---

79. *Bouliane c. Commission scolaire de Charlesbourg*, précité, note 11. Dans l'affaire *Poulin c. Prat*, précitée, note 11, on a accordé une somme de 60 000 $ à ce chapitre. La Cour d'appel ne fut pas convaincue qu'il convenait d'augmenter ce montant : *Prat c. Poulin*, précité, note 70. Voir aussi *Corbey c. Port-Cartier (Ville de)*, précité, note 11 (75 000 $); *Fortin c. Liberté TM Inc.*, précité, note 11 (30 000 $); *M.A. c. Stations de la Vallée de St-Sauveur Inc.*, précité, note 18. Dans les affaires *Montpetit c. Léger*, précité, note 35; *Fortier c. Municipalité de Sainte-Séraphine*, précité, note 11, ils ont toutefois été refusés.

80. Voir *Loi sur l'assurance-hospitalisation*, L.R.Q., c. A-28; *Loi sur l'assurance maladie*, L.R.Q., c. A-29.

81. *Morissette c. Allard*, REJB 2001-23618 (C.S.); *Ateliers de moteur Competi-Tech Inc. c. St-Laurent*, REJB 2002-35439 (C.A.); *Richardson c. American Home Assurance Company*, REJB 2003-49648 (C.S.), conf. par J.E. 2005-2092, EYB 2005-97206 (C.A.); *Arsenault c. Ste-Marguerite du Lac Masson (Corporation municipale)*, précité, note 11; *Simard c. Lavoie*, [2006] R.R.A. 204 (C.S.), J.E. 2006-446, EYB 2005-99564; *Gagnon c. Lefebvre*, J.E. 2006-1905, EYB 2006-108925 (C.S.); *Auger c. Bellemare*, 2006BE-1093, EYB 2006-106201 (C.S.).

82. *Dupuis c. Raymond*, [1996] R.R.A. 472 (C.S); *Kouroumalis c. Papiernik*, [1997] R.J.Q. 1061, REJB 1997-00420 (C.S.); *Villeneuve c. Fortin*, J.E. 97-784, REJB 1997-03103 (C.S.); *Denoncourt c. K-Mart Canada Ltée*, précité, note 22; *Shehata c. Montréal (Ville de)*, précité, note 21; *Leclerc c. Morin*, J.E. 99-2010, REJB 1999-14354 (C.S.); *Savard c. Laprise*, REJB 2001-22269 (C.S.); *Talon c. Roy*, précité, note 11; *Dibbs c. Proslide Technology Inc.*, REJB 2002-37174 (C.S.); *Turmel c. Loisel*, REJB 2002-31014 (C.S.); *Pellicano c. Trépanier*, [2001] R.R.A. 891, REJB 2001-27152 (C.S.).

83. *Gaudet c. Lagacé*, [1998] R.J.Q. 1035, REJB 1998-05550 (C.A.); *Marin c. Tessier*, précité, note 19; *Talon c. Roy*, précité, note 11; *Hébert c. Procureur général*, REJB 2004-52406 (C.S.); *Dzineku c. Centre d'hébergement et de soins de longue durée Estriade – « Centre St-Joseph »*, 2006BE-882, EYB 2006-108660 (C.S.); *Della Noce c. De Iuliis*, EYB 2006-108630; *Auger c. Bellemare*, précité, note 81.

84. *Denoncourt c. K-Mart Canada Ltée*, précité, note 22; *Weiner c. Montréal (Ville de)*, précité, note 24. Par exemple, des frais de gardiennage des enfants de la victime. Voir *Germain c. Restaurants McDonald's du Canada Ltée*, [1996] R.R.A. 184, EYB 1996-84697 (C.S.). Voir aussi *Corbey c. Port-Cartier (Ville de)*, précité, note 11; *Morin c. ING groupe commerce, compagnie d'assurances*, EYB 2004-68501 (C.S.); *Arsenault c. Ste-Marguerite du Lac Masson (Corporation municipale)*, précité, note 11; *Simard c. Lavoie*, précité, note 81; *Bienvenu-Zarbatany c. Stalder*, précité, note 19; *Dagneau c. Apothico Gest Inc.*, précité, note 51.

85. Monique MARTIN, « Pour une évaluation objective des besoins futurs dans le cas d'un préjudice corporel », dans Service de la formation permanente, Barreau du Québec, *L'évaluation du préjudice corporel*, Cowansville, Les Éditions Yvon Blais Inc., 2004, p. 1, EYB2004DEV449.

86. Voir sur cette question, l'analyse intéressante de Me Geoffroy GUILBAULT, « Petit Guide des réclamations », dans Service de la formation permanente, Barreau du Québec, vol. 196, *L'évaluation du préjudice*, Cowansville, Les Éditions Yvon Blais Inc., 2003, p. 25, EYB2003DEV366, qui fait la nomenclature, aide-mémoire à l'appui, des principales dépenses réclamées ou oubliées par les plaideurs.

87. *Thornton c. Board of School Trustees of School District No. 57*, précité, note 3; *Bouliane c. Commission scolaire de Charlesbourg*, précité, note 11; *Lebrun c. Québec Téléphone*, précité, note 11; *Gravel c. Hôtel-Dieu d'Amos*, précité, note 2; *Dugal c. Procureur général du Québec*, précité, note 33; *Poulin c. Prat*, précité, note 11; *Hébert c. Procureur général*, précité, note 83.

88. *Thornton c. Board of School Trustees of School District No. 57*, précité, note 3, p. 276.

89. *Id.*, p. 277 et 278.

handicapées, qu'il importe de ne pas laisser dépérir en institution, en raison d'un manque d'intérêt et de stimulation. C'est toujours le principe de la *restitutio in integrum* qui est le fondement de l'attribution de tels dommages, qui doivent néanmoins être raisonnables[90]. Évidemment, la Cour suprême exprime que ce n'est là qu'une restitution intégrale relative puisque : « on ne peut jamais rétablir une personne atteinte d'une invalidité sérieuse et permanente dans la situation qui aurait été la sienne si elle n'avait pas subi le préjudice. Dans un tel cas, la restitution intégrale n'est pas possible. L'argent est un bien piètre substitut pour la santé et le bonheur, mais dans la mesure où il peut être raisonnablement employé pour maintenir ou améliorer la santé mentale ou physique de la victime, il peut à bon droit faire l'objet d'une réclamation »[91]. En ce qui a trait aux sommes futures, il sera essentiel d'actualiser les sommes d'argent en tenant compte de l'expectative de vie nouvelle de la victime, de sorte qu'à la fin présumée de sa vie la victime n'ait plus rien dans son patrimoine sous ce chef. Tout ce qui s'avère être un préjudice futur mais certain doit être compensé (art. 1611 C.c.Q.).

Finalement, soulignons que les frais d'expertise sont désormais acceptés à titre de dépens ou de dommages-intérêts[92].

Cela pose d'ailleurs un problème lorsque c'est la partie défenderesse qui fait rejeter l'action. Dans tous les cas, il convient de faire une distinction entre les frais de préparation du rapport et ceux engagés en raison de la présence de l'expert en cour. En effet, dans la deuxième hypothèse, un règlement fixe les indemnités payables aux témoins experts pour leur présence en cour[93].

Traditionnellement, la jurisprudence a refusé de déroger à ce tarif. Toutefois, en raison d'une disproportion éhontée entre le tarif et le coût réel engendré par la présence des experts aux procès, plusieurs décisions reconnaissent aux demandeurs le droit d'obtenir le remboursement de ces frais, notamment lorsque le juge considère que la présence de l'expert était essentielle; le remboursement de ces frais est alors accordé encore là, soit à titre de dépens, soit à titre de dommages-intérêts[94].

B- La perte de revenus

1. Les principes et les situations les plus fréquentes

La victime peut recouvrer, en vertu de l'article 1611 C.c.Q., une indemnité qui couvrira, d'une part, le manque à gagner constaté jusqu'à la date du procès et, d'autre part, les pertes prospectives. Dans chacun des cas, il sera essentiel de faire le relevé des taux d'incapacité médicale ou fonctionnelle et de traduire ces données en perte de capacité de gains. La perte d'avantages sociaux, notamment les congés payés ou les cotisations perdues au régime de retraite, constitue également un préjudice indemnisable[95].

Le calcul des pertes salariales se fera le plus souvent en fonction des revenus effectivement touchés au cours des dernières années[96]. Dans certains cas d'emploi occasionnel, il ne sera pas toujours facile de faire le calcul[97]. On rencontre généralement trois situations qu'il convient maintenant d'analyser.

a) Le travailleur salarié

En vertu du principe de la *restitutio in integrum*, il est important d'établir avec un degré de certitude vraisemblable quel aurait été le plan de carrière de la victime, n'eût été l'accident subi[98]. On tiendra compte des facteurs sui-

90.   D. GARDNER, *op. cit.*, note 9, p. 191, qui explique que les soins à domicile sont surtout reconnus aux victimes lourdement handicapées (p. 191).

91.   *Andrews c. Grand and Toy Albert Ltd.*, précité, note 1, p. 241 et 242.

92.   Voir généralement sur cette question : Alicia SOLDEVILA, « La double nature des frais d'experts », dans Service de la formation permanente, Barreau du Québec, *Développements récents en droit civil (1999)*, Cowansville, Les Éditions Yvon Blais Inc., p. 87, EYB1999DEV152; Isabelle HUDON, « Les frais d'expertise comment les réclamer et les obtenir », dans Service de la formation permanente, Barreau du Québec, *L'évaluation du préjudice corporel*, Cowansville, Les Éditions Yvon Blais Inc., 2004, p. 89, EYB2004DEV452; Daniel GARDNER, *Le préjudice corporel*, 2e éd., Cowansville, Les Éditions Yvon Blais Inc., p. 201 et s., EYB2002EPC10; J.-L. BAUDOUIN et P. DESLAURIERS, *op. cit.*, note 14, p. 334 et s.

93.   Voir *Règlement sur les indemnités payables aux témoins assignés devant les cours de justice*, R.R.Q., 1981, c. C-25, r. 2, art. 2.

94.   Voir sur cette question, J.-L. BAUDOUIN et P. DESLAURIERS, *op. cit.*, note 14, p. 338; D. GARDNER, *op. cit.*, note 9, p. 204; M. LÉGER, *Mémoire de frais*, 2e éd., Cowansville, Les Éditions Yvon Blais Inc., 2002; Alicia SOLDEVILA, « La double nature des frais d'experts », dans Service de la formation permanente, Barreau du Québec, *Développements récents en droit civil (1999)*, Cowansville, Les Éditions Yvon Blais Inc., p. 87; Isabelle HUDON, « Les frais d'expertise comment les réclamer et les obtenir », dans Service de la formation permanente, Barreau du Québec, *L'évaluation du préjudice corporel*, Cowansville, Les Éditions Yvon Blais Inc., 2004, p. 89.

95.   *Germain c. Restaurants McDonald's du Canada Ltée*, précité, note 84 (revue de jurisprudence). Voir également *Turgeon c. Paiement*, [1998] R.R.A. 889, REJB 1998-07867 (C.Q.); *Mainville c. Cité de la Santé de Laval*, [1998] R.J.Q. 2082, REJB 1998-07986 (C.S.); *Marin c. Tessier*, précité, note 19; *Ouellette c. Tardif*, précité, note 18; *Morin c. Girard*, précité, note 21; *Lévesque c. Daunais*, 2005BE-1082 (C.S.); *Rehel c. Roberge*, 2005BE-75, REJB 2004-71939 (C.S.).

96.   Par exemple, *Proulx c. Procureur général du Québec*, précité, note 26; *Mainville c. Cité de la Santé de Laval*, précité, note 95; *Corbey c. Port-Cartier (Ville de)*, précité, note 11; *Ateliers de moteur Competi-Tech Inc. c. St-Laurent*, précité, note 81; *Fortin c. Liberté TM Inc.*, précité, note 11.

97.   *Villeneuve c. St-Ambroise (Paroisse de)*, J.E. 97-2174, REJB 1997-05194 (C.S.); *Leroux c. Montréal (Communauté urbaine de)*, [1997] R.J.Q. 1970, REJB 1997-03310 (C.S.); *Sirois c. Dionne*, précité, note 15; *Bussières c. Carrier*, précité, note 14.

98.   *Imbeault c. Collège d'enseignement général et professionnel de Maisonneuve*, [2007] R.J.Q. 86, EYB 2006-111766 (C.S.), EYB 2008-134421 (C.A.).

vants : le salaire des dernières années[99], l'âge prévu de la retraite[100], le type d'emploi[101], etc.[102]. On aura recours à l'aide de témoins pour démontrer le cheminement probable de la victime dans le monde du travail. Il conviendra, évidemment, de tenir compte, si la preuve le soutient, autant des aléas positifs (promotion, avantages sociaux, temps supplémentaire) que des aléas négatifs[103] (périodes de chômage importantes, emploi précaire, décès). Ainsi, dans une affaire, on a tenu compte du fait que la victime suivait, au moment de l'accident, des cours du soir qui lui auraient permis d'obtenir une promotion[104]. En ce qui a trait au travailleur à temps partiel, il conviendra de vérifier, eu égard à la preuve présentée, si cette situation était temporaire ou durable.

b) Les adultes hors du marché du travail[105]

Il s'agit ici du problème complexe de la victime qui, au moment où elle a été blessée, travaillait à la maison pour prendre soin de ses enfants. La jurisprudence se montre généralement fort embarrassée (et d'ailleurs peu généreuse), car elle ne parvient pas à fixer des paramètres adéquats. De façon générale, s'il est possible d'établir la formation ou la profession antérieure de la victime, on est en mesure d'extrapoler et d'évaluer le moment présumé d'un retour sur le marché du travail ainsi que le salaire[106]. Cette analyse, nécessairement aléatoire, est néanmoins essentielle. Il faudra alors faire la preuve du plan de carrière potentiel de la victime, en tenant compte aussi

de certains aléas négatifs et positifs, mentionnés précédemment dans le cas d'un travailleur régulier.

À défaut de formation particulière, la jurisprudence se contente d'évaluer le salaire estimé en fonction de celui d'une aide domestique. Certains auteurs ont dénoncé cette analyse à coloration sexiste en proposant de considérer les problèmes en fonction des critères invoqués pour l'attribution d'une prestation compensatoire[107]. Une décision a également fondé son calcul sur le revenu annuel des femmes dans la catégorie d'âge de la demanderesse[108].

c) L'enfant

Les tribunaux reconnaissent, non sans déception, combien il est difficile d'établir ce que serait le métier d'un enfant et par conséquent son salaire. D'ailleurs, plus l'enfant est jeune, plus le problème est complexe, faute de données pouvant servir de base à l'analyse. On tente alors d'établir la personnalité de la victime[109]. Pour ce faire, on reconnaît généralement comme critères adéquats l'éveil scolaire, le quotient intellectuel, la stimulation du milieu[110], les emplois des parents (ce dernier élément étant justement critiqué, car il contribue à perpétuer certains préjugés et jugements de valeur)[111].

Si on ne peut se baser sur aucun élément de référence, la preuve du salaire moyen des travailleurs pourra être faite et constituera une donnée de base acceptable[112].

99. Le salaire doit provenir de sources dites légales. Voir la jurisprudence citée par D. GARDNER, op. cit., note 9, p. 303 et 305. En revanche, et de façon surprenante, une décision indemnise en partie la perte de revenus « occultes ». Lessard c. Norgroupe, compagnie d'assurances générales, REJB 2000-19672 (C.S.); Lamontagne c. Larouche, précité, note 14.
100. Michel VEILLEUX, « L'évaluation devant les tribunaux des dommages corporels », (1988) 10 R.P.F.S. 245, 247; Viens c. Parent, REJB 1998-06844 (C.S.), conf. par REJB 2001-24906 (C.A.); Laîné c. Viking Helicopters, précité, note 32; Ouellette c. Tardif, précité, note 18; Jourdain c. Ferranti-Packard Inc., précité, note 26; Imbeault c. Collège d'enseignement général et professionnel de Maisonneuve, précité, note 98; Fortin c. Liberté TM Inc., précité, note 11; Nadeau c. Turgeon, précité, note 25. Évidemment, si un secteur présente des données statistiques différentes, le juge devra en tenir compte.
101. Lacombe c. April (Succession d'), précité, note 11; Jourdain c. Ferranti-Packard Inc., précité, note 26; Painchaud-Cleary c. Pap, précité, note 24; Jlassi c. 154888 Canada Inc., précité, note 14; St-Maurice c. Montréal (Ville de) (Société du parc des îles), précité, note 14; Quessy c. Doucet, J.E. 2005-960, EYB 2005-88669 (C.S.). Dans une décision où une victime était membre d'une communauté religieuse, on a fixé ses revenus en établissant une comparaison avec le salaire moyen de sa profession : Tardif c. Ouellette, précité, note 18.
102. D'autres facteurs ont été répertoriés, tels l'âge, le niveau d'éducation, les influences du marché : D. GARDNER, op. cit., note 9, p. 299. Voir aussi, Lacombe c. April (Succession d'), précité, note 11; Jourdain c. Ferranti-Packard Inc., précité, note 26; Painchaud-Cleary c. Pap, précité, note 24.
103. Auclair c. Procureur général du Québec, [1998] R.R.A. 184, REJB 1998-09315 (C.S.); Ouellet c. Mc Cutcheon, EYB 2003-50555 (C.S.).
104. Poulin c. Prat, précité, note 11.
105. Selon l'expression de D. GARDNER, op. cit., note 9, p. 330. Il s'agira, encore aujourd'hui, de femmes, comme en témoigne la jurisprudence. Katherine LIPPEL et Claudyne BIENVENU, « Les dommages fantômes : l'indemnisation des victimes de lésions professionnelles pour l'incapacité d'effectuer le travail domestique », (1995) 36 C. de D. 161.
106. Ferland c. Boivin, [1965] C.S. 215; Brunning c. Mont Tremblant Lodge Ltd., [1967] C.S. 473.
107. J.-L. BAUDOUIN et P. DESLAURIERS, op. cit., note 14, p. 472 et s. Contra : D. GARDNER, op. cit., note 9, p. 333, qui s'appuie sur la jurisprudence canadienne pour démontrer qu'il est possible de prétendre à une évaluation assez juste des travaux ménagers. Pour une décision récente : Denoncourt c. K-Mart Canada Ltée, précité, note 22.
108. Marchand c. Champagne, J.E. 92-429, EYB 1991-74878 (C.S.).
109. Voir des exemples récents, St-Cyr c. Boucherville (Ville de), [1995] R.J.Q. 2445, EYB 1995-72459 (C.S.); Tu c. Compagnie de chemins de fer nationaux du Canada, précité, note 11; M.A. c. Stations de la Vallée de St-Sauveur Inc., précité, note 18.
110. Gravel c. Hôtel-Dieu d'Amos, précité, note 2; M.A. c. Stations de la Vallée de St-Sauveur Inc., précité, note 18.
111. D. GARDNER, op. cit., note 9, p. 340, qui cite C.J. BRUCE, Assessment of Personal Injury Damages, 3e éd., Butterworths, 1999, p. 12.
112. Bouliane c. Commission scolaire de Charlesbourg, précité, note 11, p. 344; Gravel c. Hôtel-Dieu d'Amos, précité, note 2, p. 833; Lapointe c. Hôpital Le Gardeur, [1989] R.J.Q. 2619, EYB 1989-59049 (C.A.), inf. sur la responsabilité par [1992] 1 R.C.S. 351, EYB 1992-67847; Tu c. Compagnie de chemins de fer nationaux du Canada, précité, note 11. Dans cette affaire, on a tenu compte du salaire moyen des diplômés universitaires. Voir aussi M.A. c. Stations de la Vallée de St-Sauveur Inc., précité, note 18.

Toutefois, les parties auraient intérêt, dans la mesure du possible, à particulariser leur échantillonnage pour éviter qu'un juge émette l'opinion que :

> « L'échantillonnage [...] ne semble faire aucune distinction de race, de sexe, de domicile [...]. En somme, les mêmes statistiques s'appliqueraient à une infirmière de Toronto, un commis de Matane, un policier de Montréal ou à une vendeuse dans un centre commercial du Nouveau-Brunswick. »[113]

De plus, l'utilisation de statistiques peut constituer un problème, notamment lorsqu'il s'agit d'évaluer la perte de capacités de gain des femmes. En effet, les statistiques « reflétant [...] les disparités historiques salariales entre les deux sexes »[114], faussent les données puisqu'elles ne tiennent pas compte du progrès réalisé et du fait que la marge s'amenuisera[115].

Dans tous les cas, il faudra évidemment fixer le moment où la victime aurait fait son entrée sur le marché du travail. Il conviendra alors d'en établir la preuve, en fonction du métier ou de la profession envisagée. À défaut, on s'en tiendra à une moyenne statistique qui dépasse souvent l'âge de la majorité[116].

Évidemment, si la preuve le soutient[117], les pertes d'années de scolarité sont compensables[118].

2. *L'incidence de la réadaptation*

Une fois qu'a été établi de façon prospective le métier de la victime de façon à pouvoir fixer le manque à gagner, il convient alors d'envisager concrètement, en fonction de ses habiletés, et compte tenu de son handicap, les fonctions auxquelles elle peut dès lors aspirer[119]. C'est pourquoi il faut absolument tenir compte des facteurs suivants : nouvelle carrière, réorientation, recyclage[120]. Ces éléments tendent à minimiser les pertes de salaire et devront être comptabilisés pour les soustraire des sommes allouées au titre de perte de gains[121].

Mais, ne nous leurrons pas, le retour au travail, s'il est probable pour certains[122], peut représenter pour d'autres un énorme défi et ne constituer qu'une faible possibilité, auquel cas le juge ne doit pas en tenir compte[123]. Le juge chargé d'instruire le procès n'est évidemment pas obligé d'avoir un degré de certitude absolue, mais il doit être convaincu, selon toute vraisemblance, que la victime peut de façon raisonnable espérer intégrer ou réintégrer le marché du travail. À cet égard, la victime n'est pas obligée d'accepter n'importe quel emploi[124]. Évidemment, « plus les blessures sont graves, plus faibles seront les chances de retourner (ou d'accéder) au marché du travail »[125].

C- Le préjudice moral (les pertes non pécuniaires)

Ce chef est le reflet de l'incapacité fonctionnelle sur la vie en général. Les blessures ont souvent un effet direct sur le porte-monnaie, mais l'atteinte subie entraîne aussi de la souffrance, des douleurs, une perte de jouissance de la vie. L'indemnisation adéquate de ce chef, difficilement quantifiable[126], fait l'objet d'une controverse.

---

113. *Boulianne c. Commission des écoles catholiques de Québec*, [1997] R.J.Q. 2792, REJB 1997-03277 (C.S.), inf. quant à la responsabilité par J.E. 2001-95, REJB 2000-21405 (C.A.).
114. N. DES ROSIERS et L. LANGEVIN, *op. cit.*, note 52, p. 162.
115. *Id.*, p. 163.
116. Dans l'affaire *Bouliane*, précitée, note 11, on a présumé à 20 ans l'entrée dans le monde du travail de la victime (p. 344). Dans l'affaire *Gravel*, précitée, note 2, le juge retient l'âge de 21 ans (p. 834).
117. *Paquette c. Commission scolaire des manoirs*, [1998] R.R.A. 187, REJB 1997-05298 (C.S.); *Bouchard c. D'Amours*, précité, note 18; *Roberge c. Thetford (Corporation municipale de la partie sud du canton)*, REJB 2002-30964 (C.S.); *Turmel c. Loisel*, précité, note 82.
118. Dans ce cas, les sommes sont souvent allouées sous le signe de l'arbitraire : D. GARDNER, *op. cit.*, note 9, p. 338. C'est par une analyse factuelle que le juge déterminera si l'accident est la véritable cause des échecs scolaires : *130629 Canada Inc. c. Pageau*, [1995] R.R.A. 6, EYB 1995-55703 (C.A.); *Bouchard c. D'Amours*, précité, note 18.
119. *Lafleur c. Issa*, REJB 1999-16085 (C.S.), C.A. Montréal, nº 500-09-009039-991, 4 décembre 2002; *Fortin c. Liberté TM Inc.*, précité, note 11.
120. J.-L. BAUDOUIN et P. DESLAURIERS, *op. cit.*, note 24, p. 469 et s.; D. GARDNER, *op. cit.*, note 9, p. 344 et s.; *Lacombe c. April (Succession d')*, précité, note 11; *Bussières c. Carrier*, précité, note 14; *Imbeault c. Collège d'enseignement général et professionnel de Maisonneuve*, précité, note 98.
121. *Juneau c. Rivard (Succession de)*, précité, note 11; *Massé c. Bélanger*, [1990] R.R.A. 538, EYB 1990-76621 (C.S.); *Beaudriault c. Station Mont-Tremblant Inc.*, [1994] R.R.A. 687, EYB 1994-56988 (C.A.); *Imbeault c. Collège d'enseignement général et professionnel de Maisonneuve*, précité, note 98; *Imbeault c. Bombardier Inc.*, J.E. 2007-1745, EYB 2007-123056 (C.S.) (en appel).
122. Dans une affaire, on a réduit la perte salariale en fonction du salaire moyen des travailleurs. Voir *Imbeault c. Collège d'enseignement général et professionnel de Maisonneuve*, précité, note 98.
123. *E.F. c. Bourdua*, J.E. 2008-342, EYB 2007-127667 (C.S.).
124. Pour une analyse intéressante et fouillée de cette question, voir *Fortin c. Liberté TM Inc.*, précité, note 11.
125. D. GARDNER, *op. cit.*, note 9, p. 344; voir *Gendron c. Lignes aériennes Canadien Pacifique*, [1980] C.S. 548, conf. par [1983] C.A. 596; *Laîné c. Viking Helicopters*, précité, note 32; *Ouellette c. Tardif*, précité, note 18; *Painchaud-Cleary c. Pap*, précité, note 24; *Lafleur c. Issa*, précité, note 119; *Fortier c. Municipalité de Sainte-Séraphine*, précité, note 11; *Morin c. ING groupe commerce, compagnie d'assurances*, précité, note 84; *St-Maurice c. Montréal (Ville de) (Société du parc des îles)*, précité, note 14; *Fortin c. Liberté TM Inc.*, précité, note 11. Voir aussi *Beaulieu c. Bourgouin*, précité, note 11.
126. Pour des exemples illustrant la difficulté d'évaluer le préjudice moral, voir *Larocque c. Côté*, [1996] R.J.Q. 1930, REJB 1996-30544 (C.S.); *Marin c. Tessier*, précité, note 19; *A. c. B*, J.E. 2007-288, EYB 2007-112340 (C.S.), conf. par EYB 2007-117782 (C.A.). Pour une analyse intéressante des

D'une part, on peut prétendre qu'aucune somme d'argent, quelle qu'elle soit, ne peut parvenir à compenser l'incapacité d'utiliser par exemple ses jambes et qu'une somme très importante doit être versée. D'autre part, certains juges expriment des réticences à ce sujet car, pour eux, cela équivaudrait à monnayer la douleur. Néanmoins, une chose est évidente, il est impossible de nier que certains accidents entraînent de la gêne, une perte de mobilité ou des souffrances.

Toutefois, il faut se rappeler que ce chef de dommages vise à compenser la victime et ne doit pas servir à punir l'auteur, même s'il peut être tentant de le faire indirectement en réclamant une somme exagérément élevée. C'est pourquoi la Cour suprême, dans une tentative pour freiner certains abus potentiels et par crainte de voir se propager au Canada la flambée inflationniste des sommes accordées aux États-Unis[127], a émis l'opinion qu'à moins de circonstances exceptionnelles (il est difficile de voir des circonstances plus exceptionnelles que dans cette affaire où la victime était devenue tétraplégique), le plafond de 100 000 $ devait être retenu et appliqué[128].

Dans une décision subséquente, la cour précise sa pensée en mentionnant que la somme de 100 000 $ devait être analysée en fonction de la valeur monétaire de 1978 et qu'il incombait aux tribunaux d'actualiser à la date du jugement les sommes ainsi accordées[129]. Les tribunaux ont en général suivi les deux principes (plafond et actualisation)[130]. Le plafond s'élève actuellement à plus de 300 000 $[131].

La lecture de certaines décisions relatives à des questions de préjudice moral dans un contexte d'atteinte à la réputation a pu laisser croire à un possible effritement du plafond[132]. En effet, dans l'affaire *Hill c. Église de scientologie*[133], la Cour suprême a émis l'opinion qu'aucun plafond ne devait être imposé quant au préjudice moral résultant d'une diffamation[134].

La Cour suprême a réitéré ses propos dans l'arrêt *Botiuk*[135] et a refusé de fixer un plafond en présence d'une atteinte à la réputation, c'est-à-dire dans un domaine où le préjudice moral n'est pas la conséquence d'une atteinte à l'intégrité physique.

---

problèmes similaires en common law, voir Louise BÉLANGER-HARDY, « Responsabilité délictuelle réparation du préjudice moral : où en est la common law canadienne? », (2002) 32 *R.G.D.* 697, 703 et s. Pour une perspective de droit comparé, voir : D. GARDNER, « L'indemnisation du préjudice corporel dans les juridictions de tradition civiliste », *op. cit.*, note 35.

127. *Andrews c. Grand and Toy Alberta Ltd.*, précité, note 1.

128. *Ibid.*

129. *Lindal c. Lindal*, précité, note 3, p. 641.

130. L'étude du professeur GARDNER, *op. cit.*, note 9, démontre cependant que, dans la majorité des décisions, l'indexation est soit absente, soit partielle (p. 244 à 247). Il existe toutefois une décision où un jury a accordé 692 000 $ pour pertes non pécuniaires, montant qui fut accepté par le juge : *Armstrong c. McGuindle*, (1992) III N.S.R. 239. (Cité par D. GARDNER, *op. cit.*, note 9, p. 242-243). Pour certaines discussions actuarielles sur cette question, voir Luc RIVEST, « L'actuaire, un pont entre les mathématiques et le droit : Son rôle et ses limites dans un procès », *loc. cit.*, note 10, p. 101.

131. Au Québec, les plus récentes décisions qui mentionnent un plafond font état de sommes allant de 280 000 $ à 360 000 $. Voir *Guité c. Procureur général du Québec*, [2006] R.R.A. 249, EYB 2006-102499 (C.A.); *Lamontagne c. Larouche*, précité, note 14; *Blackburn c. Syndicat copropriété Pré-Vert Nord, Pré-Vert Sud et Ste-Famille*, J.E. 2006-1856, EYB 2006-108923 (C.S.); *Beaulieu c. Bourgouin*, précité, note 11; *Poirier c. Alfino (Succession de)*, J.E. 2007-1000, EYB 2007-119158 (C.Q.); *Imbeault c. Bombardier Inc.*, précité, note 121; *Fortin c. Liberté TM Inc.*, précité, note 11; *Nadeau c. Turgeon*, précité, note 25; *White c. Thompson*, 2007BE-522, EYB 2007-117303 (C.S.); *Laurence c. Promutuel Verchères, société mutuelle d'assurances*, 2007 QCCS 3775; *Briand c. Éthier*, 2008 QCCS 1427, J.E. 2008-1037, EYB 2008-132268 (C.S.) (en appel). Dans un *obiter* de l'arrêt *Gosset*, la Cour suprême précise que le plafond équivaut aujourd'hui à 243 000 $: *Augustus c. Gosset*, [1996] 3 R.C.S. 268, 293, EYB 1996-67910. Il faut d'ailleurs souligner que c'est la première fois que la Cour suprême fait directement état d'un plafond pour les pertes non pécuniaires dans le contexte du droit civil, même si le juge Lamer l'avait évoqué dans sa dissidence dans l'arrêt *Snyder c. Montreal Gazette Ltd.*, [1988] 1 R.C.S. 494, 507, EYB 1988-67848. En common law, les tribunaux se montrent plus généreux dans leur évaluation. Voir la jurisprudence colligée dans Patrice DESLAURIERS, « La réparation du préjudice moral : pas et faux pas de la Cour suprême », dans Service de la formation permanente, Barreau du Québec, *Développements récents en responsabilité civile (1997)*, Cowansville, Les Éditions Yvon Blais Inc., p. 165 et s., aux notes 102 et s.; N. DES ROSIERS et L. LANGEVIN, *op. cit.*, note 52, p. 165 et s. Voir aussi pour une analyse des montants accordés en Angleterre et aux États-Unis, J.C. BOUK, « Civil Jury Trials – Assessing Non-Pecuniary Damages – Civil Jury Reform », (2002) 81 *R. du B. can.* 453, 500 et s. Pour d'autres indemnités importantes, voir *Laîné c. Viking Helicopters*, précité, note 32; *Marin c. Tessier*, précité, note 19; *Québec (Curateur public) c. Cie de chemins de fer nationaux*, précité, note 43; *Chouinard c. Robbins*, REJB 2001-27398 (C.A.); *Tu c. Compagnie de chemins de fer nationaux du Canada*, précité, note 11; *Lacombe c. April (Succession d')*, précité, note 11; *Godin c. Quintal*, précité, note 18; *Jourdain c. Ferranti-Packard Inc.*, précité, note 26; *Fortier c. Municipalité de Sainte-Séraphine*, précité, note 11; *Libenstein c. Lombard General Insurance Company of Canada*, EYB 2004-70852 (C.S.); *Hébert c. Procureur général*, précité, note 83; *Morin c. ING groupe commerce, compagnie d'assurances*, précité, note 84; *Arsenault c. Ste-Marguerite du Lac Masson (Corporation municipale)*, précité, note 11; *Simard c. Lavoie*, précité, note 81; *Nolet c. Boisclair*, [2007] R.R.A. 1017, EYB 2007-124392 (C.S.) (en appel); *Fortin c. Liberté TM Inc.*, précité, note 11.

132. Pour des discussions sur la pertinence de maintenir un plafond en droit civil, voir Patrice DESLAURIERS, « Les pertes pécuniaires : compte-rendu/constat/critiques », (2005) 39 *R.J.T.* 371, 388-394. Pour certains auteurs, l'arrêt *Brière c. Cyr*, précité, note 20, pourrait signifier la fin du plafond. Voir, à ce sujet, G. GUILBAULT, « Commentaire sur la décision *Brière* c. *Cyr* – De la possible fin de la trilogie Andrews? », dans *Repères*, novembre 2007, EYB2007REP652.

133. [1995] 2 R.C.S. 1130, EYB 1995-68609.

134. Il faut souligner que, dans cet arrêt, la cour s'est prononcée dans un contexte de common law. La question demeure ouverte en droit civil, d'autant plus qu'elle a été abordée par le juge Lamer dans sa dissidence, dans l'arrêt *Snyder c. Montreal Gazette Ltd.*, précité, note 130. Voir *supra*, le chapitre III portant sur l'indemnisation résultant d'une atteinte à un droit de la personnalité.

135. *Botiuk c. Toronto Free Press Publications Ltd.*, [1995] 3 R.C.S. 3, EYB 1995-67440.

La lecture de ces décisions pouvait donc mener à nous demander si l'évaluation de tout préjudice moral, quelle qu'en soit la cause (atteinte à des droits de la personnalité, pertes non pécuniaires à la suite de blessures, décès d'un être cher), devait maintenant être reconsidérée à la hausse.

Toutefois, une décision[136] du plus haut tribunal du pays prend bien soin de nous rappeler que, en matière de préjudice moral consécutif à une atteinte à l'intégrité physique, le plafond doit être maintenu. Dans cette affaire, il s'agissait d'une femme qui avait été infectée par le VIH à la suite d'une insémination artificielle. En l'espèce, le jury[137] avait accordé à la victime 460 000 $ au titre des pertes non pécuniaires. Au sujet du plafond, la cour écrit :

« [q]u'il informe ou non le jury de l'existence d'un plafond, le juge doit réduire l'indemnité accordée si elle dépasse le plafond établi dans la trilogie, ajusté en fonction de l'inflation. Bien que le juge de première instance ne joue pas le rôle d'une juridiction d'appel à l'égard du verdict du jury, la trilogie a fixé, en tant que règle de droit, une limite aux dommages-intérêts non pécuniaires qui peuvent être accordés dans ce type d'affaire. Il aurait tort d'inscrire dans le jugement une somme qui, en droit, est excessive. Certes, la question peut être corrigée en appel, mais l'appel peut s'avérer inutile si le montant convenable a été accordé au procès. »[138]

Avec égards, nous croyons que cette décision peut être discutée. Il ne s'agit toutefois pas de porter un jugement sur l'aspect des pertes pécuniaires. Les deux victimes ont droit à une réparation intégrale de leur préjudice matériel, quelle qu'en soit la somme. En revanche, il est profondément inéquitable qu'une victime devenue tétraplégique à la suite d'un accident reçoive moins pour compenser son préjudice moral qu'une victime de diffamation. En effet, contrairement à une atteinte à la réputation, qui elle a un effet temporaire, les blessures graves ont un effet permanent. De plus, alors que le jugement réhabilite (du moins en partie) la réputation d'une victime diffamée, cet effet bénéfique ne peut jouer pour une personne blessée. Cela milite pour une évaluation plus généreuse du préjudice moral résultant de blessures corporelles. Toutefois, force est d'admettre que les enseignements de la Cour suprême contredisent notre position, puisque la cour semble limiter son raisonnement (refus d'un plafond) aux seules situations impliquant une atteinte à la réputation.

On divise généralement le préjudice moral en trois catégories. La première est la perte de jouissance de la vie : les blessures subies ont souvent pour effet de diminuer la qualité de la vie et de créer plusieurs inconvénients[139]. La deuxième est la réparation du préjudice esthétique[140] : ce préjudice est purement non économique, sauf si on retire des revenus de son apparence[141], par exemple, à titre de mannequin. Au strict point de vue non économique, les cicatrices[142] ou la modification de

---

136. *Ter Neuzen c. Korn*, [1995] 3 R.C.S. 674, EYB 1995-67069.

137. Pour une analyse du rôle du jury dans l'attribution des pertes non pécuniaires, voir J.C. BOUK, *loc. cit.*, note 131.

138. *Id.*, p. 726 (nos italiques). À noter que la Cour suprême a ordonné, en l'espèce, la tenue d'un nouveau procès pour établir si le médecin-défendeur avait commis une faute.

139. *Ambroise c. Lambert*, précité, note 21; *Lavoie c. Dalpé*, J.E. 97-1314, REJB 1997-03444 (C.S.); *Laîné c. Viking Helicopters*, précité, note 32; *Marcoux c. Légaré*, REJB 2000-17683 (C.S.), REJB 2002-35656 (C.A.); *Lafleur c. Issa*, précité, note 119; *Pellicano c. Trépanier*, précité, note 82; *Jeanson c. Sports Estrie-Mont Inc.*, précité, note 19; *Ateliers de moteur Competi-Tech Inc. c. St-Laurent*, précité, note 81; *Jourdain c. Ferranti-Packard Inc.*, précité, note 26; *Dubé c. Corporation Mont-Bénilde*, précité, note 19; *Roberge c. Thetford (Corporation municipale de la partie sud du canton)*, précité, note 117; *Libenstein c. Lombard General Insurance Company of Canada*, précité, note 131; *Boucher-Graham c. Centres d'achats Beauward Ltée*, précité, note 21; *Cyr c. Brière*, précité, note 14; *Perreault c. Brûlé*, précité, note 19; *Newcomb c. Station Mont-Tremblant Inc.*, EYB 2005-96949; *Richard c. Dubois*, précité, note 14; *St-Onge c. Prés verts MB Ltée*, J.E. 2006-348, EYB 2005-99002 (C.S.); *Gariépy c. 9016-5440 Québec Inc.*, précité, note 19; *Lamontagne c. Larouche*, précité, note 14; *Dzineku c. Centre d'hébergement et de soins de longue durée Estriade – « Centre St-Joseph »*, précité, note 83; *Blackburn c. Syndicat copropriété Pré-Vert Nord, Pré-Vert Sud et Ste-Famille*, précité, note 131; *Riney c. Compagnie de gestion Orford Inc.*, [2007] R.R.A. 85 (C.S.); *Longpré c. Paquet*, [2007] R.R.A. 313, EYB 2007-113649 (C.S.) (en appel); *Bienvenu-Zarbatany c. Stalder*, précité, note 19; *Renaud c. Leduc*, 2007BE-708, EYB 2007-120213 (C.S.).

140. *Bolduc c. Adams*, [1995] R.R.A. 1163, EYB 1995-72514 (C.S.); *Roach c. Protestant School Board of Greater Montreal*, [1995] R.R.A. 698 (C.S.); *Bédard c. Lettre*, [1995] R.R.A. 528, EYB 1995-78278 (C.S.); *Brazel c. Roy*, [1994] R.R.A. 1006, EYB 1994-97777 (C.S.); *Richard c. Richard*, [1994] R.R.A. 605, EYB 1994-73365 (C.S.); *Van Rossum c. Adamson*, précité, note 19; *Coursol c. Nekaa*, J.E. 97-469, EYB 1996-85397 (C.S.), appel rejeté, C.A. Montréal, n° 500-09-004375-978, 8 mai 2000; *Gauthier c. Boucher*, précité, note 19; *Lemieux c. Théorêt*, [1999] R.J.Q. 1706, REJB 1999-13370 (C.S.), REJB 2001-24343 (C.A.); *Tremblay c. Lemieux*, REJB 2001-22161 (C.S.); REJB 2002-35338 (C.A.); *Marcoux c. Légaré*, précité, note 139; *Talon c. Roy*, précité, note 11; *Ambroise c. Lambert*, précité, note 21; *Raymond c. Nottaway*, REJB 2004-69598; *Massé c. Roy*, EYB 2004-81867 (C.Q.); *Montreuil c. Bourget*, 2004BE-649 (C.S); *Gulsara c. Centre Place l'Acadie*, 2005BE-1081 (C.S.); *Guité c. Procureur général du Québec*, précité, note 131; *Simard c. Lavoie*, précité, note 81; *Turco c. Pâtisserie Yiangello*, précité, note 19; *Blackburn c. Syndicat copropriété Pré-Vert Nord, Pré-Vert Sud et Ste-Famille*, précité, note 131; *Paquette c. Morrissette*, EYB 2006-113139 (C.Q.).

141. Voir *Jim Russel International Racing Drivers School Ltd. c. Hite*, précité, note 11. Voir *Von Hlatky c. France Clavet Cosmétiques Ltée*, J.E. 96-49, EYB 1995-66800 (C.S.); *Jimenez c. Peter*, [2002] R.R.A. 943, REJB 2002-32698 (C.S.); *Morel c. Tremblay*, J.E. 2008-1969, EYB 2008-147713 (C.S.) (en appel).

142. Il faut également tenir compte des cicatrices résultant d'une intervention chirurgicale rendue nécessaire en raison de l'accident : *Robert c. Bélanger*, J.E. 98-75, REJB 1997-03848 (C.A.).

l'apparence peuvent causer certains traumatismes ou certains complexes et limiter malheureusement les relations sociales. Ce préjudice est indéniable et mérite d'être réparé. Finalement, la troisième est l'indemnisation des souffrances physiques et morales[143].

Il convient de mentionner que la Cour suprême a accepté, de façon surprenante[144], que les tribunaux ne ventilent pas le préjudice moral en fonction des trois catégories précédemment décrites. La Cour suprême propose plutôt qu'un montant global, ne dépassant pas le plafond mentionné précédemment, soit alloué. C'est de cette manière qu'a procédé la jurisprudence subséquente[145].

Une remarque s'impose relativement à l'existence d'une controverse qui a cours quant à la nature du préjudice moral. Si les auteurs acceptent généralement le principe de la fixation d'un plafond, plusieurs s'interrogent sur la pertinence d'appliquer, en droit civil, la méthode employée par la Cour suprême pour évaluer le préjudice moral.

Dans la trilogie et les décisions subséquentes, le plus haut tribunal utilise la méthode dite « fonctionnelle ». Cette approche, explique un auteur :

« [...] recherche [...] des valeurs de remplacement pour les pertes subies et à venir. Elle vise à indemniser la victime de manière indirecte, non pas en prétendant *compenser* le préjudice, mais en tentant d'en atténuer les effets. »[146]

Pour reprendre les propos de la Cour suprême qui expliquait la thèse fonctionnelle de la façon suivante : « [Elle] vise à fixer une indemnité suffisante pour fournir à la victime une consolation raisonnable pour ses malheurs. Il y a indemnisation non parce que les facultés perdues ont une valeur monétaire, mais parce qu'il est possible de se servir d'argent pour substituer d'autres agréments et plaisirs à ceux qu'on a perdus. »[147]

Pour certains auteurs, ce raisonnement de la Cour suprême s'avérait inapplicable en droit civil, puisque la compensation vise à réparer le préjudice subi, et non « parce qu'il existe un moyen matériel d'en pallier les inconvénients »[148]. Cette vision était donc incompatible avec les principes de droit civil et elle conduisait à des situations inacceptables comme le refus d'indemniser les pertes non pécuniaires subies par une personne dans le coma, en raison de l'impossibilité de lui procurer quelque consolation[149].

Le juge Baudouin proposait plutôt d'aborder le problème en fonction de la thèse personnelle, qui compense la perte par une somme d'argent non pas parce que cela pourra contribuer à fournir à la victime certains substituts à titre de consolation, mais plutôt parce qu'il s'agit d'un préjudice indéniable[150].

En revanche, certains auteurs se sont élevés contre ce refus de la thèse fonctionnelle[151] et acceptent d'y voir un principe compatible avec le droit civil.

---

143. Geneviève COTNAM, « L'indemnisation du préjudice psychologique : l'évaluation de la subjectivité », dans Service de la formation permanente, Barreau du Québec, *L'évaluation du préjudice corporel*, Cowansville, Les Éditions Yvon Blais Inc., 2004, p. 109, EYB2004DEV453 ; J.-F. LEHOUX, « Pour une approche plus méthodique des dommages psychologiques non pécuniaires », dans Service de la formation continue du Barreau du Québec, vol. 252, *Le préjudice corporel*, Cowansville, Les Éditions Yvon Blais Inc., 2006, p. 53. Pour des illustrations : *St-Cyr c. Boucherville (Ville de)*, précité, note 109 ; *Kasimatis c. Restaurant Aris Inc.*, J.E. 96-81, EYB 1995-66802 (C.S.) ; *Brunet-Anglehart c. Donohue*, [1995] R.R.A. 859, EYB 1995-75638 (C.S.) ; *Gélinas c. Wilfrid Poirier ltée*, [1995] R.R.A. 962 (C.S.) ; *Harewood Greene c. Spanier*, [1995] R.R.A. 147 (C.S.) ; *Labranche c. Roy*, [1994] R.R.A. 619, EYB 1994-73411 (C.S.) ; *Van Rossum c. Adamson*, précité, note 19 ; *Weiner c. Montréal (Ville de)*, précité, note 25 ; *Turmel c. Loisel*, précité, note 82 ; *Hubert c. Centre hospitalier des Vallées-de-l'Outaouais, pavillon de Hull*, EYB 2005-96157 (C.S.) ; *Daigle c. Lafond*, précité, note 58 ; *Baillargeon c. Disraëli (Ville de)*, J.E. 2007-1040, EYB 2007-119274 (C.Q.) ; *Fortin c. Liberté TM Inc.*, précité, note 11 ; *Morel c. Tremblay*, précité, note 141 ; *Gauthier c. Beaumont*, [1998] 2 R.C.S. 3, REJB 1998-07106. Dans cette dernière affaire, il est étonnant que la Cour suprême ait décidé de fixer elle-même les dommages alors qu'il s'agissait au départ de statuer sur une requête en irrecevabilité en raison de la prescription. Pour des discussions sur l'arrêt *Gauthier*, voir Martin GAUTHIER, « L'arrêt *Gauthier c. Beaumont* et ses implications », dans Service de la formation permanente, Barreau du Québec, *Congrès annuel du Barreau du Québec (2000)*, Montréal, p. 721.

144. Le professeur Gardner s'estime en accord avec l'approche de la Cour suprême. Voir D. GARDNER, *op. cit.*, note 9, p. 236 à 238. Dans un arrêt, la Cour suprême précise que le fait de regrouper ou non les pertes non pécuniaires n'est pas une question de principe, pourvu que l'objectif de compensation qui sous-tend la responsabilité civile soit respecté : *Gauthier c. Beaumont*, précité, note 143.

145. *Francœur c. Dubois*, précité, note 14 ; *Mongrain c. Gestion Vidéo Mauricie Inc.*, précité, note 21 ; *Giampensa c. Dr.*, précité, note 14 ; *Libenstein c. Lombard General Insurance Company of Canada*, précité, note 131 ; *Beaulieu c. Bourgouin*, précité, note 11 ; *Brière c. Cyr*, précité, note 20 ; *Fortin c. Liberté TM Inc.*, précité, note 11.

146. D. GARDNER, *op. cit.*, note 9, p. 251.

147. *Lindal c. Lindal*, précité, note 3, p. 636.

148. J.-L. BAUDOUIN, *op. cit.*, note 12, p. 190.

149. Ce serait là la conséquence de l'adoption de la thèse fonctionnelle. Ainsi, en Angleterre, la commission Pearson avait proposé d'adopter la méthode fonctionnelle. Elle recommandait en vertu de ce principe « qu'un demandeur dans un état permanent d'inconscience ne reçoive pas de dommages-intérêts pour pertes non pécuniaires, car l'indemnité ne pourrait avoir aucune utilité » (par. 398.12), voir *Lindal c. Lindal*, précité, note 3, p. 639. La commission anglaise a toutefois changé d'avis. Voir, à cet égard, J. C. BOUCK, *loc. cit.*, note 131, p. 516.

150. J.-L. BAUDOUIN, *op. cit.*, note 12, p. 190 et 191.

151. D. GARDNER, *op. cit.*, note 9, p. 252 ; Daniel JUTRAS, « Pretium et précision », (1990) 69 *R. du B. can.* 203. Pour ce dernier, « La thèse fonctionnelle est expliquée en termes presque identiques à ceux employés par les juristes français » (p. 213).

La jurisprudence ne s'est jamais vraiment inquiétée de cette controverse, accordant les dommages sans véritablement débattre de la question[152]. Toutefois, la Cour d'appel dut prendre position récemment. Dans l'affaire *St-Ferdinand c. Le Curateur public*, des bénéficiaires lourdement handicapés avaient subi plusieurs inconvénients (absence de distraction, de thérapie, attache), lorsqu'une grève illégale avait éclaté, à l'intérieur de l'institution où ils séjournaient. Le syndicat, partie défenderesse, prétendait qu'il ne devait verser que des dommages-intérêts symboliques « comme [...] la réception par eux [les bénéficiaires] d'une quelconque indemnité ne saurait consciemment leur apporter quelque source de satisfaction »[153].

La Cour d'appel, se fondant sur les propos de Jean-Louis Baudouin, mais sans faire état de la position contraire d'autres auteurs, fut d'avis que :

« Nos principes d'indemnisation en province civiliste nous permettent d'indemniser le dommage non pécuniaire d'une victime inconsciente ou mentalement déficiente sans qu'on ait à démontrer que l'indemnité soit de nature à procurer une forme de compensation ou de satisfaction. »[154]

Un appel fut interjeté devant la Cour suprême du Canada, qui accepta d'entendre le pourvoi.

Pour décider de cette question, la Cour suprême élabore, avec raison à notre avis, une grille d'analyse s'étayant sur deux étapes. Pour la cour, il importe d'appliquer, dans un premier temps, une méthode permettant de fonder l'existence du préjudice moral (ce qu'elle appelle la justification du droit à la compensation) et de recourir, dans un second temps, à une méthode qui permette d'évaluer le préjudice moral. Voyons ces deux méthodes préconisées par la Cour suprême dans l'ordre établi par elle.

En ce qui a trait à l'existence du droit à l'indemnisation, la Cour suprême propose d'envisager le problème selon l'une ou l'autre des conceptions, objective ou subjective du préjudice. Le passage suivant de l'arrêt, fondé sur l'analyse du professeur Jutras[155], mérite d'être cité *in extenso* puisqu'il fait bien ressortir la distinction entre les deux conceptions.

« *La première de ces conceptions veut que le préjudice extrapatrimonial n'existe que lorsqu'il est ressenti.* Une blessure, quelle qu'en soit la gravité, n'a de conséquences extrapatrimoniales que si la victime est en mesure d'en percevoir les effets. Le préjudice extrapatrimonial, dans ce cadre, est exclusivement subjectif. Souffrances, inconvénients, préjudice d'agrément : on ne distingue pas la blessure elle-même de ses conséquences psychologiques puisque le préjudice se trouve tout entier dans ces dernières. *L'un des corollaires de cette conception, par exemple, est qu'une victime inconsciente n'a droit à aucune indemnité au titre du préjudice extrapatrimonial.* Non seulement faut-il admettre qu'une telle indemnité est superflue, puisque la victime ne peut en ressentir les effets bénéfiques, mais il faut aussi reconnaître que le préjudice lui-même n'existe pas dans ce cas. Il n'y a pas de dommage moral sans souffrance physique ou morale, sans perte de jouissance de la vie ressentie par la victime.

On peut par ailleurs envisager une partie du préjudice extrapatrimonial dans sa matérialité, en insistant sur son caractère visible et tangible. Cette analyse n'exclut pas la notion subjective du préjudice moral. En fait, elle s'y ajoute. Son aspect essentiel, c'est la reconnaissance de l'existence d'un préjudice extrapatrimonial objectif et indépendant de la souffrance ou de la perte de jouissance de la vie ressentie par la victime. Dans cette perspective, le préjudice est constitué non seulement de la perception que la victime a de son état, mais aussi de cet état lui-même. En d'autres termes, il ne suffit pas d'indemniser la victime pour les conséquences patrimoniales et la douleur morale ou physique qui résultent de la blessure. Il faut aussi l'indemniser pour la perte objective d'un membre ou d'une faculté, en fonction des manifestations extérieures des faits générateurs de souffrance. »[156]

Forte de cette analyse, la Cour suprême en vient à la conclusion que :

« L'état du droit, de la jurisprudence et de la doctrine sur cette question au Québec[157] appuie la seconde conception, soit celle voulant que le droit à la compensation du préjudice moral ne soit pas conditionnel

---

152. Voir cependant les réserves dans *Jim Russel International Racing Drivers School Ltd. c. Hite*, précité, note 11, p. 1624 et s.

153. *Le syndicat national des employés de l'hôpital St-Ferdinand c. Curateur public*, [1994] R.J.Q. 2761, 2793, REJB 1994-28741 (C.A.).

154. *Id.*, p. 2795. Plus loin, elle précise : « Nous n'avons pas à nous demander si la victime pourra se servir ou jouir de l'indemnité qui lui est versée. »

155. D. JUTRAS, *loc. cit.*, note 151, p. 216 et 217.

156. *Curateur public c. Le syndicat national des employés de l'Hôpital St-Ferdinand*, [1996] 3 R.C.S. 211 (par. 67), EYB 1996-29281.

157. *Id.*, par. 71. À noter que la Cour suprême s'est réservé la possibilité d'en venir à une conclusion différente en common law.

à la capacité de la victime de profiter ou de bénéficier de la compensation monétaire.

La caractérisation objective du préjudice moral devrait donc être favorisée au Québec; elle s'accorde beaucoup mieux d'ailleurs avec les principes fondamentaux de la responsabilité civile.[158]

[...]

Ainsi, aux fins de la caractérisation de la nature du préjudice moral pour fins d'indemnisation, je suis d'avis, comme le juge Nichols, que la conception purement subjective n'a pas sa place en droit civil puisque les dommages sont recouvrables, non pas parce que la victime pourra en bénéficier, mais plutôt en raison même de l'existence d'un préjudice moral. L'*état ou la capacité de perception de la victime ne sont donc pas pertinents quant au droit à la compensation du préjudice moral.* »[159]

La Cour suprême, en adoptant la conception objective du préjudice moral, reconnaît ainsi, à juste titre ajouterons-nous, le bien-fondé d'indemniser une victime inconsciente.

Dans ce pourvoi, la Cour suprême devait ensuite recommander une méthode d'évaluation des pertes non pécuniaires.

Quant à la méthode préconisée pour l'évaluation du préjudice moral, la Cour suprême, après avoir analysé trois approches possibles, soit la méthode conceptuelle[160] l'approche personnelle[161] et l'approche fonctionnelle[162] en arrive à la conclusion que toutes ces méthodes, sans

exception, « interagissent, laissant une marge de manœuvre aux tribunaux pour en arriver à un résultat raisonnable et équitable »[163]. La cour approuve alors l'analyse suggérée par le professeur Gardner qui exprime l'avis que « l'évaluation des pertes non pécuniaires ne doit pas reposer sur le choix préalable et exclusif d'une *méthode* d'évaluation, puisque ces méthodes (conceptuelle, personnelle et fonctionnelle) ne constituent pas des *règles* de droit. La seule règle en la matière est celle qui exige d'indemniser la perte subie par la victime de façon personnalisée (art. 1611 C.c.Q.) »[164]. Évidemment, si on applique ce principe au cas d'espèce, dans le cas d'une victime inconsciente, la somme allouée doit être modeste.

Notre conclusion par conséquent sera double. D'une part, l'inconscience ne constitue pas une fin de non-recevoir à l'endroit d'une demande d'indemnisation du préjudice moral de la victime inconsciente, puisque la conception objective du préjudice est admise. D'autre part, l'inconscience demeure un élément à prendre en compte dans la détermination du montant des dommages-intérêts.

Comme la cour l'indique, l'approche fonctionnelle « est pertinente en droit civil québécois, non pas pour déterminer le droit à la compensation pour dommages moraux mais plutôt en ce qui a trait au calcul du montant des dommages »[165].

La jurisprudence subséquente[166] a mis en application la méthode suggérée par la Cour suprême. Cela appelle les quatre remarques suivantes. Premièrement, la gravité des blessures reste le critère déterminant[167]. Deuxièmement, la transposition symétrique du taux d'incapacité en pertes non pécuniaires[168] (1 % équivalant à 1 000 dollars en

---

158. *Id.*, par. 68 (nos italiques).
159. *Id.*, par. 71 (nos italiques).
160. *Id.*, par. 73. La Cour suprême en donne la définition suivante : « L'approche dite conceptuelle considère les composantes de l'être humain comme possédant une valeur purement objective, traduite par un montant monétaire spécifique. Cette méthode, d'une grande simplicité, a l'inconvénient majeur de ne pas tenir compte de la situation particulière de la victime. »
161. *Id.*, par. 75. L'approche personnelle, d'expliquer la Cour suprême, « [...] permet d'évaluer la compensation correspondant spécifiquement à la perte subie par la victime. Comme l'écrit Wéry, cette approche « n'accorde aucune valeur objective aux organes du corps humain mais s'attache plutôt à évaluer, d'un point de vue objectif, la douleur et les inconvénients découlant des blessures subies par la victime ». »
162. *Id.*, par. 77. La Cour suprême reprend le commentaire émis à l'occasion de la trilogie selon lequel l'approche fonctionnelle vise « [...] à calculer les « moyens matériels de rendre la vie de la victime plus supportable... puisqu'on a accepté le fait que cette perte [subie] ne peut en aucune façon être réparée directement ». »
163. *Id.*, par. 79.
164. D. GARDNER, *op. cit.*, note 9, p. 260.
165. *Curateur public c. Syndicat national des employés de l'Hôpital St-Ferdinand*, précité, note 156, par. 81. Voir toutefois l'arrêt *Brière c. Cyr*, précité, note 20 qui semble voir dans la théorie fonctionnelle le fondement même de l'existence du préjudice moral.
166. *Stefanik c. Hôpital Hôtel-Dieu de Lévis*, précité, note 11; *Tu c. Compagnie de chemins de fer nationaux du Canada*, précité, note 11; *Boucher-Graham c. Centres d'achats Beauward Ltée*, précité, note 21; *Francœur c. Dubois*, précité, note 14; *Mongrain c. Gestion vidéo Mauricie Inc.*, précité, note 21; *Richardson c. American Home assurance Company*, précité, note 81. Voir toutefois *Libenstein c. Lombard General Insurance Company of Canada*, précité, note 131.
167. Voir pour des décisions récentes où l'on effectue une comparaison entre les blessés de la trilogie et la partie demanderesse, *Bussières c. Carrier*, précité, note 14; *Francœur c. Dubois*, précité, note 14; *Sullivan c. Université Concordia*, précité, note 20; *Blackburn c. Syndicat copropriété Pré-Vert Nord, Pré-Vert Sud et Ste-Famille*, précité, note 131; *Beaulieu c. Bourgouin*, précité, note 11; *White c. Thompson*, précité, note 131.
168. Voir, à titre d'illustrations, *Bissonnette c. Montréal (Ville de)*, 2002BE-265, REJB 2001-28186 (C.S.); *Milette c. Louiseville (Ville de)*, 2002BE-819, EYB 2002-34292 (C.S.); *Paquette c. Turcotte*, 2006BE-161, EYB 2005-96450 (C.S.).

1978) méconnaît l'approche personnelle adoptée par la Cour suprême[169]. Troisièmement, on a pu se demander si le critère fonctionnel, qui commande de prendre en compte le facteur temporel, n'allait pas être progressivement délaissé[170]; on remarque au contraire que plusieurs décisions récentes semblent tenir compte du nombre d'années à vivre de la victime pour évaluer l'ampleur de son préjudice moral[171]. Quatrièmement, il convient finalement de remarquer qu'une tendance récente[172], approuvée par un arrêt de principe de la Cour d'appel[173],

applique la théorie fonctionnelle et transpose le capital en rente viagère[174] généralement pour démontrer la raisonnabilité de la somme ainsi accordée. Cette approche doit être approuvée pour son caractère tangible quoique paradoxalement, elle illustre « de façon concrète, le montant peu élevé que représentent les condamnations pour préjudice non pécuniaire »[175] en plus de s'opposer, du moins en partie, aux principes édictés par la Cour suprême dans l'arrêt *St-Ferdinand*.

---

169. Voir, en ce sens, *Brière c. Cyr*, précité, note 20; *Fortin c. Liberté TM Inc.*, précité, note 11; *Castonguay c. 175684 Canada Inc.*, 2007BE-606 (C.S.). Voir aussi *Boisonneault c. Vachon*, J.E. 2000-2113, REJB 2000-21363 (C.S.); *Lacombe c. April (Succession d')*, [2002] R.J.Q. 2335, REJB 2002-33475 (C.S.); *Bégin c. Labrecque*, [2004] R.L. 517, EYB 2004-81426 (C.S.); *Quessy c. Doucet*, J.E. 2005-960, EYB 2005-88669 (C.S.).

170. Voir *Stefanik c. Hôpital Hôtel-Dieu de Lévis*, précité, note 11; *Ter Neuzen c. Korn*, précité, note 136. Voir également *Unterberg c. Musée McCord d'histoire canadienne*, 2003BE-687 (C.S.).

171. *Weiner c. Montréal (Ville de)*, précité, note 25; *Gomm c. E. Khoury construction Inc.*, J.E. 99-2011, REJB 1999-14650 (C.S.); *Mouzakiotis c. Goodyear Tire & Rubber Company of Canada Ltd.*, REJB 2001-27248 (C.S.); *Painchaud-Cleary c. Pap*, précité, note 24; *Thériault c. Garage A.R. Dionne Inc.*, 2002BE-727 (C.S.); *Langlois c. Franco*, J.E. 2006-2216, EYB 2006-107016 (C.S.); *Longpré c. Paquet*, [2007] R.R.A. 313, EYB 2007-113649 (C.S.) (en appel); *Crevier-Valiquette c. Longueuil (Ville de)*, J.E. 2007-194, EYB 2006-111418 (C.S.); *Chantal c. 9022-1672 Québec Inc.*, J.E. 2007-1530, EYB 2007-121544 (C.Q.) (en appel); *Brière c. Cyr*, précité, note 20; *Dagneau c. Apothico Gest Inc.*, précité, note 51; *Bérubé c. Durette*, [2008] R.R.A. 65, EYB 2007-127151 (C.S.); *M.A. c. Stations de la Vallée de St-Sauveur Inc.*, précité, note 18.

172. Voir, à ce sujet, J.-L. BAUDOUIN et P. DESLAURIERS, *op. cit.*, note 14, p. 487 et la jurisprudence citée aux notes 622 et 623.

173. *Brière c. Cyr*, précité, note 20.

174. Cette méthode a été appliquée par la jurisprudence postérieure. Voir *Bérubé c. Durette*, précité, note 171; *C.P. c. Delisle*, 2008BE-1125, EYB 2008-148375 (C.S.).

175. G. GUILBAULT, *loc. cit.*, note 132.

Chapitre V

Me Patrice Deslauriers*

L'indemnisation du préjudice résultant du décès

1- Historique[1]

Les principes qui régissent les droits des proches, lors du décès de la victime, ont connu au Québec plusieurs bouleversements. Avant 1847, le droit d'inspiration française s'appliquait et toute personne justifiant d'un dommage direct pouvait poursuivre l'auteur du préjudice[2]. En 1847, une loi canadienne fut adoptée pour limiter à certaines personnes[3] les recours en cas de décès. Cette loi, qui reprenait essentiellement une loi anglaise[4], s'appliquait uniformément aux territoires du Haut-Canada et du Bas-Canada, en modifiant radicalement le droit antérieur dans les deux provinces, mais, paradoxalement, de façon diamétralement opposée.

Ainsi dans le Haut-Canada, la loi avait pour effet d'autoriser des recours jusque-là inconnus en common law et modifiait la règle ancestrale qui prévoyait que toute réclamation s'éteignait avec le décès de la victime[5].

À l'opposé, le droit civil considérant depuis toujours que le décès pouvait être source de préjudice, la nouvelle loi venait donc restreindre le droit d'action à certaines personnes nommément désignées. Cette loi de 1847 fut à l'origine de l'introduction ultérieure de l'article 1056[6]

dans le Code civil du Bas-Canada. Même si les raisons de l'apparition de cet article demeurent un mystère, il eut force de loi dès 1866[7].

Cet article, qui n'avait subi au fil des ans que peu de modifications, ne conférait qu'à quelques proches du défunt[8] la possibilité de poursuivre l'auteur du délit, et ce, dans un délai d'un an suivant le décès, à la condition que le *de cujus* n'ait pas été indemnisé avant de mourir. Ce recours personnel était d'ailleurs indépendant du statut d'héritier.

L'article 1056 C.c.B.-C. a connu une interprétation des plus mouvementées. Ainsi les tribunaux, devant la similitude du texte québécois et celui édicté en sol britannique, ont constamment fait appel à des principes anglais pour justifier leur position. L'exemple le plus frappant est sans contredit la controverse autour de la question de la possibilité de réclamer une compensation pour la détresse morale subie par la perte d'un être cher, connu sous le vocable *solatium doloris*.

Ainsi dans l'affaire *Canadian Pacific Railway Company c. Robinson*[9], les juges appelés à statuer sur la pertinence de ce préjudice en sol québécois conclurent qu'il n'était pas souhaitable de l'inclure dans notre droit.

---

* Professeur à l'Université de Montréal et avocat.

1. Voir sur cette question l'excellent article du professeur Morin : Michel MORIN, « Une analyse historique et comparative de l'indemnisation du *Solatium doloris* au Québec », dans Pierre-Claude LAFOND (dir.), *Mélanges Claude Masse*, Cowansville, Les Éditions Yvon Blais Inc., 2003, p. 348.

2. Orville FRENETTE, *L'incidence du décès de la victime d'un délit ou d'un quasi-délit sur l'action en indemnité*, Ottawa, Librairie de l'Université d'Ottawa, 1973, p. 12.

3. *Acte pour donner aux familles des personnes tuées par accident la faculté de réclamer des dommages et pour d'autres fins y mentionnées*, 10-11 Vict., c. 6, devenu S.R.C. 1859, c. 78.

4. Cette loi, connue sous le nom de *Lord Campbell's Act* s'intitulait *An Act for Compensating the Families of Persons Killed by Accident*.

5. La maxime latine appliquée en common law était *actio personalis moritur cum persona*. La règle fut énoncée en 1808 de la façon suivante : « In a civil court, the death of a human being cannot be complained of as an injury », *Baker c. Bolton*, (1808) 1 Camp. 493; 170 E.R. 1033. Voir sur la question Ben SCHECTER, « The Origin and Development of the Law Relating to Damage for Loss of Life in Quebec », (1938) 17 *R. du D.* 77, 78; M. MORIN, *loc. cit.*, note 1, p. 358 et s.

6. L'article 1056 C.c.B.-C. se lisait comme suit : « Dans tous les cas où la partie contre qui le délit ou le quasi-délit a été commis décède en conséquence, sans avoir obtenu indemnité ou satisfaction, son conjoint, ses père, mère et enfants ont, pendant l'année seulement à compter du décès, droit de poursuivre celui qui en est l'auteur ou ses représentants, pour les dommages-intérêts résultant de tel décès. » Les mots père, mère et enfants ont été remplacés par la suite par ascendants et descendants.

7. B. SCHECTER, *loc. cit.*, note 5; M. MORIN, *loc. cit.*, note 1, p. 363 et s.

8. On sait d'ailleurs comment la jurisprudence s'est montrée inflexible et a toujours préconisé une interprétation littérale de l'article 1056 C.c.B.-C. pour refuser tout droit d'action aux frères et sœurs du défunt : *Driver c. Coca Cola Ltd.*, [1961] R.C.S. 201; à la concubine : *Murphy c. Ramesay House Ltée*, [1980] C.S. 227, ou au conjoint divorcé : *Air Canada c. Marier*, [1980] C.A. 40.

9. (1887) 14 R.C.S. 105, inf. pour d'autres motifs par le Conseil privé [1892] A.C. 481; M. MORIN, *loc. cit.*, note 1, p. 367 et s.

Les honorables magistrats fondèrent leur avis sur le fait que c'était là la vision de la common law britannique et canadienne et que, dans un souci d'uniformité pancanadienne, il ne convenait pas de s'en démarquer[10]. On contestait également, au nom de la morale, ce genre d'indemnité qui ne compensait aucunement une perte pécuniaire quelconque[11].

La doctrine s'est empressée de critiquer cette position et a exprimé le désir que le *solatium doloris* soit reconnu[12]. Pendant longtemps, les tribunaux n'ont pas répondu à l'appel, du moins directement. La plupart des décisions refusaient carrément de compenser le préjudice lorsqu'il se dénommait *solatium doloris*[13]. En revanche, de façon détournée, la règle était outrepassée. C'est ainsi qu'on trouvait en jurisprudence des chefs de dommages insolites tels la perte d'un sourire[14], la tristesse de ne pas voir son enfant médecin[15], etc.[16].

De même, s'il paraissait que la détresse morale avait eu un effet certain sur la capacité de gains, les tribunaux en tenaient compte volontiers[17]. De cette façon, on ne contredisait pas l'affaire *Canadian Pacific Railway Company c. Robinson*, mais ces « distinctions » masquaient finalement le désir des tribunaux de voir compenser une certaine détresse morale.

Que peut-on tirer comme conclusion de cette jurisprudence quelque peu incohérente? Les tribunaux refusaient de compenser les pertes non pécuniaires résultant du décès lorsqu'elles étaient étiquetées *solatium doloris*, mais ils l'accordaient de façon détournée. Pour reprendre les commentaires d'un auteur :

« [L]es juristes ont adopté une qualification habile et logique [pour] contourner le malencontreux écueil sur lequel des recours en dommages-intérêts, battant pavillon « préjudice moral », sont venus s'échouer. »[18]

L'arrêt *Augustus c. Gosset* remet les pendules à l'heure. Dans un jugement unanime, sur cette question, la Cour d'appel, appliquant le droit du Code civil du Bas-Canada, admet finalement ce type de préjudice et refuse de participer au faux-semblant. Les termes employés sont explicites et méritent d'être reproduits :

« With the greatest respect for those who are of different view, I see no advantage in continuing to tax the judicial imagination by perpetuating the rule against solatium doloris. »[19]

2- La réparation du préjudice en vertu du Code civil du Québec

A- Les chefs de dommages

1. *La perte de soutien matériel*

En vertu du principe de la réparation intégrale (*restitutio in integrum*), on doit replacer la famille ou la victime par ricochet dans la situation économique où elle aurait été, n'eût été l'accident[20]. Signalons que le Code civil prévoit la survie de l'obligation alimentaire (art. 684 et s. C.c.Q.).

Il s'agit en fait d'évaluer l'apport économique du *de cujus*. Certains seront tentés de prendre la somme équivalant au salaire brut du défunt, de la multiplier par le nombre d'années de vie active et ainsi d'obtenir le montant total des dommages-intérêts. Le calcul doit toutefois être nuancé.

En fait, il convient de calculer, dans un premier temps, le salaire qu'aurait pu envisager le défunt en fonction des

---

10. *Id.*, p. 123.
11. *Id.*, p. 110.
12. Louis BAUDOUIN, « Le solatium doloris », (1955-56) 2 *C. de D.* 55; O. FRENETTE, *op. cit.*, note 2, p. 149; Jean-Louis BAUDOUIN, « Le quantum des dommages en cas de décès », dans *Considérations pratiques sur la responsabilité civile*, Montréal, Wilson & Lafleur, 1968, p. 42, à la p. 45; André BOURASSA, « Solatium doloris », (1967) 2 *R.J.T.* 419, 424.
13. Voir *Jeannotte c. Couillard*, (1894) 3 B.R. 461, 491; *Hunter c. Gingras*, (1922) 33 B.R. 403, 410; *Daly c. McFarlane*, (1933) 55 B.R. 230, 232; *City of Montreal West c. Hough*, [1931] R.C.S. 113, 118; *Gauthier c. Lacroix*, [1955] R.P. 234, 235; *Lavoie c. Groleau*, [1956] R.P. 324, 325; *Augustus c. Gosset*, [1990] R.J.Q. 2641, 2657 et 2658, EYB 1990-83689 (C.S.), inf. sur ce point par [1995] R.J.Q. 335, EYB 1995-64679 (C.A.), [1996] 3 R.C.S. 268, EYB 1996-67910 (C.S.).
14. *Lussier c. Brodeur*, [1947] R.L. n.s. 94 (B.R.).
15. Voir *Robitaille c. Les héritiers de feu Henri Taschereau*, [1962] C.S. 523.
16. Pour d'autres exemples imaginatifs, voir la jurisprudence citée dans Jean-Louis BAUDOUIN et Patrice DESLAURIERS, *La responsabilité civile*, 7e éd., volume 1 – Principes généraux, Cowansville, Les Éditions Yvon Blais Inc., 2007, p. 508 et s, EYB2007RES5, et dans Daniel GARDNER, *L'évaluation du préjudice corporel*, 2e éd., Cowansville, Les Éditions Yvon Blais Inc., 2002, p. 424, EYB2002EPC21.
17. *Santos c. Annett*, [1967] C.S. 617.
18. Albert MAYRAND, « Les chefs d'indemnité en cas d'accident mortel », (1968) 9 *C. de D.* 641, 664.
19. *Augustus c. Gosset*, précité, note 13, p. 349 (C.A.) (le juge Fish, dissident sur d'autres points), conf. par la Cour suprême sur ce point, [1996] 3 R.C.S. 268, EYB 1996-67910.
20. *Moreau c. Fugère*, [2002] R.J.Q. 404, REJB 2002-27964 (C.S.), soins que la défunte prodiguait à sa fille (coût d'une auxiliaire). Voir aussi *Larose c. Hurtubise*, 2005BE-1044, EYB 2005-94167 (C.S.) (travaux d'entretien effectués par le défunt); *Larouche c. Blackburn*, [2008] R.R.A. 441 (C.S.). Signalons qu'une décision a refusé de tenir compte de la succession dévolue à la partie demanderesse dans le calcul de son préjudice matériel consécutif au décès du *de cujus*. Voir *Lemieux c. Théorêt*, [1999] R.J.Q. 1706, REJB 1999-13370 (C.S.), conf. par REJB 2001-24343 (C.A.).

fluctuations et des promotions normalement prévisibles. En d'autres mots, comme en matière de blessures corporelles, il s'agit de tracer le plan de carrière présumé de la victime. L'âge de la retraite pourra être présumé à 65 ans[21]. Toutefois, une preuve pourra être faite pour démontrer un âge plus bas ou plus élevé[22]. Ensuite, il convient d'établir quelle aurait été la portion de ce salaire net[23] consacrée[24] au conjoint et aux enfants, le cas échéant[25]. Le principe est bien accepté par les tribunaux même si le pourcentage diffère selon les jugements[26]. Eu égard aux circonstances, les juges réduisent le montant si la preuve de certains aléas leur a été faite[27]. Certaines critiques, tout à fait fondées, ont fusé en doctrine au sujet du fait de tenir compte de la possibilité de remariage de la victime par ricochet[28]. À cet égard, la Cour d'appel ne semble pas réfractaire à l'idée mais souligne que cela ne doit pas être automatique en fonction des seules statistiques. En d'autres termes, il convient de tenir compte de la preuve factuelle[29]. Une provision pour impôt, suggérée par des auteurs[30], est rarement prise en compte par la jurisprudence[31].

Dans le cas du conjoint divorcé, créancier d'une pension alimentaire, celui-ci pourra la réclamer à l'auteur du préjudice. Il conviendra d'ailleurs de tenir compte dans ce calcul de la contribution octroyée à l'ex-conjoint par la succession (12 mois d'aliments) en fonction des règles prévues au chapitre « De la survie de l'obligation alimentaire » (art. 688 C.c.Q.)[32]. En ce qui a trait à la réclamation des enfants, si les parents doivent veiller à leur entretien jusqu'à 18 ans, âge de la majorité (art. 153 C.c.Q.), le chiffre, selon la preuve, peut fluctuer[33]. En fait, il s'agit de déterminer à quel moment l'enfant serait devenu « complètement autonome »[34].

Si le conjoint décédé ne travaillait pas, une somme pourra également être allouée aux victimes. Il conviendra alors de faire la preuve que l'arrêt de travail était temporaire[35]. Des éléments tels que la carrière antérieure ou les années de scolarité seront pris en compte afin de déterminer la perte « effective ».

Dans l'éventualité où le conjoint (souvent la femme) restait à la maison, les tribunaux appliqueront les mêmes principes qui les guident lors de blessures graves[36]. Ainsi, on comptabilisera la perte en fonction du coût de remplacement d'une aide ménagère ou familiale[37]. Certains

---

21. *Stunell c. Pelletier*, [1999] R.J.Q. 2863, REJB 1999-15091 (C.S.); *Larose c. Hurtubise*, *id.*; *Tremblay c. Kyzen Inc.*, J.E. 2006-2104, EYB 2006-106593 (C.S.), conf. sur ce point par [2008] R.R.A. 306, EYB 2008-132306 (C.A.).
22. Marc FERNET et Michel VEILLEUX, « L'évaluation devant les tribunaux des dommages consécutifs à un décès », (1987) 9 *R.P.F.S.* 279, 281. Voir *Weiss c. Solomon*, [1989] R.J.Q. 731, EYB 1989-95790 (C.S.), où le tribunal retient comme âge de retraite présumée 70 ans (p. 745); voir aussi *Pourvoirie de l'ours brun (1984) Inc. c. Tremblay*, J.E. 97-1431, REJB 1997-01569 (C.A.), conf. [1993] R.R.A. 602 (C.S.) (76 ans); *Lemieux c. Théorêt*, précité, note 20.
23. M. FERNET et M. VEILLEUX, *id.*; D. GARDNER, *op. cit.*, note 16, p. 396. *Keizer c. Hanna et Buch*, [1978] 2 R.C.S. 342; *Weiss c. Solomon*, précité, note 22; *Tremblay c. Kyzen Inc.*, précité, note 21.
24. Sur l'aspect de la double source de revenus et des théories « cross-dependency approach » et « modified sole dependency approach », voir D. GARDNER, *op. cit.*, note 16, nº 452, p. 400; Geoffroy GUILBAULT, « Commentaire sur la décision *Tremblay c. Kyzen Inc.* – Du taux de dépendance en cas de décès », *Repères*, septembre 2006, EYB2006REP519; Daniel W. PAYETTE, « Décès du conjoint et perte de soutien financier : pour sortir de l'impressionnisme », dans Service de la formation continue, Barreau du Québec, vol. 287, *Tendances en droit de la santé (2008)*, Cowansville, Les Éditions Yvon Blais Inc., 2008, p. 1.
25. D. GARDNER, *op. cit.*, note 16, nos 444 et s.; M. FERNET et M. VEILLEUX, *loc. cit.*, note 22, p. 282; D.W. PAYETTE, *op. cit.*, note 24.
26. Voir *Patenaude c. Roy*, [1988] R.R.A. 222, EYB 1988-83452 (C.S.), conf. [1994] R.J.Q. 2503, EYB 1994-64310 (C.A.) (requête pour autorisation de pourvoi à la Cour suprême rejetée), et *Gauvin c. Pelletier*, [1970] C.S. 548 (50 %); *Weiss c. Solomon*, précité, note 22 (55 % du revenu net de la première personne à charge et 10 % pour la deuxième). Le pourcentage varie donc généralement entre 50 % et 70 % (même s'il a atteint 80 % dans la décision *Picard-Boudreault c. Service aérien Mandeville Inc. (Air Plus)*, J.E. 85-1000 (C.S.). Voir pour d'autres exemples D. GARDNER, *op. cit.*, note 16, p. 404. *Ringuette c. Perreault*, 2004BE-1018, EYB 2004-70626 (C.S.); *Larose c. Hurtubise*, précité, note 20.
27. Voir *Tremblay c. Pourvoirie de l'ours brun (1984)*, précité, note 22, où le juge réduit l'indemnité de 15 % en raison des troubles cardiaques de la victime (p. 607). Voir également *Cyr-Goulet c. Héritiers de feu Gaston Simard*, J.E. 85-87, EYB 1984-142739 (C.S.); *Tremblay c. Kyzen Inc.*, J.E. 2006-2104, EYB 2006-106593 (C.S.), conf. sur ce point par [2008] R.R.A. 306, EYB 2008-132306 (C.A.). Voir l'affaire *Gaudreault c. Club Les Neiges Lystania*, REJB 2000-20311 (C.S.), REJB 2002-30828 (C.A.) où le juge tient compte de la « fragilité relative des mariages modernes » pour limiter la perte économique.
28. Voir D. GARDNER, *op. cit.*, note 16, p. 403 et 404; D.W. PAYETTE, *op. cit.*, note 24; Geoffroy GUILBAULT, « Commentaire sur la décision *Kysen Inc. c. Boucher* – Des aléas de la vie », *Repères*, juin 2008, EYB2008REP718.
29. *Kysen Inc. c. Boucher*, [2008] R.R.A. 306, EYB 2008-132306 (C.A.), inf. sur ce point J.E. 2006-2104, EYB 2006-106593 (C.S.). Voir aussi l'arrêt *Pourvoirie de l'ours brun (1984) Inc. c. Tremblay*, précité, note 22.
30. M. FERNET et M. VEILLEUX, *loc. cit.*, note 22, p. 284; D. GARDNER, *op. cit.*, note 16, p. 529.
31. *Crocker c. Transport des Monts Aviation Ltée*, J.E. 85-867, EYB 1985-145239 (C.S.); *Larose c. Hurtubise*, précité, note 20; *Tremblay c. Kyzen Inc.*, précité, note 21.
32. Voir, pour un conjoint séparé, *Tarquini c. Montréal (Ville de)*, [1997] R.J.Q. 3050, REJB 1997-03145 (C.S.), inf. quant à la responsabilité REJB 2001-29960 (C.A.) (requête pour autorisation de pourvoi à la Cour suprême rejetée).
33. Voir *Weiss c. Solomon*, précité, note 22 (la cour a choisi l'âge de 18 ans). M. FERNET et M. VEILLEUX, *loc. cit.*, note 22. On remarque d'ailleurs que « les tribunaux, depuis le début des années 80, repoussent fréquemment la durée de l'état de dépendance économique jusqu'à l'âge de 20 ans, 21 ans, et même 23 ans », D. GARDNER, *op. cit.*, note 16, p. 408 (références omises).
34. *Guay c. Labonté (Succession de)*, REJB 2002-33106 (C.S.) (après des études collégiales). Voir aussi *Tremblay c. Kyzen Inc.*, précité, note 21 (25 ans).
35. *Ringuette c. Perreault*, précité, note 26 (à noter que dans cette dernière affaire, la preuve sur ce point semblait laisser à désirer).
36. Katherine LIPPEL et Claudyne BIENVENU, « Les dommages fantômes : l'indemnisation des victimes de lésions professionnelles pour l'incapacité d'effectuer le travail domestique », (1995) 36 *C. de D.* 161, aux p. 170 et s.
37. *Bergeron c. City of Sherbrooke*, [1946] B.R. 498; *Haineault c. Boudreau*, [1964] B.R. 744; *Rocheleau c. Beausoleil*, [1967] C.S. 267; *Fulmer Brothers c. Héroux*, [1976] C.A. 580; *Tremblay c. Kyzen Inc.*, précité, note 21.

proposent plutôt d'analyser le tout en fonction des critères établis pour les prestations compensatoires[38].

Dans l'hypothèse du décès d'un enfant[39], le calcul se complique inévitablement et devient aléatoire, puisque les bases du calcul sont quasiment inexistantes. Il s'agit en fait de compenser pour la perte de chance des parents de se voir un jour fournir des aliments par leur enfant. Il s'agit véritablement d'une perte de chance, puisque, d'une part, il n'est pas certain que les parents auraient eu besoin du soutien alimentaire de leur enfant et, d'autre part, il n'est pas évident que ce dernier aurait été en mesure de le leur apporter[40]. En fait, il s'agit d'apporter la preuve effective d'une perte économique[41].

Par exemple, dans l'affaire *Augustus c. Gosset,* les parents du jeune Anthony Griffin, tué par un policier, réclamaient entre autres choses la réparation de leur perte de soutien matériel. Le tribunal refusa cette prétention aux motifs que le jeune Griffin avait, avant son décès, de la difficulté à subvenir à ses propres besoins et qu'il était fort improbable que ses parents auraient pu compter sur lui pour pourvoir à leurs besoins[42]. Il s'agit essentiellement d'une question de faits.

2. *Les frais funéraires*

Évidemment, lorsque survient un décès des suites de l'accident, cela entraîne des frais de sépulture, de monument funéraire, etc. L'auteur du préjudice est-il tenu d'indemniser ces pertes, puisque cela constitue des dépenses inévitables que l'accident n'a fait qu'anticiper?

La jurisprudence a adopté, en vertu du Code civil du Bas-Canada, après quelques louvoiements, la position suivante.

L'auteur du préjudice n'était pas contraint d'indemniser sous ce chef, à moins que la succession ne soit insolvable[43]. Cette position a été reprise également sous l'empire du nouveau code[44]. Ce raisonnement équitable n'est pas fondé juridiquement. En effet, associer le résultat de l'indemnisation de ces frais à un événement auquel il n'est pas relié, c'est imposer une condition inexistante en droit. À l'argument du caractère inéluctable de ces frais[45], le professeur Gardner réplique que c'est un « argument pour le moins bizarre [qui] méconnaît le principe fondamental selon lequel un dollar d'impôt de reporté est autant d'épargné »[46]. En revanche, force est d'admettre que cette solution offre l'avantage de prévoir, dans tous les cas, une sépulture décente pour la victime. Il faut cependant noter que certaines décisions, notamment lorsqu'il y a admission ou que la victime est un enfant, octroient un montant sans vérifier la solvabilité de la succession[47]. La doctrine[48] considère que la venue du nouveau Code civil change la donne et que ces frais funéraires représentent un préjudice directement compensable. Un arrêt récent consacre cette position et considère admissible la réclamation pour frais funéraires[49].

3. *Le préjudice moral*

Le *solatium doloris,* expression désignant le chagrin ou la douleur éprouvés en raison du décès d'un proche et qui semble constituer, aux dires de la Cour suprême, le

---

38. J.-L. BAUDOUIN et P. DESLAURIERS, *op. cit.*, note 16, p. 473. D. GARDNER, *op. cit.*, note 16, suggère de transposer certaines solutions envisagées par les tribunaux de common law, qui fixent un prix à la suite de ce qu'il appelle « un exercice motivé de la discrétion judiciaire » pour compenser la perte de services (ménagers et d'entretien) fournis par la personne décédée (p. 412). Il est intéressant de noter que dans les exemples choisis, les victimes n'étaient pas seulement des femmes. Voir *McCutcheon c. McCutcheon and Pitre,* (1989) 256 A.P.R. 271 (N.B.Q.B.), cité par D. GARDNER, *op. cit.*, note 16, p. 413.
39. En ce qui a trait à la mort d'un fœtus, la jurisprudence a toujours refusé le recours entrepris en vertu de l'article 1056; seule l'action selon l'article 1053 était accueillie : *Langlois c. Meunier,* [1973] C.S. 301; *Julien c. J.E. Roy Inc.,* [1975] C.S. 401.
40. Certains arrêts octroient toutefois une indemnité sous ce chef. Voir la jurisprudence citée dans D. GARDNER, *op. cit.*, note 16, p. 433.
41. *Augustus c. Gosset,* précité, note 13; *Demers c. Blouin,* 2003BE-909 (C.S.); *Myiow c. Montréal (Ville de),* EYB 2004-80889 (C.S.); *Brault c. Farnham (Ville de),* J.E. 2006-790, EYB 2006-101139 (C.S.) (appel rejeté sur requête, 2006-06-05; requête pour autorisation de pourvoi à la Cour suprême rejetée, 2006-11-23); *Valiquette c. Lafond,* [2007] R.J.Q. 2035, EYB 2007-122290 (C.S.).
42. *Augustus c. Gosset, id.* Voir également *Martel-Tremblay c. Guay,* [1996] R.J.Q. 1259, EYB 1996-86838 (C.S.).
43. *Pantel c. Air Canada,* [1975] 1 R.C.S 472, 479; *Tremblay c. Pourvoirie de l'ours brun (1984) Inc.,* précité, note 22; *Augustus c. Gosset, id.* La Cour suprême ne s'est pas prononcée sur ce point.
44. *Bélanger c. Villa St-Honoré Inc.,* REJB 2001-25789 (C.S.); *Beaudin c. Procureur général du Québec,* [2005] R.R.A. 825, EYB 2005-91478 (C.S.), [2007] R.R.A. 2, EYB 2006-112082 (C.A.); *Larose c. Hurtubise,* précité, note 20; *De Montigny c. Brossard (Succession de),* [2006] R.J.Q. 1371, EYB 2006-103175 (C.S.), infirmé sur ce seul point par [2008] R.J.Q. 2015, EYB 2008-146240 (C.A.) (requête pour autorisation de pourvoi à la Cour suprême accueillie).
45. Voir *Lépine c. Cie de Tramways de Montréal,* [1957] B.R. 111, 119.
46. D. GARDNER, *op. cit.*, note 16, p. 416.
47. *Coulombe c. Montréal (Ville de),* J.E. 96-1049, EYB 1996-83194 (C.S.); *Tarquini c. Montréal (Ville de),* précité, note 32. (Toutefois, dans cette dernière affaire, le tribunal déduit du chiffre des dommages la somme reçue d'une agence gouvernementale sans préciser laquelle et sans vérifier si cet organisme était subrogé, comme l'impose l'article 1608 C.c.Q.). *Bourgouin c. Auberge de jeunesse de Tadoussac Inc.,* REJB 1999-14126 (C.S.), REJB 2002-28005 (C.A.); *El-Asrany (Succession de) c. Cie d'assurance l'Union canadienne,* REJB 2000-17602 (C.S.); *Myiow c. Montréal (Ville de),* précité, note 41; *Cliche c. Commission scolaire de la Baie-James,* J.E. 2005-1692, EYB 2005-94192 (C.S.), conf. par J.E. 2007-760, EYB 2007-116809 (C.A.); *Chouinard c. Ailes de Gaspé Inc.,* 2007BE-451, EYB 2006-113063 (C.S.).
48. J.-L. BAUDOUIN et P. DESLAURIERS, *op. cit.*, note 16, p. 517; D. GARDNER, *op. cit.*, note 16, p. 416.
49. *De Montigny (Succession de) c. Brossard (Succession de),* précité, note 44, commentaires G. GUILBAULT, *op. cit.*, note 24.

seul préjudice moral indemnisable[50], n'a été reconnu que tardivement[51] sous l'empire du Code civil du Bas-Canada, en raison d'un contexte historique particulier. Il est à espérer que le nouveau code contribuera à changer cette mentalité.

Désormais, les nouveaux articles 1457 et 1607 C.c.Q. traitent spécifiquement du préjudice moral. Il n'y a donc aucune raison de refuser de l'indemniser[52], même s'il est difficilement quantifiable. D'ailleurs, cette difficulté n'a jamais empêché les tribunaux d'apposer un prix, lors d'une atteinte à l'honneur ou à la réputation. Malgré son évaluation difficile, il est néanmoins indéniable que le préjudice existe et mérite d'être compensé[53].

À cet égard, nous nous interrogeons sur la décision du tribunal dans l'affaire *Stefanik c. Hôpital Hôtel-Dieu de Lévis*[54], de ne pas accorder de dommages directs en raison du décès d'un enfant. Le tribunal ne compense que les souffrances endurées par les parents pendant la maladie de leur enfant. Pour le tribunal, cette somme couvrirait aussi la souffrance découlant du décès. À notre avis, il aurait dû accorder une somme supplémentaire pour le traumatisme particulier causé par le décès.

Afin de guider les tribunaux inférieurs, la Cour suprême a énoncé certains critères[55]. S'il est vrai que ceux-ci ont été élaborés dans le cas d'une relation mère-fils, plusieurs pourront être utiles dans tous les cas de décès, en faisant les adaptations nécessaires. Pour la Cour suprême, « [c]et exercice étant assujetti, dans tous les cas, aux circonstances particulières de l'espèce, les tribunaux devraient considérer notamment les critères suivants : les circonstances du décès, l'âge de la victime et du parent, la nature et la qualité de la relation entre la victime et le parent, l'effet du décès sur la vie du parent à la lumière, entre autres de la présence d'autres enfants ou de la possibilité d'en avoir d'autres. Puisque la compensation monétaire, quelle qu'elle soit, n'atténuera pas la douleur du parent, le chiffre sera nécessairement arbitraire dans une grande mesure. »[56]

On remarque donc, même si la cour prend soin de mentionner que les circonstances de chaque espèce sont importantes, que certains paramètres ont été tracés. Cela sera, nous l'espérons, de nature à stabiliser l'état du droit sur cette question. Il n'empêche que la mort d'un conjoint[57] même divorcé[58], d'un parent[59], d'un enfant[60] ou d'une autre personne avec qui on entretenait des liens[61] a un effet déstabilisant et entraîne inévitablement des bouleversements importants dans la vie familiale. Le soutien affectif étant déficient, certaines perturbations peuvent en résulter. La compensation financière servira alors de (faible) palliatif. Soulignons toutefois que cette indemnisation n'est pas automatique, même lorsqu'il est question de membres de la famille. Encore faut-il démontrer un véritable lien d'attachement avec la victime[62].

---

50. *Augustus c. Gosset*, précité, note 13 (C.S.C.). Voir toutefois une affaire où le juge indemnise « les douleurs morales » et la « perte de soutien moral » : *Roy c. Transports Aéro (1991) Inc.*, 2001BE-733 (C.S.). Voir aussi *Larose c. Hurtubise*, précité, note 21; *Larouche c. Blackburn*, précité, note 20.

51. C'est l'affaire *Augustus c. Gosset*, *id.*, rendue paradoxalement après l'entrée en vigueur du nouveau code, mais réglant le problème sous l'ancien code, qui a introduit directement ce chef de dommage.

52. D'ailleurs, avant la promulgation du Code civil du Bas-Canada, ce dommage était compensé au Québec dans la plus pure tradition civiliste : *Ravary c. The Grand Trunk Railway Company of Canada*, (1860) 6 L.C.J. 49 (B.R.); *Provost c. Jackson*, (1869) 19 R.J.R.Q. 233 (B.R.).

53. D. GARDNER, *op. cit.*, note 16, p. 426; J.-L. BAUDOUIN et P. DESLAURIERS, *op. cit.*, note 16, p. 508 et 509.

54. [1997] R.J.Q. 1332, REJB 1997-02967 (C.S.).

55. Pour des observations sur ces commentaires. Voir Louise LANGEVIN, « L'œuvre de Claire L'Heureux-Dubé : une lecture féministe de l'arrêt *Augustus c. Gosset* », dans *Claire L'Heureux-Dubé à la Cour suprême du Canada 1987-2002. Claire L'Heureux-Dubé at the Supreme Court of Canada 1987-2002*, Montréal, Wilson & Lafleur, 2004, 307, 319-320.

56. *Augustus c. Gosset*, précité, note 13, par. 50 (C.S.C.). La cour tient également compte du fait que : « l'importante publicité que se sont attirés les faits malheureux n'a certainement pas contribué à faciliter le retour à la vie normale de l'appelante » (par. 51). Voir aussi *Bourgouin c. Auberge de jeunesse de Tadoussac Inc.*, précité, note 47; *Myiow c. Montréal (Ville de)*, précité, note 41; *Cliche c. Commission scolaire de la Baie-James*, précité, note 47; *Larose c. Hurtubise*, précité, note 20; *De Montigny c. Brossard (Succession de)*, [2006] R.J.Q. 1371, EYB 2006-103175 (C.S.), conf. sur ce point par [2008] R.J.Q. 2015, EYB 2008-146240 (C.A.) (requête pour autorisation de pourvoi à la Cour suprême accueillie);*Larouche c. Blackburn*, précité, note 20.

57. *Gaudreault c. Club Les Neiges Lystania*, précité, note 27; *Kimmis-Paterson c. Rubinovich*, [2000] R.R.A. 26, REJB 1999-15658 (C.A.); *Larose c. Hurtubise*, *id.*; *Gravel c. Édifices Gosselin et Fiset enr.*, EYB 2007-126028 (C.S.); *Tremblay c. Kyzen Inc.*, précité, note 27.

58. Une décision, que nous approuvons, accorde une indemnité au conjoint divorcé pour perte de coparentalité. Voir *Larouche c. Blackburn*, précité, note 20.

59. *Lockwood c. Canadian Steel Sales Ltd.*, [1958] C.S. 426; *Henri c. Caron*, [1970] C.A. 46; *Gagnon c. Patenaude*, [1972] C.A. 528; *Pantel c. Air Canada*, précité, note 43; *Larose c. Hurtubise*, *id.*; *Tremblay c. Kyzen Inc.*, précité, note 27; *Larouche c. Blackburn*, précité, note 20.

60. *Laverdure c. Bélanger*, [1975] C.S. 612, J.E. 77-75 (C.A.); *Augustus c. Gosset*, précité, note 13; *Bourgouin c. Auberge de Tadoussac Inc.*, précité, note 47; *Beaudin c. Procureur général du Québec*, précité, note 44; *Cliche c. Commission scolaire de la Baie-James*, précité, note 47; *De Montigny c. Brossard (Succession de)*, précité, note 44; *Chouinard c. Ailes de Gaspé Inc.*, précité, note 47.

61. *Ruest c. Boily*, REJB 2002-35943 (C.S.); *Lacombe c. Hôpital Maisonneuve-Rosemont*, REJB 2004-53274 (C.S.); *Demers c. Blouin*, précité, note 41; *Moreau c. Fugère*, précité, note 20; *Beaudin c. Procureur général du Québec*, *id.*; *Cliche c. Commission scolaire de la Baie-James*, précité, note 47; *De Montigny c. Brossard (Succession de)*, précité, note 49; *Chouinard c. Ailes de Gaspé Inc.*, précité, note 47 (perte d'un frère jumeau); *Gravel c. Édifices Gosselin et Fiset enr.*, précité, note 57.

62. *Valiquette c. Lafond*, précité, note 41.

Il convient de noter que la perte de soutien moral peut être subie dans un contexte extrafamilial. S'agissant d'un ami, d'un associé, le recours pourra être accepté pour autant que la preuve d'un préjudice direct soit convaincante[63].

D'ailleurs, nous en profitons pour signaler la modicité de certaines sommes d'argent allouées[64] à ce titre[65], plus particulièrement dans le cas du décès des victimes mineures[66]. La décision de la Cour suprême dans l'affaire *Augustus c. Gosset*[67] constitue un pas (timide) vers une évaluation plus généreuse[68] (comparativement à celle pratiquée dans le passé par les tribunaux).

Il nous semble toutefois que la suggestion du juge Fish d'accorder à ce titre la somme de 50 000 $ était beaucoup plus raisonnable[69].

S'il est indéniable qu'aucune somme ne puisse ramener la victime à la vie, il est important de hausser quelque peu les barèmes[70] pour qu'on donne à la vie une valeur plus grande.

Il pourrait être plaidé que, eu égard aux circonstances de l'affaire *Augustus*, la somme de 25 000 $ devrait être considérée comme un plancher d'indemnisation. La jurisprudence postérieure[71] à l'arrêt *Gosset* semble de cet avis puisqu'on remarque une légère hausse des indemnités

accordées pour le préjudice d'affection[72]. Par ailleurs, deux constats méritent d'être soulignés. D'une part, la jurisprudence existante ne doit pas guider les tribunaux dans leur évaluation du *solatium doloris* car « elle est fondée sur une sérieuse erreur de principe »[73]. D'autre part, les lois à caractère social ne sont que d'une utilité limitée car, visant à compenser le plus de personnes possible, les sommes allouées sont généralement moins importantes[74].

B- Certaines règles propres au recours des héritiers

Le décès cause généralement un préjudice aux proches. Mais la victime immédiate, le *de cujus*, a pu subir personnellement, avant son décès, un préjudice pour lequel le droit à compensation s'est transmis aux héritiers[75] (testamentaires ou *ab intestat*). Ce préjudice doit être compensé. Seront par conséquent indemnisés la perte d'effets personnels au moment de l'accident[76], les traitements subis entre l'accident et le décès et le salaire qui a fait défaut pendant cette période.

De plus, certaines souffrances éprouvées et la perte de jouissance de vie devront être indemnisées dans la mesure où il s'est écoulé un laps de temps suffisant entre l'accident et le décès[77] et que la victime en a eu personnellement

---

63. J.-L. BAUDOUIN et P. DESLAURIERS, *op. cit.*, note 16, p. 510.
64. *Bélanger c. Villa St-Honoré Inc.*, précité, note 44; *Lacombe c. Hôpital Maisonneuve-Rosemont*, précité, note 61.
65. En toute justice, il faut toutefois souligner que les juges sont liés par les montants réclamés par la partie demanderesse. En revanche, comme le souligne le professeur Gardner, une réclamation exagérée du procureur ne sert pas les intérêts du client. Voir D. GARDNER, « L'arrêt *Gosset*, dix ans après », dans Service de la formation continue du Barreau du Québec, vol. 252, *Le préjudice corporel (2006)*, Cowansville, Les Éditions Yvon Blais Inc., p. 89, à la p. 100.
66. *Robitaille c. Thériault*, [1996] R.R.A. 672 (C.S.); *Rose c. Montréal (Société de transport de la communauté urbaine de)*, [1996] R.R.A. 607, EYB 1996-83201 (C.S.); *Martel-Tremblay c. Guay*, précité, note 42; *Augustus c. Gosset*, précité, note 13. Pour une décision postérieure à l'arrêt *Gosset*, voir *Mercier c. 149644 Canada Inc.*, [1998] R.R.A. 439 (C.S.); REJB 1998-06061.
67. Dans l'affaire *Augustus c. Gosset*, id., la mère d'un jeune garçon décédé a vu son indemnité augmentée sous ce chef à 25 000 $.
68. Toutefois, un arrêt de la Cour d'appel, se basant sur l'affaire *Gosset*, a considéré qu'une somme de 20 000 $ n'était pas « exagérée ». Voir *Pourvoirie de l'ours brun (1984) Inc. c. Tremblay*, précité, note 22. Voir aussi *Mercier c. 149644 Canada Inc.*, précité, note 66. Mais voir la jurisprudence colligée, *infra*.
69. *Augustus c. Gosset*, précité, note 13, p. 349 (C.A.).
70. Une décision semble aller dans ce sens : « tenant compte du fait que les enfants ont plus de valeur aujourd'hui étant donné que les ménages en ont de moins en moins ». Quoique nous n'endossions pas nécessairement le motif, la conclusion tirée est louable, c'est-à-dire une augmentation des sommes allouées : *Thivierge c. Vachon*, J.E. 81-764, EYB 1981-138971 (C.S), (bien que le montant accordé était néanmoins modique, soit 12 000 $).
71. Pour un tableau des décisions les plus récentes, voir D. GARDNER, *loc. cit.*, note 65, p. 97 et s.
72. *Kimmis-Paterson c. Rubinovich*, précité, note 57 (45 000 $); *Ruest c. Boily*, précité, note 61 (mère : 70 000 $, père : 75 000 $); *Guay c. Labonté (Succession de)*, précité, note 34; *Cliche c. Commission scolaire de la Baie-James*, précité, note 47; *Tremblay c. Kyzen Inc.*, précité, note 27. En revanche, un arrêt de la Cour d'appel a considéré qu'une somme de 20 000 $ n'était pas « exagérée ». *Pourvoirie de l'ours brun (1984) Inc. c. Tremblay*, précité, note 22. Pour d'autres montants assez bas, voir *Gaudreault c. Club les Neiges Lystania*, précité, note 27; *Bélanger c. Villa St-Honoré Inc.*, précité, note 44; *Lefebvre c. Labonté (Succession de)*, précité, note 47; *Ringuette c. Perreault*, précité, note 26; *Myiow c. Montréal (Ville de)*, précité, note 41; *Larose c. Hurtubise*, précité, note 20.
73. *Augustus c. Gosset*, précité, note 13, par. 41 (C.S.C.).
74. *Id.*
75. Signalons que, le recours à titre d'héritier étant différent de celui à titre personnel, le point de départ du délai de prescription peut, en certaines circonstances, ne pas être le même. À titre d'illustration, voir *Morrisson c. Fournier*, J.E. 99-794, REJB 1999-11579 (C.S.). (Le juge n'a pas statué directement sur cette question. En effet, ayant refusé de prononcer une irrecevabilité partielle, il a préféré renvoyer la question au juge du fond).
76. Par exemple, voir *Robitaille c. Thériault*, précité, note 66; *Coulombe c. Montréal (Ville de)*, précité, note 47; *Mercier c. 149644 Canada Inc.*, précité, note 66; *El-Asrany (Succession de) c. Cie d'assurance l'Union canadienne*, précité, note 47; *Moreau c. Fugère*, précité, note 20 (frais médicaux); *Gravel c. Édifices Gosselin et Fiset enr.*, précité, note 57.
77. *Patenaude c. Roy*, précité, note 26. Voir aussi *Picard-Boudreault c. Service aérien Mandeville Inc. (Air Plus)*, précité, note 26; *Bédard c. Location Val d'Or Inc.*, J.E. 85-1029, EYB 1985-145278 (C.S.); *Martel-Tremblay c. Guay*, précité, note 42; *Lambert c. Lefebvre*, [1997] R.R.A. 699, REJB 1997-07370 (C.S.), conf. par C.A.M., n° 500-09-005083-977, 20 septembre 2000; *Stefanik c. Hôpital Hôtel-Dieu de Lévis*, précité, note 54; *Stunell c. Pelletier*, précité, note 21;

conscience. Une controverse s'était toutefois élevée avant d'être réglée par la Cour suprême[78] sur la possibilité de réparer « l'abrègement de la vie ». Cette notion ou *pretium mortis* renvoie au fait que la victime, de par l'acte illicite de l'auteur du préjudice, est décédée à un âge évidemment plus jeune que celui prévu par les tables statistiques. De par leur essence, ces dommages-intérêts seront obligatoirement attribués à la succession, le décès de la victime en étant la condition.

À l'époque, deux thèses s'opposaient. Une tendance proposait une thèse subjective. Ainsi la perte d'années de vie ne constituait pas en soi un préjudice qui pouvait être compensé. La majorité de la Cour d'appel avait récemment adopté cette position lorsqu'elle mentionnait :

« If the victim does not realize that his or her life is abridged, he or she does not suffer any moral damage. Moreover, as regards abridgment of life, the victim's patrimony never includes the claim since it does not exist during the victim's lifetime. »[79]

Par contre, si la victime avait connaissance de sa mort prochaine, elle en avait indéniablement éprouvé des souffrances morales qui pouvaient faire l'objet de compensation[80].

En revanche, une tendance minoritaire prônait une approche dualiste. Tout d'abord, en accord avec la majorité, elle était d'avis que la connaissance par la victime de son décès dans un avenir rapproché et les souffrances endurées constituaient un préjudice. Mais elle allait plus loin. Indépendamment de toute connaissance d'une mort prochaine, la perte illégitime d'expectative de vie constituait *per se* un préjudice distinct qui méritait d'être compensé[81].

Une jurisprudence également minoritaire avait timidement fait écho à ces préoccupations. Ainsi le juge Cartwright mentionnait :

« The damages on his head are not awarded for the mental suffering caused by contemplating the prospective loss but for the loss of the years of life themselves. The numerous uncertainties in making an assessment can not necessitate the injured person going without a remedy. »[82]

Il a été demandé à la Cour suprême de réexaminer la question de l'abrègement de la vie, en raison, prétendait-on, d'une modification du contexte juridique québécois. En effet, il était plaidé que l'adoption, en 1975, de la *Charte des droits et liberté de la personne*[83] avait modifié les données juridiques du problème.

La Cour suprême fut d'avis contraire, estimant que la Charte n'avait pas eu pour effet de faire naître un nouveau droit à la vie. La cour énonce : « La Charte n'a pas créé le droit à la vie, lequel a toujours été valorisé et reconnu en droit civil québécois. Ainsi que l'exprime le juge Vallerand (à la p. 341) : « *La charte a sans doute créé de nouveaux droits et de nouveaux recours pour les faire valoir. Mais il va de soi, je pense, qu'elle n'a pas créé le droit à la vie.* Elle n'a pas non plus créé le recours en dommages de la victime d'un délit. J'estime, pour ma part, que le droit à la vie de l'article 1 de la charte et le recours en réparation de l'article 49 existaient tous deux avant l'avènement de la charte et que s'y appliquent les directives de la Cour suprême du Canada qui nous lient ici ». »[84]

Pour le plus haut tribunal du pays, l'abrègement de la vie ne constitue pas, en l'absence de conscience par la victime de l'éventualité de son décès, un préjudice objectif ouvrant droit à une compensation. Reprenant les arguments du passé, la Cour suprême mentionne :

« Notre Cour s'est, en effet, déjà prononcée à deux reprises contre la transmissibilité du recours en dommages pour perte de vie ou abrègement de vie lorsque la victime décède immédiatement en raison de l'acte fautif ou y survit quelques heures sans, toutefois,

---

Mercier c. 149644 Canada, précité note 66; *Bélanger c. Villa St-Honoré*, précité, note 44; *Beaudin c. Procureur général du Québec*, précité, note 44; *Roy c. Transports Aéro (1991)*, précité note 50; *Lacombe c. Hôpital Maisonneuve-Rosemont*, précité, note 61; *De Montigny c. Brossard (Succession de)*, précité, note 44; *Tremblay c. Kyzen Inc.*, précité, note 21; *Gravel c. Édifices Gosselin et Fiset enr.*, précité, note 57; D. GARDNER, *loc. cit.*, note 65. Il convient de noter que dans *El-Asrany (Succession de) c. Cie d'assurance l'Union canadienne*, id., le juge considère qu'un « seul moment de raison » suffit.

78. *Augustus c. Gosset*, précité, note 13.
79. *Augustus c. Gosset*, id., la juge Deschamps approuvée par le juge Vallerand. Le tribunal se basait sur l'arrêt de la Cour suprême *Driver c. Coca Cola Ltd.*, précité, note 8. Voir également *Jasmin c. Dubé*, [1973] C.A. 1091; *Pantel c. Air Canada*, précité, note 43; *Martel-Tremblay c. Guay*, précité, note 42; *Rose c. Montréal (Société de transport de la communauté urbaine de)*, précité, note 66; *Robitaille c. Thériault*, précité, note 66.
80. *Driver c. Coca-Cola Ltd.*, id. (majorité).
81. J.-L. BAUDOUIN et P. DESLAURIERS, *op cit.*, note 16, p. 502-503; Albert MAYRAND, « Que vaut la vie? », (1962) 22 *R. du B.* 1, 8 et 9.
82. *Driver c. Coca-Cola Ltd.*, précité, note 8, p. 206. Voir aussi *Lockwood c. Canadian Steel Sales Ltd.*, [1956] C.S. 426; *Village of Gracefield c. Bainbridge*, [1959] B.R. 44. Dans sa dissidence, le juge Fish, dans l'affaire *Gosset*, avait repris cette dernière conclusion : « I believe that a person whose life is abridged suffers the *ultimate* moral prejudice. And the right to compensation for that prejudice enters the victim's patrimony. » Le juge Fish, désireux de donner à la vie un prix qui soit « significatif », l'établit d'ailleurs à 100 000 $. *Augustus c. Gosset*, précité, note 13, p. 350 et s. (C.A.).
83. L.R.Q., c. C-12.
84. *Augustus c. Gosset*, précité, note 13, par. 61 (C.S.C.) (soulignement de la Cour suprême).

reprendre conscience avant de mourir : le droit à la vie prenant fin avec la vie de la victime, ce recours n'est pas susceptible d'entrer dans le patrimoine de la victime et ne saurait donc être transmis à ses héritiers.

[...]

Il résulterait donc, comme le dit le Juge en chef Galipeau, une réclamation que veulent exercer les héritiers pour la perte de la vie de Beverley Driver. Je suis clairement d'opinion que la victime n'a jamais été titulaire de ce droit qui n'a pas pu être transmis. Elle ne pouvait sûrement pas poursuivre pour la perte de sa propre vie. »[85] [Notre italique]

Pour la Cour suprême du Canada, plusieurs considérations de politique judiciaire plaident en faveur du maintien de la règle niant la perte objective de la vie. Vu leur importance, il importe de les reproduire *in extenso* :

« S'il est indéniable que la mort constitue l'atteinte au droit à la vie, les tribunaux, au Québec comme en common law, ont pourtant refusé de considérer la perte de vie ou d'expectative de vie comme étant un préjudice indemnisable, c'est-à-dire donnant droit à des dommages compensatoires. À cette fin, le droit à la vie a été interprété comme prenant fin avec la mort ou, en d'autres termes, comme n'incluant pas le droit de ne pas mourir par la faute d'autrui [...]. Bien qu'il faille reconnaître l'ironie de cette interprétation, dictée par de puissants arguments de politique judiciaire, il m'apparaît néanmoins fallacieux de prétendre, comme le fait l'appelante, qu'elle dévalorise le droit à la vie.

Que la mort d'une personne n'enrichisse pas le patrimoine qu'elle transmet à ses héritiers, quels qu'ils soient et quelle qu'ait été leur relation avec la victime, n'implique pas que le droit à la vie de cette dernière n'a aucune valeur. Au contraire, c'est précisément le respect qui est dû au droit à la vie qui commande que seules les personnes aux yeux desquelles ce droit avait effectivement de la valeur puissent obtenir compensation. À cet égard, il n'est dorénavant plus permis de

douter que la douleur morale éprouvée par les proches d'une personne qui perd la vie par la faute d'autrui est pleinement compensable à titre de *solatium doloris*. Sous-jacente à la reconnaissance d'un tel chef de dommages n'est nulle autre que la reconnaissance de la valeur même du droit à la vie.

Les considérations de politique judiciaire militant en faveur de la position adoptée par notre Cour dans les arrêts *Driver c. Coca-Cola Ltd.* et *Pantel c. Air Canada*, précités, sont multiples, la plus significative étant l'infinie difficulté, pour ne pas dire l'absolue impossibilité, de quantifier la vie, quintessence de l'intangible, qui, de tous les temps, a défié les tentatives philosophiques de définitions. »[86]

« Par ailleurs, aucun type de préjudice reconnu ne me semble approprié pour désigner celui qui résulte du décès, ce dernier équivalant, d'une certaine façon, à l'incapacité de ressentir quelque préjudice que ce soit. De par sa nature, donc, la perte de vie ou d'expectative de vie constitue un préjudice unique, ce qui justifie, à mon avis, de déroger à la règle de la restitution intégrale de la responsabilité civile. »[87]

« D'autre part, à la lumière de la fonction essentiellement réparatrice du régime de responsabilité civile, il est difficile de justifier l'indemnisation du préjudice dont la nature même fera *systématiquement* en sorte que la victime ne pourra en tirer un quelconque profit. »[88]

De plus, « [p]our les considérations de politique judiciaire déjà exposées, la réclamation de l'appelante pour atteinte au droit de la vie de son fils ne saurait faire l'objet d'indemnisation, tant en vertu de l'article 1053 C.c.B.-C. que des articles 1 et 49 de la Charte. À cet égard, que l'appelante mette l'accent sur l'abrègement de la vie de son fils, qui a survécu quatre heures à sa blessure, plutôt que la perte de sa vie m'apparaît sans conséquence en l'espèce. En effet, ces deux chefs de dommages sont indissociables lorsque la victime meurt instantanément en raison de l'acte fautif ou y survit sans pour autant reprendre conscience avant de décéder. »[89]

---

85. *Id.*, par. 56.
86. *Id.*, par. 62 à 64. La cour poursuit : « Comment, en effet, apprécier la valeur du préjudice qu'une personne subit en décédant? Les caractéristiques particulières de la victime telles ses aptitudes intellectuelles et physiques doivent-elles être prises en considération? Quel serait l'impact de la perception de sa propre vie d'une personne atteinte, par exemple, d'une maladie incurable affectant substantiellement sa qualité de vie? J'arrête ici cet exercice dont les ramifications choquent l'intelligence en ce qu'elles nient l'égalité en valeur du droit à la vie de chaque individu, quelles que soient sa condition et ses possibilités. » (par. 65).
87. *Id.*, par. 67.
88. *Id.*, par. 69.
89. *Augustus c. Gosset, id.*, par. 71 (C.S.C.).

En définitive, l'abrègement de la vie ne constitue pas en soi un préjudice[90]. Il faut, pour qu'une compensation soit octroyée, que la victime ait ressenti les souffrances avant son décès.

---

90. La jurisprudence subséquente a suivi les enseignements de la Cour suprême. Voir *El-Asrany (Succession de) c. Cie d'assurance l'Union canadienne*, précité, note 47; *Roy c. Transports Aéro (1991) Inc.*, précité, note 50; *Lacombe c. Hôpital Maisonneuve-Rosemont*, précité, note 61; *Myiow c. Montréal (Ville de)*, précité, note 41; *De Montigny c. Brossard (Succession de)*, précité, note 44.

Chapitre VI

Mᵉ Patrice Deslauriers*

Les intérêts et l'indemnité additionnelle

À la lecture des décisions, on remarque aisément qu'il peut se passer plusieurs années entre d'une part l'accident et d'autre part le jugement de première instance ou l'arrêt de la Cour d'appel[1]. Le taux d'intérêt applicable au capital est évidemment le taux légal (art. 1618 C.c.Q.) qui n'est que de 5 %. Ce taux, parce qu'il n'a aucune commune mesure avec celui qui prévaut sur certains marchés financiers, représente un frein au règlement des litiges.

En effet, l'auteur d'un préjudice aurait « intérêt » à attendre le plus longtemps possible, à placer l'argent à un meilleur taux et à s'enrichir ainsi de façon éhontée. C'est pourquoi le législateur est intervenu pour empêcher cette injustice. L'article 1619 C.c.Q., qui s'applique autant en matière contractuelle qu'en matière extracontractuelle, permet au juge d'accorder une « indemnité » additionnelle.

Cette qualification indemnité, qui diffère des intérêts[2] pour pallier des problèmes d'ordre constitutionnel, entraîne une conséquence importante, car le juge possède le pouvoir discrétionnaire de l'accorder si elle le lui est demandée[3] ou de la refuser[4] (art. 1619 C.c.Q.). En pratique, elle est accordée de façon quasi automatique[5] à moins d'un comportement dilatoire[6] ou répréhensible[7] du demandeur dans la conduite de l'instance notamment lorsque le montant réclamé était nettement exagéré[8]. En outre, l'octroi sera

---

* Professeur à l'Université de Montréal et avocat.

1. Par exemple, dans l'affaire *Patenaude c. Roy*, [1988] R.R.A. 222, EYB 1988-83452 (C.S.), conf. par [1994] R.J.Q. 2503, EYB 1994-64310 (C.A.), le fait dommageable a eu lieu en 1978, l'action fut intentée en 1980 et le jugement de première instance fut rendu en 1988. L'affaire fut soumise à la Cour d'appel, qui rendit sa décision en octobre 1994, soit 14 ans après l'introduction de l'action. Signalons qu'afin de contrer certains effets perturbateurs d'un appel, certaines décisions récentes ont accordé l'exécution provisoire du jugement de première instance malgré l'appel. Cette façon de procéder, que nous approuvons dans certains cas d'espèce, ne doit toutefois être utilisée que dans des cas exceptionnels, notamment en raison de la conduite répréhensible du défendeur. Voir, à ce sujet, *Lizotte c. RBC Dominion Valeurs mobilières Inc.*, REJB 1999-15128; *Tu c. Compagnie de chemins de fer nationaux du Canada*, REJB 1999-15618 (C.S.); *Gilles E. Néron Communication Marketing Inc. c. Chambre des notaires du Québec*, REJB 2000-18844 (C.S.), conf. en partie, REJB 2002-34712 (C.A); *Lalonde c. Gauthier*, REJB 2001-26950 (C.S.); *St-Cyr c. Fisch*, REJB 2003-43174 (C.A.); *Élomari c. Agence spatiale canadienne*, [2004] R.R.A. 1285, EYB 2004-71556 (C.S.); *Markarian c. Marchés mondiaux CIBC Inc.*, [2006] R.J.Q. 2851 (C.S.).
2. *Travelers Insurance Co. c. Corriveau*, [1982] 2 R.C.S. 866, EYB 1982-148879.
3. *Banque nationale de Paris (Canada) c. 165836 Canada Inc.*, [2004] 2 R.C.S. 45, REJB 2004-65747. Commentaires D. GARDNER, « De la demeure, des offres réelles et de la consignation : un cocktail à l'*intérêt* douteux », (2004) 106 *R. du N.* 243. Voir aussi *Association pour la protection des automobilistes Inc. c. Toyota Canada Inc.*, J.E. 2009-730, EYB 2009-156147 (C.S.) (en appel).
4. Voir Jean-Louis BAUDOUIN et Patrice DESLAURIERS, *La responsabilité civile*, 7ᵉ éd., volume 1 – Principes généraux, Cowansville, Les Éditions Yvon Blais Inc., 2007, p. 572 et s.; Daniel GARDNER, *L'évaluation du préjudice corporel*, 2ᵉ éd., Cowansville, Les Éditions Yvon Blais Inc., 2002, p. 564, EYB2002EPC27; *Canadian Newspaper Company Ltd. c. Snyder*, [1995] R.D.J. 392, EYB 1995-56458 (C.A.).
5. *Christopoulos c. Restaurant Mazurka Inc.*, [1998] R.R.A. 334, REJB 1998-05385 (C.A.); *Marcotte c. Simard*, [1996] R.R.A. 554, REJB 1996-29237 (C.A.); *Cie d'assurance Missisquoi c. Bessette*, REJB 1999-14834 (C.A.); *Alexis Nihon (Québec) Inc. c. Commerce & Industry Insurance Co. of Canada*, REJB 2002-33700 (C.A.); *Yelle c. Ville de Sherbrooke*, 2005BE-1037, EYB 2005-93473 (C.S.); *Groupe DMR Inc. c. Benoît*, EYB 2006-110561 (C.A.); *King c. King (Succession de)*, EYB 2006-110937 (C.Q.); *Commission scolaire du Val-des-Cerfs c. Farnham (Ville de)*, EYB 2007-126986 (C.S.).
6. *Canadian Newspaper Company Ltd. c. Snyder*, précité, note 4; *Sigma Construction Inc. c. Ievers*, J.E. 95-1846, EYB 1995-64649 (C.A.); *Marcotte c. Simard*, précité, note 5; *F.(L.) c. Villeneuve*, [1999] R.R.A. 854 (C.A.), REJB 2002-30304 (C.A.); *173384 Canada Inc. c. Jubinville*, 2000BE-238 (C.S.); *Coffrage Efco Inc. c. Entreprises Jean Baillargeon Inc.*, REJB 2002-29507 (C.A.); *Monette c. Société hôtelière Canada Pacifique Ltée*, REJB 2001-23551 (C.S.), REJB 2003-43952 (C.A.); *Laporte c. Groupe-conseil Exige Inc.*, REJB 2002-32210 (C.S.); *Amos (Ville de) c. Gentec Inc.*, REJB 2003-47013 (C.S.); *Montréal (Ville de) c. Cordia Ltd.*, REJB 2003-48045 (C.A.), inf. sur ce point, REJB 2000-19690 (C.S.); *Truchon c. Salesse*, REJB 2004-60916 (C.A.); *155891 Canada Inc. c. Consoltex Inc.*, EYB 2004-61365 (C.S.), EYB 2006-110420 (C.A.); *Carter c. Morel*, REJB 2004-71696 (C.A.); *Montréal (Ville de) c. Benjamin*, REJB 2004-80976 (C.A.); *Guilbault c. Vinet*, EYB 2004-81500 (C.S.); *Provigo Inc. c. 9007-7876 Québec Inc.*, J.E. 2005-192, EYB 2004-81732 (C.A.); *A.S. c. D.F.*, J.E. 2005-277, EYB 2005-82916 (C.A.); *Poulin c. Maheux*, J.E. 2005-796, EYB 2005-88929 (C.A.); *Société en commandite Gaz Métropolitain c. Laboratoires Ville-Marie Inc.*, 2006BE-253, EYB 2005-92103 (C.S.); *Rousseau c. Optimum Assurance agricole Inc.*, J.E. 2006-2225, EYB 2006-110720 (C.S.); *Blais c. Guillemette*, J.E. 2008-188, EYB 2007-127159 (C.S.); *Perrier c. Grossrieder*, EYB 2008-150619 (C.S.). Voir aussi *Fondation québécoise du cancer c. Patenaude*, [2007] R.R.A. 5 (C.A.) (le délai était attribuable au comportement des deux parties); *Construction RDF Inc. c. Fernand Gilbert Ltée*, J.E. 2008-1360, EYB 2008-135048 (C.S.). Le professeur Gardner explique que « les tribunaux recherchent l'existence d'une conduite fautive chez le demandeur et en remarque [...] qu'ils ont tendance d'exposer soigneusement les motifs d'un refus », D. GARDNER, *op. cit.*, note 4, p. 566.
7. *Guilbault c. Vinet*, précité, note 6 (diffamation durant l'instance). Voir aussi *Gestion Kyres Frères Inc. c. 9015-7165 Québec Inc.*, EYB 2005-98168 (C.S.); *Blais c. Guillemette*, EYB 2007-127159 (C.S.).
8. J.-L. BAUDOUIN et P. DESLAURIERS, *op. cit.*, note 4, p. 573. Voir aussi *Rougeau c. Compagnie Fernand Goulil Ltée*, REJB 2001-24988 (C.S.); *Robidas c. Parent*, REJB 2003-47862 (C.A.); *Montréal (Ville de) c. Cordia Ltd.*, précité, note 6; *Gagnon c. Roger Bisson*, REJB 2004-54512 (C.S.); *Myiow c. Montréal*

refusé lorsque le taux d'intérêt convenu par les parties dépasse le taux minimum servant d'assise au calcul de l'indemnité additionnelle[9], ou lorsque la partie victorieuse a joui d'un bien pendant plusieurs années[10].

Par ailleurs, le nouveau code tente de mettre fin à une certaine confusion qui régnait sous l'ancien droit en raison de la formulation trop catégorique de l'article 1056 c) C.c.B.-C.[11]. Sous l'empire du Code civil du Bas-Canada, le juge était contraint de ne tenir compte que d'un événement comme base de calcul, c'est-à-dire la date de la demande en justice. La jurisprudence était divisée sur la question de savoir s'il fallait respecter le libellé de cet article dans tous les cas, même lorsque cela menait à des solutions inéquitables[12].

L'article 1619 C.c.Q. ne prend pas position, mais favorise une certaine approche. L'indemnité additionnelle est accordée à partir de la mise en demeure (qui peut être extrajudiciaire, judiciaire ou légale, selon les articles 1595 et suivants C.c.Q.) ou à partir de toute autre date jugée appropriée par le tribunal[13].

La jurisprudence retient généralement la date de la demeure[14], l'assignation constituant la règle selon la Cour d'appel[15]. Cette règle soulève toutefois certaines contro-

(Ville de), EYB 2004-80889 (C.S.); Cadieux c. Martineau, [2005] R.R.A. 892, EYB 2005-91750 (C.S.). Voir toutefois Charland c. Procureur général du Québec, REJB 2003-38125 (C.S.); Saint-Maurice c. Montréal (Ville de), J.E. 2005-1061, EYB 2005-88330 (C.S.).

9. 9051-5909 Québec Inc. c. 9067-8665 Québec Inc., REJB 2003-39652 (C.A.), inf. sur ce point REJB 2001-24189 (C.S.); Laferrière c. Entretiens Servi-Pro Inc., EYB 2004-72154 (C.S.), REJB 2005-98717 (C.A.); EMCO Corporation c. Protection incendie Carter Inc., J.E. 2008-300, EYB 2007-127495 (C.S.). Mais voir Spike Marks Inc. c. Mobilier Vic-Line Inc., REJB 2003-36764 (C.A.).
10. Lépine c. Khalid, REJB 2004-70368 (C.A.).
11. L'article 1056 c) C.c.B.-C. énonçait : « Le montant accordé par jugement pour dommages résultant d'un délit ou d'un quasi-délit porte intérêt au taux légal depuis la date de l'institution de la demande en justice. Il peut être ajouté au montant ainsi accordé une indemnité. »
12. Voir sur cette question Jean-Louis BAUDOUIN, La responsabilité civile délictuelle, 3e éd., Cowansville, Les Éditions Yvon Blais Inc., 1990, p. 173; D. GARDNER, op. cit., note 4, p. 571.
13. Voir à titre d'illustrations Villeneuve c. St-Ambroise (Paroisse de), J.E. 97-2174, REJB 1997-05194 (C.S.); Comité administratif du Barreau du Québec c. Haché, REJB 2002-30653 (C.A.); Coffrage Efco Inc. c. Entreprises Jean Baillargeon Inc., précité, note 6; Kraus-Remer c. Remer, REJB 2001-27441 (C.A.); Restaurant E.S.R. Inc. c. Restaurants Prime du Québec Inc., REJB 2003-41307 (C.A.); Montréal (Ville de) c. Benjamin, précité, note 6; Laboratoires Bio-Recherches ltée v. Continental insurance Company, REJB 2005-93993 (C.S.); Banque Nationale du Canada c. Turcotte, [2006] R.R.A. 664, EYB 2006-106287 (C.S.); Guilbault c. Blanchette, [2006] R.D.I. 474, EYB 2006-104989 (C.S.); Pavillet c. Ronis, J.E. 2008-1675, EYB 2008-138201 (C.S.) (en appel); Morel c. Tremblay, J.E. 2008-1969, EYB 2008-147713 (C.S.) (en appel) commentaires Geoffroy GUILBAULT dans Repères, novembre 2008, EYB2008REP764.
14. Pour un calcul fait – à partir de l'assignation, voir, entre autres, Germain c. Restaurant McDonald's du Canada Ltée, [1996] R.R.A. 184, EYB 1996-84697 (C.S.); Lafleur c. Issa, REJB 1999-16085 (C.S.), conf. par C.A. Montréal, no 500-09-009039-991, 4 décembre 2002; Boucher-Graham c. Centres d'achats Beauward Ltée, REJB 2001-22885 (C.S.), REJB 2002-31051 (C.A.); Entreprises C.T.E. Inc. c. Société en commandite K.W. Gaspé, REJB 2001-27431 (C.S.), conf. C.A. Québec, no 200-09-003852-016, 12 mars 2003, REJB 2001-27430; Turmel c. Loisel, REJB 2002-31014 (C.S.); Ruest c. Boily, REJB 2002-35943 (C.S.); Alexis Nihon (Québec) Inc. c. Commerce & Industry Insurance Co. of Canada, précité, note 5; Hébert c. Québec (Procureur général), REJB 2004-52406 (C.S.); Coutu c. Pierre-Jacques, REJB 2003-38084 (C.S.); Bonneau c. Maisons modernes Orford Inc., EYB 2005-93271 (C.S.); Vivier c. Marquette, 2005BE-822, EYB 2005-90349 (C.S.); Yelle c. Ville de Sherbrooke, précité, note 5; Tibshirani c. Fappanni, J.E. 2006-2111, EYB 2006-110364 (C.A.); Harton c. Québec (Ville de), [2006] R.L. 556 (C.S.); A c. B., J.E. 2007-288, EYB 2007-112340 (C.S.), conf. par EYB 2008-131357 (C.A.); Castonguay c. 175684 Canada Inc., 2007BE-606, EYB 2007-119132 (C.S.); Chantal c. 9022-1672 Québec Inc., J.E. 2007-1530, EYB 2007-121544 (C.Q.); Crispino c. General Accident Insurance Company, [2007] R.R.A. 847 (C.A.); Longpré c. Paquet, [2007] R.R.A. 313 (C.S.) (en appel); Lessard c. Ferme Diven, s.e.n.c., J.E. 2007-717, EYB 2007-112949 (C.Q.); Mathieu c. Carrier, J.E. 2007-676, EYB 2007-115472 (C.S.); O'Neil Renaud c. Leduc, 2007BE-708, EYB 2007-120213 (C.S.); St-Jacques c. Coopérative d'habitation Les gens heureux, J.E. 2007-385, EYB 2007-112749 (C.S.), conf. par EYB 2009-153188 (C.A.); Valade c. Copps, EYB 2008-153217 (C.S.); à partir de la mise en demeure extrajudiciaire : Chai c. Pearl, J.E. 96-884, EYB 1996-84746 (C.S.), conf. par REJB 2000-16634 (C.A.); Tierra Del Sol Beach Hotel C por A c. Placements Univesco (1987) Ltée, REJB 2003-41012 (C.A.); Massy c. Ville St-Laurent, REJB 2003-42063 (C.A.); Tremblay c. Groupe Québecor Inc., REJB 2003-45176 (C.A.); Accessoires d'auto Vipa Inc. c. Therrien, REJB 2003-46428 (C.A.); Lefebvre c. Gauthier, REJB 2003-50680 (C.A.); Gravelle c. Monnet, REJB 2003-50865 (C.A.); Systèmes Techno-Pompes Inc. c. Cazes, REJB 2003-52011 (C.A.), conf. REJB 2002-32603 (C.Q.); Thomas c. Les publications Photo-Police, REJB 1997-03552 (C.Q.), REJB 2001-25545 (C.A.); Weidemann c. Intrawest Ressort Corp., J.E. 2000-583, REJB 2000-17396 (C.S.); Leroux c. Sternthal, REJB 1999-15293 (C.S.), REJB 2002-29951 (C.A.); Valois c. Commission scolaire de l'Estuaire, REJB 1999-16329 (C.S.); Racicot c. 150175 Canada Inc., REJB 2000-19540 (C.S.); Letourneau c. 2583-99304 Québec Inc., 2000BE-514 (C.S.); Bisson c. Leblanc, REJB 2001-23733 (C.S.), REJB 2002-36372 (C.A.); Parent c. Viens, REJB 2001-24906 (C.A.); Axa Boréal Assurances Inc. c. Silo Supérieur (1993) Inc., REJB 2003-37721 (C.A.); Barrette c. Société canadienne des Postes, REJB 2003-45395 (C.S.); Bouchard c. Shink, 2005BE-87, EYB 2004-80397 (C.S.); Clément c. 3227146 Canada Inc., 2006BE-224, EYB 2006-104476 (C.S.); Gaudreault c. Ville de Québec, EYB 2005-92145 (C.S.); Lévesque c. Ville de Laval, 2005BE-922, EYB 2005-88524 (C.S.); Simard c. Lavoie, EYB 2005-99564 (C.S.); Dzineku c. Centre d'hébergement et de soins de longue durée Estriade – « Centre St-Joseph », EYB 2006-108660 (C.S.); Gariépy c. 9016-5440 Québec Inc., 2006BE-485, EYB 2005-106354 (C.S.); Grenier c. Lafontaine, 2006BE-389, EYB 2005-100067 (C.S.); Richard c. Dubois, 2006BE-393, EYB 2005-98775 (C.S.); Trudeau c. Pellemans, J.E. 2006-636, EYB 2006-100288 (C.S.); Baillargeon c. Disraeli (Ville de), J.E. 2007-1040, EYB 2007-119274 (C.Q.); Beaulieu c. Québec (Ville de), J.E. 2007-1291, EYB 2007-120696 (C.S.); Daitch c. Restaurant Le Bifthèque Inc., J.E. 2007-84, EYB 2007-111495 (C.S.); Dubois c. Dubois, 2007BE-605 (C.Q.); Morawetz c. 9003-3556 Québec Inc., 2007BE-287 (C.Q.); Haight c. Montréal (Ville de), J.E. 2007-831, EYB 2007-117765 (C.Q.); Tremblay c. Centre hospitalier Jonquière, 2007BE-496 (C.Q.); à partir de la date du préjudice : Dubreuil c. Trépanier, 99BE-1293 (C.S.); Poirier c. Alfino (Succession de), J.E. 2007-1000, EYB 2007-119158 (C.Q.). Contra : Collège d'enseignement général et professionnel de Maisonneuve c. Imbeault, J.E. 2008-1267, EYB 2008-134421 (C.A.).
15. St-Cyr c. Victoriaville (Ville de), REJB 2003-51158 (C.A.); Fondation québécoise du cancer c. Patenaude, précité, note 6. Voir toutefois une position différente préconisée par la Cour d'appel dans Collège d'enseignement général et professionnel de Maisonneuve c. Imbeault, précité, note 14 où la cour mentionne : « à défaut d'une mise en demeure, les intérêts et l'indemnité ne devaient commencer à courir qu'à compter de la demande en justice ».

verses en matière de dommages punitifs[16] et de pertes non pécuniaires et prospectives[17].

---

16. Les dommages punitifs, en raison de leur nature sont soumis à un régime particulier. Si certaines décisions refusent purement et simplement d'accorder l'indemnité, la jurisprudence majoritaire l'accorde à partir de la date du jugement. Voir, sur cette question, J.-L. BAUDOUIN et P. DESLAURIERS, *op. cit.*, note 4, p. 579. Voir aussi, récemment, *Lessard c. Ferme Diven, s.e.n.c.,* précité, note 14; *Milien c. Cansalvage Com.,* EYB 2007-127550 (C.Q.).

17. En ce qui a trait aux pertes prospectives et aux pertes non pécuniaires, une certaine divergence jurisprudentielle est perceptible puisque plusieurs dates sont utilisées. L'impact du choix de date n'est pas sans conséquence. (Voir, à cet égard, les commentaires de D. GARDNER, *op. cit.*, note 4, p. 575 et du juge Letarte dans : *Godin c. Quintal*, REJB 2002-32391.) Pour notre part, nous avons émis l'opinion que la date d'assignation devait être approuvée. Voir J.-L. BAUDOUIN et P. DESLAURIERS, *op. cit.*, note 4, p. 578. Voir, toutefois, les réserves émises par D. GARDNER, *op. cit.*, note 4, p. 576-577. Pour des discussions actuarielles sur la question, voir Luc RIVEST, « L'actuaire, un pont entre les mathématiques et le droit : Son rôle et ses limites dans un procès », dans Service de la formation permanente, Barreau du Québec, vol. 196, *L'évaluation du préjudice (2003)*, Cowansville, Les Éditions Yvon Blais Inc., p. 101 et 106 et s., EYB2003DEV368.

Titre IV

L'extinction du droit
d'action : la prescription

Chapitre I

Me Daniel Dumais*

La prescription

1- Présentation de la prescription

En matière de prescription, le législateur a suivi, lors de la rédaction du Code civil du Québec, la même approche qu'il avait adoptée en 1866 pour le Code civil du Bas-Canada. Après s'être interrogé sur l'opportunité d'inclure les dispositions se rapportant à la prescription acquisitive et à la prescription extinctive dans des Livres différents[1], il a finalement choisi de conserver, groupée en un seul et même livre – le huitième – la totalité des dispositions du Code civil relatives à la prescription.

Cette décision du législateur facilite la présentation de la matière. Le premier titre du Livre Huitième traite des règles communes aux prescriptions acquisitives et extinctives. Le second est consacré aux règles spécifiques à la prescription acquisitive. Quant au troisième titre, il porte sur la prescription extinctive. C'est ce plan, qui a le mérite d'être à la fois clair et complet, que nous adoptons dans les pages qui suivent. Notre étude débutera toutefois, comme il se doit, par une définition de la prescription.

2- La définition de la prescription[2]

Bien qu'intimement liés par le facteur commun de l'écoulement du temps, les deux types de prescriptions, acquisitive et extinctive, diffèrent passablement par leur nature et par leurs effets[3]. Ces différences rendent difficile l'élaboration d'une définition concise et claire de la prescription. L'article 2875 C.c.Q. s'y risque pourtant :

> « La prescription est un moyen *d'acquérir* ou de *se libérer* par l'écoulement du temps et aux conditions déterminées par la loi [...]. » (Les italiques sont de nous.)

Plusieurs auteurs ont repris, à quelques nuances près, les termes de cet article pour expliquer la notion de prescription. Force est tout de même de constater, avec le professeur Frenette, que le code « contient moins une définition de la prescription qu'une description de celle-ci en fonction de ses effets possibles »[4]. L'article 2875 C.c.Q. montre bien l'importance de l'élément temporel, à la fois pour les prescriptions acquisitive et extinctive. Le texte demeure toutefois très général et ne définit pas clairement chacune d'elles.

L'article 2910 C.c.Q. définit plus concrètement la prescription acquisitive (parfois appelée usucapion)[5] :

> « La prescription acquisitive est un moyen d'acquérir le droit de propriété ou l'un de ses démembrements, par l'effet de la possession. »

* Avocat chez Heenan Blaikie Aubut. Le présent chapitre incorpore certains extraits du texte « L'extinction du droit d'action : la prescription » de Me Patrice Deslauriers, professeur à l'Université de Montréal et avocat. L'auteur tient à remercier Me Samuel Massicotte et Sarah-Ève Pelletier pour leur précieuse collaboration à la préparation de ce texte.
1. Office de révision du Code civil, *Rapport sur le Code civil du Québec*, vol. II, t. 2, Éditeur officiel du Québec, 1977, p. 919.
2. Voir généralement sur le sujet, Jean-Louis BAUDOUIN et Pierre-Gabriel JOBIN, *Les obligations*, 6e éd. par Pierre-Gabriel JOBIN avec collaboration de Nathalie VÉZINA, Cowansville, Les Éditions Yvon Blais Inc., 2005, p. 1089, EYB2005OBL42; Jean-Louis BAUDOUIN et Patrice DESLAURIERS, *La responsabilité civile*, 6e éd., Cowansville, Les Éditions Yvon Blais Inc., 2003, p. 1330, EYB2003RES39; Pierre MARTINEAU, *La prescription*, P.U.M., 1977; Pierre-Basile MIGNAULT, *Le droit civil canadien*, t. 9, Montréal, Wilson & Lafleur, 1916; Witold RODYS, *Traité de droit civil du Québec*, t. 15, Montréal, Wilson & Lafleur, 1958; Denys-Claude LAMONTAGNE, *Biens et propriété*, 4e éd., Cowansville, Les Éditions Yvon Blais Inc., 2002, p. 406, EYB2002BEP15; François FRENETTE, « De la prescription », dans *La réforme du Code civil*, vol. 3, Les Presses de l'Université Laval, 1993, p. 567; Maurice TANCELIN, *Des obligations : Actes et responsabilités*, 6e éd., Wilson & Lafleur, 1997, p. 729; Émil VIDRASCU, « La nature juridique de la prescription extinctive : droit comparé et droit québécois », (1995) 98 *R. du N.* 3; Louise LANGEVIN, « Suspension de la prescription extinctive : à l'impossible, nul n'est tenu », (1996) 56 *R. du B.* 265, EYB1996RDB35; Marc BRUSCHI, « Essai d'une typologie des prescriptions en droit privé », dans Pierre-André CÔTÉ et Jacques FRÉMONT (dir.), *Le temps et le droit*, Cowansville, Les Éditions Yvon Blais Inc., 1996, p. 281; Nathalie DES ROSIERS et Louise LANGEVIN, *L'indemnisation des victimes de violence sexuelle et conjugale*, Cowansville, Les Éditions Yvon Blais Inc., 1998, p. 41; Louise LANGEVIN, « *Gauthier c. Beaumont* : la reconnaissance de l'impossibilité psychologique d'agir », (1998) 58 *R. du B.* 167, EYB1998RDB15; Nathalie DES ROSIERS et Louise LANGEVIN « L'impossibilité psychologique d'agir et les délais de prescription : lorsque le temps compte », (2008) 42 *R.J.T.* 395-415; Jean PINEAU, « Les grandes lignes de la réforme portant sur le droit de la preuve et de la prescription », (1989) 1 *C.P. du N.* 1, 21.
3. J.-L. BAUDOUIN, P.-G. JOBIN et N. VÉZINA, *Les obligations*, op. cit., note 2, p. 1089.
4. F. FRENETTE, *op. cit.*, note 2, p. 568.
5. Madeleine CANTIN-CUMYN, « Les principaux éléments de la révision des règles de la prescription », (1989) 30 *C. de D.* 611. Le terme usucapion est aujourd'hui très rarement utilisé.

La prescription extinctive ou libératoire, quant à elle, est définie à l'article 2921 C.c.Q. :

« La prescription extinctive est un moyen d'éteindre un droit par non-usage ou d'opposer une fin de non-recevoir à une action. »

On constate bien à la lecture de ces derniers articles que les deux types de prescriptions diffèrent à plusieurs égards. Ils sont pourtant soumis au même régime général. Ce régime figure aux articles 2875 à 2909 C.c.Q. C'est à l'étude de ces règles générales, communes aux prescriptions acquisitive et extinctive, que nous allons procéder dans la prochaine section.

3- Le régime de la prescription

Le Code civil divise les règles communes en quatre chapitres. Le chapitre premier présente les dispositions générales, soit les articles 2875 à 2882 C.c.Q. Les chapitres II à IV portent respectivement sur la renonciation, l'interruption et la suspension de la prescription. Nous les analyserons successivement.

A- Les dispositions générales

Les dispositions générales relatives à la prescription reprennent essentiellement les principes déjà mis en place en 1866 par le Code civil du Bas-Canada. Ces principes ont été actualisés et sont présentés de façon plus synthétique.

1. Le domaine de la prescriptibilité

En ce qui concerne le domaine d'application de la prescription, les rédacteurs du Code civil du Québec ont opté pour le principe de la prescriptibilité[6]; ainsi, ce qui n'est pas déclaré imprescriptible peut être prescrit. L'article 2876 C.c.Q. exprime cette idée :

« Ce qui est hors commerce, incessible ou non susceptible d'appropriation, par nature ou par affectation, est imprescriptible. »

On constate à la lecture de cet article que le législateur n'a pas cherché à énumérer ce qui est ou n'est pas prescriptible. Il s'est contenté d'établir des paramètres, laissant aux lois particulières, à la doctrine et à la jurisprudence le soin de définir de façon spécifique ce qui est prescriptible ou ce qui ne l'est pas[7].

Bien que très généraux, les paramètres fixés par l'article 2876 C.c.Q. permettent d'importantes constatations. On remarque que la prescriptibilité ne dépend plus, comme sous l'ancien code, de la qualité du propriétaire de la chose : la prescriptibilité dépend du caractère de la chose. Comme l'énonce l'article 2876 C.c.Q., la non-commercialité, l'incessibilité et l'inappropriabilité constituent les caractères entraînant l'imprescriptibilité. Ainsi, sont imprescriptibles les choses non commerciales comme les droits extrapatrimoniaux, notamment les droits de la personnalité et les libertés fondamentales[8]. Sont aussi imprescriptibles les choses communes qui ne sont pas susceptibles d'appropriation en raison de leur utilité publique tels l'air, l'eau[9], les biens de l'État et les biens des personnes morales de droit public (art. 916 C.c.Q.)[10].

2. Le caractère erga omnes de la prescription

L'article 2877 C.c.Q. énonce un principe fondamental en matière de prescription, soit que celle-ci court en faveur ou contre tous, même de l'État.

« La prescription s'accomplit en faveur ou à l'encontre de tous, même de l'État, sous réserve des dispositions expresses de la loi. »

Le terme État inclut ici les municipalités et les établissements publics tels les institutions d'enseignement et les établissements hospitaliers[11].

Le principe d'application erga omnes de la prescription est tempéré par la dernière partie de l'article 2877 C.c.Q. qui prévoit que la loi peut édicter des exceptions. Ces exceptions ne sont pas rares. On en trouve plusieurs exemples aux articles 2904 et suivants C.c.Q. que nous étudierons en détail plus loin[12].

6.   F. FRENETTE, op. cit., note 2, p. 568.
7.   MINISTÈRE DE LA JUSTICE, Commentaires du ministre de la Justice, Le Code civil du Québec, t. II, Gouvernement du Québec, Les Publications du Québec, 1993, p. 1805, EYB1993CM2877 (ci-après : Commentaires du ministre de la Justice). Par exemple, Ouellette c. Croteau, REJB 2002-32083 (C.S.).
8.   M. CANTIN-CUMYN, op. cit., note 5, p. 613.
9.   Art. 913 C.c.Q., l'air et l'eau qui ne sont pas destinés à l'utilité publique sont toutefois prescriptibles s'ils sont recueillis et mis en récipient.
10. Sani-Sport Inc. c. Hydro-Québec, 2008 QCCA 2498, EYB 2008-152589. L'article 916 C.c.Q. ne vise que la prescription acquisitive.
11. M. CANTIN-CUMYN, op. cit., note 5, p. 617.
12. Voir infra.

3. Le délai de prescription ou le délai de déchéance

Comme on l'a vu, la prescription peut conférer ou éteindre un droit. Toutefois, pour que la prescription produise un de ces effets, elle doit être invoquée. C'est ce que l'article 2878 C.c.Q. énonce :

« Le tribunal ne peut suppléer d'office les moyens résultant de la prescription.

Toutefois, le tribunal doit déclarer d'office la déchéance du recours, lorsque celle-ci est prévue par la loi. Cette déchéance ne se présume pas; elle résulte d'un texte exprès. »[13]

On constate que cet article consacre formellement la distinction entre les délais de prescription et les délais de déchéance. Pour les premiers, si le moyen n'est pas invoqué, la cour ne peut y suppléer d'office. Dans le cas des seconds, leur caractère d'ordre public entraîne pour le tribunal l'obligation de déclarer la déchéance.

L'application de l'article 2878 C.c.Q. est parfois difficile. En effet, d'un point de vue pratique, la différence entre une prescription et une déchéance de recours est souvent très ténue[14]. Notre jurisprudence arrive d'ailleurs difficilement à maintenir la distinction entre ces deux notions, leurs effets juridiques étant très similaires[15]. La prescription extinctive n'entraîne pas l'abrogation du droit de celui contre qui on a prescrit. Elle a seulement pour effet d'empêcher ce dernier d'invoquer civilement les droits qu'il a laissé prescrire. Une déchéance de recours va plus loin : elle ne fait pas qu'empêcher la possibilité d'invoquer des moyens de droit, elle entraîne aussi la perte du droit lui-même. Le Code civil prévoit quelques cas de déchéance, entre autres aux articles 380, 435, 436, 967, 1022[16], 1103, 1117[17], 1635, 1837 et 2050[18] C.c.Q.

Force est de constater que les effets pratiques de la prescription extinctive et de la déchéance sont difficiles à distinguer. Les deux régimes ont pour effet d'empêcher d'invoquer un droit devant les tribunaux en raison de l'écoulement du temps. Ainsi, il appert de la doctrine que la prescription et la déchéance se distinguent seulement de deux façons. D'abord, la prescription est susceptible d'interruption et de suspension, ce qui n'est pas le cas de la déchéance[19]. Ensuite, comme l'indique l'article 2878 C.c.Q., la prescription doit nécessairement être plaidée pour avoir un effet. Cette deuxième distinction retiendra prioritairement l'attention du praticien prudent et avisé.

4. La durée et le calcul des délais

Les délais constituent l'expression de la prescription dans le quotidien. Ils sont, le plus souvent, invoqués au moyen de requêtes préliminaires en irrecevabilité (art. 165 (4) C.p.c.) dans le cas de la prescription extinctive. Toutefois, certains juges, considérant qu'ils n'ont pas le bénéfice de toute la preuve (qui peut avoir une certaine importance, par exemple, pour déterminer le point de départ d'un délai), préfèrent renvoyer au juge du fond la tâche de statuer sur la prescription[20]. En général, le laps de temps sera fixé par la loi. Par contre, dans certaines situations, le législateur confère au juge la tâche de le déterminer lorsqu'il est fait mention de l'expression « dans un délai raisonnable »[21].

L'article 2879 C.c.Q. est d'une extrême importance. Il régit le calcul des délais de prescription.

« Le délai de prescription se compte par jour entier. Le jour à partir duquel court la prescription n'est pas compté dans le calcul du délai.

La prescription n'est acquise que lorsque le dernier jour du délai est révolu. Lorsque le dernier jour est un samedi ou un jour férié, la prescription n'est acquise qu'au premier jour ouvrable qui suit. »

13. *Entreprises Canabec Inc. c. Laframboise*, REJB 1997-00794 (C.A.). L'exigence d'un texte exprès que pose cet article n'impose pas une mention formelle du terme de déchéance. Voir *Charette c. Grand-Île (Municipalité de)*, J.E. 96-1360, EYB 1996-30255 (C.Q.); *Alexandre c. Dufour*, REJB 2004-81025 (C.A.).
14. Maurice TANCELIN, *Des obligations*, 6e éd., Montréal, Wilson & Lafleur, 1997, p. 732-733.
15. Pour une brève étude de la distinction entre prescription et déchéance, voir P. MARTINEAU, *op. cit.*, note 2, p. 364; *Charette c. Grand-Île (Municipalité de)*, précité, note 13; *Grenier c. Caron*, REJB 1997-00099 (C.A.).
16. *Alexandre c. Dufour*, précité, note 13.
17. *Aliments Carrière c. Dubuc*, [2001] R.D.I. 747, REJB 2001-25862 (C.Q.).
18. *Équipements industriels Robert Inc. c. 9061-2110 Québec Inc.*, 2004 QCCA 10729, REJB 2004-54527.
19. P. MARTINEAU, *op. cit.*, note 2, p. 364; *Charette c. Grand-Île (Municipalité de)*, précité, note 13; *Grenier c. Caron*, REJB 1997-00099 (C.A.); J.-L. BAUDOUIN, P.G. JOBIN et N. VÉZINA, *op. cit.*, note 2, p. 1092; *Pierre-Louis c. Québec (Ville de)*, 2006 QCCS 4733, EYB 2006-109053 (porté en appel, nᵒ 200-09-005728-065, EYB 2006-109053) sur l'article 586 de la *Loi sur les cités et villes*, L.R.Q., c. C-19.
20. *Développement F.M.V. Inc. c. Saint-Nicolas (Ville de)*, 2002 CanLII 23173, REJB 2002-34207 (QC C.S.); *3297756 Canada Inc. c. American & Efird Canada Inc.*, 2003 QCCQ 9702, EYB 2003-46914; *Barbe c. Vedac Inc.*, 2003 CanLII 28592, EYB 2003-41325 (QC C.S.); *CDL 7000 Holdings c. Scanaxa*, 2004 QCCS 20726, EYB 2004-65957; *Montréal (Service de police de la Communauté urbaine de) c. Tremblay*, J.E. 2005-1132, EYB 2005-91232 (C.A.).
21. Par exemple, en matière de vice caché, l'acheteur doit dénoncer le vice au vendeur dans un délai raisonnable (art. 1739 C.c.Q.).

Cet article édicte d'abord que le délai de prescription se compte par jour entier. On entend par là qu'il n'est pas tenu compte de l'heure du jour en vue de déterminer le point de départ de la prescription. Il aurait certes été plus précis de tenir compte de l'heure à laquelle s'est manifesté le fait qui sert de point de départ à la prescription. Le législateur a adopté une solution peut-être moins exacte, mais qui prête beaucoup moins à controverse sur le plan de la preuve.

Dans le même paragraphe, l'article 2879 C.c.Q. énonce que la loi ne tient pas compte, dans le calcul des délais, du jour où la prescription a débuté. Cette règle est ancienne et dérive de l'adage *dies a quo non computatur in termino*. Ainsi, concrètement, le délai de prescription débute le jour suivant celui où le fait qui marque le point de départ de la prescription est survenu. Cette prescription n'est acquise que lorsque le dernier jour du délai est révolu (art. 2879, al. 2 C.c.Q.). Si ce dernier jour, aussi appelé *dies ad quem*, est un samedi ou un jour férié, la prescription ne sera acquise qu'au premier jour ouvrable suivant.

5. *Le point de départ de la prescription*

L'article 2880 C.c.Q. énonce la règle générale servant à déterminer le fait qui sert de point de départ à la prescription. Il énonce que la dépossession fixe le point de départ du délai de la prescription acquisitive, alors que la naissance du droit d'action fixe le point de départ de la prescription extinctive. Nous verrons plus loin, dans les règles spécifiques à chacune des prescriptions, comment s'appliquent ces règles générales.

Mentionnons tout de même qu'en matière de responsabilité civile extracontractuelle, lorsque la faute et le préjudice sont concomitants, il est aisé de déterminer le point de départ de la prescription extinctive, puisque le droit a pris naissance immédiatement[22]. En revanche, si

une période de temps s'écoule entre la faute et la réalisation du préjudice, la solution est plus délicate.

L'article 2926 C.c.Q. résout en partie les difficultés. Si le préjudice se manifeste[23] tardivement, la prescription ne court qu'à partir de sa première apparition. Cette norme, fondée sur le bon sens, renforce la position selon laquelle le fondement de la prescription extinctive est l'intention de sanctionner la négligence du titulaire du droit. Tant que le droit reste inconnu du titulaire, aucune négligence ne peut lui être imputée ni aucune sanction imposée[24]. Cette disposition représente une application particulière d'une règle générale concernant les suspensions pour impossibilité d'agir en fait[25].

Cette situation ne doit pas être confondue avec celle où la victime a connaissance d'un préjudice, mais ne peut en mesurer l'étendue exacte[26]. Dans cette dernière hypothèse, les mécanismes prévus par le Code de procédure civile, applicables même en appel, permettent à la victime de modifier sa demande originale (art. 199 et s. C.p.c.). De même, dans le cas d'atteinte à l'intégrité physique, l'article 1615 C.c.Q. prévoit la possibilité, pour une période de trois ans postérieure au jugement, de modifier la réclamation initiale[27], dans la mesure où le jugement a permis cette réserve (art. 1615 C.c.Q.). D'ailleurs, le législateur prévoit spécifiquement à l'article 2926 C.c.Q. que, si le préjudice se présente de manière graduelle, le délai de prescription se compute dès sa première manifestation.

6. *L'opposabilité de la prescription*

Nous avons vu ci-dessus que la prescription doit forcément être invoquée pour avoir un effet. L'article 2881 C.c.Q. explique que la prescription peut être invoquée en tout état de cause, même en appel, à moins que la partie qui n'aurait pas opposé le moyen n'ait, en raison des circonstances, manifesté clairement son intention d'y renoncer.

22. *Paul Revere Compagnie d'assurance-vie c. Geary*, J.E. 94-1275, EYB 1994-58662 (C.A.); *Mailhot c. Bolduc*, J.E. 96-1050, EYB 1996-103635 (T.D. P.Q.); *Rondeau c. Rousseau*, 2003 CanLII 23026, EYB 2003-49851 (QC C.S.).

23. Un auteur a suggéré qu'il aurait été préférable d'ajouter le qualificatif « de manière significative », Daniel GARDNER, *L'évaluation du préjudice corporel*, 2e éd., Cowansville, Les Éditions Yvon Blais Inc., 2002, p. 27. C'est en ce sens que la jurisprudence devrait s'orienter. Une décision récente a utilisé l'expression « d'une manière appréciable » : *Brodeur c. Côté*, J.E. 96-2086, EYB 1996-100033 (C.S.), p. 48; *Monopro Ltd. c. Montreal Trust*, REJB 2000-17480 (C.A.) (requête en autorisation de pourvoi à la Cour suprême rejetée, [2001] 1 R.C.S. xv); *Sicé c. Langlois*, 2007 QCCA 1007, EYB 2007-122245; *Annanack c. Massénor (1992) Inc.*, 2008 QCCS 295, EYB 2008-129385. Voir en common law, *Peixeiro c. Haberman*, [1997] 3 R.C.S. 549, REJB 1997-02505.

24. *Oznaga c. Société d'exploitation des loteries du Québec*, [1981] 2 R.C.S. 113, EYB 1981-148606; *Girard c. Légaré*, J.E. 94-1774, EYB 1994-58679 (C.A.); *Bande indienne de la rivière Blueberry c. Canada (Ministère des Affaires indiennes et du Nord canadien)*, J.E. 96-46, EYB 1995-95584 (C.S.C.); *Sylvestre c. Communauté des Sœurs de la charité*, J.E. 96-1736, EYB 1996-84961 (C.S.); *April c. Seltzer (Succession de)*, REJB 1997-03127 (C.S.); *Hickey c. Vallefield Auto Supply Ltd.*, REJB 1999-11426 (C.S.); *Fiducie Desjardins Inc. c. Cité Poste Inc.*, REJB 1999-10872 (C.S.); *Plamondon c. Lirette*, 99BE-186 (C.S.); *Marcotte c. Desbiens*, 99BE-1191 (C.S.); *Kastner c. Royal Victoria Hospital*, REJB 2000-17478 (C.S.), conf. par REJB 2002-30041 (C.A.); *Monopro Ltd. c. Montreal Trust*, REJB 2000-17480 (C.A.); *Lajeunesse et al. c. Barbe*, EYB 2005-89536 (C.S.), conf. par 2007 QCCA 958, EYB 2007-121687 et 2007 QCCA 1386, EYB 2007-124921; *Fardad c. Corporation de l'École polytechnique de Montréal*, 2007 QCCS 5430, EYB 2007-126542.

25. L'article 2904 C.c.Q. énonce que la prescription ne court pas contre les personnes qui sont dans l'impossibilité en fait d'agir. Voir *infra*.

26. Voir *infra*.

27. Voir la jurisprudence citée dans le titre III, chapitre I, « Le préjudice comme condition de responsabilité ».

Le législateur entend ici par l'expression « en tout état de cause » que la prescription, acquisitive ou extinctive, peut, en principe, être invoquée à toute étape de la procédure. Elle peut même être invoquée après la défense au fond, et ce, jusqu'à la clôture des débats, tant en première instance qu'en appel.

7. L'imprescriptibilité des moyens de défense

L'article 2882 C.c.Q. apporte un tempérament important aux principes généraux de la prescription :

> « Même si le délai pour s'en prévaloir par action directe est expiré, le moyen qui tend à repousser une action peut toujours être invoqué, à la condition qu'il ait pu constituer un moyen de défense valable à l'action, au moment où il pouvait encore fonder une action directe.
>
> Ce moyen, s'il est reçu, ne fait pas revivre l'action directe prescrite. »

Cet article reprend les termes de l'article 2246 C.c.B.-C. Il prévoit qu'un droit peut être invoqué en défense, même si le délai pour se prévaloir de ce droit par action directe est expiré. Cette règle n'est toutefois applicable qu'à la condition que le droit ait pu constituer un moyen de défense valable à l'action, au moment où il pouvait encore fonder une action directe.

Les commentaires du ministre de la Justice sur le texte de cette disposition illustrent l'application de l'article :

> « [...] il suffit de supposer le cas d'un vendeur qui poursuit son acheteur pour lui réclamer le prix des marchandises vendues. En défense, l'acheteur plaide compensation; le vendeur lui doit une somme constatée par billet. Même si le billet est prescrit, la défense de compensation sera accueillie et l'action rejetée du moment que le billet n'était pas prescrit lorsque le compte du vendeur est devenu exigible. Il en irait autrement si le billet était déjà prescrit lorsque le compte est devenu exigible. »[28]

L'article 2882 C.c.Q. reprend les termes de l'article 2246 C.c.B.-C. Pierre Martineau, dans son traité sur la prescription[29], donnait à titre d'exemple l'affaire *Vigeant c. Malo*, (1936) 74 C.S. 121 :

> « [...] un mineur se lèse en faisant un achat. Il dispose d'une action en rescision du contrat. Cette action, selon l'article 2258 [C.c.B.-C.], se prescrit par dix ans à compter de l'avènement de la majorité de l'acheteur. Si, après ce délai, il se voit intenter une action personnelle en paiement du prix, il pourra plaider lésion et obtenir la rescision de la vente, chose qu'il ne pourrait pas faire par action directe. »

Plus récemment, la Cour d'appel, sous la plume du juge Morissette, a donné une interprétation large et libérale à cette disposition :

> « Je suis enclin à penser qu'il ne faut pas donner aux tournures « moyen qui tend à repousser une action » et « moyen de défense valable à l'action », deux expressions employées par le législateur à l'article 2882 C.c.Q., une importance telle qu'elles tiendraient en échec une finalité avérée de la règle. »[30]

B- La renonciation, l'interruption et la suspension

1. Les définitions des concepts, les différences et les similitudes

Le législateur a réuni aux chapitres deuxième, troisième et quatrième du titre portant sur le régime général de la prescription, les concepts de renonciation, d'interruption et de suspension. Par ce choix, le législateur a clairement indiqué que ces concepts étaient communs aux prescriptions acquisitives et extinctives.

Bien que ces trois concepts se ressemblent passablement quant aux effets qu'ils peuvent produire sur le déroulement de la prescription, ils diffèrent quant à leur nature. Il importe de bien les définir et de bien les distinguer.

En matière de prescription, la renonciation est un acte abdicatif et unilatéral, de la part de celui qui prescrit, du droit ou du bénéfice qu'il a acquis par l'écoulement du temps[31]. La renonciation est donc un acte dépendant de la

28. *Commentaires du ministre de la Justice, op. cit.*, note 7, p. 1809, EYB1993CM2883.
29. P. MARTINEAU, *op. cit.*, note 2, p. 248.
30. *Loranger c. Québec (Sous-ministre du Revenu)*, 2008 QCCA 613, EYB 2008-131946, par. 44.
31. Cette définition est de notre cru. Elle est une adaptation des définitions contenues dans le *Dictionnaire de droit privé et lexiques bilingues*, 2ᵉ éd., Cowansville, Centre de recherche en droit privé et comparé du Québec, Les Éditions Yvon Blais Inc., 1991, p. 483 et dans Hubert REID, *Dictionnaire de droit québécois et canadien*, 3ᵉ éd., Montréal, Wilson & Lafleur, 2004, p. 496.

volonté de celui qui prescrit. Elle consiste en un abandon du bénéfice du temps écoulé ou en un abandon du droit acquis par l'écoulement du temps.

Les deux autres concepts, soit l'interruption et la suspension, sont généralement traités et analysés ensemble par la doctrine. Les auteurs les regroupent souvent sous un terme générique. Louis Baudouin les qualifie d'« accidents de la prescription »[32]. Jean Pineau les appelle « entraves à l'écoulement du temps »[33]. Denys-Claude Lamontagne les regroupe sous l'expression « mécanismes freinant ou empêchant la prescription »[34].

L'interruption et la suspension se distinguent essentiellement de la renonciation en ce que leur application dépend non pas de la volonté de celui qui prescrit mais de l'application de la loi. L'interruption et la suspension se produisent lorsque, pendant le délai de prescription, surviennent un ou des événements qui, au terme de la loi, ont pour effet d'arrêter le cours de la prescription et d'empêcher qu'elle s'accomplisse au moment où elle aurait dû le faire[35].

L'interruption et la suspension se distinguent principalement quant à leurs effets sur le temps écoulé. L'interruption réduit à néant le délai déjà écoulé et en fait perdre le bénéfice à celui qui prescrit. Ce n'est pas le cas de la suspension; celle-ci n'efface pas le bénéfice du temps écoulé.

L'interruption et la suspension se distinguent aussi par le fait que cette dernière peut empêcher que le délai de prescription commence à courir[36].

Abordons maintenant de façon plus précise les règles applicables à chacun des trois concepts.

2. Les règles spécifiques à la renonciation, à l'interruption et à la suspension

a) La renonciation

Bien qu'elle dépende de la volonté de celui qui prescrit, comme nous l'avons précédemment mentionné, la renonciation est rigoureusement régie par les articles 2883 à 2888 C.c.Q.

Deux articles d'ordre public, les articles 2883 et 2884 C.c.Q., restreignent considérablement la liberté du renonçant. L'article 2883 édicte :

« On ne peut pas renoncer d'avance à la prescription, mais on peut renoncer à la prescription acquise et au bénéfice du temps écoulé pour celle commencée. »

Cet article envisage trois types de renonciations : la renonciation anticipée, la renonciation à la prescription acquise et la renonciation au bénéfice du temps écoulé.

La renonciation anticipée à la prescription est prohibée. Le législateur ne pouvait écarter cette règle sans mettre en péril la stabilité juridique[37].

La renonciation à la prescription acquise est, quant à elle, permise. Elle a pour effet de ramener à zéro le temps écoulé. Après une telle renonciation, la prescription recommence à courir par le même laps de temps (art. 2888 C.c.Q.).

Finalement, la renonciation au bénéfice du temps écoulé est aussi permise. Elle constitue en fait une cause d'interruption de la prescription commencée. Le renonçant perd alors définitivement le bénéfice du temps écoulé, mais ses droits futurs demeurent intacts. La prescription peut donc recommencer à courir immédiatement.

Une autre importante limitation à la liberté du renonçant apparaît à l'article 2884 C.c.Q. :

« On ne peut pas convenir d'un délai de prescription autre que celui prévu par la loi. »

Cet article de droit nouveau est d'ordre public. Il règle de façon claire et définitive une controverse de notre droit ancien qui rendait possible le fait de prolonger le délai requis pour prescrire[38]. En conformité avec l'article 2883 C.c.Q. que nous venons de voir, le législateur a considéré qu'autoriser des conventions prévoyant des délais de prescription autres que ceux prévus par la loi, permettrait de renoncer de manière détournée à l'avance au bénéfice de la prescription[39].

32. Louis BAUDOUIN, *Le droit civil de la province de Québec*, Montréal, Wilson & Lafleur, 1953, p. 480.
33. J. PINEAU, *op. cit.*, note 2, p. 23.
34. D.-C. LAMONTAGNE, *op. cit.*, note 2, p. 699 et 735.
35. P. MARTINEAU, *op. cit.*, note 2, p. 188.
36. F. FRENETTE, *op. cit.*, note 2, p. 574.
37. D.-C. LAMONTAGNE, *op. cit.*, note 2, p. 750.
38. J.-L. BAUDOUIN, P.-G. JOBIN et N. VÉZINA, *op. cit.*, note 2, p. 1091; *Commentaires du ministre de la Justice, op. cit.*, note 7, p. 808, EYB1993CM2885.
39. *Commentaires du ministre de la Justice, ibid.* Une exception à ce principe fut formulée dans *Re/Max Platine Inc. c. Groupe Sutton-Actuel Inc.*, 2008 QCCA 1405, EYB 2008-139434.

La renonciation est aussi, dans certains cas, limitée quant à la forme qu'elle peut prendre. C'est l'article 2885 C.c.Q. qui fixe ces limites :

« La renonciation à la prescription est soit expresse, soit tacite; elle est tacite lorsqu'elle résulte d'un fait qui suppose l'abandon du droit acquis.

Toutefois, la renonciation à la prescription acquise de droits réels immobiliers doit être publiée au bureau de la publicité des droits. »

Le libellé de cet article est un peu trompeur. Alors que son premier paragraphe laisse entendre que la renonciation n'est pas soumise à des conditions de forme, son deuxième paragraphe impose une publication au bureau de la publicité des droits dans le cas d'une renonciation à une prescription acquise sur des droits réels immobiliers. Cette exigence de publication suppose bien évidemment que ce type de renonciation doit forcément être fait par écrit. On voit mal comment il pourrait en être autrement puisqu'il est impossible de procéder à la publication sans écrit. Or, comme le mentionne le professeur Frenette, une renonciation constatée par écrit sera forcément expresse[40].

Le Code civil du Québec limite aussi la capacité de certaines personnes de renoncer à la prescription acquise. L'article 2886 C.c.Q. énonce en effet que celui qui ne peut aliéner ne peut renoncer à la prescription acquise. Cet article constitue un bon exemple de la volonté du législateur telle qu'elle s'exprime dans le chapitre « De la renonciation à la prescription » : puisque la prescription acquise est un droit, l'abandon de ce droit ne peut être fait que par une personne qui peut en disposer.

Par ailleurs, du fait que la prescription est une mesure sociale visant à stabiliser et à cristalliser les situations juridiques[41], le législateur a choisi de ne pas laisser la prescription au seul gré de son bénéficiaire direct. L'article 2887 C.c.Q. prévoit donc que :

« Toute personne ayant intérêt à ce que la prescription soit acquise peut l'opposer, lors même que le débiteur ou le possesseur y renonce. »

On comprend donc à la lecture de cet article que si le bénéficiaire de la prescription y renonce, ses créanciers peuvent quand même l'opposer, dès lors que cette renon-ciation, qui constitue un refus d'enrichissement plus qu'un appauvrissement véritable[42], est préjudiciable pour les créanciers. Le principe sous-jacent à cet article est donc que la prescription s'avère un droit acquis dont on ne peut se dépouiller au préjudice de ses créanciers.

Pour contester la renonciation du bénéficiaire de la prescription, il faut établir que la renonciation a créé ou aggravé l'insolvabilité du débiteur à une époque posté-rieure à la date de la naissance de la créance.

Il n'y a pas que les créanciers qui peuvent invoquer la prescription du chef du bénéficiaire. En matière de pres-cription acquisitive, on peut penser à l'ayant cause du possesseur qui n'ayant pas, de son chef, de prescription à opposer, pourrait invoquer celle qui a couru au profit du possesseur. On peut penser également au vendeur garant qui aurait intérêt à invoquer la prescription acquise à l'acquéreur garanti lorsque celui-ci omet de l'invoquer[43].

Finalement, l'article 2888 C.c.Q. prévoit que la renonciation a pour effet de faire recommencer à courir la prescription par le même laps de temps.

b) L'interruption

Il existe deux types d'interruptions : l'interruption naturelle et l'interruption civile. L'interruption est naturelle lorsqu'elle résulte de faits qui empêchent l'écoulement du temps en faveur de celui qui prescrit. Le code régit aux articles 2890 et 2891 C.c.Q. les cas d'interruption naturelle applicables à chacun des deux types de prescription. L'article 2890 C.c.Q. prévoit qu'il y a interruption naturelle de la prescription acquisitive lorsque le possesseur est privé, pendant plus d'un an, de la jouissance du bien. L'article 2891 C.c.Q. prévoit qu'il y a interruption naturelle de la prescription extinctive lorsque le titulaire d'un droit, après avoir omis de s'en prévaloir, exerce ce droit.

Les hypothèses d'application de ce dernier article sont plus rares. On peut tout de même penser aux cas d'usufruit et de servitude qui sont des droits réels se pres-crivant par non-usage pendant dix ans. Dans ces cas, l'exercice du droit par son titulaire interrompt naturel-lement la prescription[44] et efface la période de temps correspondant au non-usage du droit.

---

40. F. FRENETTE, *op. cit.*, note 2, p. 571.
41. J.-L. BAUDOUIN, P.-G. JOBIN et N. VÉZINA, *op. cit.*, note 2, p. 1090 et 1091, décrit bien ces fondements de la prescription.
42. *Commentaires du ministre de la Justice,* note additionnelle, tirée de *Droit civil québécois,* Montréal, Les publications DACFO Inc., 1993, p. 1553 101.
43. *Ibid.*
44. *Lussier c. Finlay,* 2004 QCCQ 7373, EYB 2004-69861. La saisie-exécution est l'exercice du droit de faire exécuter un jugement. Elle interrompt la prescription de manière naturelle; J.-L. BAUDOUIN, P.-G. JOBIN et N. VÉZINA, *op. cit.*, note 2, p. 1094.

L'interruption civile, quant à elle, procède d'un acte juridique provenant soit du bénéficiaire de la prescription, soit du propriétaire ou du créancier. Il y a par exemple interruption civile lors du dépôt d'une demande en justice avant l'expiration du délai de prescription. Cette demande doit toutefois être signifiée à celui qu'on veut empêcher de prescrire, au plus tard dans les 60 jours qui suivent l'expiration du délai de prescription. À cet effet, on inclut dans la notion de demande en justice toute demande reconventionnelle, intervention, saisie ou opposition[45]. On inclut également dans cette même expression les avis d'intention de recourir à l'arbitrage. Dans ce dernier cas, l'avis doit exposer l'objet du différend qui sera soumis à l'arbitrage et il doit être signifié suivant les règles et dans les délais applicables à la demande en justice[46]. Toute demande faite par un créancier, en vue de participer à une distribution en concurrence avec d'autres créanciers, constitue également une interruption civile (art. 2893 C.c.Q.). Ne constitue toutefois pas une demande ni l'avis de 60 jours ni le préavis d'exercice d'un droit hypothécaire[47]. De même, la faillite n'a pas pour effet d'interrompre la prescription. Toutefois, si à l'occasion de la faillite, il y a eu reconnaissance de dette, cette dernière a pu véritablement l'interrompre[48].

L'interruption fournie à la suite du dépôt d'une demande en justice ne tient évidemment pas dans les cas où il y a rejet de la demande, désistement ou péremption d'instance (art. 2894 C.c.Q.)[49]. Toutefois, comme le prévoit l'article 2895 C.c.Q., le demandeur bénéficie d'un délai supplémentaire de trois mois pour faire valoir son droit, à compter de la signification du jugement rendu sans

que la décision n'ait porté sur le fond de l'affaire si, à la date du jugement, le délai de prescription est expiré ou doit expirer dans moins de trois mois[50]. Il en va de même en matière d'arbitrage[51].

L'interruption peut aussi, comme le prévoit l'article 2898 C.c.Q., prendre la forme d'une reconnaissance de droit[52] ou d'une renonciation au bénéfice du temps écoulé.

L'interruption peut produire des effets très divers selon les cas. Ces effets sont prévus aux articles 2896 à 2903 C.c.Q. Quant aux interruptions résultant de demandes en justice, celles-ci se continuent jusqu'au jugement ayant acquis force de chose jugée ou le cas échéant, jusqu'à la transaction intervenue entre les parties (art. 2896 C.c.Q.).

Elles ont effet à l'égard de toutes les parties, pour tout droit découlant de la même source. À ce sujet, la Cour suprême a choisi de donner une interprétation libérale aux termes « même source »[53]. Si la demande en justice est de la nature d'un recours collectif, l'interruption profite à tous les membres du groupe qui n'ont pas demandé à en être exclus (art. 2897 C.c.Q.).

Les règles de prescription doivent aussi être adaptées au domaine du droit des obligations. L'article 2899 C.c.Q. prévoit que la demande en justice ou tout autre acte interruptif contre le débiteur principal ou contre la caution, interrompt la prescription à l'égard de l'un et de l'autre (art. 2899 C.c.Q.). Par ailleurs, l'interruption à l'égard de l'un des créanciers ou de l'un des débiteurs d'une obliga-

---

45. Art. 2892, al. 2 C.c.Q. *Flanagan c. Périard*, J.E. 2007-2108, EYB 2007-124470 (C.S.). La jurisprudence a toutefois exclu de la notion de demande en justice un avis au possesseur d'un lot indiquant que le curateur public est l'administrateur de ce lot. *Cimon et Lay c. Curateur public du Québec*, C.S. Montréal, n° 500-05-017552-934, 31 mars 1995, j. Carrière, REJB 1995-28802. La publication d'un jugement fut aussi exclue de cette notion : *Qureschi c. Mirza*, 2008 QCCS 1074, EYB 2008-132285.

46. *Ibid.*

47. *Gestion Daniel Martin c. Sofidev Inc.*, REJB 1997-03170 (C.S.).

48. *Procureur général du Québec c. La Garantie, compagnie d'assurance de l'Amérique du Nord*, [1979] C.S. 216; *Banque Royale du Canada c. Bernier*, [1990] R.J.Q. 991, EYB 1990-59451 (C.A.); *Corporation de crédit Trans-Canada c. Gagnon*, J.E. 97-1536, REJB 1997-01713 (C.Q.); *Financement agricole Canada c. Gestion Claufort Inc.*, REJB 2004-60818 (C.S.), conf. 2004 QCCA 43239; *Procureur général du Québec c. Bernard*, 2007 QCCQ 7388, EYB 2007-121959 (requête pour permission d'appeler accueillie C.A. 2007-07-26). Le paiement d'un dividende interrompt la prescription.

49. *Marier c. Tétrault*, 2006 QCCS 5631, EYB 2006-112717; décision confirmée par la Cour d'appel : 2008 QCCA 2108, EYB 2008-150442 où il est établi qu'à la suite du défaut des demandeurs d'inscrire leur action dans un délai de 180 jours, ils sont réputés s'être désistés de leur demande contre les défendeurs. Ils ne peuvent donc pas se prévaloir de l'article 2895 C.c.Q.

50. *Construction Leparco Inc. c. Vieille France Inc.*, REJB 2003-72733 (C.S.); *Lebreux c. Tremblay*, [2005] R.J.Q. 3096; *Laincy c. Bouchard*, 2006 QCCA 1647, EYB 2006-111902; *Quintal c. Syndicat National de l'automobile, de l'aérospatiale, du transport et des autres travailleurs(euses) du Canada*, 2007 QCCRT 258 (il doit s'agir du même droit); *Joncas c. Bareil*, 2008 QCCS 2426, EYB 2008-134563; *Ghanouchi c. Lapointe*, 2009 QCCA 21, EYB 2009-152712.

51. L'article 2895 C.c.Q. modifie diamétralement le régime que nous connaissions à cet égard sous l'ancien code. Voir, à ce sujet, *Breton c. Équitable (L'), compagnie d'assurances générales*, [1995] R.J.Q. 810, EYB 1995-72327 (C.S.).

52. Voir l'exemple d'application dans *Longueuil (Ville de) c. Québec (Sous-ministre du Revenu)*, D.F.Q.E. 94F-73, Cour du Québec, Chambre civile, Montréal, n°s 500-02-016612-868, 500-02-005774-893, 500-02-002331-937 et 500-02-002332-935, j. Durand. Le paiement d'acomptes constitue une reconnaissance de dette et entraîne ainsi interruption de la prescription au sens de l'article 2898 C.c.Q. Voir *Procureur général du Québec c. Girardot*, 2007 QCCA 235, EYB 2007-115047. L'inaction face à une compensation peut être considérée comme une reconnaissance de dette; *Gosselin c. Centre du Camping Rémillard*, 2001 QCCA 18975, REJB 2001-23595. Voir J.-L. BAUDOUIN, P.-G. JOBIN et N. VÉZINA, *op. cit.*, note 2, p. 586 et la jurisprudence développée en vertu de l'article 2227 C.c.B.-C. *Cauchon c. Prémont*, (1932) 70 C.S. 238; *Montréal Trust Co. c. Cloutier*, [1962] C.S. 112; *David c. Samuel*, [1968] C.S. 345; *Armand c. Checotel Finance Co.*, [1985] C.S. 1154; *Laferrière c. Labonté*, EYB 2006-101495 (C.S.).

53. *Ciment du Saint-Laurent Inc. c. Barrette*, 2008 CSC 64, EYB 2008-150682.

tion solidaire ou indivisible produit ses effets à l'égard des autres (art. 2900 C.c.Q.). L'interruption à l'égard de l'un des créanciers ou de l'un des débiteurs conjoints d'une obligation divisible n'a, quant à elle, pas d'effet à l'égard des autres (art. 2901 C.c.Q.). Finalement, l'interruption à l'égard des cohéritiers d'un créancier ou d'un débiteur solidaire d'une obligation divisible ne produit ses effets, à l'égard des autres créanciers ou débiteurs solidaires, que pour la part de cet héritier (art. 2901 C.c.Q.).

Après l'interruption, la règle applicable est la même qu'en matière de renonciation et la prescription recommence à courir pour le même laps de temps (art. 2903 C.c.Q.). Autrement dit, une fois la cause de l'interruption disparue, le compteur est remis à zéro.

c) La suspension

La suspension de la prescription se distingue de l'interruption en ce qui a trait aux cas d'application et à ses effets.

Contrairement à l'interruption de la prescription où le temps écoulé est perdu, remplacé par un nouveau délai de même nature, la suspension ne fait qu'arrêter temporairement la computation du délai. Aussi, lorsque la cause de la suspension[54] disparaît, le calcul reprend où il s'est arrêté au moment de l'apparition de la raison justifiant la suspension[55].

La suspension est une mesure d'équité prévue par le législateur et qui consiste à favoriser certaines personnes menacées par la prescription, lorsqu'elles se trouvent hors d'état de l'interrompre. La suspension a pour effet d'arrêter provisoirement la marche du délai, tant que subsiste l'obstacle qui empêche d'agir. Le législateur, à l'article 2904 C.c.Q., n'a reconnu qu'une seule cause de suspension de la prescription. Cette cause est l'impossibilité en fait d'agir.

« La prescription ne court pas contre les personnes qui sont dans l'impossibilité en fait d'agir soit par elles-mêmes, soit en se faisant représenter par d'autres. »[56]

Aussi, l'impossibilité d'agir cesse alors que l'ensemble des éléments constitutifs du droit d'action deviennent objectivement contestables[57].

Cet énoncé de principe de l'article 2904 C.c.Q. a été illustré par le législateur aux articles 2905 à 2908 C.c.Q.

L'article 2905 C.c.Q., par exemple, prévoit que :

« La prescription ne court pas contre l'enfant à naître.

Elle ne court pas, non plus, contre le mineur ou le majeur sous curatelle ou sous tutelle, à l'égard des recours qu'ils peuvent avoir contre leur représentant ou contre la personne qui est responsable de leur garde. »

Quant à l'article 2906 C.c.Q., il énonce que la prescription ne court point entre les époux pendant la vie commune.

En vertu de l'article 2907 C.c.Q., la prescription ne court pas contre l'héritier, à l'égard des créances qu'il a contre la succession.

L'article 2908 C.c.Q. décrit l'application de la suspension aux cas de recours collectif.

Finalement, l'article 2909 C.c.Q. prévoit que la suspension de la prescription des créances solidaires et des créances indivisibles a les mêmes effets à l'égard des créanciers ou débiteurs et de leurs héritiers que l'interruption de ces mêmes créances.

La jurisprudence a repris certains principes généraux du droit ancien quant au concept d'impossibilité en faits et en droit d'agir[58]. Les tribunaux ont, entre autres, rappelé

---

54. Par exemple, dans le cas d'une victime d'actes de violence physique ou sexuelle, la jurisprudence estime qu'il y a impossibilité psychologique d'agir tant qu'elle n'est pas en mesure de comprendre et de se rendre compte qu'elle a subi ces actes. Toutefois, la jurisprudence considère que cette impossibilité disparaît lorsque des démarches de thérapie ont été entreprises, ce qui lui permet alors de faire les liens nécessaires : *K.(M.) c. M.(M.)*, [1992] 3 R.C.S. 6, EYB 1992-67549; *Butcher c. Bennett*, REJB 1999-15186 (C.A.); *G.P. c. Binet*, 2003 QCCS 30078; *M.R. c. G.L.*, [2004] J.Q. no 1439 (C.S.); *É.S. c. C.D.*, [2003] J.Q. no 19139 (C.A.).

55. P. MARTINEAU, *op. cit.*, note 2, p. 349. Voir, pour un exemple de computation tenant compte d'une suspension, *Arctic Garden Inc. (Syndic de)*, [1995] R.J.Q. 2361, EYB 1995-56925 (C.A.).

56. L'article 2904 C.c.Q. ne reprend pas l'expression d'impossibilité absolue que contenait l'article 2232 C.c.B.-C. Pour une étude sur l'impossibilité d'agir, voir L. LANGEVIN, *loc. cit.*, note 2. Sur la notion d'impossibilité absolue, voir *Gauthier c. Corporation municipale de la Ville de Lac Brome*, EYB 1995-59122 (C.A.); la Cour supérieure de Montréal précisait que le principe contenu à l'article 2904 C.c.Q. s'applique de toute façon à toutes les lois. Voir *Curateur public du Québec c. 100512 Canada Inc.*, J.E. 96-2050, REJB 1996-29154 (C.S.); *Québec (Sous-ministre du Revenu) c. Plante*, 2008 QCCA 2257, EYB 2008-151041; *Popovic c. Ville de Montréal*, 2008 QCCA 2371, EYB 2008-151765; où il y a eu suspension de la prescription en raison d'une poursuite abusive.

57. *Canpro Investments Ltd. c. Hudon Gendron Harris Thomas s.e.n.c.*, 2008 QCCS 2176, EYB 2008-133849.

58. *Butcher c. Bennett*, précité, note 54.

que l'ignorance des faits juridiques générateurs du droit d'action constitue une cause de suspension de la prescription si elle résulte d'une faute du débiteur. Il a aussi été rappelé que cette impossibilité peut être invoquée indirectement[59]. La Cour suprême a jugé qu'un état psychologique de crainte peut suspendre la prescription lorsque cette crainte est causée par la faute du défendeur[60].

4- La prescription acquisitive

S'il est permis de dire que les règles de la prescription sont maintenant beaucoup plus simples qu'en vertu du Code civil du Bas-Canada, c'est en grande partie en raison du fait que toutes les règles relatives à la possession, autrefois contenues dans de nombreuses dispositions de l'ancien code au titre De la prescription, sont maintenant regroupées au livre « Des biens ».

A- Les conditions d'exercice de la prescription acquisitive

Comme nous l'avons dit, la prescription acquisitive requiert une possession conforme aux conditions établies au livre « Des biens » (art. 2911 C.c.Q.).

C'est donc en parallèle avec les dispositions des articles 921 à 933 C.c.Q. qu'il faut lire les dispositions du titre que nous étudions.

L'article 921 C.c.Q. se lit comme suit :

« La possession est l'exercice de fait, par soi-même ou par l'intermédiaire d'une autre personne qui détient le bien, d'un droit réel dont on se veut titulaire.

Cette volonté est présumée. Si elle fait défaut, il y a détention. »

Cet exercice d'un droit réel dont on se veut titulaire doit se faire de façon paisible, continue, publique et non équivoque (art. 922 C.c.Q.). Relativement à ce dernier critère, on peut préciser qu'une possession promiscue, c'est-à-dire non exclusive, est une possession équivo-

que[61]. Aussi, la simple tolérance ne peut servir de fondement à la prescription[62]. À cela, on ajoute que l'exercice du droit réel doit évidemment porter sur un droit susceptible d'acquisition par prescription[63].

Les principes de base étant établis via les articles 2910 et 2911 C.c.Q., les conditions d'exercice de la prescription acquisitive sont régies de façon précise par les articles 2912 à 2916 C.c.Q.

Les autres dispositions de ce chapitre (art. 2912 à 2916 C.c.Q.) règlent les modalités de prescription pour les cas particuliers relatifs aux ayants cause, à la détention, à la priorité des titres, à l'interversion des titres, aux démembrements du droit de propriété ainsi qu'aux substitutions. Nous expliquerons ici l'essentiel de ces notions.

1. La jonction et la continuation de la possession

L'article 2912 C.c.Q. se lit comme suit :

« L'ayant cause à titre particulier peut, pour compléter la prescription, joindre à sa possession celle de ses auteurs.

L'ayant cause universel ou à titre universel continue la possession de son auteur. »

Cet article appelle déjà des commentaires quant au point de départ du délai de la prescription acquisitive. Dans la computation des délais, en vue de prescrire un immeuble, l'article 2918 C.c.Q. renvoie à la possession de l'immeuble prescrit. Ce critère ne s'applique pas à la prescription des biens meubles. L'article 2919 C.c.Q. se réfère non pas à la possession par celui qui prescrit, mais bien plutôt à la dépossession du propriétaire. On comprend donc que les questions de jonction et de continuation de la possession qui figurent à l'article 2912 C.c.Q. ne valent que pour la prescription des immeubles[64].

L'article 2912 C.c.Q. doit être lu en parallèle avec l'article 926 C.c.Q. L'article 926 C.c.Q., qui est de droit nouveau, spécifie à son alinéa 2 que les ayants cause, à

---

59.   Ces principes sont énoncés dans les affaires *O'Hearn c. Roy*, REJB 1996-29312 et *April c. Seltzer (Succession de)*, précité, note 24.

60.   *Gauthier c. Corporation municipale de la Ville de Lac Brome*, REJB 1998-07106. Pour commentaires, voir L. LANGEVIN, *loc. cit.*, note 2; N. DES ROSIERS et L. LANGEVIN, *loc. cit.*, note 2. Aussi, l'arrêt *Borduas c. Catudal*, J.E. 2006-1758, EYB 2006-109272 (C.A.), requête pour autorisation de pourvoi à la Cour suprême refusée, 2007 CSC 31701.

61.   Au sujet de la prescription acquisitive : François BROCHU, « La prescription acquisitive en 2007 », (2008) 110 *R. du N.* 225-239.

62.   *Leonard c. Buzzell*, 2007 QCCS 399, EYB 2007-113824, par. 94; *Gagnon c. Alarie*, 2007 QCCS 280, EYB 2007-113383, par. 67.

63.   Dans un cas d'application clair, la Cour d'appel a rappelé qu'une servitude de passage ne peut s'acquérir par prescription contrairement à son assiette et son mode d'exercice qui s'acquièrent par prescription décennale. *Whitworth c. Martin*, [1995] R.J.Q. 2388, EYB 1995-64605 (C.A.); *Remo Construction Inc. c. Del Negro*, 2004 CanLII 15550, EYB 2004-54975 (QC C.S.); *Green c. Biron*, 2007 QCCA 724, EYB 2007-119968.

64.   D.-C. LAMONTAGNE, *op. cit.*, note 2, p. 719-721.

quelque titre que ce soit, ne souffrent pas des vices dans la possession de leur auteur. Le droit actuel statue donc que l'ayant cause universel ou à titre universel ne souffre pas des vices dans la possession de son auteur, contrairement à ce que prévoyait l'article 2200 C.c.B.-C. L'homogénéisation de la règle facilite donc la computation des délais de prescription et enlève tout intérêt pratique à distinguer, en matière de possession, l'ayant cause à titre particulier et l'ayant cause universel ou à titre universel. Tous ces ayants cause prescrivent maintenant les droits immobiliers par le même temps (dix ans) (art. 2917 C.c.Q.)[65].

2. La détention

L'article 2913 C.c.Q. prévoit que la détention ne peut fonder la prescription, même si elle se poursuit au-delà du terme convenu. On comprend bien le sens de cette disposition quand on sait que le détenteur est celui qui détient pour le compte d'autrui. Il serait donc illogique que celui qui détient puisse prescrire puisque le titre à la base de sa détention implique une absence de droit[66].

3. L'interversion de titres

L'article 2914 C.c.Q. tempère la règle générale de l'article 2913 C.c.Q. :

« Un titre précaire peut être interverti au moyen d'un titre émanant d'un tiers ou d'un acte du détenteur inconciliable avec la précarité.

L'interversion rend la possession utile à la prescription, à compter du moment où le propriétaire a connaissance du nouveau titre ou de l'acte du détenteur. »

Cet article se réfère entre autres à la détention. Par interversion de titre on entend un changement du titre en vertu duquel s'exerçait une détention qui transforme celle-ci en possession. L'auteur Pierre Martineau décrit bien cette opération :

« La précarité peut se transformer en possession [...] [cette transformation] ne peut résulter que d'une inter-

version de titres. Il s'agit d'un changement dans la cause de l'occupation; le détenteur avait la chose en vertu d'un titre impliquant reconnaissance du droit d'autrui; à ce titre on en substitue un nouveau qui implique que le détenteur a désormais l'*animus* nécessaire pour faire de lui un possesseur. »[67]

L'article 2914 C.c.Q. prévoit que l'interversion peut se faire selon deux moyens. Elle peut se faire au moyen d'un titre émanant d'un tiers ou au moyen d'un acte du détenteur inconciliable avec la précarité. Par acte inconciliable, on entend que le détenteur s'insurge contre son titre et affirme sa volonté de posséder à l'avenir pour son compte personnel, en qualité de propriétaire. Par titre émanant d'un tiers, on entend que le détenteur se trouve détenir la chose en vertu d'un titre nouveau lequel est un titre de propriétaire. Il possède alors le bien en vertu d'un titre non récognitif du droit d'autrui.

L'article 2914, al. 2 C.c.Q. prévoit que les droits obtenus à la suite d'une interversion se prescrivent à compter du moment où le véritable propriétaire a connaissance du nouveau titre ou de l'acte du détenteur.

Les tiers, quant à eux, peuvent prescrire contre le propriétaire durant le démembrement ou la précarité (art. 2915 C.c.Q.).

4. La substitution

Par substitution, on entend une double libéralité en vertu de laquelle une personne, le grevé, reçoit des biens à titre de propriétaire, par donation ou testament, à charge de les remettre à son décès ou à une date différente, à une autre personne, l'appelé[68]. La substitution prévoit donc une libéralité directe, faite au grevé, qui est assortie d'une condition résolutoire : une libéralité indirecte ou oblique faite à l'appelé.

L'article 2916 C.c.Q. prévoit que celui qui bénéficie de la première libéralité, le grevé, et ses ayants cause universels ou à titre universel, ne peuvent prescrire contre celui qui doit bénéficier de la seconde libéralité, l'appelé, avant l'ouverture de la substitution. On entend évidemment par ouverture de la substitution le moment où la libéralité devient efficace pour l'appelé[69].

65. F. FRENETTE, *op. cit.*, note 2, p. 576.
66. *Commentaires du ministre de la Justice, op. cit.*, note 7, p. 1827.
67. P. MARTINEAU, *op. cit.*, note 2, p. 74.
68. *Dictionnaire de droit privé et lexiques bilingues, op. cit.*, note 31, p. 544.
69. *Ibid.*

B- Les délais de la prescription acquisitive

1. La règle générale

L'article 2917 C.c.Q. prévoit que :

« Le délai de prescription acquisitive est de dix ans, s'il n'est autrement fixé par la loi. »

Cet article remplace la prescription trentenaire contenue à l'ancien code par une prescription de dix ans. Cette prescription est aujourd'hui beaucoup plus conforme à la technologie, aux moeurs et aux valeurs de la société moderne. Cette règle souffre tout de même certaines réserves et certaines exceptions.

2. Les délais de prescription des droits immobiliers

Afin de faciliter la mise en application de l'article 2918 C.c.Q., le législateur a adopté l'article 143 de la *Loi sur l'application de la réforme du Code civil*[70]. Avant d'aborder avec plus d'attention cet article, nous rappellerons brièvement l'essentiel de l'article 2918 C.c.Q. L'article 2918 C.c.Q. traite de la prescription acquisitive de la propriété d'un immeuble.

Depuis le 9 octobre 2001, l'alinéa 2 de cet article a été abrogé, en vertu des disposition transitoires[71] et de l'Avis numéro 1 publié dans la Gazette officielle[72]. En effet, l'application du deuxième alinéa était suspendue jusqu'à la mise en œuvre de la phase II de la réforme initiale de la publicité foncière. Or, elle a été abandonnée par le législateur.

Le nouvel article 2918 C.c.Q. ne prévoit qu'une seule règle pour les immeubles en matière de prescription acquisitive, qu'ils soient immatriculés ou non. Le droit de propriété ne sera acquis qu'à la suite d'un jugement attributif de propriété en faveur de celui qui a prescrit.

Ainsi, un jugement obtenu au terme de l'article 2918 C.c.Q. est un jugement attributif de propriété, contrairement au jugement prévu en semblable matière en vertu du Code civil du Bas-Canada qui ne faisait que reconnaître le droit de propriété déjà acquis par l'écoulement du temps.

L'article 143, al. 1 de la *Loi sur l'application de la réforme du Code civil* énonce qu'au moment de l'entrée en vigueur de la nouvelle loi, un possesseur qui possède à titre de propriétaire un immeuble porté sur le registre foncier constitué de l'index aux immeubles, sur le registre minier, sur le registre des réseaux de services publics, ou encore un immeuble situé en territoire non cadastré, est soumis aux règles édictées à l'article 2918 C.c.Q. Le possesseur doit donc avoir possédé de façon utile pendant dix ans et obtenir un jugement attributif de propriété en sa faveur.

Pour ce qui est de l'article 143, al. 2 de la loi, il consacre tout simplement le droit de celui qui a acquis la propriété d'un immeuble par prescription en vertu de la loi antérieure d'obtenir, par requête adressée au tribunal situé dans le ressort duquel est situé l'immeuble, la reconnaissance judiciaire de son droit de propriété acquis par prescription.

Il faut aussi retenir que la prescription en matière de droit immobilier n'est pas influencée par la bonne ou la mauvaise foi du possesseur. Dans l'un ou l'autre cas, le possesseur prescrit par dix ans.

3. Les délais de prescription des droits mobiliers

L'article 2919 C.c.Q. prévoit que :

« Le possesseur de bonne foi d'un meuble en acquiert la propriété par trois ans à compter de la dépossession du propriétaire.

Tant que ce délai n'est pas expiré, le propriétaire peut revendiquer le meuble, à moins qu'il n'ait été acquis sous l'autorité de la justice. »

L'article 2919 C.c.Q. reprend la règle ancienne selon laquelle le possesseur de bonne foi peut prescrire des meubles par trois ans à compter de la dépossession du propriétaire. Bien qu'en vertu de l'article 928 C.c.Q. le

70. De façon générale, les règles de droit transitoire applicables aux règles de la prescription sont contenues aux articles 3 et 6 de la *Loi sur l'application de la réforme du Code civil*. Voir également, entre autres, Pierre-André CÔTÉ et Daniel JUTRAS, *Le droit transitoire – sources annotées*, Cowansville, Les Éditions Yvon Blais Inc. (feuilles mobiles); Marcel GUY, « Propos de droit transitoire », (1995) 1 *C.P. du N.* 7, 34 et s.; *Maltais c. Larouche*, [1995] R.R.A. 476 (C.S.); *Breton c. Équitable (L'), compagnie d'assurances générales*, précité, note 51; *Léveillé c. Fonds d'assurance-responsabilité professionnelle de la Chambre des notaires du Québec*, [1996] R.J.Q. 1956, REJB 1996-29264 (C.S.); *Société de financement Prestige Ltée c. Deneault*, REJB 1997-00082 (C.S.); *Abelé c. 2440-6779 Québec Inc.*, REJB 1997-00482 (C.S.); *Manettas c. Tsandilas*, REJB 1998-06865 (C.Q.); *Guérin c. Autocar Dupont Ltée*, REJB 1998-06192 (C.Q.); *Biron c. Lévesque, Beaubien, Geoffrion Inc.*, REJB 1998-05563 (C.S.); *Roy c. Pelletier*, REJB 1998-06795 (C.S.).
71. *Loi modifiant le Code civil et d'autres dispositions législatives relativement à la publicité foncière*, 2000, c. 42, art. 239.
72. Avis, (2001) 133 *G.O.* I, 1022.

possesseur soit présumé titulaire du droit réel qu'il exerce sur le meuble, la revendication par le propriétaire est possible, sauf si le meuble revendiqué a été acquis sous l'autorité de la justice. Il convient de remarquer que cette disposition ne se limite pas aux meubles corporels. La possession juridique d'un meuble est possible que ce meuble soit corporel ou incorporel.

Il faut que le possesseur d'un meuble soit de bonne foi au moment de l'acquisition pour pouvoir invoquer la prescription triennale.

En effet, le possesseur de mauvaise foi ne peut prescrire que par dix ans à compter de la dépossession du propriétaire.

Un possesseur de mauvaise foi est celui qui a une connaissance effective de la réalité lorsqu'il acquiert le bien ou le droit : il est conscient, au moment de son acquisition, qu'il n'est pas le propriétaire du bien ou titulaire du droit. C'est d'ailleurs dans un sens large qu'il faut ici interpréter l'expression « de mauvaise foi ». Celui qui acquiert un bien en le trouvant est considéré de mauvaise foi[73].

C'est au moment de l'acquisition que le possesseur doit être de bonne foi. S'il devient de mauvaise foi par la suite, il est quand même admis à prescrire (art. 2920, al. 1 C.c.Q.).

4. Le point de départ de la prescription acquisitive

Comme l'indique l'article 2919 C.c.Q., le point de départ de la prescription acquisitive en matière mobilière est la dépossession du propriétaire.

En matière immobilière, on tient plutôt compte de la possession de la part de celui qui prescrit ou de la part de ses auteurs. Comme on l'a vu plus haut, c'est pour cette raison qu'en matière immobilière le législateur a prévu la jonction et la continuation de la possession.

5- La prescription extinctive

Les fondements de l'existence du concept de la prescription libératoire ne divergent pas de ceux qu'on trouve dans les autres systèmes de droit[74]. On en dénombre principalement trois.

Tout d'abord, la prescription extinctive trouve un premier fondement dans un désir de paix sociale. Dans une société où vitesse rime avec productivité, les situations ambiguës sont à proscrire. Il faut donc établir une ligne de démarcation pour que la cristallisation des situations juridiques favorise une certaine sécurité. La prescription doit aussi être envisagée comme la sanction d'un comportement fautif caractérisé par la négligence. En effet, il paraît équitable de considérer que, après l'écoulement d'un certain délai, un individu qui n'aurait pas fait valoir ses droits a péché par négligence. À ce titre, il est fautif et le remède adéquat est de l'empêcher d'agir pour l'avenir. C'est là sanctionner une faute de négligence par une fin de non-recevoir. Finalement, on peut présumer que, après l'écoulement d'une certaine période, s'établit une présomption de paiement. Comme il peut être extrêmement difficile après une longue période de retracer les éléments de preuve afin de démontrer le paiement, la prescription vient libérer le débiteur.

Les règles de la prescription extinctive, qui étaient à bien des égards lourdes et complexes sous l'ancien Code civil, ont été complètement modifiées avec le Code civil du Québec. Le code contient maintenant des dispositions qui traduisent mieux les moeurs et les valeurs de notre société, où les communications et les modes de transmission de l'information ont progressé de façon spectaculaire au cours des dernières années.

A- Les délais

1. Les délais de prescription extinctive prévus au Livre huitième du Code civil du Québec

L'article 2922 C.c.Q. prévoit que le délai de prescription de droit commun, anciennement d'une durée de 30 ans, est maintenant réduit à dix ans.

« Le délai de la prescription extinctive est de dix ans, s'il n'est autrement fixé par la loi. »

Cette même prescription de dix ans s'applique aux actions qui visent à faire valoir un droit réel immobilier. C'est ce que prescrit l'article 2923 C.c.Q. Toutefois, comme l'indique l'exception contenue au deuxième alinéa de ce même article, l'action qui vise à conserver ou à obtenir la possession d'un immeuble doit être exercée dans l'année où survient le trouble ou la dépossession.

73. *Malette c. Sûreté du Québec*, REJB 1994-28964 (C.S.).
74. É. VIDRASCU, *loc. cit.*, note 2.

Quant aux actions personnelles et aux actions portant sur des droits réels mobiliers, sans doute les plus fréquentes, l'article 2925 C.c.Q. prévoit un délai de trois ans.

« L'action qui tend à faire valoir un droit personnel ou un droit réel mobilier et dont le délai de prescription n'est pas autrement fixé se prescrit par trois ans. »

On remarque que le code ne fait plus de distinction entre les recours contractuels et les recours extracontractuels. On constate également que l'action pour blessures corporelles ou décès se prescrit maintenant par trois ans alors qu'elle se prescrivait par un an sous le Code civil du Bas-Canada. Nous reviendrons d'ailleurs plus spécifiquement sur les termes des articles 2925 et 2930 C.c.Q. un peu plus loin.

Enfin, le législateur a prévu une prescription d'un an pour les demandes de prestation compensatoire du conjoint survivant contre la succession (art. 2928 C.c.Q.), pour les actions fondées sur une atteinte à la réputation (art. 2929 C.c.Q.) et, comme nous l'avons vu, pour les actions possessoires (art. 2923 C.c.Q.).

Quant aux droits résultant d'un jugement, ils se prescrivent maintenant par dix ans (art. 2924 C.c.Q.)[75]. Ces droits incluent entre autres les arriérés de pension alimentaire[76].

2. Les délais particuliers à certains autres recours du Code civil du Québec

Il convient de faire preuve de la plus grande prudence lorsque l'on cherche à déterminer la prescription applicable à un recours donné. En effet, bien que le Code civil du Québec consacre tout un livre à la prescription, des dispositions particulières relatives à la prescription de certains recours se trouvent ailleurs dans le code.

Par exemple, l'article 438, al. 3 C.c.Q. prévoit que les créanciers qui subissent préjudice des modifications apportées à un contrat de mariage ne disposent que d'un an à compter du jour où ils ont eu connaissance des modifications pour les faire déclarer inopposables à leur égard. De la même façon, l'article 531 C.c.Q. prévoit que le père présumé ne dispose que d'un an à compter du jour où la présomption de paternité prend effet pour contester la filiation ou désavouer l'enfant dont il est présumé être le père.

Quant à l'article 595 C.c.Q., il prévoit que le créancier d'une obligation alimentaire doit mettre son débiteur en demeure dans l'année s'il souhaite se voir accorder les aliments à compter de la demeure faute de quoi il devra faire la preuve de son impossibilité d'agir plus tôt.

L'article 684 C.c.Q. prévoit que le créancier d'aliments a six mois suivant le décès pour réclamer de la succession une contribution financière à titre d'aliments.

Quant à l'article 536 C.c.Q., il prévoit que :

« Toutes les fois qu'elles ne sont pas enfermées par la loi dans des délais plus courts, les actions relatives à la filiation se prescrivent par trente ans, à compter du jour où l'enfant a été privé de l'état qui est réclamé ou a commencé à jouir de l'état qui lui est contesté.

Les héritiers de l'enfant décédé sans avoir réclamé son état, mais alors qu'il était encore dans les délais utiles pour le faire, peuvent agir dans les trois ans de son décès. »

On constate ici que le Code civil du Québec prévoit des délais particuliers pour un certain nombre de recours spécifiques. Le praticien diligent vérifiera toujours avec minutie le délai de prescription applicable au recours qu'il envisage.

3. Les délais prévus dans certaines lois particulières

De nombreuses lois particulières, surtout dans le domaine du travail, édictent des prescriptions autres que celles prévues par le Code civil. La liste suivante, qui n'est pas exhaustive, en donne certains exemples :

– *Loi sur l'assurance automobile*, L.R.Q., c. A-25, art. 11 (3 ans), 83.45 (60 jours), 142 (1 an) et 148 (60 jours);

– *Code du travail*, L.R.Q., c. C-27, art. 71 (six mois);

– *Loi sur les décrets de convention collective*, L.R.Q., c. D-2, art. 28 (un an);

– *Loi sur la presse*, L.R.Q., c. P-19, art. 2 (trois mois)[77];

---

75. *Amos (Ville) c. Centre Chrétien d'Amos Inc.*, REJB 1999-10953 (C.A.). Ce délai de dix ans vaut aussi pour les dépens; *Barreau du Québec c. Greenbaum*, 2002 QCCA 41232, REJB 2002-33894. La prescription de dix ans s'applique à la requête en homologation.
76. *Droit de la famille – 2165*, [1995] R.J.Q. 1136, REJB 1995-28990; *L. (J.) c. C. (A.)*, EYB 2005-95391 (C.S.).
77. *Roy c. Corporation Sun Media*, J.E. 2005-1981, EYB 2005-96331 (C.S.); *Kaya c. Journal de Montréal*, [2004] R.L. 153 (C.S.); *Sébille c. Photo Police*, 2004BE-378, EYB 2007-116399 (C.S.).

– *Loi sur la sécurité dans les édifices publics*, L.R.Q., c. S-3, art. 37 (un an);

– *Loi sur les accidents du travail et les maladies professionnelles*, L.R.Q., c. A-3.001, art. 443 (six mois);

– *Loi sur l'accès aux documents des organismes publics et sur la protection des renseignements personnels*, L.R.Q., c. A-2.1, art. 135 et 149 (30 jours);

– *Loi sur l'assurance-maladie*, L.R.Q., c. A-29, art. 38 (six mois)[78];

– *Loi sur les cités et villes*, L.R.Q., c. C-19, art. 585 et 586 (15 jours et six mois)[79];

– *Loi sur les relations du travail, la formation professionnelle et la gestion de la main-d'oeuvre dans l'industrie de la construction*, L.R.Q., c. R-20, art. 111 (six mois);

– *Loi sur les lettres de change*, L.R.C. (1985), c. B-4, art. 48 (3) (un an).

4. *Le point de départ du délai de prescription*

Nous avons vu ci-dessus à l'article 2880 C.c.Q. que le jour où le droit d'action a pris naissance fixe le point de départ de la prescription extinctive. Plusieurs articles viennent préciser l'application de cette règle générale.

Dans les cas d'action relative à un préjudice moral, corporel ou matériel qui se manifeste graduellement ou tardivement, c'est l'article 2926 C.c.Q. qui s'applique. Cet article prévoit que le délai court à compter du jour où le préjudice se manifeste pour la première fois[80].

Quant aux actions relatives à la nullité de contrat, l'article 2927 C.c.Q. prévoit que c'est à compter de la connaissance de la cause de nullité par celui qui l'invoque ou à compter de la cessation de la violence ou de la crainte que le délai de prescription commence à courir.

Quant à la demande du conjoint survivant pour faire établir une prestation compensatoire, le délai de prescription applicable commence à courir à compter du décès du conjoint (art. 2928 C.c.Q.).

Les actions fondées sur l'atteinte à la réputation se prescrivent quant à elles à compter du jour où la connaissance en est acquise par la personne diffamée (art. 2929 C.c.Q.).

Enfin, l'action en réduction d'une obligation qui s'exécute de manière successive, quelle que soit la source de cette obligation, court à compter du jour où l'obligation est devenue exigible (art. 2932 C.c.Q.).

5. *Les effets de l'article 2930 C.c.Q.*

L'article 2930 C.c.Q., qui est de droit nouveau[81], énonce que malgré toute disposition contraire, lorsqu'une action est fondée sur l'obligation de réparer le préjudice corporel causé à autrui, l'exigence de donner un avis préalablement à l'exercice d'une action, ou l'exigence d'intenter celle-ci dans un délai inférieur à trois ans, ne peut faire échec au délai de prescription prévu par le nouveau code. Donc, en vertu de cet article, toute action fondée sur l'obligation de réparer le préjudice corporel se prescrit maintenant par trois ans. S'il s'agit d'une situation où le préjudice se manifeste tardivement ou graduellement, le délai commencera à courir à partir du moment où le préjudice s'est manifesté. De plus, cette disposition est d'ordre public. En effet, par les mots « malgré toute disposition contraire », le législateur a voulu donner à cette disposition un caractère prépondérant.

L'effet principal de cet article est de mettre de côté certaines dispositions, notamment dans le domaine du droit municipal, qui exigent qu'un avis préalable (habituellement désigné comme l'avis de 15 jours) soit obligatoirement donné avant l'exercice d'un recours fondé sur l'obligation de réparer le préjudice corporel[82]. Selon le ministre, une telle mesure aura des conséquences indirectes sur la qualité de la preuve qui pourra être présentée dans le cadre de tels recours, mais cette disposition vise avant tout à maintenir l'équilibre des relations entre le

---

78. *Demers c. Québec (Ministre de la Santé et des Services sociaux)*, 2008 QCCA 2105, EYB 2008-150379.
79. En matière de préjudice corporel, la nécessité d'envoyer un avis et d'intenter les procédures dans un délai de six mois a été mise en échec par la Cour suprême. Voir *Ville de Verdun c. Doré*, REJB 1997-01530 (C.S.C.), conf. REJB 1995-28994 (C.A.). De plus, la Cour suprême a refusé d'entendre un appel de la Cour d'appel du Québec dans l'affaire *Tarquini c. Montréal (Ville de)*, REJB 2001-23960, permission d'appel à la Cour suprême refusée, n° 28707. Plus récemment : *Hochhauser c. Boisbriand (Ville de)*, 2008 QCCA 1029, EYB 2008-134231.
80. Voir *supra*.
81. *Commentaires du ministre de la Justice*, *op. cit.*, note 7, p. 1838.
82. *Ibid.*; J.-L. BAUDOUIN, P.-G. JOBIN et N. VÉZINA, *op. cit.*, note 2, p. 1096.

créancier et le débiteur de l'obligation et à mieux assurer la protection du droit fondamental à l'intégrité et, dans le cas où celle-ci est atteinte, la protection du droit à la réparation[83]. Le texte de l'article 2930 C.c.Q. vise à remédier aux injustices causées par l'exigence d'avis dont les très courts délais faisaient fréquemment perdre aux victimes toute possibilité de recours[84].

Dans l'affaire *Doré c. Verdun (Ville de)*[85], la Cour suprême a indiqué que l'article 2930 C.c.Q. a préséance sur les dispositions de l'article 585 de la *Loi sur les cités et villes*[86]. À la suite de cette décision, il semble donc acquis que la prescription de six mois prévue à la *Loi sur les cités et villes* ne puisse être invoquée « lorsque l'action est fondée sur l'obligation de réparer le préjudice corporel causé à autrui »[87].

Cependant, à la suite de la récente réforme municipale, l'article 274 de la *Loi modifiant diverses dispositions législatives concernant le domaine municipal*[88] prévoit :

« Sous réserve de l'article 2930 du Code civil du Québec, le délai de prescription prévu au paragraphe 5 de l'article 585 et à l'article 586 de la *Loi sur les cités et villes* (L.R.Q., chapitre C-19) court à partir du premier janvier 2002 à l'égard d'un acte ou d'une omission de la Communauté urbaine de Montréal, de la Communauté urbaine de Québec ou de la Communauté urbaine de l'Outaouais ou d'un de leurs employés survenu avant cette date. L'ancien délai est cependant maintenu si l'application du délai nouveau aurait pour effet de proroger l'ancien. »

Même si cet article ne change rien en ce qui concerne le préjudice corporel, il faut saisir ses répercussions sur le préjudice moral et matériel. En effet, la Communauté urbaine de Montréal et ses policiers étaient, auparavant, soumis au régime de prescription triennale, et non à celui du droit municipal. Le praticien averti devra donc redoubler de prudence afin d'éviter que ne se perdent les droits de son client.

Conclusion

Les règles de la prescription se retrouvent d'abord au Code civil. Il importe donc de s'y référer aussi souvent que nécessaire compte tenu des effets dramatiques que peut entraîner l'inobservation de telles règles.

En effet, lorsqu'il y a prescription, il y a acquisition ou perte de droit de l'un avec effet contraire pour l'autre. Les conséquences peuvent être énormes.

Les pages qui précèdent nous ont permis de revoir l'essentiel des règles applicables dans notre droit en matière de prescription. La vaste majorité de ces règles se trouvent dans le Code civil. Le praticien prudent et avisé s'y réfère donc aussi souvent que nécessaire afin de connaître les délais de prescription applicables aux dossiers dont il a la charge. Cette prudence s'impose quand on connaît les effets radicaux que peuvent avoir les prescriptions acquisitives et extinctives.

On ne saurait trop insister sur la vigilance dont l'avocat doit faire preuve en cette matière. La prescription s'écoule à l'égard de tous, souvent surtout à l'égard du praticien du droit.

---

83. *Commentaires du ministre de la Justice, op. cit.*, note 7, p. 1838.
84. J.-L. BAUDOUIN, P.-G. JOBIN et N. VÉZINA, *op. cit.*, note 2, p. 1096.
85. Précité, note 79. Pour commentaires, voir Jean HÉTU, « Commentaires. L'exigence de donner un avis au lendemain de l'arrêt *Doré c. Ville de Verdun* », (1998) 5 *B.D.M.* 76.
86. L.R.Q., c. C-19.
87. *Tarquini c. Montréal (Ville de)* précitée, note 79. La Cour d'appel conclut majoritairement à l'absence de prescription du recours de Mme Tarquini, tout en concluant majoritairement à l'absence de responsabilité de la ville.
88. L.Q. 2001, c. 68.